Escravismo no Brasil

Escravismo no Brasil

Herbert S. Klein

Francisco Vidal Luna

Tradução

Laura Teixeira Motta

edusp | imprensaoficial

Sumário

Prefácio

Nos últimos vinte anos, o Brasil liderou os estudos sobre o escravismo na América. Inúmeros aspectos da sociedade escravista foram tratados em centenas de artigos, monografias, teses e livros produzidos por uma grande variedade de pesquisadores, provenientes de variadas áreas do conhecimento. Tão importantes como o número e a variedade de enfoque dos pesquisadores foram as fontes utilizadas. Há uma falsa ideia de que a queima de arquivos autorizada por Rui Barbosa no final de 1890 teria destruído as fontes documentais necessárias ao estudo do escravismo no Brasil. Felizmente, o trabalho sistemático de centenas ou milhares de pesquisadores permitiu encontrar fontes de informação abundantes e de ótima qualidade. Podemos citar algumas: matrículas de escravos, registros de transações de compra e venda de cativos, censos populacionais, registros tributários, inventários e testamentos, registros paroquiais de nascimento, batismo, casamento e óbito, registros de confessados, listas de emancipação de escravos, registros de alforrias, registros judiciários e policiais, anúncios de jornais, livros de devassas etc.

É importante chamar a atenção para as Listas Nominativas dos Habitantes, recenseamentos que serviram de base para um número expressivo de pesquisas. Embora sejam encontradas em outras regiões, São Paulo e Minas Gerais possuem os acervos mais importantes, pela qualidade e abrangência dos levantamentos. Tais recenseamentos, realizados anualmente entre 1765 e 1836, contêm informações por domicílio. Os primeiros eram relativamente simples, mas incorporaram gradativamente novas informações a respeito dos habitantes, livres e escravos, e também dados sobre produção agrícola, consumo e comercialização de excedentes em cada domicílio. Quanto aos escravos, as informações usuais eram nome (João Mina, Maria Crioula, Antonio Mulato, Pedro Pardo), idade e estado civil; raramente havia informações sobre sua qualificação ou atividade profissional. Como há o nome, identifica-se o sexo; pela informação que acompanha o nome (Mina, Crioulo, Mulato, Pardo, etc.), conhecemos a cor e a origem. Infelizmente, poucos recenseamentos incluem dados que permitem estabelecer as relações familiares entre os escravos. O registro de um domicílio podia conter dados de vários homens e mulheres casadas e inúmeras crianças, mas não esclarecia a relação de parentesco entre os vários escravos ali listados. O Arquivo Público do Estado de São Paulo e o Arquivo Público Mineiro contêm os maiores acervos. No caso de São Paulo, há informações para a maior parte das vilas paulistas no período de 1765 a 1836. Grande parte das nossas pesquisas baseou-se em tais manuscritos, em levantamentos feitos ao longo de trinta anos, o que nos permitiu formar um banco de dados com informações a respeito de 329 mil pessoas residentes em São Paulo, das quais 230 mil eram escravos.

Iniciamos os estudos sobre escravismo no final da década de 1970, partindo da análise de Minas Gerais no século XVIII e nos primeiros anos do século XIX. Naquela pesquisa, além dos recenseamentos populacionais, servimo-nos de registros paroquiais, listas de confessados, livros fiscais e registros das devassas. Os registros fiscais foram muito úteis para os estudos dos primeiros trinta anos da ocupação de Minas Gerais, antes da realização de outros registros populacionais. Eles eram feitos para a arrecadação do imposto da capitação, que incidia sobre os escravos residentes em Minas Gerais. Em vez de a cobrança do quinto sobre o efetivo ouro extraído, durante muitos anos a cobrança era feita sobre os escravos. Com base em várias fontes documentais, temos informações a respeito de 53 mil pessoas, das quais 38 mil eram escravos. São dados relativos a Minas Gerais no período de 1715 a 1804. Servimo-nos também de um importante banco de dados levantado por Clotilde Paiva, o qual contém informações sobre os habitantes de Minas Gerais nos anos 1831 e 1832.

Também nos anos finais da década de 1970, um dos autores tomou parte na reconstrução das informações sobre o tráfico de escravos africanos para o Brasil, que veio a tornar-se área de intensos estudos e pesquisas. Utilizando os jornais locais, que noticiavam a chegada dos navios, e os registros fiscais disponíveis em arquivos brasileiros e portugueses, as viagens foram estudadas pela primeira vez, com análises da mortalidade durante a travessia do Atlântico, bem como do tempo de duração das viagens, da origem dos escravos e do volume do tráfico. Os dois grandes bancos de dados iniciais — 351 navios com 170.642 africanos (1795-1811) e 430 navios com 182.814 africanos (1825-1829) — levaram à formação de bancos de dados cada vez maiores, publicados em David Eltis, Stephen D. Behrendt, David Richardson e Herbert S. Klein, *The Transatlantic Slave Trade: 1562-1867: A Database*, e permitiram uma nova visão a respeito da história do tráfico e da origem dos escravos africanos trazidos para o Brasil.

Desde os primeiros estudos realizados por alguns pesquisadores no final da década de 1970, entre os quais nos incluímos, evidenciou-se a disparidade entre a historiografia tradicional e as evidências obtidas. O aprofundamento dos estudos, feito por centenas de pesquisadores, confirmou os resultados iniciais e permitiu construir uma visão ampla e profunda da sociedade escravista no Brasil. Esta é a nova visão que pretendemos apresentar neste livro. Para tanto, servimo-nos não só de nossos próprios resultados, mas também da vasta literatura recente sobre o funcionamento da escravidão e também sobre o papel das pessoas livres de cor no Brasil dos séculos XVIII e começo do XIX. Graças a esforços da Capes e do Ministério da Educação, hoje quase todas as novas teses e dissertações podem ser acessadas em dois sites da internet. No primeiro encontramos o texto integral de 1.270 dissertações de mestrado e de 250 teses de doutorado, no seguinte endereço: <http://www.dominiopublico.gov.br/pesquisa/PesquisaPeriodicoForm.jsp>. O segundo site, dotado de recursos de busca, é mantido diretamente pela Capes e encontra-se em <http://bdtd2.ibict.br>.

A organização do texto tem uma forma incomum, pois procuramos apresentar um arcabouço cronológico paralelamente a uma análise estrutural. No primeiro capítulo, julgamos necessário distinguir a escravidão de todas as demais instituições de trabalho servil e examinar as origens do sistema escravista e da economia de grande lavoura no Brasil no contexto da história da Europa ocidental. Nos capítulos seguintes, analisamos em linhas cronológicas a evolução da escravidão africana no Brasil desde seu surgimento até seu auge no século XIX. Nessa primeira parte priorizamos a compreensão das relações entre os eventos no tempo e da causalidade entre eles, refletindo sobre os diferentes padrões de trabalho escravo surgidos nas áreas urbanas e rurais. A segunda metade do livro tem características mais sincrônicas e ressalta os aspectos sociais e políticos da vida e da cultura dos escravos e das pessoas livres de cor. Também nesta parte procuramos relacionar os padrões econômicos básicos com as mudanças estruturais, além de delinear variações regionais e temporais. O último capítulo retoma uma análise mais estritamente cronológica, com a ideia de apresentar um modelo o mais amplo possível para incorporar as diversas experiências que compuseram o longo processo de transição do trabalho escravo para o trabalho livre no Brasil.

Para escrever este livro contamos com o apoio de muitos colegas. Desejamos agradecer a Iraci del Nero da Costa pela leitura cuidadosa do manuscrito. Outros que ajudaram os autores foram João Reis, Marisa Soares, Hebbe Mattos, Laird Bergad, Clotilde Paiva e Matiko Kume Vidal.

A economia política da escravidão

Origens da escravidão africana no Brasil

A escravidão humana era um elemento bem conhecido na maior parte das sociedades complexas séculos antes do estabelecimento da colônia brasileira. Na maioria das sociedades pré-industriais, em geral uma pequena parcela da força de trabalho compunha-se de escravos, comumente vinculados à economia domiciliar. Em algumas sociedades os escravos foram utilizados também na agricultura, na mineração ou outras atividades produtivas. Nenhum grupo étnico escapou do cativeiro, e todas as sociedades trataram seus escravos como forasteiros, indivíduos sem raízes e sem história que, em última análise, eram retidos contra a vontade pela ameaça da força. Por sua posição legal, os cativos também foram a força de trabalho de maior mobilidade disponível a qualquer sociedade.

No trabalho que executavam e na ausência do controle sobre a própria vida, os escravos não foram uma exceção entre outros membros subordinados de suas respectivas sociedades. Muitos camponeses viveram em condições temporárias de servidão, e alguns foram atrelados permanentemente à terra. Muitas crianças, mulheres e prisioneiros levaram vidas semelhantes aos escravos no que respeita ao trabalho que faziam ou aos direitos disponíveis. Mas foi a carência de laços familiares e comunitários que essencialmente distinguiu os escravos de todos os outros trabalhadores. Os cativos eram pessoas sem os laços e vínculos comuns até às pessoas livres das mais baixas camadas sociais, o que os tornava totalmente dependente de seus senhores. Medido em obrigações recíprocas, os senhores podiam usar seus cativos a um custo muito menor que o de qualquer outro grupo de trabalhadores em suas sociedades[1].

O escravismo como um sistema de produção industrial ou de mercado foi um fenômeno muito mais restrito. Hoje, para a maioria dos estudiosos esse sistema originou-se nos séculos imediatamente anteriores à era cristã, nas cidades-estado gregas e no Império Romano que emergia naquele período. Estudos recentes argumentam que, para existir escravidão como um sistema "industrial", era preciso o surgimento de uma importante economia de mercado, com oferta limitada de mão de obra camponesa e uma fonte abundante de cativos, em geral proveniente de conquistas ou compras.

O caso romano, entre as sociedades pré-industriais conhecidas, é incomum no tamanho e importância tanto da sua população escrava como do papel econômico que esta exerceu na economia. Roma foi uma das sociedades pré-modernas mais acentuadamente urbanas, com um comércio internacional de vulto. Escravos participaram da produção de alimentos e de outras atividades agrícolas, bem como de ofícios urbanos. Estimou-se que, no auge do Império Romano, a população da Itália continha cerca de 2 a 3 milhões de cativos, que compunham a elevada parcela de 35 a 40% da população total[2].

Embora na Europa os escravos só viessem a desaparecer quando já ia avançado o período moderno, a escravidão como uma instituição econômica de relevo ruiu com as invasões bárbaras dos séculos V a VIII d.C. O declínio dos mercados urbanos, a ruptura do comércio de longa distância e a crescente autossuficiência da agricultura inviabilizou a exploração da mão de obra cativa. O trabalho camponês voltou a predominar na agricultura e a escravidão reduziu-se às tarefas domésticas. Além disso, nos primeiros tempos da Idade Média a necessidade de segurança levou à emergência dos servos, camponeses que sacrificavam parte de sua liberdade em troca de proteção. Desse modo, os servos e camponeses livres tornaram-se a força de trabalho dominante na Europa[3].

Em nenhum momento durante esse período de recuo a escravidão desapareceu na Europa. Permaneceu importante entre os povos germânicos das fronteiras setentrionais em razão das guerras constantes, e no mundo não cristão do Mediterrâneo passou por um renascimento dos séculos VIII a XIII. As invasões muçulmanas das ilhas do Mediterrâneo e da Espanha trouxeram o uso crescente de cativos na agricultura e na indústria.

Apesar desse ressurgimento da escravidão nas periferias, na Europa continental cristã os escravos eram usados apenas em atividades domésticas e algumas outras ocupações. Só no mundo islâmico mediterrâneo mais avançado os cativos eram numericamente expressivos, mas a subsequente conquista desses Estados pelos cristãos ibéricos do norte resultou mais em servidão do que em escravidão para os muçulmanos capturados. Ao final da Idade Média, o poder emergente da economia europeia era alimentado pela crescente força de trabalho camponesa. Embora as estruturas legais originadas em Roma ainda permanecessem intactas na Europa cristã, a instituição da escravidão não era uma força fundamental na época em que as primeiras caravelas portuguesas avistaram a costa da Guiné no início do século XVIII. Também no continente africano a escravidão existiu desde os registros históricos mais antigos, mas foi uma instituição relativamente sem importância antes de iniciar-se o tráfico atlântico de escravos. Podia ser encontrada como uma instituição doméstica na maioria das sociedades mais complexas da região, e alguns Estados excepcionais influenciados pelo Islã podem ter desenvolvido formas mais industriais de uso do braço escravo. Além disso, nessas sociedades o *status* dos cativos não era definido com precisão como em regimes nos quais eles desempenhavam um papel vital na produção. Muitas crianças filhas de cativos tornavam-se membros livres do grupo familiar. Escravos aculturados de segunda geração tornavam-se menos sujeitos a ser vendidos e usufruíam de muito mais direitos e privilégios[4].

Existiram escravos africanos também fora da região. Sem unidade religiosa ou política, os numerosos Estados africanos eram livres para comprar e vender cativos e até exportá-los para áreas não africanas. Rotas de caravanas pelo Saara precederam a abertura da costa atlântica da

África, e cativos compuseram uma parte do comércio de exportação africano para o Mediterrâneo desde a época pré-romana até a moderna. Dado o uso disseminado de escravos em terras africanas, houve também um comércio interno de cativos muito antes da abertura das rotas do Atlântico.

Africanos foram embarcados para fora do continente por no mínimo seis séculos antes da chegada dos portugueses, com estimativas de 6 milhões de escravos enviados para a Ásia, Europa e Oriente Médio[5]. Essas migrações forçadas de africanos tiveram maior presença de mulheres e crianças do que no tráfico atlântico de escravos, e provieram de regiões que só moderadamente seriam afetadas pelos movimentos atlânticos. Também no tráfico interno a participação feminina foi mais expressiva. Para abastecer esses dois mercados de cativos, vigorava todo o complexo de práticas de escravização, da guerra total e ataque aos inimigos à escravização judicial e tributação de povos dependentes. Essas práticas também seriam a fonte de cativos para o tráfico atlântico a partir de seu surgimento no século XV. Esses tráficos pré-atlânticos foram pouco intensos e de menor impacto sobre as condições locais do que o tráfico atlântico[6].

A chegada dos exploradores portugueses à costa atlântica subsaariana no começo do século XV alterou profundamente o comércio de escravos da África, no que respeita à intensidade e ao tipo de uso. De início, porém, pouco havia que distinguisse os portugueses dos traficantes muçulmanos do norte da África. Os lusos tinham por objetivo contornar por via marítima as rotas saarianas setentrionais do continente. Interessavam-se principalmente pelo ouro e deixavam os escravos, a pimenta, o marfim e outros produtos em segundo plano. Já em 1444 os portugueses compravam escravos para utilização no serviço doméstico na Europa. O novo tráfico marítimo começou como uma extensão do comércio terrestre mais antigo. Os portugueses implantaram também um tráfico ao longo da costa africana para abastecer o mercado interno de escravos na África. Em troca, recebiam ouro, que exportavam para a Europa. Seu maior interesse pelo ouro e não pelos escravos deveu-se à crescente escassez de metais preciosos na Europa. A economia europeia em expansão apresentava uma balança de comércio negativa com a Ásia, e o acesso direto dos europeus ao ouro subsaariano ajudava a pagar por esse comércio[7].

Um novo e importante uso para esses cativos veio a ser encontrado com a introdução da produção açucareira nas ilhas do leste do Atlântico e a abertura do hemisfério ocidental à conquista europeia em fins do século XV. Quando os escravos novamente se tornaram um fator importante da produção agrícola no contexto europeu, o interesse dos portugueses no comércio africano lentamente se transferiu do ouro e marfim para os cativos.

A Primeira Cruzada marcou o ressurgimento de mercados internacionais para os europeus cristãos, que se lançaram ativamente ao tráfico de escravos. Dos séculos X a XIII, genoveses e venezianos expandiram-se pela Palestina, Síria, Mar Negro e Bálcãs, adicionando as ilhas de Creta e Chipre às suas possessões no leste do Mediterrâneo. As novas colônias deram novo impulso à escravidão. Desenvolveu-se nesse período um mercado de cativos eslavos, cuja designação no latim medieval, *slavus,* originou o termo escravo. Evidentemente, os eslavos não eram os únicos povos escravizados. Nas ilhas do leste do Mediterrâneo, por exemplo, era possível encontrar africanos já no início do século XIV, juntamente com muçulmanos do norte da África e Ásia Menor e cristãos da Grécia, Bálcãs e Europa setentrional.

O açúcar foi trazido da Ásia para a Europa durante as invasões islâmicas, mas foi a Primeira Cruzada, no fim do século XI, que deu aos cristãos a chance de tornarem-se produtores de açúcar. Nos séculos XII e XIII, Estados cristãos na Palestina produziam açúcar com uma força de trabalho mista composta de escravos, servos feudais e trabalhadores livres. Após a tomada dessas terras pelos turcos em fins do século XIII, o centro da produção açucareira mudou-se para Chipre. Ali mercadores italianos e governantes locais usavam trabalhadores cativos e livres no fabrico do açúcar. Chipre, por sua vez, logo foi substituído pela colônia veneziana de Creta e depois pela Sicília, que desde fins do século XI vinha produzindo açúcar para o mercado europeu. Com a tomada dos centros palestinos e sírios pelos turcos, a produção siciliana ganhou temporariamente a preeminência. A costa mediterrânea da Espanha islâmica no fim do século XIII e início do XIV tornou-se outro importante centro produtor para o norte e oeste da Europa. A produção europeia de açúcar foi avançando para o oeste até atingir a província meridional portuguesa do Algarve, em princípios do século XV. Não foi mão de obra cativa quem produziu açúcar em todos esses casos, e escravos não compuseram com exclusividade a força de trabalho em nenhuma área específica. Mas a identificação da escravidão com o açúcar já estava bem estabelecida muito antes da conquista da América. As técnicas da produção açucareira e da agricultura de *plantation* escravista que se desenvolveram nas ilhas do leste do Atlântico e depois no Novo Mundo tiveram suas origens no leste do Mediterrâneo no começo da Idade Média[8].

Enquanto os portugueses concentraram seus esforços nas regiões da Senegâmbia e Costa do Ouro, integraram-se à rede existente de comerciantes muçulmanos. Estes haviam inserido essas costas em suas próprias redes de comércio, e os portugueses acessavam-nas através de rios navegáveis do Senegal e Gâmbia. Até mesmo a feitoria lusa de São Jorge da Mina (Elmina), na Costa do Ouro, fez parte desse processo. Mas a natureza do tráfico atlântico de escravos mudou substancialmente com a colonização da ilha de São Tomé, feitoria e centro agrícola no golfo da Guiné, e o início das relações comerciais com o reino do Congo após 1500.

Os congoleses viviam nas vizinhanças do rio Zaire e não tiveram ligações com o comércio muçulmano antes da chegada dos portugueses. Estes enviaram padres e conselheiros à corte do rei congolês, que por sua vez postou representantes em São Tomé. Tais mudanças ocorreram justamente no início da conquista espanhola das ilhas caribenhas e da colonização portuguesa do subcontinente brasileiro, dois processos que abriram o novo mercado americano para cativos da África. O aniquilamento dos povos nativos arawak e carib nas ilhas caribenhas e de povos falantes do tupi-guarani ao longo da costa brasileira impulsionou os primeiros ensaios com mão de obra africana.

O estabelecimento das colônias ibero-americanas envolveu inicialmente a reexportação de negros aculturados e cristianizados da península Ibérica, que foram levados para as casas dos conquistadores. Mas após a abertura do Brasil e das regiões do Congo e São Tomé ao tráfico português, iniciou-se um movimento direto da África para o Novo Mundo até mesmo na América espanhola. Após 1500, o volume desse tráfico atlântico aumentou lentamente, de algumas centenas anuais de cativos na primeira metade do século para mais de mil por ano na década de 1550 e 3 mil por ano nos anos 1580[9]. Cativos não cristãos e não falantes de línguas românicas trazidos diretamente da

África, chamados pelos portugueses de *boçais,* passaram a compor a esmagadora maioria dos escravos desembarcados na América.

Outra grande mudança deu-se na década de 1560, em consequência de eventos ocorridos na África. Invasões africanas hostis no reino do Congo levaram ao apoio militar direto dos portugueses ao regime e finalmente ao estabelecimento de uma colônia lusa no porto de Luanda, na orla sul do reino, em 1576. Com o desenvolvimento de Luanda, São Tomé declinou como feitoria, pois os escravos passaram a ser embarcados diretamente para a América a partir da costa continental, de uma região que daria à América o maior número de cativos dentre todas as áreas africanas nos três séculos seguintes. Em 1600, o tráfico atlântico de escravos finalmente ultrapassaria as exportações do norte e do leste africanos em volume total, embora só depois de 1700 os cativos viessem a superar em valor todas as demais exportações da África[10].

Assim como de início o tráfico português complementara um sistema de comércio tradicional, o primeiro uso que os europeus deram aos africanos do tráfico atlântico foi em atividades tradicionais. Durante a primeira metade do século, os navios negreiros europeus que percorriam a costa atlântica da África transportavam seus cativos para a península Ibérica. Os portos de Lisboa e Sevilha foram centros de um próspero comércio de cativos africanos, dali distribuídos por todo o oeste do Mediterrâneo. Embora rapidamente os africanos se tornassem um grupo significativo nas principais cidades da região, nunca se tornaram a força de trabalho dominante nas economias locais. Mesmo nas cidades da costa meridional de Portugal, onde eram mais numerosos, eles nunca representaram mais de 15% da população, enquanto em outras cidades portuárias portuguesas e castelhanas eles geralmente não superaram os 10%. Os africanos não eram usados em ocupações diferentes daquelas impostas aos cativos mouros que os precederam e que com eles coexistiram. Africanos cativos e libertos eram encontrados sobretudo em centros urbanos e trabalhavam principalmente em serviços domésticos. A cidade com o maior número desses escravos africanos provavelmente foi Lisboa, que já nos anos 1550 tinha cerca de 10 mil escravos, e na década de 1630 aumentara esse número para 15 mil. Em outras áreas da península Ibérica, o impacto dessa primeira geração de africanos também foi significativo. Aproximadamente dois terços dos escravos trazidos de 1489 a 1516 eram africanos, e importavam-se anualmente em média cerca de 250 africanos[11]. No século XVI, essas áreas centrais de Portugal e Andaluzia já possuíam grandes populações escravas. Afirmou-se que em 1573 havia em todo o território português mais de 40 mil escravos, dos quais um número elevado compunha-se de negros da África subsaariana, que serviam principalmente em domicílios urbanos[12]. Até mesmo os senhores europeus mais abastados possuíam poucos escravos, e em Portugal no século XVI um proprietário com quinze cativos africanos era considerado extraordinário. Embora os proprietários de escravos fossem aristocratas ricos, instituições e profissionais liberais, muitos dos quais também eram proprietários de terras, normalmente não usavam seus cativos na agricultura. Ocasionalmente encontravam-se cativos em ocupações rurais, porém nunca como um elemento significativo na força de trabalho agrícola local, em razão da disponibilidade de mão de obra camponesa barata[13].

Apesar do importante papel que esses escravos afro-europeus aculturados desempenharam na instituição das normas legais, sociais e culturais para os africanos que os sucederam na Europa e América, não representaram a base do sistema de trabalho escravo que os portugueses estabeleceram no Mundo Atlântico. O sistema baseou-se principalmente no aprendizado adquirido com a estrutura produtiva e organização do trabalho implantado nas despovoadas ilhas do leste do Atlântico a partir da primeira metade do século XV. O uso de cativos africanos nas *plantations* pelos europeus não evoluiu na Europa continental com seus escravos aculturados, mas nessas ilhas atlânticas.

Quando Portugal abria a costa africana à penetração europeia, seus exploradores e navegantes competiam com os espanhóis na colonização das ilhas do leste do Atlântico. Nos anos 1450, além de São Tomé, os portugueses estavam colonizando as ilhas dos Açores, Madeira e Cabo Verde, enquanto os espanhóis, na última década do século, estavam conquistando as ilhas Canárias. Algumas dessas ilhas mostraram-se ideais para a cultura canavieira, e os comerciantes italianos não tardaram a introduzir ali as avançadas técnicas de produção utilizadas na região do Mediterrâneo. Depois de muita experimentação, Madeira, Canárias e São Tomé revelaram-se as mais apropriadas ao cultivo de cana-de-açúcar. O açúcar passou a ser o principal produto da Madeira em meados do século, e no final do século XV a ilha tornara-se a maior produtora da Europa. Além de africanos, os portugueses importaram cativos guanchos, como eram chamados os nativos das Canárias. Ao findar a década de 1450, o açúcar da Madeira estava sendo vendido no mercado londrino. Em 1493, havia oitenta engenhos de açúcar na ilha, que refinavam em média dezoito toneladas anuais do produto. Como os terrenos canavieiros eram terraceados, as unidades produtoras eram relativamente pequenas. A maior propriedade tinha apenas cerca de oitenta cativos, um tamanho que seria considerado moderado pelos padrões brasileiros do século seguinte.

Na evolução açucareira da Madeira, a ascensão e queda foram particularmente acentuadas, pois na década de 1530 a ilha já fora superada com grande vantagem por concorrentes. As Canárias foram as grandes competidoras na corrida da produção açucareira, pois nas primeiras décadas do século XVI as propriedades costeiras beneficiavam cinquenta toneladas por ano. Também ali, como na Madeira, nativos guanchos foram de início usados como escravos, juntamente com cativos islâmicos importados da Espanha. Mas rapidamente os africanos tornaram-se a força de trabalho escrava dominante. Como na Madeira, havia mais donos de escravos e produtores de açúcar do que proprietários de engenhos, e evoluiu um grupo intermediário de pequenos agricultores com escravos, que trabalhavam para proprietários capazes de arcar com os custos elevadíssimos do estabelecimento de engenhos.

A última ilha atlântica a desenvolver um importante sistema escravista de grande lavoura açucareira foi São Tomé, na costa africana. Como os Açores, as ilhas Cabo Verde e Madeira, São Tomé era desabitada antes da penetração portuguesa. Na década de 1550 havia cerca de sessenta engenhos em operação na ilha e aproximadamente 2 mil escravos na grande lavoura, todos africanos. Adicionalmente houve em média nesse entreposto, em qualquer dado momento, cerca de 5 mil a 6 mil cativos em alojamentos, prontos para serem remetidos à Europa e à América. Por fim, a competição americana e seu papel cada vez mais importante como centro de transferência e suprimento de escravos levou ao declínio da indústria açucareira em São Tomé.

Portanto, todas as ilhas açucareiras do leste do Atlântico viveram um ciclo de expansão e declínio que raramente durou mais de um século. Mas todas as principais ilhas produtoras de açúcar estabeleceram regimes escravistas de *plantation*, e estes se tornaram modelos das instituições do gênero transportadas para o Novo Mundo. Africanos não cristãos e não falantes do português, importados diretamente da costa africana, foram levados para trabalhar nas propriedades rurais dessas ilhas. Entre os cativos, as ocupações urbanas e domésticas eram secundárias, e a escravaria distribuía-se por plantéis extremamente numerosos para os padrões de posse de escravos vigentes na Europa nesse período. Toda a estrutura do sistema de *plantation* do Novo Mundo estava ali bem estabelecida, com um pequeno número de senhores de engenho abastados no topo da hierarquia, detentores da maior parte das terras e dos escravos, seguidos por uma camada intermediária de agricultores que possuíam cativos e canaviais mas não tinham recursos para possuir um engenho. Praticamente inexistia uma população camponesa europeia pobre, e para os brancos sem escravos havia apenas a possibilidade de ocupar-se em trabalhos administrativos e operações qualificadas do engenho. A camada inferior consistia na massa de escravos negros componentes do grosso da força de trabalho e da população como um todo. Assim, muito antes do intenso transporte transatlântico de africanos, já nascera o sistema da grande lavoura escravista que imperaria na América[14].

O estabelecimento da colônia portuguesa do Brasil após 1500 marcaria o início da economia escravista de *plantation* nas Américas, que tanto influenciaria os acontecimentos no hemisfério pelos quatro séculos seguintes. Embora as grandes plantações escravistas tenham surgido temporariamente em São Domingos, na primeira década do século XVI, quando os brasileiros iniciaram a implantação das suas próprias plantações escravistas em meados daquele século, as que existiam no Caribe espanhol estavam em declínio e só reviveram no final do século XVIII[15]. O sucesso do sistema brasileiro influenciou todos os regimes de agricultura escravista comercial implantados posteriormente na América. O predomínio de cativos no trabalho agrícola, a vital importância dessa mão de obra na produção para o mercado internacional e a representatividade numérica dos cativos nas sociedades locais distinguiu o escravismo nas Américas da maioria das sociedades escravistas anteriores. A sociedade escravista implantada no Novo Mundo foi regida pela escravidão, e por sua vez estabeleceu os africanos como uma parte permanente da sociedade em todo o hemisfério. Franceses, ingleses e por fim os espanhóis adotariam o regime escravista dos portugueses na América. Por essa razão, o estudo da escravidão africana no Brasil é fundamental para a análise não só da experiência afro-brasileira dos 4,9 milhões de africanos que migraram para a costa brasileira, mas também a da esmagadora maioria de afro-americanos até mesmo no hemisfério norte.

Surgiu recentemente na literatura um acirrado debate quanto às razões de os africanos terem sido o principal grupo escravizado nas Américas, o que, em última instância, faria da cor da pele sinônimo de servidão para os americanos nos quatro séculos seguintes. Alguns autores aventaram que um viés cultural ou racial específico dos europeus lhes permitiria escravizar africanos. Mas esse argumento soa muito estranho, considerando o longo e íntimo contato dos europeus com africanos desde os tempos pré-clássicos até o início do período moderno, e dada a integração desses cativos africanos em uma população escrava multiétnica, multirreligiosa e multirracial na Europa continental e nas ilhas do leste do Atlântico muito antes da abertura das Américas à conquista e colonização europeia. Aliás, os portugueses classificavam os africanos como amigos ou inimigos, como muçulmanos ou pagãos, mas raramente comentavam sua cor[16].

O custo crescente dos cativos não africanos provavelmente representou o fator primordial para a preferência pelos africanos. A ascensão do Império Otomano no leste do Mediterrâneo e a consolidação de um poderoso Estado marroquino independente na África setentrional fecharam, ou encareceram, as fontes tradicionais de cativos dessas regiões. Ao mesmo tempo, a abertura do transporte por via aquática para mercados subsaarianos tornou os escravos consideravelmente mais baratos do que haviam sido pelas rotas de caravana do Saara. A escravização de não africanos não terminou, como ficou claro com a célebre existência de cativos cristãos no norte da África quando já ia bem avançado o século XVIII, mas em meados do século XVI já não era significativa nos mercados escravistas europeus. Graças à contínua exportação de ouro e marfim do oeste da África e ao desenvolvimento do imenso império comercial português na Ásia, as relações comerciais entre a África ocidental e a Europa tornaram-se comuns e baratas. Os africanos ocidentais transportados por via marítima já haviam substituído a maioria dos outros grupos étnicos e religiosos nos mercados europeus de escravos em meados do século XVI. Embora os ibéricos inicialmente escravizassem os guanchos, estes foram posteriormente libertados, assim como os poucos indígenas trazidos da América. Os muçulmanos, que vinham sendo escravizados havia séculos, já não eram numericamente significativos na época em que desapareceram da península Ibérica, quando os poderosos Estados muçulmanos da região do Magreb barraram o tráfico de cativos muçulmanos à fácil exploração por europeus cristãos. Por sua vez, a expansão dos turcos no leste do Mediterrâneo fechou tradicionais fontes de cativos eslavos e balcânicos para os europeus ocidentais, um processo apoiado pela Igreja Católica Romana, que não queria cristãos escravizando cristãos. Por outro lado, a crescente eficiência dos traficantes do Atlântico, a segurança quanto a um suprimento de cativos da África e o declínio dos preços explicam por que os africanos se tornariam a principal fonte disponível de mão de obra escrava para a Europa no século XVI.

Portanto, os custos crescentes dos escravos vindos da Europa e os preços decrescentes dos cativos africanos são fatores importantes para determinar por que estes últimos tornaram-se a principal fonte de escravos para a América. No entanto, mesmo nesse período, eles não foram os únicos grupos raciais e étnicos em cativeiro. Até fins do século XVI, ameríndios constituíram uma parcela considerável da população escrava, e no Brasil predominaram até 1600. Houve, inclusive, casos conhecidos de mouros em cativeiro nas Américas[17]. Assim, é possível explicar suficientemente a mudança para a mão de obra africana pelos critérios econômicos clássicos da restrição de oferta, dispensando-se explicações culturais para compreender essa decisão de usar africanos.

Mas, antes de tudo, por que houve a demanda por escravos? Essa já é uma questão mais difícil de responder. Evidentemente, a clássica equação em toda a América foi, para os conquistadores europeus, terra barata e mão de obra cara[18]. Mas a existência de no mínimo cerca de 20 a 25 milhões de ameríndios em 1492 parece sugerir que os europeus teriam uma oferta abundante de braços disponíveis para a exploração de suas novas colônias[19]. Ademais, a própria Europa estava passando por um alentado crescimento populacional no século XVI, o que poderia, aparentemente, ser fonte da mão de obra necessária para desenvolver as colônias americanas. No entanto, a despeito dessas ofertas alternativas de trabalho, a América tornou-se o grande mercado para 10,5 milhões de cativos que se estima terem ali desembarcado no decorrer dos cinco séculos seguintes, e foi no Novo Mundo que a escravidão africana mais se expandiu sob o domínio europeu. Até a década de 1830, mais africanos do que europeus haviam atravessado o Atlântico, e estima-se que em 1750 mais de três quartos dos que emigraram para a América eram escravos africanos[20].

Por que os europeus usaram tão grande parcela de africanos para povoar suas minas, fábricas e plantações, se tinham acesso a índios conquistados e a grandes números de pobres dentro de suas próprias fronteiras? Inicialmente, pareceu que os conquistadores ibéricos, que eram alguns milhares, recorreriam à escravidão dos ameríndios como a principal forma de mão de obra na América. Os primeiros portugueses e espanhóis, que já usavam cativos africanos, muçulmanos e guanchos na Europa e ilhas atlânticas, imediatamente trataram de escravizar todos os índios que conseguiram encontrar e reter. Mas por uma série de razões políticas, culturais e religiosas, os governos de Espanha e Portugal colocaram-se contra a escravização permanente dos ameríndios. Ambos os governos haviam acabado de pôr fim à servidão e outras formas de trabalho semilivre na Europa e defendiam o princípio do trabalho livre assalariado, pelo menos nas suas populações metropolitanas. Os espanhóis, além disso, descobriram que, em vez de escravizar todos os trabalhadores pela força, seria mais lucrativo explorar os grandes sistemas imperiais criados pelos avançados impérios indígenas através de suas hierarquias de nobres que governavam vultosas populações camponesas. Embora, nos séculos seguintes à conquista, cativos africanos viessem a ser trazidos para as possessões da América espanhola, eles nunca formaram a base da mão de obra dessas sociedades, e seu uso assemelhou-se à escravidão doméstica e aos modelos de escravidão urbana então prevalecentes na Europa.

A situação dos portugueses, porém, foi totalmente diferente. Suas possessões americanas de início não lhes ofereceram prata ou metais preciosos a serem explorados, nem outro recurso facilmente obtido que pudesse compensar os altos custos de uma colonização em grande escala do vasto território. Por isso, eles se viram forçados a cultivar produtos agrícolas destinados ao mercado europeu, e para isso necessitavam de numerosa mão de obra. Em contraste com os ameríndios do vale central do México e dos altiplanos do Peru, os índios do Brasil costeiro mostraram-se de difícil exploração por domínio indireto. Os índios brasileiros não estavam habituados à tributação nem à atividade agrícola intensa. Embora os vários índios tupi-guaranis aceitassem cortar árvores de pau-brasil em troca de produtos europeus, não estavam dispostos a trocar seu modo de vida seminômade nem a abandonar a organização simples de suas aldeias por aqueles bens importados. Embora os portugueses inicialmente tivessem um grande estoque de índios para explorar e se empenhassem em escravizá-los, essa mão de obra cativa acabou por revelar-se precária e cara demais para garantir a força de trabalho agrícola necessária à manutenção da viabilidade econômica de sua colônia americana. Altos índices de doenças, constantes conflitos na fronteira com índios não cativos e um estoque decrescente de nativos para capturar foram, todos, fatores a fazer dos indígenas uma fonte cada vez mais dispendiosa e incerta. Finalmente, a unificação de Portugal com a Espanha após 1580 tornou o governo metropolitano mais desfavorável à escravização dos indígenas do que fora o Estado português independente, e a coroa espanhola consistentemente pressionou os agricultores portugueses para desistirem dessa fonte de braços.

Assim, por diversas razões econômicas, políticas e até religiosas, os ibéricos acabaram abandonando a possibilidade da escravidão indígena. Mas o que os impediria de explorar seus próprios camponeses e pobres residentes nas áreas urbanas? Diante das demandas dos mercados de trabalho metropolitano e imperial, os salários dos trabalhadores portugueses na Europa eram demasiado altos para que a emigração em massa para a América fosse uma operação economicamente viável. Com pouco mais de um milhão de habitantes[21], Portugal espremia seus recursos para prover de braços o vasto império africano e asiático que viera estabelecendo desde o início do século XV até princípios do século XVI. No início da colonização, a demanda por mão de obra era tamanha em Portugal que não havia um estoque de trabalhadores passível de ser explorado nas paupérrimas terras do Brasil. Com madeira corante como a única exportação importante de sua possessão americana, um produto facilmente manejável por trabalhadores indígenas livres, em contraste com o ouro, os escravos, o marfim e as especiarias da África e Ásia, a América era uma proposta muito desinteressante para os trabalhadores portugueses.

Dadas essas restrições e a história da produção açucareira e escravista em suas ilhas do leste do Atlântico, era inevitável que os colonizadores portugueses do Brasil usassem escravos indígenas e depois africanos para criar o primeiro sistema moderno de *plantation* nas Américas. O Brasil logo se tornou o principal produtor de açúcar no mundo ocidental, e sua organização da mão de obra escrava africana seria o modelo que todos os outros europeus seguiriam nos séculos subsequentes.

Notas

1. O melhor modelo para distinguir escravos de trabalhadores forçados ou dependentes é dado por Orlando Patterson em *Escravidão e Morte Social*. Uma análise dessas mesmas questões para o período clássico encontra-se em M. I. Finley, "Between Slavery and Freedom".
2. O mais recente estudo da escravidão no mundo clássico, com a bibliografia mais atualizada, encontra-se em Jean Andreau e Raymond Descat, *Esclave en Grèce et à Rome*. Sobre a escravidão no período grego clássico, ver Yvon Garlan, *Slavery in Ancient Greece*. Sobre a escravidão em Roma, ver Keith Bradley, *Slavery and Society at Rome*; Keith Hopkins, *Conquerors and Slaves*; e o recente e excelente estudo de Walter Scheidel, "Quantifying the Sources of Slaves in the Early Roman Empire", bem como a antiga coletânea de ensaios organizada por M. I. Finley, *Classical Slavery*.
3. Sobre a escravidão na Europa nos tempos pós-romanos, as obras clássicas baseadas em fontes primárias são: Charles Verlinden, *L'esclavage das l'Europe médievale*, e o panorama de William D. Phillips, *Slavery from Roman Times to the Early Transatlantic Trade*. As relações básicas entre servidão e escravidão são examinadas em Marc Bloch, *Slavery and Serfdom in the Middle Ages, Selected Essays* e analisadas em Pierre Dockès, *Medieval Slavery and Liberation*. Discussões recentes sobre a escravidão medieval e seu declínio encontram-se em Pierre Bonnaissie, *From Slavery to Feudalism in South-Western Europe*, e Susan M. Stuard, "Ancillar Evidence for the Decline of Medieval Slavery".
4. A escravidão na África tem gerado amplo interesse e polêmica nos últimos anos. Uma boa introdução ao debate encontra-se em Waler Rodney, *How Europe Undeveloped Africa*. O mais recente e melhor esforço de classificação e análise histórica é Paul E. Lovejoy, *Transformations in Slavery: a History of Slavery in Africa*. Pormenorizados estudos de caso podem ser encontrados nas seguintes seleções: Jean Claude Meillassoux, *L'Esclavage en Afrique précoloniale*; Suzanne Miers e Igor Kopytoff (orgs.), *Slavery in Africa: Historical and Anthropological Perspectives*; James Watson (org.), *Asian and African Systems of Slavery*; e Claire C. Robertson e Martin A. Klein (orgs.), *Women and Slavery in Africa*.
5. Nathan Nunn, "The Long-Term Effects of Africa's Slave Trades", tabela 2, contém as últimas estimativas.
6. Sobre os tráficos do norte e do leste da África, ver Patrick Manning, *Slavery and African Life: Occidental, Oriental, and African Slave Trades*; François Renault e Serge Daget, *Les traites négriéres en Afrique*, e os ensaios de Ralph A. Austen, "The Trans-Saharan Slave Trade: a Tentative Census"; "The 19th Century Islamic Slave Trade from East Africa (Swahili and Red Sea Coasts): A Tentative Census"; e "The Mediterranean Islamic Slave Trade Out of Africa: a Tentative Census".
7. A análise clássica do comércio português nos três primeiros séculos de exploração é a de Vitorino Magalhães Godinho, *Os Descobrimentos e a Economia Mundial*. A melhor

interpretação individual dos primórdios do tráfico português de escravos encontra-se em Ivana Elbl, "Volume of the Early Atlantic Slave Trade, 1450-1521". Elbl (p. 75) estima que "os europeus exportaram um total aproximado de 156 mil escravos da África atlântica entre 1450 e 1521". Godinho, por sua vez, estimou um total de 140 mil a 150 mil cativos levados da África até 1505, em *Os descobrimentos,* IV, p. 161. Esses números são maiores do que a atual estimativa para a Europa encontrada no novo banco de dados sobre o tráfico atlântico de escravos. Ver também Luís Felipe de Alencastro, *O Trato dos Viventes: Formação do Brasil no Atlântico Sul, Séculos XVI e XVII.*

8. A história da produção açucareira na Europa mediterrânea é analisada em J. H. Galloway, *The Sugar Cane Industry: an Historical Geography from its Origins to 1914,* capítulo 3; e Noel Deerr, *The History of Sugar.*

9. Esses números e todos os números subsequentes sobre o tráfico atlântico de escravos provêm da mais recente versão do projeto sobre o tráfico, sob a direção de David Eltis. O projeto começou com David Eltis, Stephen D. Behrendt, David Richardson e Herbert S. Klein, *The Transatlantic Slave Trade: 1562-1867: a Database*; foi retomado em David Eltis, "The Volume and Structure of the Transatlantic Slave Trade: a Reassessment", que suplementa as estimativas originais dadas por Philip Curtin em *The Atlantic Slave Trade: a Census* com o novo conjunto de dados de Cambridge e outros acréscimos. Para as mais recentes revisões e acréscimos do conjunto de dados de Cambridge de 2000 sobre viagens de escravos, ver o *website* da Universidade Emory: <http://wilson.library.emory.edu:9090/tast/database/index.faces#>. Acessamos esse material até novembro de 2007. Os números definitivos podem diferir dos citados neste livro.

10. David Eltis, "The Relative Importance of Slaves and Commodities in the Atlantic Trade of Seventeenth-century Africa".

11. Vicenta Cortes Alonso, *La Esclavitud en Valencia durante el Reinado de los Reyes Católicos (1479-1516)*, pp. 57-60; e Alfonso Franco Silva, *La Esclavitud en Sevilla y su Tierra a Fines de la Edad Media.* Para o último levantamento dos diferentes grupos escravizados na península Ibérica, ver Alessandro Stella, *Historie d'esclaves dans la peninsula Ibérique.*

12. Fréderic Mauro, *Le Portugal et l'atlantique au XVIIe siècle, 1570-1670; étude économique,* p. 147; Verlinden, *Lésclavage dans l'Europe medievale,* I, p. 837.

13. A. C. de C. M. Saunders, *A Social History of Black Slaves and Freedman in Portugal, 1441-1555,* fornece o mais completo estudo sobre africanos em Portugal, com um exame da demografia escrava no capítulo 3 e das ocupações no capítulo 4. As estimativas sobre a população lisboeta encontram-se nas pp. 54-55. Ver também o levantamento recente de Stella, *Histoire d'esclaves dans la peninsula Ibérique.*

14. A experiência portuguesa no Atlântico é analisada em John L. Vogt, *Portuguese rule on the Gold Coast, 1469-1682.* Os capítulos básicos em Stuart B. Schwartz, *Sugar Plantations in the Formation of a Brazilian Society (Bahia, 1550-1835)* apresentam um bom exame geral da experiência de Madeira e Açores, enquanto um estudo pormenorizado da indústria açucareira na Madeira encontra-se em Alberto Vieira, "Sugar Islands: the Sugar Economy of Madeira and the Canaries, 1450-1650". Os estudos clássicos sobre a escravidão nessas ilhas encontram-se em Alberto Vieira, *Os Escravos no Arquipélago da Madeira: Séculos XV a XVII,* e Manuel Lobo Cabrera, *La Esclavitud en las Canarias Orientales en el Siglo XVI (Negros, Moros y Moriscos).*

15. Genaro Rodríguez Morel, "The Sugar Economy of Española in the Sixteenth Century".

16. A opinião dos portugueses nas suas primeiras visões a respeito dos africanos, e que enfatiza questões como religião e cultura, e não raça, está brilhantemente analisada em Ivana Elbl "Group Identities in the Early Portuguese Overseas Expansion in Africa: Concepts and Expressions"..

17. Sobre os escravos mouriscos e índios da América Central encontrados no Peru no século XVI, ver James Lockhart, *Spanish Peru, 1532-1560: a Social History,* pp. 222-224, 228-231.

18. Sobre a possibilidade de a escravidão ou alguma outra forma de trabalho forçado resultar de terra barata e mão de obra cara, ver Evsey D. Domar, "The Causes of Slavery and Serfdom: a Hypothesis".

19. Para determinar os movimentos populacionais de índios, africanos e europeus na América no primeiro século, o melhor cômputo geral encontra-se em Nicolás Sánchez-Albornoz, *La Población de America Latina desde los Tiempos Precolombianos al año 2000*; e seu trabalho mais recente, "The Population of Colonial Spanish America". Números confiáveis sobre a população indígena no México encontram-se em William T. Saunders, "The Population of the Central Mexican Symbiotic Region, the Basin of Mexico and the Teotihuacan Valley in the Sixteenth Century"; e, para o Peru, em David Nobel Cook, *Demographic Collapse, Indian Peru 1520-1620*. Para os territórios portugueses na América nesse mesmo período, ver Maria Luiza Marcílio, "The Population of Colonial Brazil".

20. David Eltis, "Slavery and Freedom in the Early Modern World", pp. 28-29, tabela 1.

21. O primeiro censo oficial de Portugal em 1527-1532 estimou uma população entre 1 e 1,5 milhões de pessoas. João José Alves Dias, "A População", p. 13.

O estabelecimento da escravidão africana no Brasil nos séculos XVI e XVII

Por que os portugueses decidiram importar africanos em massa para o Brasil quando este era uma parte pouco expressiva do império mundial luso e quando as principais instituições desenvolvidas por Portugal no ultramar eram feitorias, e não colônias? Com efeito, os primeiros trinta anos de contato colonial no Brasil encaixam-se melhor nos padrões africanos e asiáticos do que nos moldes coloniais de Madeira e Açores.

De início, a conquista do Brasil e o contato com a nova colônia foram marginais para a grande expansão imperial portuguesa pelo mundo nos séculos XV e XVI. Depois de tomarem posse da região graças a expedições que encontraram o Brasil quando estavam a caminho das Índias Orientais, os portugueses pouco se interessaram pelo desenvolvimento imediato das terras recém-descobertas. Ganhando acesso às riquezas da Ásia assim que abriram uma rota marítima para as ilhas da Indonésia e depois para Índia, Japão e China, os portugueses não viram necessidade de desenvolver o Brasil para algo mais do que ser um empório de produtos tropicais não encontrados na Europa[1]. De fato, as primeiras exportações comerciais foram madeiras das quais se extraíam tinturas. O chamado pau-brasil geralmente era cortado por grupos indígenas locais e embarcado para a Europa sazonalmente, não havendo colonos portugueses que residissem em caráter permanente na América[2]. Degredados e outros portugueses marginalizados começaram a viver no litoral com comunidades indígenas falantes do tupi-guarani e se tornaram os cruciais intermediários culturais que mantiveram vivo o contato com o país natal[3]. Por cerca de vinte anos após essa exploração e integração oficial ao império português, o Brasil permaneceu um fim de mundo cuja principal forma de contato era o escambo sazonal com grupos indígenas independentes, em um padrão de colonização que reduzia ao mínimo o conflito entre nativos e portugueses[4].

A situação, porém, não tardou a mudar quando subitamente Portugal se viu confrontado por rivais europeus dispostos a arrancar-lhe esse controle intermitente sobre seus territórios americanos. Mercadores franceses e britânicos começaram a enviar navios para águas brasileiras em busca do lucrativo pau-brasil, e logo usaram a costa como base para atacar as frotas portuguesas das Índias Orientais que cruzavam o Atlântico Sul. Franceses e britânicos chegaram mesmo a estabelecer mais do que acampamentos temporários para extração de madeira no estuário do Amazonas, no Nordeste e na baía de Guanabara. O estabelecimento desta última colônia, chamada de França Antártica, finalmente convenceu Portugal de que era imperativo explorar plenamente o Brasil no interesse da segurança de todo o império ultramarino português. Assim, apesar de seus limitados recursos populacionais, os portugueses decidiram empenhar-se em uma colonização abrangente[5].

Como os portugueses já possuíam vasta experiência com escravos africanos em suas ilhas atlânticas e já tinham pronto acesso a mercados africanos de mão de obra, uma vez tomada a decisão de explorar a colônia americana, o recurso ao braço africano foi condicionado somente pela disponibilidade de capital para a importação desses cativos. Por sua vez, esse capital tornou-se disponível graças às receitas provenientes do açúcar exportado para a Europa. Desse modo, em 1600 cativos indígenas estavam sendo substituídos por africanos em todas as regiões litorâneas de grande lavoura, e o padrão da grande propriedade agrícola produzindo gêneros para o mercado europeu com trabalho escravo africano já se consolidara[6].

A escravidão africana já se desenvolvera nas colônias espanholas do México, Peru, América Central e América do Sul antes da evolução do modelo brasileiro da grande lavoura escravista. Mas era uma escravocracia que, em muitos aspectos, diferia daquela que os portugueses criariam na América. Quando a população indígena era numerosa e integrada em sistemas sociais complexos, os cativos africanos desempenhavam papéis especiais no desenvolvimento econômico da colônia, trabalhando sobretudo em serviços domésticos e urbanos[7]. Em zonas onde os ameríndios eram esparsos e pouco organizados, ou onde ocorrera um grave declínio demográfico, o braço africano ocupava papel mais proeminente na força de trabalho. Embora ocasionalmente os cativos africanos predominassem em certos setores econômicos individuais, como a mineração de ouro e cobre[8], eles eram, em grande medida, um elemento minoritário na força de trabalho rural dominada por índios e mestiços. Isso explica por que o tráfico africano, que foi significativo para as colônias continentais da Espanha até meados do século XVII, declinou depois rapidamente, quando as populações de índios e mestiços passaram a expandir-se e suprir as necessidades de mão de obra da elite espanhola[9]. Embora a importação de africanos para o Brasil sofresse uma desaceleração em meados do século XVII em razão das invasões holandesas, a tendência de longo prazo foi ascendente, e as entradas de africanos em nenhum momento caíram ao nível das importações da América espanhola após 1611 (ver Gráfico 2.1).

Gráfico 2.1: Estimativa da chegada de escravos africanos na América espanhola e Brasil, 1561-1860 por quinquênio.

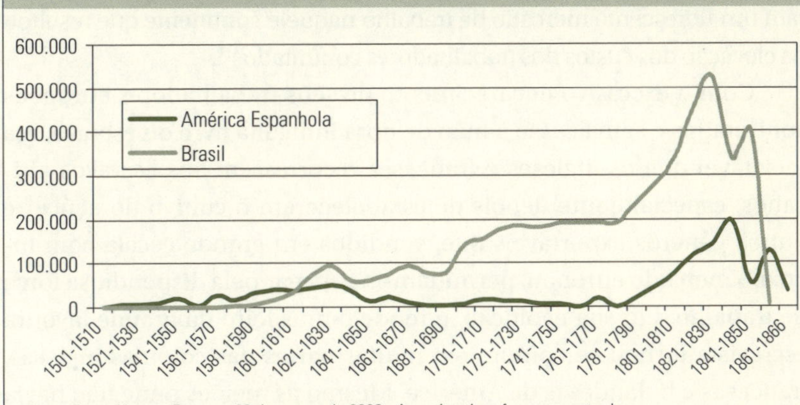

Fonte: Emory Voyage Dataset, 28 de agosto de 2008 - As estimativas foram encontradas em <http://www.slavevoyages.org/tast/assessment/estimates.faces>.

Os europeus setentrionais que chegaram à América na esteira dos ibéricos poucas décadas depois do descobrimento tiveram ainda menos índios para explorar do que os espanhóis e portugueses, e não puderam formar uma numerosa força de trabalho indígena cativa, muito menos desenvolver uma complexa organização de mão de obra nativa livre como a usada pelos espanhóis. Tampouco tiveram acesso a metais preciosos para custear a importação de escravos. Porém, ao contrário dos ibéricos no século XVI, contaram com um reservatório de mão de obra europeia voluntária e mais barata para explorar, especialmente no período de crise do século XVII. Apesar de estarem disponíveis para trabalhar, os camponeses e pobres urbanos não tinham como arcar com a passagem para a América, e pagavam pela viagem vendendo seu trabalho a empregadores americanos mediante contrato por um prazo estipulado, prática conhecida como *indentured labor*. Esse veio a ser o principal meio de obter mão de obra para os europeus setentrionais em seu primeiro meio século de ocupação da América. Os ingleses e os franceses foram os principais a empregar esse trabalho por contrato, e exploraram um significativo reservatório de trabalhadores afetados pelos baixos salários e escassez de oportunidades na economia europeia. Além disso, não se esquivaram a transportar condenados para as colônias. De fato, uma parte significativa dos trabalhadores que emigraram para a América inglesa compôs-se de condenados transportados, complementada em grande medida pela mão de obra contratada pelo sistema *indentured labor*[10]. Mas o fim da crise do século XVII na Europa, e especialmente o rápido crescimento da economia inglesa no último quarto do século, criaram um florescente mercado de trabalho naquele continente que resultou na elevação dos custos dos trabalhadores contratados[11].

Com o excessivo encarecimento de seus trabalhadores europeus contratados e sem acesso à mão de obra indígena livre ou escrava, era inevitável que os ingleses e franceses recorressem aos escravos africanos, especialmente depois de estabelecerem o cultivo do açúcar e outros gêneros exportáveis que, vendidos em grande escala com lucro no mercado europeu, permitiam-lhes pagar pela dispendiosa força de trabalho. Em sua evolução, o modelo brasileiro da grande lavoura escravista tornou-se comum em muitas partes das colônias inglesas, francesas e holandesas da América. Mesmo as regiões onde não havia *plantations*, como a Nova Inglaterra, dependiam do comércio com as *plantations* escravistas antilhanas para sobreviver.

Após 1650, as áreas anteriormente marginais e negligenciadas do Caribe não tardaram a desenvolver-se como colônias de grande lavoura escravista, e nos séculos XVIII e XIX viriam a ser grandes centros escravocratas. Em todas essas colônias europeias emergentes, utilizou-se o consolidado modelo português da grande lavoura de exportação movida pelo braço africano cativo. A única diferença foi a força de trabalho pré-africana inicialmente empregada. Enquanto os portugueses rapidamente recorreram a cativos indígenas para iniciar seu sistema de *plantation*, as colônias europeias nas Antilhas, que tinham poucos índios para escravizar, viram-se forçadas a recorrer a trabalhadores europeus contratados pelo sistema *indentured labor*. Também elas, como a colônia portuguesa do Brasil em seu primeiro século, não contavam com metais preciosos, e por isso procuraram plantas nativas ou exóticas que pudessem encontrar mercado na Europa. Uma vez estabelecido esse mercado, essas colônias se afastaram das formas alternativas de mão de obra e passaram a alicerçar sua indústria exportadora no trabalho escravo africano. A experiência do desenvolvimento colonial na América portuguesa tornou-se o modelo para todas essas colônias posteriores, havendo inclusive uma transferência direta, para as Antilhas, de cativos brasileiros e da tecnologia brasileira do fabrico de açúcar em meados do século XVII.

Com a decisão de colonizar o Brasil, Portugal precisou encontrar um produto de exportação mais confiável e lucrativo do que o pau-brasil. Nesse contexto, a experiência lusa nos Açores, Madeira e São Tomé mostrou que o açúcar era a cultura ideal para garantir a existência de uma colônia lucrativa. Muito contribuiu para essa decisão o fato de que, na época, os portugueses ainda dominavam o tráfico atlântico de escravos, e podiam levar cativos para a América com mais facilidade e a um menor custo do que qualquer outra potência marítima europeia. A fim de mobilizar o capital necessário para abrir essa fronteira americana, a Coroa viu-se forçada a oferecer privilégios extraordinários a empreendedores portugueses abastados. As capitanias resultantes pareceram-se mais com Estados feudais do que com colônias, e relativamente poucas delas foram economicamente bem-sucedidas. Os novos líderes da colônia eram, em sua maioria, homens que haviam obtido sua riqueza inicial no comércio das Índias Orientais e podiam fornecer o capital e o crédito cruciais para a importação das máquinas e técnicos necessários ao funcionamento do regime da grande lavoura açucareira em bases lucrativas. Embora a maioria dos donatários dessas capitanias não chegasse a estabelecer um povoamento viável em seus territórios, alguns tiveram êxito admirável, para o qual o elemento fundamental foi a produção de cana-de-açúcar para o mercado europeu. Assim, na década de 1550 nasceu o primeiro sistema de *plantation* do Novo Mundo, um sistema que logo dominou os mercados açucareiros da Europa e efetivamente pôs fim à importância dos produtores das ilhas do leste do Atlântico[12].

O Brasil não foi a primeira zona americana a produzir açúcar, pois Colombo já levara esse produto para Santo Domingo em 1493[13]. Mas a lavoura açucareira em toda aquela ilha, embora inicialmente composta de grandes unidades, declinou posteriormente para pequenas unidades que produziam apenas para mercados locais e regionais. O impetuoso avanço dos colonizadores espanhóis sobre o continente eliminou os incentivos para transformar essas ilhas em zonas de produção em grande escala, apesar da qualidade de seus solos. Inclusive no Brasil, já em 1510 colonos empreendedores haviam começado a plantar cana-de-açúcar[14]. Mas a produção sistemática só teve início com o estabelecimento formal das capitanias hereditárias. A frota portuguesa de 1532 trouxe especialistas em açúcar dos engenhos da Madeira, e todos os novos governadores, ao tomarem posse de suas regiões, trouxeram mudas de cana da Madeira e de São Tomé. Depois de muitas tentativas e de problemas com ataques de índios, duas zonas destacaram-se inicialmente como os mais lucrativos centros de colonização e produção açucareira: as províncias nordestinas de Pernambuco e Bahia. Na década de 1580, Pernambuco já possuía mais de sessenta engenhos fabricando açúcar para o mercado europeu[15], e nos últimos decênios do século a província tinha fortes ligações com o mercado de Antuérpia. Devido ao interesse inicialmente marginal dos portugueses por essa zona, foi o transporte holandês que desempenhou papel vital na ligação do Brasil com os mercados açucareiros da Europa setentrional, a região das economias europeias de mais rápido crescimento[16]. Na década de 1580, a Bahia emergira como o segundo maior produtor, com cerca de quarenta engenhos, e as duas zonas produziam aproximadamente três quartos de todo o açúcar do continente[17]. Estima-se que por volta de 1600 o Brasil fabricasse anualmente de 8 mil a 9 mil toneladas métricas de açúcar em cerca de duzentos engenhos, tendo-se transformado no mais importante fornecedor individual para a Europa desse produto em rápida expansão[18].

Os engenhos do Nordeste brasileiro logo se tornaram unidades muito maiores do que seus predecessores das ilhas atlânticas. Em fins do século XVI, os engenhos brasileiros tinham uma produção anual seis vezes maior que a dos engenhos das ilhas atlânticas[19]. O aumento da produção média dos engenhos foi viabilizado pela capacidade de expandir significativamente a oferta de cana, não só com produção própria, mas também com cana de fornecedores. Com a garantia de oferta de maior quantidade de matéria-prima, foi possível construir engenhos maiores, muitos movidos a água. Em fins do século, os brasileiros também desenvolveram um novo tipo de moagem, aumentando efetivamente a porcentagem do caldo extraído da cana: a moenda de três tambores verticais, introduzida em 1617, que elevou substancialmente a produção a um custo reduzido[20]. Com solos excelentes, a mais avançada tecnologia de beneficiamento e contato próximo com a próspera rede comercial holandesa, o Brasil dominava a produção açucareira no mundo ocidental por volta de 1600. O que fora uma colônia marginalmente povoada que despertava pouco interesse da Coroa agora assumia um papel cada vez mais central no vasto império português, tendo o açúcar como elo crucial entre Portugal, África e Brasil[21].

Diante da insaciável demanda dos engenhos por mão de obra agrícola não especializada, os brasileiros experimentariam muitas das formas de organização da força de trabalho que seriam tentadas por colonizadores posteriormente, com exceção de trabalhadores europeus contratados pelo sistema de *indentured labor*. Importaram cativos africanos desde o início, mas também procuraram escravizar populações indígenas locais e transformá-las em uma força de trabalho agrícola estável. Os falantes do tupi que ocupavam a região costeira do Nordeste viviam em aldeias de várias centenas de pessoas e se dedicavam à agricultura. Portanto, não eram como os grupos seminômades que viviam principalmente da caça encontrados mais no interior, embora produzissem sobretudo para a subsistência e não se assemelhassem aos camponeses andinos e mexicanos, com seus mercados complexos e comércio de longa distância. De início, sua experiência agrícola acenou com a possibilidade de transformar esses índios numa força de trabalho efetiva. Além disso, eles viviam constantemente em guerra, e seus supostos rituais canibalísticos deram aos portugueses um pretexto para dominá-los e escravizá-los.

Os portugueses procuravam converter os índios e pagar-lhes salários, mas o principal modo de extrair trabalho foi transformá-los em cativos. De 1540 a 1570, escravos indígenas foram os principais produtores de açúcar no Brasil, compondo no mínimo quatro quintos da força de trabalho no Nordeste e quase toda a mão de obra nos engenhos de açúcar que se desenvolviam mais ao sul, na região do Rio de Janeiro. Os proprietários obtinham esses cativos comprando-os de outras tribos indígenas ou em ataques diretos. Além disso, incentivavam índios livres a trabalhar por salário, vinculando-os aos engenhos de tal modo que logo deixava de ser possível distinguir entre os escravos e os índios endividados que eram forçados a trabalhar até quitar sua dívida[22].

Embora os esforços portugueses nessa área mostrassem que, apesar da fronteira aberta e das guerras constantes com grupos indígenas, era possível criar com índios escravizados ou endividados uma força de trabalho composta de tupis-guaranis da costa, a instituição da escravidão indígena, que então afetava dezenas de milhares de índios, estava fadada ao fracasso. O fator mais importante a tolher o uso predominante dessa mão de obra foram as doenças endêmicas trazidas pelos portugueses, pois elas se transformavam em epidemias quando afetavam índios. Na década de 1560, no auge da escravidão indígena, eclodiu um grande surto de varíola entre essas populações nunca antes expostas à doença. Estimou-se que tal epidemia vitimou 30 mil índios residentes em engenhos ou em aldeias missionárias cristãs sob controle português. Essa suscetibilidade às moléstias, combinada à baixa expectativa de vida dos índios, tornava seus preços inferiores aos dos cativos africanos. Quando a isso se aliou a crescente hostilidade da Coroa à escravização dos índios, especialmente depois da unificação das Coroas portuguesa e espanhola ocorrida em 1580, o cativeiro de indígenas tornou-se mais difícil de manter.

Esse declínio na utilidade do trabalho escravo indígena, combinado à crescente riqueza dos senhores de engenho brasileiros, levou ao início das importações em massa de cativos africanos após 1570. Se antes dessa data o Nordeste brasileiro possuía poucos escravos africanos, em meados dos anos 1580 só em Pernambuco registravam-se 2 mil cativos africanos, que agora compunham um terço da força de trabalho ocupada na produção açucareira da capitania. A cada década a porcentagem de africanos na população aumentou. Em 1600 quase metade dos cativos eram africanos, e a colônia recebera, até então, aproximadamente 50 mil escravos da África. Nas duas décadas seguintes, os cativos indígenas desapareceram progressivamente dos canaviais, e na década de 1620 a maioria dos trabalhadores na atividade açucareira compunha-se de negros[23].

Inicialmente, no período de 1570-1620, em que se deu a transição para a mão de obra importada da África, os africanos exerceram as funções mais especializadas nos engenhos, trabalhando mais nos processos de beneficiamento do que no cultivo da cana. Como muitos nativos da África ocidental provinham de culturas com técnicas avançadas de agricultura e metalurgia do ferro, eram muito mais qualificados para tais atividades do que os índios. Além disso, no que respeitava às doenças, eles provinham do mesmo meio que os europeus, e a maioria das moléstias que eram epidêmicas para os índios eram endêmicas para os africanos. Portanto, nos quesitos de qualificação, saúde e experiência em trabalho agrícola mais rotinizado, os africanos eram considerados muito superiores aos cativos indígenas, e o diferencial de preço de três para um pago pelos senhores refletia essa percepção. Conforme se avolumou o capital obtido com as vendas de açúcar, deu-se a progressiva mudança para a mão de obra escrava africana por parte de todos os senhores de engenho brasileiros.

Os números mostram que a economia açucareira estava em rápida expansão. Em 1600 o Brasil possuía cerca de duzentos engenhos, produzindo um total de 8 a 9 mil toneladas métricas de açúcar por ano, e em meados dos anos 1620 a produção brasileira subira ao patamar de 14 mil toneladas anuais. Isso ocorreu durante um período em que os preços do açúcar na Europa tiveram alta constante. Além disso, a introdução da moenda de três cilindros verticais na segunda década do século XVII reduziu consideravelmente os custos da construção de engenhos e aumentou a quantidade do caldo extraído da cana. Embora aparentemente tenha havido uma queda nos preços na década de 1620, nas duas décadas seguintes os preços retomaram firmemente a alta, enquanto o açúcar brasileiro dominava os mercados europeus. Com isso, as importações de escravos passaram a aumentar drasticamente, e nas décadas de 1630 e 1640 chegaram ao Brasil mais escravos do que na América espanhola. Essa tendência seria mantida até o século XIX.

As décadas intermediárias do século XVII assistiram ao auge da predominância brasileira no mercado europeu do açúcar. Nenhuma outra área açucareira era capaz de competir com o Brasil nessa fase, e o açúcar brasileiro eliminou as ilhas do leste do Atlântico como grandes produtoras. Foi justamente esse monopólio da produção açucareira que despertou a cobiça de outras potências europeias e levou à ascensão de centros produtores alternativos. Os holandeses seriam cruciais para esse novo movimento das *plantations* americanas. Desde os primórdios da produção açucareira na América, no século XVI, eles tinham sido parceiros constantes dos senhores de engenho brasileiros, fornecendo-lhes o imprescindível transporte e comercializando sua produção nos mercados europeus.

Mas a ascensão de outros Estados modernos não ibéricos na Europa do século XVI criou um grupo de rivais que desejavam reproduzir o sucesso de Portugal no comércio asiático e romper seu monopólio da produção açucareira na América. Esse movimento levaria a ataques sistemáticos ao império português. Ao mesmo tempo, mudanças no governo metropolitano teriam um profundo impacto sobre o Brasil. Em 1580, o último rei da Casa Real de Avis morreu sem deixar herdeiro para assumir o trono, e Portugal e seu império passaram ao domínio dos Habsburgos espanhóis. Assim começou o período de "cativeiro" na história portuguesa: a unificação de Portugal com a Espanha sob Felipe II, que duraria até a rebelião portuguesa de 1640.

De início, essa unificação fortaleceu Portugal e seu império, pois Castela era inquestionavelmente o Estado mais rico e poderoso da Europa na segunda metade do século XVI. Mas esse poder acabou sendo a ruína do mundo colonial português, pois expôs Portugal aos inimigos da Coroa espanhola. Além disso, envolveria o país em uma guerra com seus parceiros de longa data no comércio açucareiro, os holandeses, que na época se rebelaram contra o domínio espanhol. Em consideração à estreita parceria entre portugueses e holandeses no comércio do açúcar, grande foi o esforço para manter as íntimas relações comerciais, apesar de uma ativa rebelião grassar nas províncias holandesas setentrionais a partir de fins da década de 1560, e especialmente depois de meados dos anos 1570. Mas por fim as longas guerras de independência holandesas tiveram seu impacto sobre essa tradicional parceria comercial. Não só a Espanha acabou apreendendo navios holandeses dedicados ao comércio açucareiro, como os próprios holandeses, após 1621, decidiram encerrar todo o comércio direto com o Brasil. Esse foi o ano em que os holandeses fundaram a Companhia Holandesa das Índias Ocidentais, para explorar recursos da África e da América e usar a força para conquistar essas regiões.

Embora piratas do norte europeu sistematicamente atacassem o comércio português com a Ásia e a África, foram os holandeses que emergiram em fins do século XVI como os rivais ibéricos mais agressivos, competentes e poderosos. As sete províncias predominantemente protestantes do norte dos Países Baixos, que eram parte do império espanhol desde que o Habsburgo Carlos V ascendera ao trono da Espanha, haviam entrado em uma fase decisiva de suas guerras de independência na década de 1590. Para os espanhóis, essas guerras de independência holandesas revelaram-se um problema longo e desastroso, que foi provavelmente um de seus mais dispendiosos conflitos imperiais. Em 1609 os holandeses haviam praticamente conquistado a independência, e estavam em condições de empregar seu avançado sistema comercial e sua predominância no comércio ultramarino europeu para levar a guerra aos confins do império português. Se as possessões na América espanhola eram poderosas demais para serem conquistadas, apesar de várias tentativas realizadas, o mesmo não ocorria com o império português na Ásia, na África e finalmente na América, muito mais vulnerável.

Como era grande o envolvimento dos holandeses com a indústria açucareira do Brasil, a América portuguesa inicialmente ficou a salvo das pretensões imperiais da Holanda. Enquanto os espanhóis não tentaram interferir nesse comércio internacional, tudo correu bem. Mas a guerra contra a Holanda revelou-se longa e sangrenta, e por fim os espanhóis atacaram embarcações holandesas a caminho do Brasil na primeira década do século XVII. Isso pôs fim à neutralidade do Brasil e da África portuguesa no grande conflito imperial. Na última rodada de combates, após o fim da chamada "trégua dos doze anos", em 1621, os holandeses atacaram feitorias portuguesas na África e engenhos no Brasil.

Já em 1602 a Holanda estabelecera sua Companhia das Índias Orientais, para apoderar-se do comércio luso de especiarias na Ásia.

Essa competição não foi pacífica, e os holandeses atacaram constantemente navios portugueses e redes comerciais de Portugal no Pacífico. Com a fundação da Companhia das Índias Ocidentais em 1621, os holandeses decidiram competir com os portugueses diretamente na África e na América. Em uma campanha sistemática para capturar possessões brasileiras e africanas, a Companhia Holandesa das Índias Ocidentais enviou a primeira de muitas frotas de guerra ao Atlântico Sul em 1624. Os holandeses tomaram temporariamente a cidade de Salvador e, com ela, a Bahia, a segunda maior província açucareira do Brasil. Mas, um ano depois, uma esquadra luso-espanhola conseguiu retomar a província. Em 1627 uma segunda frota da Companhia Holandesa das Índias Ocidentais tentou dominar Recife, principal porto açucareiro do Brasil e centro da província de Pernambuco, a mais rica região canavieira da colônia. Embora fosse rechaçada pelos portugueses, a frota holandesa conseguiu capturar a esquadra espanhola que retornava à Espanha com seu carregamento anual de prata , enriquecendo imensamente os cofres da Companhia.

Outra grande armada foi equipada pela Companhia em 1630, e, depois de luta encarniçada os holandeses, tomaram Recife e boa parte da província de Pernambuco. Com a posse dessa base de produção açucareira, os holandeses tornaram-se então concorrentes diretos de seus ex-parceiros brasileiros. O próximo passo na competição foi tirar do Brasil o acesso às suas fontes de escravos africanos. Assim, a Companhia montou novas expedições para apoderar-se das possessões portuguesas na África, daí resultando que os holandeses também se tornaram a potência dominante no sistema do tráfico atlântico de escravos. Primeiro capturaram a fortaleza de Elmina, na Costa do Ouro, em 1638; depois Luanda e toda a região costeira de Angola, em 1641[24].

A tomada de Pernambuco e das possessões portuguesas na África pelos holandeses afetou a produção açucareira e o sistema escravista no Brasil e no resto da América. Para o Brasil, a ocupação holandesa teve como consequências a substituição de Pernambuco pela Bahia como principal província escravista açucareira e o ressurgimento da escravidão indígena. O decorrente comércio de escravos indígenas pelo interior ajudou a abrir o sertão brasileiro à exploração e ao povoamento. Para o resto da América, o Brasil holandês passaria a ser a fonte das ferramentas, técnicas, crédito e cativos que levariam a revolução açucareira às Antilhas, encerrando assim o monopólio brasileiro nos mercados europeus e levando à criação de novas e ricas colônias americanas para a França e a Inglaterra.

Nos primeiros quinze anos, Pernambuco revelou-se uma fonte de grande riqueza para a Companhia das Índias Ocidentais, e a cidade de Olinda, sob o governo do príncipe de Nassau, tornou-se uma singular comunidade multirracial e multirreligiosa de considerável cultura. Mas a prolongada guerra pelos engenhos interioranos de Pernambuco, especialmente depois da revolta dos produtores em 1645, acarretou o declínio da produção e a emergência da Bahia como principal zona produtora do Brasil (ver Gráfico 2.2). Quando o estrangulamento das fontes de cativos africanos pelos holandeses reduziu a oferta de escravos e elevou seus preços, os senhores de engenho brasileiros, com permissão temporária da Coroa, mais uma vez recorreram à escravização de indígenas. Agora esses cativos não eram mais obtidos entre os falantes do tupi, na costa brasileira, mas em tribos sertanejas distantes pertencentes a várias famílias linguísticas. Tribos eram capturadas em expedições de caça a escravos formadas por bandeirantes oriundos da povoação de São Paulo. Os bandeirantes paulistas percorreram todo o interior do Brasil em busca de cativos para remeter à costa e chegaram aos trechos setentrionais da bacia do rio da Prata. Dessa maneira, boa parte do interior do Brasil foi desbravado, e São Paulo, antes um tosco povoado, expandiu-se para uma próspera povoação. Tudo isso conduziria, em fins do século, a utilização mais intensa da mão de obra escrava indígena no interior brasileiro.

Gráfico 2.2: Exportações de açúcar pelos holandeses a partir de Pernambuco, 1631-1651.

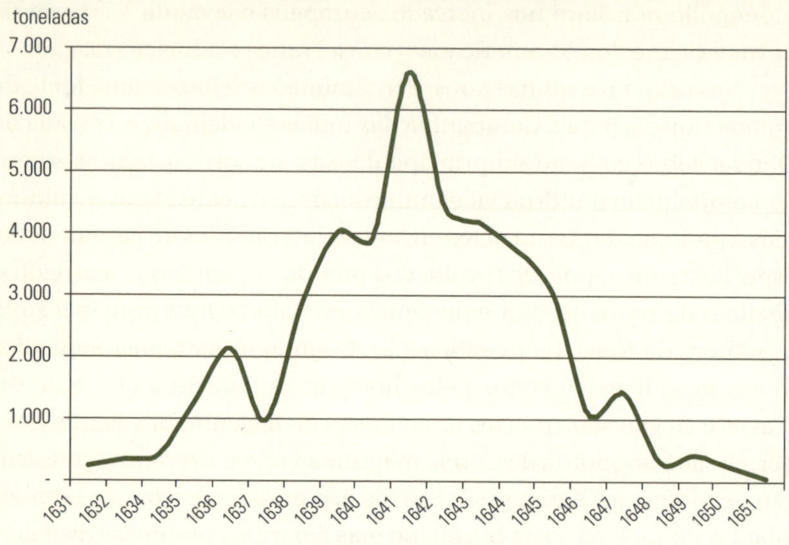

Fonte: Henk Den Heijer, "The Dutch West India Company, 1621-1791", p. 88

Quanto às consequências para o resto da América, o controle de Pernambuco pelos holandeses levou-os a intervir ativamente nas colônias francesas e inglesas das Antilhas. Embora a luta entre holandeses e portugueses no interior reduzisse a importância de Pernambuco como principal produtor açucareiro da região, essa província ainda assim continuou a enviar grande quantidade de açúcar ao mercado europeu e reviveu as redes holandesas de comercialização do produto, as quais haviam sofrido séria ruptura com o fechamento anterior do comércio entre Holanda e Brasil. Como precisavam abastecer suas refinarias em Amsterdã com açúcar da América, especialmente após a drástica queda pós-1645 na produção pernambucana, os holandeses começaram a levar escravos e os mais avançados equipamentos de fabrico do açúcar para os colonos britânicos e franceses no Caribe, cujo açúcar vendiam ao mercado europeu. Na década de 1640, senhores de engenho holandeses com experiência em Pernambuco chegaram a Barbados, Martinica e Guadalupe para introduzir técnicas modernas de moagem e produção. Traficantes holandeses forneciam crédito aos senhores locais para a compra de escravos africanos, enquanto cargueiros holandeses das Índias Ocidentais transportavam o açúcar acabado para as refinarias de Amsterdã.

Ainda mais impacto causou a migração de senhores de engenho holandeses com seus escravos para essas ilhas em 1654, quando houve a retomada de Pernambuco pelas tropas portuguesas. Em Guadalupe, cerca de seiscentos holandeses e trezentos cativos chegaram nesse período, e a Martinica recebeu números iguais. Para Barbados emigraram aproximadamente mil. Embora muitos desses novos colonos acabassem regressando à Holanda, um número suficiente deles permaneceu na América e deu um impulso fundamental à indústria açucareira caribenha nos anos 1650. Foram esses imigrantes holandeses que se mostraram decisivos na efetiva implantação do sistema da grande lavoura açucareira nas ilhas[25].

Mas a ascensão da economia escravista de grande lavoura nas Antilhas Francesas e Britânicas pôs fim à importância da Holanda como importante fator na produção e comercialização dos gêneros das *plantations* americanas. Além disso, as várias guerras anglo-holandesas a partir da década de 1650 e as várias tarifas e leis de navegação impostas por britânicos e franceses nesse período acabaram negando aos holandeses o acesso aos mercados imperiais da Grã-Bretanha e da França. Esse crescimento dos impérios francês e britânico também se deu em detrimento da produção açucareira do Brasil e do papel do açúcar brasileiro nos mercados europeus. Não só as ilhas francesas e britânicas equipararam-se ao Brasil na produção do açúcar no primeiro quarto do século XVIII, mas além disso as restrições ao comércio impostas pelas duas potências para dar fim à influência holandesa sobre suas novas colônias também tiveram impacto direto sobre os mercados açucareiros do Brasil. Na primeira metade do século XVIII, Inglaterra e França supriam suas próprias necessidades e também as demandas de açúcar de praticamente todo o norte e leste da Europa. A França, que fora grande consumidora do açúcar brasileiro até a década de 1690, nessa década criou tarifas que eliminaram o açúcar brasileiro do mercado francês. No século XVIII, apenas as melhores qualidades de açúcar barreado brasileiro ainda podiam ser encontradas em qualquer um dos mercados europeus setentrionais, e a maior parte da produção brasileira era vendida apenas no sul da Europa e no Mediterrâneo. Os produtores das Antilhas Francesas eram tão eficientes que logo dominaram também esses mercados meridionais, além de eliminar do continente europeu o açúcar mais caro das Antilhas Britânicas[26].

A severa restrição aos seus mercados internacionais não aniquilou a importância do Brasil como produtor mundial de açúcar. Apesar da perda da posição monopolista, o contínuo crescimento do consumo europeu, a excelência dos melhores tipos de açúcar branco barreado brasileiro e o crescimento da demanda nos mercados doméstico e imperial garantiram que os engenhos brasileiros mantivessem uma forte presença no mercado mundial. Em 1760, o Brasil ainda se classificava como terceiro maior produtor do mundo, perdendo para as Antilhas Britânicas e Francesas, e era responsável por 17% da produção mundial[27]. Ao mesmo tempo, no final do século XVII e princípio do XVIII a economia colonial foi revitalizada e transformada pela introdução de novas atividades baseadas no trabalho escravo. Assim, o volume do tráfico africano apresentaria taxas crescentes século adentro.

NOTAS

1. Um bom panorama da expansão de Portugal no século XV encontra-se em A. H. de Oliveira Marques (org.), *A Expansão Quatrocentista*. Sobre os produtos desse novo comércio mundial dos portugueses, a melhor fonte continua a ser Vitorino Magalhães Godinho, *Os Descobrimentos e a Economia Mundial*. Sobre o impacto de Portugal no comércio do oceano Índico, ver K. N. Chaudhuri, *Trade and Civilization in the Indian Ocean, an Economic History from the Rise of Islam to 1750*, cap. 3.Também vale a pena consultar a obra clássica de Charles R. Boxer, *The Portuguese Seaborne Empire, 1415-1825*.
2. A mais detalhada análise desse comércio encontra-se em Frédéric Mauro, *Le Portugal et l'Atlantique au XVIIe siécle (1570-1670), étude économique*, pp. 118-145. Estima-se que no comércio de pau-brasil, que era monopólio régio, foram exportadas 150 mil toneladas entre 1502-1625, com receitas para a Coroa que representaram entre 1% e 2% do total da renda imperial em qualquer desses anos. Harold Johnson, "Desenvolvimento e Expansão da Economia Brasileira", pp. 222-223.
3. Sobre os vários indígenas em contato com os portugueses nos séculos XVI e XVII, ver Manuela Carneiro da Cunha (org.), *História dos Índios no Brasil*. Sobre as relações comerciais entre índios e portugueses até 1533, ver Filipe Nunes de Carvalho, "Do Descobrimento à União Ibérica", pp. 111-113. Um estudo dos mamelucos que serviram de intermediários entre os mundos indígena e português encontra-se em Alida Metcalf, *Go-betweens and the Colonization of Brasil*.
4. Um bom exame desse período encontra-se em Harold Johnson, "Portuguese Settlement, 1500-1580".
5. Para uma história da França Antártica, ver Vasco Mariz e Lucien Provençal, *Villegagnon e a França Antártica*; e Frank Lestringant, *L'expérience Huguenote au nouveau monde (XVIe siècle)*.

6. O estudo clássico sobre a mudança da mão de obra indígena para a africana é Stuart Schwartz, *Sugar Plantation in the Formation of Brazilian Society, Bahia, 1550-1835*, cap. 2.
7. Um excelente estudo sobre o tipo de escravidão característico dos principais centros urbanos da América espanhola colonial é Frederick P. Bowser, *The African Slave in Colonial Peru, 1524-1650*.
8. Sobre esse papel atípico dos escravos na mineração na América espanhola, ver William F. Sharp, *Slavery in the Spanish frontier: the Colombian Chocó, 1680-1810*, e Maria Elena Diaz, *The Virgin, the King and the Royal slaves of El Cobre... Colonial Cuba, 1670-1780*.
9. Sobre a evolução da população colonial da América espanhola nesse período, ver Nicolás Sánchez-Albornoz, *La población de América Latina, desde los Tiempos Precolombianos al año 2025*, caps. 4 e 5.
10. Estimou-se que "aproximadamente 50 mil condenados britânicos foram sentenciados à servidão e transportados à força para a América entre 1718 e 1775 [e] que representaram cerca de um quarto de todos os britânicos e metade de todos os ingleses que chegaram à América nesse período". Farley Grubb, "The Transatlantic Market for British Convict Labor", p. 94.
11. Sobre o tráfico de trabalhadores vinculados ao sistema *indentured labor* e sua ascensão e queda na América britânica, ver David W. Galenson, *White Servitude in Colonial America: an Economic Analysis*, e os dois ensaios desse mesmo autor sobre o tema, "White Servitude and the Growth of Black Slavery in Colonial America" e "The Rise and Fall of Indentured Servitude in the Americas: an Economic Analysis", e Farley Grubb, "The End of European Immigrant Servitude in the United States: an Economic Analysis of Market Collapse, 1772-1835".
12. Sobre o uso de contratos privados e concessões temporárias de governo no estabelecimento das colônias ultramarinas portuguesas e o subsequente pleno controle régio, ver Francisco Bethencourt, "Political Configurations and Local Powers", em Francisco Bethencourt e Diogo Ramada Curto, *Portuguese Oceanic Expansion, 1400-1800*, pp. 197-254. Para a evolução dessas capitanias no Brasil, ver a análise de Harold B. Johnson, "Portuguese Settlement, 1500-1580"; e os vários ensaios mais recentes em Johnson e Silva (orgs.), *O Império Luso-brasileiro 1500-1620*. Para a evolução da produção açucareira nesse período, ver Stuart B. Schwartz, "A Commonwealth within Itself: the Early Brazilian Sugar Industry, 1550-1670".
13. Genaro Rodríguez Morel, "The Sugar Economy of Espanola in the Sixteenth Century"; J. H. Galloway, *The Sugar Cane Industry: an Historical Geography from its origins to 1914*, pp. 61-70.
14. J. H. Galloway, *The Sugar Cane Industry*, pp. 61-70.
15. Sobre os antecedentes no Atlântico e os primórdios da indústria açucareira no Brasil, ver Galloway, *The Sugar Cane Industry*, cap. 4; e as fontes citadas na nota 18.
16. Sobre a evolução do comércio holandês de açúcar com o Brasil, ver Christopher Ebert, "Dutch Trade with Brasil before the Dutch West India Company, 1587-1621".
17. Schwartz, *Sugar Plantations*, p. 19.
18. A estimativa mais pormenorizada da produção brasileira nos séculos XVI e XVII encontra-se em Frédéric Mauro, *Le Portugal et l'Atlantique au XVIIe siècle (1570-1670), étude économique*, pp. 192-257; ver também Schwartz, *Sugar Plantations*, cap. 7.
19. Baseado nas estimativas em Mauro, *Le Portugal et l'Atlantique au XVIIe siècle*, cap. 3.
20. Schwartz, *Sugar Plantations*, pp. 127-128.
21. Sobre a evolução da indústria açucareira no Nordeste, ver Mauro, *Le Portugal et l'Atlantique au XVIIe siècle*, pp. 192-201; e Schwartz, *Sugar Plantations*, cap. 7.

22. A clássica fonte sobre o uso de cativos indígenas na indústria açucareira do Nordeste é Stuart B. Schwartz, "Indian Labor and New World Plantations: European Demands and Indian Responses in Northeastern Brazil".

23. Sobre a movimentação de escravos para o Brasil, ver Herbert S. Klein, *The Atlantic Slave Trade*, e Schwartz, *Sugar plantations*, cap. 13.

24. Sobre a expansão dos holandeses no século XVII e seu conflito com Portugal, ver Charles R. Boxer, *The Dutch Seaborne Empire, 1600-1800*, Chaudhuri, *Trade and Civilization in the Indian Ocean*, cap. 4, Jonathan I. Israel, *Dutch Primacy in World Trade, 1585-1740*, e a importante nova coletânea de ensaios organizada por Postma e Enthoven, *Riches from Atlantic Commerce*, que inclui estudos sobre a Companhia Holandesa das Índias Ocidentais. Sobre a colônia holandesa no Brasil existem numerosos estudos, entre eles o clássico de José Antônio Gonçalves de Mello, *Tempo dos Flamengos: Influência da Ocupação Holandesa na Vida e na Cultura do Norte do Brasil*, e Evaldo Cabral de Mello, *O Negócio do Brasil: Portugal, os Países Baixos e o Nordeste, 1641-1669*. Uma análise recente é a de Leonardo Dantas Silva, *Holandeses em Pernambuco: 1630-1654*.

25. Gabriel Debien, *Les esclaves aux antillais françaises (XVIIe-XVIIIe siècles)*, p. 178; e sobre o papel crucial que os holandeses tiveram nas origens da revolução açucareira de Barbados nas décadas de 1640 e 1650, ver William A. Green, "Supply versus Demand in the Barbadian Sugar Revolution", pp. 409s.

26. O melhor estudo do comércio açucareiro do Brasil durante todo o período colonial encontra-se em Schwartz, *Sugar Plantations*, caps. 7 e 15; e sobre o aumento da competição das Antilhas Britânicas e Francesas, ver Galloway, *The Sugar Cane Industry*, caps. 4 e 5.

27. Manuel Moreno Fraginals, *El ingenio: Complexo Económico Social Cubano del Azúcar*, v. I, cap. 42. Embora a posição relativa do Brasil declinasse na segunda metade do século XVIII, no período 1815-19 a produção brasileira dobrou para 79 mil toneladas anuais, representando 20% da produção mundial de cana-de-açúcar. Fraginals, *El ingenio*, v. 2, p. 173.

A escravidão e a economia no século XVIII

O crescimento do sistema de *plantation* nas Antilhas no século XVII e início do século XVIII não pôs fim à indústria açucareira do Brasil nem ao próspero sistema escravista no qual se assentava a economia brasileira. No entanto, a ocupação holandesa e o subsequente desenvolvimento da indústria açucareira antilhana afetaram gravemente a economia colonial brasileira. Não só grande parte da indústria açucareira de Pernambuco foi destruída, levando depois um longo tempo para se recuperar, mas também os mercados exportadores reduziram-se para o Brasil. Em fins do século XVII e início do século XVIII a produção continuou a crescer, porém terminara a era da elevada lucratividade. A concorrência antilhana acarretou o declínio dos preços do açúcar em relação à primeira metade do século, e a demanda por escravos nas Antilhas ocasionou o aumento dos preços dos cativos, reduzindo, assim, os lucros dos produtores brasileiros. Nas duas últimas décadas do século a economia brasileira passou por uma relativa depressão, e a Coroa, preocupada, começou a procurar novos mercados e produtos para reviver a economia colonial.

Entre as várias tentativas de desenvolver novos recursos, a Coroa começou a explorar o interior da colônia em busca de riquezas minerais.

O êxito dos bandeirantes paulistas no fornecimento de escravos indígenas em meados do século levara o governo a subsidiar a exploração sistemática dos sertões[1]. No final do século XVII, após décadas de pesquisa infrutífera, descobriram-se substanciais jazidas de ouro aluvial na região da atual Minas Gerais, a cerca de 300 quilômetros do porto do Rio de Janeiro. Com isso, um tipo inteiramente novo de economia escravista emergiu em solo brasileiro: a mineração escravista. Ouro, e depois diamantes, seriam a base desse fenômeno do século XVIII, e o Brasil novamente seria o introdutor de um sistema de produção que logo se replicaria na América espanhola. Embora nos Andes e no México a extração de prata ainda se baseasse no trabalho de índios livres assalariados e trabalhadores forçados por contrato, a mineração aurífera nas regiões isoladas do interior da América espanhola seria, em boa parte, efetuada pela força de trabalho escrava, em um sistema bem semelhante ao do Brasil[2].

Os moradores da costa com seus escravos lançaram-se imediatamente a uma corrida a essas jazidas de ouro. Até a descoberta do ouro, no final do século XVII, o sertão de Minas Gerais, no coração da região aurífera, fora povoado apenas por índios não conquistados. Provavelmente já em 1710 havia cerca de 20 mil livres e igual número de escravos habitavam na região; em 1717, o número de escravos aumentara para 35 mil, e no início da década seguinte ultrapassou os 50 mil. O marco de 100 mil na população cativa provavelmente foi atingido na década de 1730, e nos anos 1760 havia 249 mil escravos e pessoas livres de cor e apenas 71 mil brancos na capitania. Na época do censo de 1776 foram registrados 266 mil pessoas de cor, das quais 157 mil eram escravos e a notável quantidade de 109 mil eram livres[3]. Em 1809 as pessoas livres de cor haviam ultrapassado numericamente a população escrava e, embora a população cativa continuasse a crescer, atingindo por fim 383 mil em 1872, as pessoas livres de cor continuaram a ser o segmento populacional dominante na província até o fim da escravidão[4]. Tanto a rapidez do crescimento da população escrava como seu tamanho e composição destacaram Minas Gerais como uma zona singular de trabalho escravo no Brasil. O surto de exploração do ouro avançou bastante pela segunda metade do século XVIII (ver Gráfico 3.1) e também foi sustentado por uma grande expansão nas exportações de diamante na parte final do século[5].

Embora as seis primeiras décadas assistissem a uma verdadeira corrida do ouro, no último quarto do século ocorreu uma crescente diversificação da economia da região, e isso também se refletiria em mudanças na estrutura da força de trabalho escrava. Finalmente, todo esse crescimento propiciou o surgimento de importantes centros urbanos nessa capitania interior em meados do século. A população de Ouro Preto, por exemplo, atingiu na época 20 mil pessoas — apenas cerca de 10 mil a menos do que Salvador e Rio de Janeiro, as principais cidades portuárias do período[6].

Gráfico 3.1: Média anual de produção de ouro, 1700-1799.

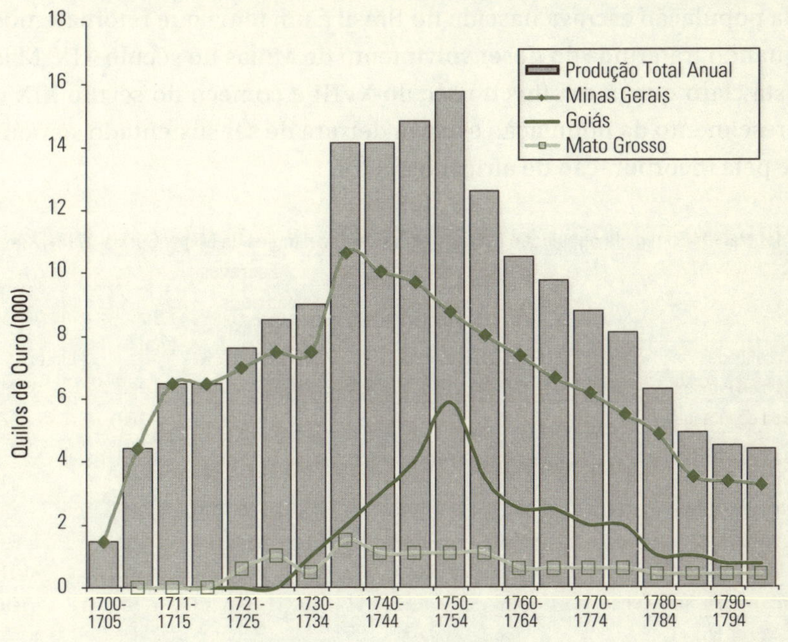

Fonte: Pinto, *O ouro brasileiro e o comércio anglo-português* (1979), p. 114.

Na primeira metade do século XVIII, durante a corrida do ouro, a população escrava que se expandiu velozmente em Minas proveio diretamente da África. Em uma amostra de censos do começo do século XVIII para os principais distritos de Minas Gerais, os africanos compuseram mais de 90% do total da população escrava. Havia também um número significativo de cativos indígenas, que constituíam 2% do total da força de trabalho escrava, em comparação com os cativos nascidos no Brasil, que representavam 5% dessa força de trabalho (ver Tabela 3.1). Já em 1738, segundo um censo de aproximadamente 8 mil escravos no distrito diamantífero de Serro do Frio, a proporção de africanos era 95%, e os índios haviam desaparecido do censo[7]. Com o passar do tempo, porém, a proporção de africanos diminuiu, embora a população cativa total da capitania continuasse a crescer. Em Congonhas do Sabará, em 1771, a porcentagem de africanos declinou para 68%, e segundo o censo de 1804, entre os cativos de origem conhecida apenas 41% eram africanos, sendo os demais nascidos no Brasil (ver Tabela 3.2)[8]. Esse aumento da importância da população escrava nascida no Brasil é um tema que retomaremos quando tratarmos do desenvolvimento de Minas no século XIX. Mas está claro que já em fins do século XVIII e começo do século XIX o crescimento da população escrava deixara de ser sustentado somente pela incorporação de africanos.

Tabela 3.1: Origem da população escrava em várias localidades de Minas Gerais, 1718-1738.

		Escravos					
		Africanos		Nascidos no Brasil		Sub total %	Índios
Localidades	Anos	Número	%	Número	%		Número
Vila de Pitangui	1718	245	91	25	9	100	28
Vila de Pitangui	1719	342	91	33	9	100	37
Vila de Pitangui	1720	346	91	33	9	100	37
Vila de Pitangui	1722	731	89	90	11	100	54
Vila de Pitangui	1723	695	90	80	10	100	45
Vila Rica	1718	3.862	96	157	4	100	59
Vila do Carmo	1718	7.694	96	318	4	100	187
Vila de São João d'el Rey	1718	1.041	91	97	9	100	140
Serro do Frio	1738	7.491	95	399	5	100	0
Total		22.447	95	1232	5	100	587

Fontes: Luna (1986), Tabela 7, e (1980), tabelas 2, 7, 9 e 13.

Tabela 3.2: Divisão dos escravos por origem em algumas localidades de Minas Gerais, 1804.			
Localidades	Africanos	Nascidos no Brasil	% africanos
Abre Campo	25	33	43%
Capela do Barreto	61	131	32%
Furquim	372	582	39%
Gama	132	83	61%
Inficionado	252	174	59%
Itacolomi	75	62	55%
Mariana	131	116	53%
N. S. Remédios	36	97	27%
N.S.Dores	74	122	38%
São Caetano	262	380	41%
Vila Rica	1.151	1.688	41%
Total com origam conhecida	2.571	3.468	43%

Fontes: Luna (1986), Tabela 7, e ANRJ.

As origens africanas dessas duas ou três primeiras gerações de escravos mineiros variaram conforme a época e o lugar. Dos cativos naturais da África arrolados nos três distritos que compõem a amostra de 1718, cerca de 42% provinham de Cabo Verde, Senegal ou regiões do oeste da África (a maioria eram nagôs e minas da baía de Benin), e 58% eram de Congo-Angola e Moçambique, na África meridional, falantes principalmente do banto[9]. A razão entre africanos ocidentais e meridionais variou nos distritos da capitania ao longo do tempo, e os dados disponíveis para todo o século XVIII e início do século XIX mostram um progressivo predomínio de africanos meridionais em todas as cidades e distritos.

A predominância de africanos teve grande impacto sobre as características demográficas da população escrava local, porém no início os proprietários de escravos de Minas e de outras partes não tentaram qualificar essas modificações. A febre do ouro não levou os senhores a preocupar-se com os problemas populacionais de longo prazo, nem com a estrutura familiar de seus cativos. Eles compravam principalmente homens africanos adultos. O fato de a Coroa conceder as áreas para exploração com base no tamanho dos plantéis e a necessidade imediata de trabalhadores cativos adultos também favoreceram essa tendência. A concessão de terras ao longo das margens de rios auríferos baseava-se — exceto para o descobridor —no número de escravos que o mineiro possuía. Para obter uma concessão de 66 metros, chamada data, era preciso ser dono de no mínimo doze escravos, e supunha-se que fossem todos trabalhadores adultos[10]. Além disso, a Coroa decidiu criar um imposto sobre a mineração baseado não na produção de ouro, mas em uma taxa *per capita* sobre os escravos[11]. Assim, a proporção de homens adultos nas minas e cidades de Minas Gerais era elevadíssima, em muitos casos atingindo a extraordinária razão de dez ou mais homens para cada mulher entre os escravos (ver Tabela 3.3). De fato, os homens representaram 93% da escravaria listada em documentos fiscais datados de 1718. Essa proporção seria gradativamente reduzida, mas persistiria nas primeiras décadas da ocupação de Minas Gerais, exigindo uma entrada constante de africanos para atender à crescente demanda de mão de obra escrava na região[12].

Em um censo de quatro distritos de Minas em 1718, a porcentagem de nascidos na África entre os 12.842 escravos cuja origem se conhece era de 88%, e nada menos que 92% dos escravos do sexo masculino eram africanos[13]. Outro estudo constatou que, entre os 402 cativos adultos arrolados em inventários de Sabará entre 1725 e 1759, 88% eram africanos, e que a razão de sexo (número de homens para cada cem mulheres) era de 532. Essas razões permaneceram iguais para os inventários de Sabará que abarcam o período de 1760 a 1808. Embora a participação dos africanos adultos diminuísse para 76% do total de cativos adultos arrolados, a razão de sexo — 844 — permaneceu extraordinária. Esses números contrastavam com a proporção de 166 homens para cada cem mulheres entre os cativos nascidos no Brasil no primeiro período e de 115 homens para cada cem mulheres entre os escravos nascidos no Brasil no segundo período[14]. O padrão, porém, começou a mudar rapidamente na segunda metade do século XVIII. Pelo censo de 1804, a maioria dos escravos já se compunha de nascidos no Brasil, e com isso a razão de sexo tornara-se bem mais equilibrada, embora os cerca de 40% que eram africanos garantissem que ainda houvesse significativamente mais homens do que mulheres entre os escravos (ver Tabela 3.4). Agora, para toda a população escrava cujo sexo foi declarado, a razão era de 198 homens para cem mulheres, uma mudança notável com relação aos números do início do século XVIII[15].

Tabela 3.3: Distribuição dos escravos por sexo em algumas localidades de Minas Gerais em 1718.			
	Homens	Mulheres	Razão masculinidade
Vila Rica	3.870	363	1.066
Vila do Carmo	8.003	596	1.343
São João del Rey	1.291	48	2.690
Pitangui	255	43	593
Total	13.419	1.050	1.278

Fonte: A mesma da Tabela 3.1.

Tabela 3.4: Divisão dos escravos por sexo em algumas localidades de Minas Gerais, 1804.			
Localidades	Homens	Mulheres	Razão masculinidade
Abre Campo	45	13	346
Bacalhau	747	281	266
Capela do Barreto	110	82	134
Furquim	691	330	209
Gama	186	36	517
Guarapiranga	203	97	209
Inficionado	1.112	358	311
Itacolomi	219	78	281
Mariana	167	89	188
Morro Santa Ana	140	66	212
N.S. das Dores	127	83	153
N.S. dos Remédios	159	94	169
Passagem	274	144	190
São Caetano	454	227	200
Vila Rica	1.649	1.190	139
Total	6.283	3.168	198

Fonte: A mesma da Tabela 3.1.

Os africanos eram predominantemente homens e adultos. Todos os estudos sobre as idades dos cativos africanos no século XVIII apontam uma razão de menos de dez crianças (0-15 anos de idade) para cada cem africanos, uma proporção muito destoante da encontrada entre os nascidos no Brasil, que era de quarenta a cinquenta crianças para cada cem escravos[16]. Considerando o predomínio de adultos na migração africana, essa incidência extraordinariamente baixa de crianças não é de surpreender, mas, juntamente com a razão de sexo, é outro indicador de que, enquanto os africanos dominassem a força de trabalho local, o crescimento da população escrava ocorreria sobretudo graças à importação de escravos, e não ao crescimento natural da população cativa residente.

Essa distorção na estrutura etária da população escrava residente começou a mudar lentamente na segunda metade do século XVIII. Em um censo de escravos em Sabará no ano de 1776, as crianças de zero a quinze anos compunham aproximadamente 28% do total de 21.268 escravos que foram registrados. Além disso, a razão de sexo global das crianças era de 117 meninos para cem meninas, em contraste com o dobro na taxa encontrada para os adultos[17]. Na primeira metade do século XVIII o predomínio dos africanos influenciou acentuadamente as razões de idade e sexo da população escrava residente, e isso mudaria lentamente no decorrer do século em Minas Gerais, à medida que cativos nascidos no Brasil começassem a se tornar mais importantes na população. Devido ao aumento na proporção dos escravos nascidos no Brasil, a porcentagem de crianças no total da população cativa aumentou, juntamente com a porcentagem de mulheres. No censo de Vila Rica de 1804, por exemplo, as crianças representavam 22% da população de 2.763 escravos cujas idades foram registradas[18].

Com o tempo, aumentou a concentração na posse de escravos. A Coroa reservava as datas minerais para seus descobridores e para os mineiros possuidores de doze cativos ou mais; os que tinham número menor de escravos podiam obter áreas menores, proporcionais ao tamanho de seu plantel, mas a maioria desses mineiros pequenos proprietários de escravos tendia a concentrar-se na exploração itinerante, o que significava uma liberdade extraordinária para seus poucos cativos empregados na mineração: eles eram pagos pela produção de ouro[19]. Nas explorações em larga escala, denominadas lavras, os escravos trabalhavam em turmas, cuidadosamente supervisionados por feitores. Assim, em certos campos auríferos claramente definidos, como os dos arredores das cidades de Vila Rica e Vila do Carmo, altas concentrações de cativos garantiam uma organização e disciplina equivalente a dos engenhos[20]. Ali e em outros campos de ouro aluvial, faziam-se altos investimentos para exploração das lavras, com sistemas de dragagem e grandes obras hidráulicas, como a construção de barragens, o desvio de rios, e a canalização e transporte de água a longa distância para o desbaste e exploração dos morros. Todas essas atividades, obviamente, requeriam muitos escravos qualificados para trabalhar como carpinteiros, pedreiros e ferreiros, e também uma grande quantidade de cativos para o trabalho braçal[21]. Essas lavras, fortemente supervisionadas e controladas, absorviam uma parte expressiva dos cativos envolvidos na mineração em Minas Gerais. Em 1814, período já de decadência da mineração, havia em Minas 6.662 trabalhadores (dos quais 6.493 eram cativos) em cerca de 555 lavras, e 5.747 faiscadores garimpando individualmente, dos quais 1.871 eram escravos[22]. Esses 8.364 escravos compunham aproximadamente 6% dos 149 mil cativos estimados na capitania naquela época[23].

Provavelmente metade dos mineradores e um quarto dos escravos, mesmo no período inicial, eram itinerantes. Dentre estes, muitos eram escravos que trabalhavam sem fiscalização, faiscando em rios, dispersos pela capitania de Minas Gerais e mais a oeste, nas capitanias de Goiás e Mato Grosso. Já em 1735, Goiás tinha 10.263 trabalhadores ocupados na mineração, a maioria deles escravos e forros que exploravam ouro e diamante em minas fixas e no garimpo itinerante[24]. Por sua vez, Mato Grosso tinha 11.910 cativos em 1797 [25]. Mineiros com pouco capital para explorar uma lavra, ou sem cativos suficientes para obter uma concessão da Coroa, recorriam a faiscação itinerante, individualmente ou com poucos escravos. Os escravos na faiscação costumavam passar um tempo considerável longe de seus senhores garimpando ouro e entregando-lhes um quantia fixa; eventualmente pagavam seu sustento e podiam acumular recursos até mesmo para comprar sua liberdade[26]. Embora os governos locais criticassem esse estilo itinerante de mineração como perigoso para o controle social, ele estava disseminado demais para ser eliminado. Em contraste, a exploração formal nas lavras empregava grupos numerosos de cativos rigorosamente supervisionados[27].

Embora a posse de escravos se restringisse a uma minoria da população mineira, a proporção de domicílios com escravos era relativamente alta, chegando a um terço ou mais nas cidades de Minas Gerais no século XVIII[28]. Como se evidencia no censo de 1718, a maioria dos 2.120 proprietários de escravos (60%) possuía cinco cativos ou menos (do total de 14.665 escravos cuja situação de posse era conhecida), e controlava pouco menos de um quarto de toda a escravaria (ver Tabela 3.5). Esse padrão repete-se em uma amostra maior de senhores e escravos nas três zonas de Minas no começo dos anos 1720, Vila Rica, Sabará e São José del Rei, que continham cerca de 3.163 senhores e 19.820 escravos (ver Tabela 3.6). Nas amostras de

1717 e 1718, mais de 60% dos proprietários possuíam quatro cativos ou menos, e os números para as três zonas em 1721-1722 são bem semelhantes, com quase 60% dos senhores possuindo cinco escravos ou menos; em ambos os casos esses pequenos proprietários controlavam aproximadamente um quinto da força de trabalho cativa. Nos dois casos, o grupo seguinte de proprietários, com plantéis de seis a dez cativos, compunha um quarto dos proprietários e possuía cerca de um quarto da escravaria. No grupo com plantéis acima de dez cativos havia mais variação entre as comunidades estudadas, e eram pouquíssimos os senhores com mais de cinquenta cativos. Em uma amostra de comarcas em 1718, o plantel médio consistia em sete escravos, e a média nas três comunidades em 1721-1722 situava-se entre seis e sete cativos[29].

Tabela 3.5: Distribuição dos escravos e proprietários por tamanho do plantel, em quatorze localidades (1715-1717) e dezessete localidades em 1718.

	1715-1717		1718	
Tamanho do plantel	Proprietários	Escravos	Proprietários	Escravos
1	18%	3%	25%	5%
2	16%	5%	17%	6%
3	14%	6%	12%	7%
4	7%	4%	9%	6%
5	8%	6%	7%	7%
1-5	62%	24%	60%	22%
6-10	22%	25%	21%	23%
11-20	12%	28%	13%	27%
21-40	4%	15%	5%	18%
41 +	1%	7%	1%	9%
Total	100%	100%	100%	100%
(n)	539	3.503	2.071	14.365

Fontes: Para 1715-1717: Antigos Povoadores: Doc. n. 64, Documentos Avulsos, APM; para 1718: Luna (1986), Tabela 7.

Tabela 3.6: Distribuição dos proprietários e escravos por tamanho do plantel, localidades selecionadas em Minas Gerais, 1720s.

Tamanho do plantel	Vila Rica 1721		Sabará 1721		S. José del Rei 1722	
	Proprietários	Escravos	Proprietários	Escravos	Proprietários	Escravos
1-4	57%	20%	57%	20%	56%	19%
5-9	25%	27%	22%	22%	24%	24%
10-19	13%	28%	16%	31%	12%	24%
20-49	5%	22%	5%	21%	7%	27%
50 & mais	0%	3%	1%	6%	1%	7%
	100%	100%	100%	100%	100%	100%
(N)	1.757	10.471	912	5.992	494	3.357

Fonte: Botelho (2006).

Essas distribuições, em comparação com as de períodos posteriores, mostram um nível surpreendentemente baixo de desigualdade na classe dos senhores no que respeita ao tamanho dos plantéis. O índice de Gini para a distribuição dos escravos entre os proprietários indica relativamente pouca desigualdade, com coeficientes que variavam da metade da faixa dos 0,40 até a metade da faixa dos 0,50; contudo, foram encontrados valores elevados na metade da faixa dos 0,60 para dois distritos mineiros. Essas acentuadas disparidades no índice de Gini sugerem que havia variações significativas na posse de escravos, relacionadas às condições econômicas locais (ver Tabela 3.7). Não obstante, a maioria dos índices de Gini calculados para essas localidades no século XVIII mostra que menos desigualdade entre os proprietários de escravos do que as que existiriam no Brasil no século XIX. Como veremos no próximo capítulo, um censo quase completo realizado em Minas entre 1831 e 1832 produziu um índice de Gini de 0,57 entre os proprietários de escravos, indicando alta concentração em comparação com a maioria dos índices de Gini calculados para Minas Gerais no século XVIII. Finalmente, cabe ressaltar que esses proprietários mineiros surpreendentemente eram em grande parte alfabetizados. Um estudo de 263 homens e mulheres proprietários de escravos em Vila Rica em 1718 constatou que nada menos que 87% deles eram alfabetizados, e para Vila do Carmo, nesse mesmo ano, dos 176 senhores de ambos os sexos para os quais havia indicação sobre a instrução, 85% eram alfabetizados[30].

Tabela 3.7: Proprietários e escravos: indicadores de posse e distribuição.						
Localidades	Anos	Total de proprietários	Total de escravos possuídos	Média de escravos por proprietário	Moda na posse de escravos	Índice de Gini na posse de escravos
Vila de Pitanguy	1718	49	300	6,1	2	0,403
Vila de Pitanguy	1719	62	415	6,7	4	0,397
Vila de Pitanguy	1720	62	419	6,8	2	0,480
Vila de Pitanguy	1722	124	893	7,2	2	0,508
Vila de Pitanguy	1723	135	867	6,4	2	0,532
Serro Frio	1738	1744	7937	4,6	1	0,573
Santa Ana das Lavras	1764	95	471	5,0	1	0,484
Engenho do Mato	1764	27	289	10,7	1	0,498
São João del Rei	1764	30	243	8,1	3	0,524
Carrancas	1764	74	655	8,9	1	0,643
Congonhas do Sabará	1771	235	1350	5,7	1	0,549
São João Baptista	1778	12	35	2,9	1	0,388
Sepurihu	1789	122	513	4,2	1	0,542
São Domingos	1789	99	729	7,4	1	0,645
Agua Suja	1789	175	1093	6,2	1	0,583
Congonhas do Sabará	1790	124	556	4,5	1	0,537
Santa Ana do Sapucai	1790	85	342	4,0	1	0,498
Santa Luzia	1790	917	5931	6,5	1	0,647
São João Barra Longa	1792	175	1407	8,0	1	0,558
Inficionado	1792	367	2248	6,1	1	0,618
Fontes: As mesmas da Tabela 3.2 e Luna (1980), tabelas 5, 30 e 34.						

Um estudo de inventários *post-mortem* das zonas mineiras do Rio das Mortes e Rio das Velhas durante o século XVIII também mostrou pronunciada desigualdade na distribuição dos cativos (ver Tabela 3.8), refletindo provavelmente uma subcontagem dos proprietários de escravos mais pobres que não deixaram testamento. O interessante é que, separando-se os proprietários por sexo, as mulheres eram encontradas mais acentuadamente entre os pequenos proprietários, com 70% delas possuindo dez cativos ou menos, em comparação com 65% dos homens nessa categoria[31].

Tabela 3.8: Estrutura da posse de escravos em inventários, comarcas do Rio das Velhas (1720-1784) e do Rio das Mortes (1716-1789)				
Tamanho do plantel	Proprietários de escravos			
	Homens	Mulheres	% dos proprietários	% dos escravos possuídos
1	42	16	9%	1%
2	45	17	10%	2%
3	49	20	11%	3%
4	43	19	10%	4%
5	27	17	7%	3%
1 – 5	206	89	46%	13%
6-10	108	51	25%	19%
11-20	78	23	16%	22%
21 - 40	49	14	10%	26%
41 e mais	14	5	3%	21%
Total (n)	480	200	100%	100%
(n)				6.656

Fonte: Paiva (1999).

As diferenças entre os sexos eram pronunciadas entre os forros que possuíam escravos e fizeram testamento nesses dois distritos de Minas Gerais no período. O tamanho médio dos plantéis era claramente menor, apenas metade da média de dez cativos dos proprietários não forros. Mas é interessante notar que, entre os forros, em média as mulheres possuíam mais escravos do que os homens, e predominavam tanto numericamente como no tamanho dos plantéis, desempenhando um papel mais proeminente do que as mulheres da população não forra (ver Tabela 3.9). Padrão semelhante foi encontrado para cerca de 49 proprietários forros em Sabará em 1720: as 37 proprietárias dessa população de libertos controlavam mais de dois terços dos 99 cativos pertencentes a esse grupo; entretanto, o plantel médio das mulheres forras era menor que o dos homens forros[32].

Tabela 3.9: Estrutura da posse de escravos entre forros em inventários, comarcas do Rio das Velhas (1720-1784) e Rio das Mortes (1716-1789).

	Forros proprietários de escravos			% de escravos possuídos	
Tamanho do plantel	Proprietários	Proprietárias	% todos proprietários	Proprietários	Proprietárias
1	6	10	14%	4%	2%
2	2	9	10%	3%	4%
3	7	14	18%	16%	10%
4	6	9	13%	18%	8%
5	0	12	10%	0%	14%
1-5	21	54	65%	41%	38%
6-10	6	26	28%	33%	45%
11-20	3	4	6%	26%	12%
21-40	0	1	1%	0%	5%
41 +	0	0	0%	0%	0%
Total			100%	100%	100%
(n)	33	95		135	434

Fonte: Eduardo França Paiva.

Na distribuição da posse de escravos por ocupação, que existe somente para o distrito do Carmo em 1718, os maiores proprietários eram autoridades, e muito provavelmente se dedicavam à mineração. Mineradores claramente definidos possuíam em média nove escravos, enquanto os faiscadores tinham em média metade desse número[33]. Evidencia-se nessa distribuição que poucos possuíam plantéis numerosos, e estes pareciam concentrar-se no setor da mineração. Obviamente, os maiores proprietários de escravos da capitania na primeira metade do século XVIII foram mineradores. Em São Caetano no ano de 1804, por exemplo, os mineradores possuíam em média 23 cativos, em contraste com a média de três para os faiscadores.

A disponibilidade de dados sobre escravos em Minas no século XVIII deve-se acentuadamente à tentativa da Coroa de conter o contrabando de ouro e tributar essa riqueza. Incapaz de controlar a extração aurífera ilegal, em 1735 a Coroa desistiu de tentar tributar o ouro fundido (o modo usual como os ibéricos determinavam a produção e aplicavam os tributos), e recorreu à taxação per capita sobre os escravos de todos os proprietários nas zonas mineradoras, além de taxar todos os bens que entrassem e saíssem da capitania. Embora houvesse variações desse sistema de tributação ao longo do tempo, ele também foi inicialmente adotado — porém com taxa mais elevada — para os cativos nos distritos diamantíferos, ainda que neste caso existisse um monopólio régio estabelecendo um rigoroso controle sobre as exportações[34]. Mesmo isso foi insuficiente, e em 1719 ordenou-se que todos os ourives deixassem a capitania; em 1766 todos os ourives que trabalhavam no Brasil foram proibidos de exercer seu ofício[35].

A tentativa da Coroa de controlar a mineração foi mais bem-sucedida do que seu esforço para conter o aumento da população de negros e mestiços livres. Embora se opusesse à emergência dessa classe de indivíduos, os padrões normais da colonização, as recompensas pelo trabalho e a miscigenação geral que se tornou regra nas relações sociais da capitania levaram ao crescimento rápido, por meio da alforria, da autocompra e da reprodução, de uma numerosa população livre nos campos de mineração. Provavelmente em nenhuma outra região escravista das Américas essa população aumentou com tanta rapidez ou se tornou tão cedo um elemento importante no processo de colonização quanto em Minas Gerais, e esse crescimento deveu-se a taxas muito elevadas de reprodução natural e a um fluxo de alforrias relativamente constante, embora pequeno. Mesmo sendo difícil estimar o ingresso anual de cativos alforriados no total da classe das pessoas, um estudo de inventários de duas comarcas em Minas Gerais no século XVIII mostrou que 14% de todos os escravos ou foram alforriados graciosamente ou compraram sua liberdade no decorrer daquele século. Desses 932 ex-escravos, no total de 6.656 arrolados, cerca de 36% compraram a própria liberdade. É interessante notar que, quanto menor o plantel, mais provável era a ocorrência da alforria e da autocompra, como se pode ver no Gráfico 3.2.

Gráfico 3.2: Escravos coartados, alforriados e os não emancipados; inventários nas comarcas do Rio das Velhas (1720-84) e Rio das Mortes (1716-1789) por tamanho do plantel (n=10,600).

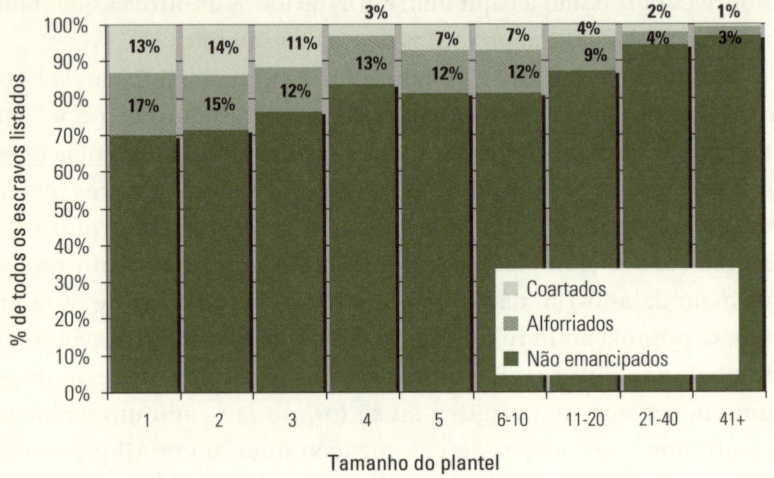

Paiva (2001), Quadro 30, p. 177.

Temos também dados censitários para cidades e distritos individuais que listam os forros como um grupo separado. Nessas estimativas para seis regiões de Minas Gerais no período 1735-1749, a porcentagem média dos forros na população total foi apenas de 1% a 1,5%. Ocorre, porém, que esses números baseiam-se em registros do fisco, que essencialmente tributava tanto escravos como forros, e os proprietários forros não eram contados no censo dos forros e sim no censo dos proprietários de escravos. Já em 1714 havia no distrito de Sabará 91 proprietários negros e mulatos de escravos, representando 7% do grupo total de senhores arrolados nesse ano. Em Serro do Frio, em 1738 havia 387 forros (244 eram mulheres) donos de cativos, compondo 22% dos proprietários e possuindo 10% da escravaria[36]. Um censo de domicílios da freguesia mineira de Congonhas do Sabará em 1771 evidencia que os forros compunham uma parte significativa da população. Dos 393 domicílios da freguesia, 112 eram chefiados por forros, e, 72% desses eram mulheres. Tais números contrastam com a porcentagem muito menor de domicílios chefiados por mulheres entre os não forros: apenas 16%[37].

Em 1786, quando havia aproximadamente 174 mil escravos na capitania, o número de pessoas livres de cor já ultrapassara 123 mil. O crescimento da população de pessoas livres de cor prosseguiu mais acentuadamente que o da população cativa. Na primeira década do século XIX, as pessoas livres de cor ultrapassaram numericamente os escravos e se tornaram o maior grupo na população provincial em rápido crescimento. Essa tendência continuou século XIX adentro, apesar da contínua expansão da população escrava. Embora o governo português criticasse o crescimento dessa classe e protestasse que ele se baseava no roubo de ouro e outros minérios, pouco podia fazer para deter a expansão. Um perspicaz juiz da Coroa, Teixeira Coelho, observou em uma "Instrução para o Governo das Minas Gerais" que as regras contra vadios deviam ser suspensas no caso de Minas, "porque estes vadios, que em outra parte seriam prejudiciais, são ali úteis". Segundo a historiadora Laura de Mello e Souza:

> Negros forros e mestiços na sua maior parte — mulatos, caboclos, carijós —, serviam para povoar locais distantes como Cuieté, Abre Campo e Peçanha, onde se iam estabelecendo presídios; engrossavam os contingentes que entravam mato adentro destruindo quilombos e prendendo foragidos; cultivavam plantações de subsistência, enfim, realizavam uma série de tarefas que não podiam ser cumpridas pela mão de obra escrava[38].

Negros e mulatos livres tiveram papel importante na sociedade colonial mineira e, no final do século, tornaram-se o grupo predominante na região. A elite sempre os desprezou e tentou impedir-lhes a mobilidade social de todos os modos possíveis, porém em vão[39].

A economia do ouro no Brasil também originou uma importante cultura urbana regional. Na segunda metade do século, Minas Gerais tinha centros urbanos na faixa de 10 mil a 20 mil habitantes que sustentavam um estilo de vida bem desenvolvido, baseado na mão de obra escrava qualificada e não qualificada. A restrição ao clero na capitania levou à organização de um complexo grupo de irmandades religiosas leigas, que se incumbiam da construção da maioria das igrejas e das elaboradas celebrações das festas religiosas. Essas organizações serviam às funções religiosas e também como sociedades de auxílio mútuo e assistência funerária, e eram centros vitais de atividade social para seus participantes. A maioria dessas irmandades era formada pelos elementos mais pobres da sociedade, e grande parte delas organizava-se com base nas divisões de cor. A mais famosa era a irmandade de negros dedicada a Nossa Senhora do Rosário, formada por escravos e pessoas livres de cor. A elite tendia a congregar-se em ordens terceiras, sancionadas pelos provinciais das várias ordens missionárias[40]. Na década de 1720 havia irmandades negras de Nossa Senhora do Rosário em todas as cidades de Minas, e foram preservados registros de 62 delas (de um total de 322 irmandades espalhadas por toda a capitania mineira). Eram, provavelmente, a maior organização dentre os 52 tipos de irmandades estabelecidas em Minas Gerais no período colonial[41]. Boa parte da vida urbana na colônia girava em torno dessas irmandades, e elas eram fundamentais no patrocínio das artes e da música, além de serem responsáveis pela construção de boa parte das igrejas[42]. Essa atividade religiosa, que envolvia muitos artistas, arquitetos e músicos africanos e afro-brasileiros, era tão vibrante que o movimento como um todo foi definido como uma cultura distinta: o barroco mineiro. Em cidades como Vila Rica, que chegou aos 20 mil habitantes na década de 1740, a elite mineradora, junto com os artesãos e até os pobres, custeou um desenvolvimento cultural surpreendentemente rico, expresso em suntuosas obras de arquitetura, artes plásticas e música, além de cerimônias públicas[43]. Não resta dúvida de que as numerosas irmandades religiosas de negros e pardos foram extremamente importantes na criação dessa cultura mineira. Os mais famosos escultores e arquitetos de Minas Gerais eram indivíduos livres de cor. Antônio Francisco Lisboa, o Aleijadinho, era filho de uma escrava e de um arquiteto português[44]. Suas esculturas e ornamentações de igrejas oitocentistas em Minas granjearam-lhe a reputação de principal artista brasileiro do período Rococó. Como seu pai, ele também foi arquiteto. Outro artista de renome foi Manuel da Cunha, nascido escravo, que foi o principal retratista da época e também pintou muitas paredes e altares das grandes igrejas brasileiras. Ele estudou no Brasil e em Portugal, e já tinha uma carreira notável antes de ser alforriado. Na música, os compositores mineiros eram quase todos mulatos. O mais destacado foi Emerico Lobo de Mesquita, organista de uma importante irmandade branca, membro da irmandade de mulatos e compositor, atualizado com as obras do Barroco europeu. Outro compositor proeminente foi o padre jesuíta José Maurício Nunes Garcia, filho de um mestiço e de uma forra, que foi nomeado compositor da corte quando a família imperial mudou-se para o Brasil em 1808[45].

O ouro foi o primeiro metal exportado, inicialmente de Minas Gerais, depois também de Goiás a partir dos anos 1720 e por fim de Mato Grosso a partir da década seguinte, mas não era o único minério explorado. Em 1729 anunciou-se a descoberta de diamantes no extremo norte de Minas Gerais[46]. Assim como o ouro, os diamantes eram encontrados em jazidas aluviais, em leitos e margens de rios e em canais deixados por rios intermitentes. A mão de obra escrava foi usada para obter essas pedras preciosas da mesma maneira que para o ouro, ou seja, com grandes obras hidráulicas e de drenagem, simultaneamente ao uso da tradicional bateia. O impacto dos diamantes encontrados em Minas Gerais e Goiás sobre o mercado europeu foi imediato, e os preços internacionais sofreram uma redução de dois terços em consequência das descobertas. A Coroa tentou criar um monopólio régio sobre a extração das pedras, porém com pouco êxito. De fato, os diamantes revelaram-se mais difíceis de controlar do que o ouro, pois este requeria fundição. O *boom* diamantífero do século XVIII, que teve seu começo e seu auge mais tarde que o aurífero, tendeu a empregar menos cativos em plantéis muito mais esparsos do que as operações de lavagem de ouro[47].

A ascensão dos centros mineradores em Minas Gerais teria profundo impacto no crescimento subsequente da escravidão e das populações negras em outras partes do Brasil. A corrida do ouro em Minas mudou o centro de gravidade da economia e população do Norte para o Centro e o Sul do Brasil. A logística do transporte permitiu que a movimentação de mercadorias da região mineira fosse realizada tanto pela Bahia como pelos Estados do Sul[48]. Assim, as cidades mineiras, goianas e mato-grossenses tornaram-se a hinterlândia crucial do porto do Rio de Janeiro e de toda a região Sudeste. O Rio de Janeiro logo superou a Bahia em navegação e comércio internacional, e rapidamente sua população aproximou-se do marco de 50 mil pessoas da capital imperial. A Coroa reconheceu essa nova realidade e transferiu a capital da colônia de Salvador para o Rio de Janeiro em 1763. Isso impeliu ainda mais a expansão da cidade, e em fins do século o Rio de Janeiro era não só o principal porto do tráfico de escravos no Brasil e de comércio com Minas Gerais, mas também o mais importante centro urbano da colônia, com mais de

100 mil habitantes. Com isso, tornou-se, ao lado da cidade do México, uma das duas maiores cidades da América[49].

Outras áreas do Sudeste também se beneficiaram extraordinariamente do crescimento desse novo mercado localizado no interior da colônia. Embora a corrida do ouro inicialmente perturbasse a produção na costa, atraindo numerosos especuladores e fazendeiros com seus escravos, logo criou mercados a serem atendidos pelas áreas costeiras. Nos primeiros anos, a febre do ouro absorveu de tal modo a força de trabalho em Minas Gerais que poucos trabalhadores, livres ou escravos, puderam dedicar-se sistematicamente a plantar ou criar animais. Embora essa situação mudasse rapidamente com o estabelecimento da agricultura e pecuária na região e ao longo das rotas de abastecimento, boa parte das necessidades de alimentos e animais dessa capitania em crescimento era suprida por fornecimento de outras áreas[50]. Além da oferta de gêneros provenientes do Rio de Janeiro e de São Paulo, criou-se toda uma indústria de pastoreio nos pampas gaúchos e ainda mais ao sul, nas margens orientais do rio da Prata (em áreas hoje pertencentes ao Uruguai), para fornecer carne, couro e mulas, cruciais para sistema de comboios que percorriam o sertão. Além disso, foi aberta uma extensa rede de caminhos entre essas zonas meridionais e São Paulo na década de 1730.

São Paulo viria a ser a região mais afetada pela abertura das minas no interior. Até fins do século XVIII, a capitania de São Paulo, nos limites meridionais da colônia portuguesa do Brasil, era uma fronteira esparsamente habitada e coberta de florestas, abrigando uma rara combinação de índios, mestiços e brancos. Pelos padrões do resto do Brasil, era uma região atrasada. Provavelmente em nenhuma outra região das Américas cativos indígenas e trabalhadores livres índios e mestiços haviam-se integrado tão plenamente em um regime colonial dominado por brancos. Como aliados, dependentes e escravos, os índios da região entrelaçaram-se fortemente na urdidura da sociedade paulista e formaram a base de seus exércitos, a força de trabalho agrícola e até a mão de obra urbana. Isso deu à sociedade local um singular aspecto mestiço e criou uma população de fronteira famosa por suas façanhas militares, suas habilidades de exploradores e sua extraordinária mobilidade. Esses atributos levaram contingentes de paulistas a todo o oeste sul-americano, do Amazonas ao rio da Prata[51].

Embora algum açúcar e aguardente fossem inicialmente produzidos na capitania de São Paulo, esses gêneros supriam apenas as necessidades locais e, dadas as dificuldades de transportá-los dos planaltos interioranos, só na segunda metade do século XVIII eles adquiriram importância como produtos de exportação. A região, distante da sede da autoridade colonial, caracterizava-se pela agricultura de queimada, pequenas povoações costeiras e modestos vilarejos no planalto, com esparsas unidades agrícolas que produziam gêneros de subsistência em áreas cercadas pela mata virgem. São Paulo foi uma capitania que demorou a desenvolver-se, e a mudança para a mão de obra de escravos africanos ocorreu relativamente tarde, ganhando ímpeto somente após a ocupação de Minas Gerais. Embora pudessem ser encontrados alguns africanos desde o começo do povoamento paulista, a população indígena local, escravizada ou assentada em aldeamentos sob controle de colonos brancos e mestiços, compôs a principal força de trabalho até boa parte do século XVIII[52]. Numerosos indígenas haviam sido reduzidos à subserviência, vivendo em aldeamentos e sendo explorados como trabalhadores[53], enquanto outros eram efetivamente escravizados. Dada a pobreza da região, índios livres e escravos continuavam a constituir o grosso da força de trabalho disponível para a pequena população branca e mestiça. Embora a magnitude do tráfico indígena seja debatida[54], não há dúvida de que ele foi crucial para a evolução da economia paulista, pois constituiu uma das poucas fontes de receitas de exportação da capitania, que ainda era fortemente orientada para a agricultura de subsistência[55]. Mas a crescente oposição do governo e da Igreja à escravização de indígenas, aliada ao crescimento de atividades econômicas que permitiram aos paulistas comprar escravos africanos, gradualmente levou à substituição dos cativos índios por africanos após 1700, resultando no fim da escravidão indígena em meados do século XVIII. Os índios das aldeias, por sua vez, não sobreviveram como uma cultura autônoma depois dos meados do século XIX[56]. No início do desenvolvimento das Minas Gerais, os primeiros exploradores paulistas levaram consigo seus índios cativos, importantes nos primeiros vinte anos da exploração mineral, sendo então substituídos por escravos africanos.

Na época do primeiro censo disponível de São Paulo, na década de 1760, assim como no decênio seguinte, os escravos africanos e seus descendentes eram encontrados por toda a capitania, com elevada proporção na região da capital, no litoral e no oeste paulista (ver Tabela 3.10). Além disso, ocorreu um aumento progressivo na participação dos cativos nascidos no Brasil, como se pode deduzir pela queda gradativa da proporção masculina entre 1765-1768 e 1777.

Tabela 3.10: Censos da população livre e escrava em São Paulo, 1765-1768 e 1777.

Regiões	Livres	Escravos	Total	Razão de masculinidade dos escravos	% escravos na população
População – 1765-1768					
Vale do Paraíba	11.185	3.727	14.912	137	25%
Região da Capital	19.439	8.868	28.307	117	31%
Oeste Paulista	6.000	2.734	8.734	130	31%
Caminho do Sul	14.325	3.910	18.235	143	21%
Litoral	9.598	4.094	13.692	149	30%
TOTAL	60.547	23.333	83.880	131	28%
População – 1777					
Vale do Paraíba	18.102	4.901	23.003	123	21%
Região da Capital	32.315	9.054	41.369	110	22%
Oeste Paulista	8.352	2.634	10.986	111	24%
Caminho do Sul	19.146	4.355	23.501	124	19%
Litoral	10.261	4.304	14.565	127	30%
Total	88.176	25.248	113.424	117	22%

Fonte: Luna e Klein (2000), Tabela 1.1, p. 25.

Pela sua pobreza e concentração na agricultura, os paulistas proprietários de escravos tendiam a possuir plantéis relativamente reduzidos e apresentavam melhor distribuição na posse escravos do que seus contemporâneos dos distritos mineiros. Isso pode ser ilustrado pelo valor relativamente baixo do índice de Gini (0,52) e pelo fato de dois terços dos proprietários possuírem menos de seis escravos, seus cativos representando um terço do total existente em São Paulo em 1777 (ver Tabela 3.11).

Tabela 3.11: Distribuição dos escravos e proprietários por tamanho do plantel, em trinta localidades de São Paulo, 1777-1778.

Tamanho do plantel	% dos proprietários	% dos escravos
1	25%	5%
2	16%	6%
3	12%	7%
4	9%	7%
5	7%	7%
1-5	69%	30%
6-10	18%	25%
11 – 20	9%	24%
21 – 40	3%	13%
41+	1%	7%
Total	100%	100%
(n)	4.746	25.859

Fonte: AESP, Mapas de População.

A descoberta das jazidas auríferas em Minas pelos paulistas inicialmente estimulou um forte crescimento da produção de gêneros alimentícios em território paulista, mas a criação de rotas mais diretas entre o Rio de Janeiro e as jazidas de ouro de Minas Gerais (o chamado "caminho novo", que foi aberto em etapas de 1707 a 1720), além do fato de que apenas 18 mil pessoas habitavam as planícies paulistas, impedindo que São Paulo pudesse responder com suficiente rapidez às demandas dos mercados mineradores, levou à substituição dos produtores paulistas pelos do Rio de Janeiro. Com isso, os produtores do Rio passaram a fornecer gêneros alimentícios e açúcar produzido em sua região, e o Rio de Janeiro tornou-se o principal porto para todas as exportações e importações, inclusive de escravos, da província mineira. Por sua vez, a economia paulista também se tornou mais dependente do mercado do Rio de Janeiro, que era muito maior, para obter capital e compradores para seus produtos. Mesmo sem a importância do Rio de Janeiro, a capitania de São Paulo sofreria transformações fundamentais no século XVIII, desenvolvendo uma produção agrícola variada, inclusive uma atividade açucareira que marcaria profundamente a economia local, que pela primeira vez, desde os tímidos ensaios dos primeiros anos de colonização, teria uma produção voltada para o exterior.

Dada a evolução mais lenta da população africana de São Paulo comparada à de Minas, não surpreende que a razão de sexo fosse mais equilibrada entre os escravos residentes na província no século XVIII. Embora as especificações de origem e/ou cor sejam limitadas para os cativos no censo de 1777-1778, a razão de sexo para o total de 22.067 escravos foi de 143 homens para cada cem mulheres, e a média global de idade dos 21.602 cativos com idades conhecidas foi relativamente alta: 26,5 anos. Embora esses desequilíbrios de idade e sexo nessa população escrava sejam menores do que os identificados na população cativa de Minas Gerais na primeira metade do século XVIII, ainda assim indicam uma razoável influência do tráfico de africanos sobre a população local, com seu conhecido viés em favor dos homens adultos. Os poucos dados encontrados nesse censo sobre origem e cor dos cativos (menos de 2 mil escravos) indicam uma razão de sexo de 155 para os nascidos na África, em contraste com a razão de 99 homens para cem mulheres entre os nascidos no Brasil, com média de idade de 36 anos para os africanos, comparada a 21 anos para os nascidos no Brasil. Na distribuição por idade, a população escrava total mostrou a influência dos africanos não só na distribuição por sexo, mas também no acentuado agrupamento da população nas faixas etárias mais ativas, com uma porcentagem relativamente baixa de crianças de ambos os sexos entre esses cativos paulistas: apenas 29% eram menores de quinze anos (ver Gráfico 3.3).

Gráfico 3.3: Pirâmide etária dos escravos em São Paulo, 1777-1778.

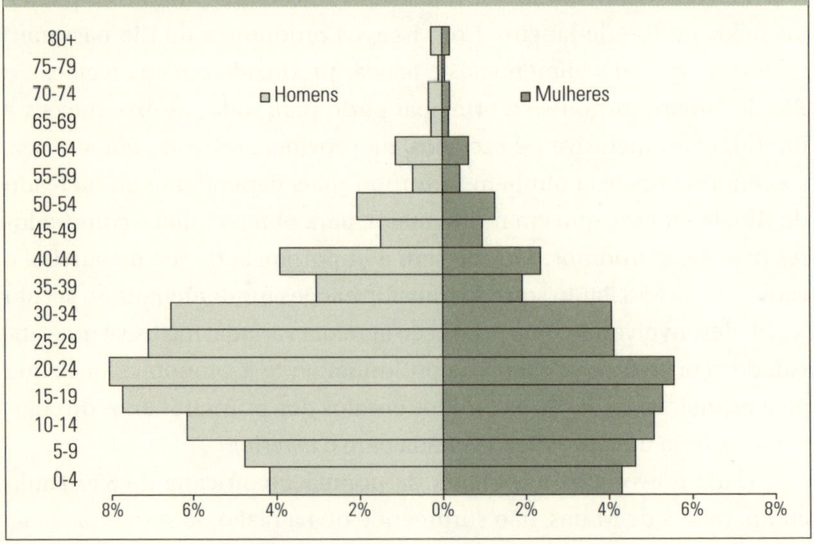

Ainda que o Rio de Janeiro lucrasse mais com a abertura das minas de ouro no interior, a rede de interdependência criada na economia pela exploração aurífera favoreceu uma distribuição mais equilibrada da população do Brasil e também ocasionou a disseminação da escravidão por todos os setores da economia colonial. Os escravos chegaram à fronteira trabalhando na produção de gêneros alimentícios e na agropecuária que floresceu na região costeira do Centro-Norte e nas novas zonas de pastagens do Sul. O caso da província do Rio Grande do Sul foi característico desse processo. Na primeira parte do século ocorreu uma vigorosa abertura das pastagens meridionais da região, tanto com o objetivo político de impedir a expansão espanhola em direção ao norte como em resposta às demandas de Minas Gerais. Em fins do século havia cerca de 21 mil escravos e 5 mil pessoas livres de cor, forros e nascidos livres, em uma população de 71 mil pessoas. Os cativos trabalhavam no setor exportador da economia. Enquanto os vaqueiros nas estâncias eram sobretudo índios ou peões gaúchos livres, as charqueadas funcionavam com mão de obra escrava. A carne seca e salgada, ou charque, era produzida em estabelecimentos especializados nos quais trabalhavam geralmente entre sessenta e noventa escravos. No início do século XIX as charqueadas da região sul-rio-grandense funcionavam a todo vapor e empregavam cerca de 5 mil cativos. O mercado para o charque era interno, pois os produtos brasileiros perdiam na concorrência com a produção espanhola da região do rio da Prata. Os consumidores do charque brasileiro eram em sua maioria escravos, e a carne seca do Rio Grande do Sul constituía fonte essencial de proteínas na dieta dos cativos das fazendas e minas do Centro e Norte do Brasil[57].

Enquanto os trabalhadores das fazendas de gado da região do Rio Grande do Sul eram principalmente livres e índios, mais ao norte, na chamada área de Campos Gerais, ao redor de Curitiba, fazendas de criação de bois, mulas e cavalos empregavam trabalhadores livres e cativos. Escravos também eram usados em vários ofícios necessários nas fazendas, bem como no transporte dos produtos comprados e vendidos por elas[58]. Em toda essa região meridional de São Paulo conhecida como Paraná, a porcentagem de escravos na população global era de 20%, segundo o censo de 1798, enquanto nos distritos pecuaristas de Castro e Palmeira as porcentagens de domicílios com escravos eram, respectivamente, 52% e 39%[59]. Nessas fazendas, e em outras mais ao sul, também havia grande número de agregados, empregados e familiares que trabalhavam em propriedades geralmente não voltadas para a exportação. Finalmente, em todas as vilas do Sul, algumas das quais chegando à faixa de 10 mil habitantes em fins do século, os escravos formavam o elemento mais numeroso na força de trabalho e a maioria dos artesãos qualificados. As três áreas meridionais, Santa Catarina, Rio Grande do Sul e Paraná, possuíam juntas uma população cativa de aproximadamente 27 mil escravos, além de aproximadamente 13 mil pessoas livres de cor em 1811[60].

Um censo do Paraná em 1804 fornece uma visão mais completa dessa economia pecuarista de fronteira. Com uma população escrava relativamente pequena, evidencia-se que os fazendeiros que criavam e engordavam gado compunham a elite da sociedade e concentravam em sua posse um grupo numeroso de cativos. Eram sobretudo médios proprietários com plantel médio de oito cativos por unidade e, embora representassem apenas 16% de todos os proprietários, controlavam um quarto dos escravos (ver Tabela 3.12).

Tabela 3.12: Distribuição dos escravos e proprietários de escravos, Paraná, 1804.

	Proprietarios na pecuária		Todos os proprietários	
	Proprietários	Escravos	Proprietários	Escravos
1	18%	2%	28%	5%
2	11%	3%	15%	5%
3	15%	5%	12%	7%
4	5%	2%	7%	5%
5	8%	5%	7%	6%
1-5	56%	17%	70%	29%
6-10	22%	21%	17%	24%
11-15	9%	13%	6%	14%
16-20	3%	7%	2%	7%
21-40	7%	24%	4%	19%
41+	3%	18%	1%	7%
Total	100%	100%	100%	100%
(n)	151	1.246	909	4.976

Fonte: AESP, Mapas de População.

Nesse período, a porcentagem de africanos na força de trabalho dessa região era relativamente pequena: 13% dos escravos. Como usual, no Paraná a população africana era em média mais velha (19 anos mais velha) do que a população de escravos nascidos no Brasil, cuja média era de 21 anos. Esses dois segmentos populacionais mostravam também forte disparidade quando analisamos sua distribuição por sexo, pois encontramos entre os cativos nascidos no Brasil 97 homens para cada grupo de cem mulheres, enquanto entre os africanos eram 147 homens para cada cem mulheres. Ao que parece, não havendo importações substanciais de africanos nesse período, a população escrava em crescimento foi progressivamente suprida por crianças nascidas na população escrava local.

As pradarias do Sul ofereceram uma nova área para que o trabalho escravo fornecesse mulas e outros animais à economia mineradora e ao resto da sociedade. E tão logo o povoamento ganhou ímpeto no Sul, foi possível desenvolver atividades econômicas locais, e estas criaram um novo mercado para o trabalho escravo. Com povoações agora solidamente estabelecidas ao longo da costa do Rio Grande do Sul e Santa Catarina para sustentarem a pecuária, brasileiros começaram a dedicar-se à pesca comercial, com importante participação do braço escravo. A pesca da baleia nas águas continentais era praticada no Brasil desde o início da colonização, mas só adquiriu relevo quando o Sul do Brasil foi efetivamente colonizado no século XVIII. De Cabo Frio, na capitania do Rio de Janeiro, a Laguna, em Santa Catarina, a pesca da baleia tornou-se uma importante atividade econômica da segunda metade do século XVIII até as primeiras décadas do século seguinte. O centro dessa atividade era a ilha de Santa Catarina, que já em 1746 possuía uma armação, ou fábrica de óleo de baleia. Na década de 1770, essa região sozinha capturava mais de mil baleias por ano. Na temporada de pesca de baleia, de junho a setembro, pescadores — homens livres de cor, brancos pobres e escravos — em barcos abertos arpoavam e traziam as baleias para a praia. Assim que atracavam, cortavam e ferviam a carne da baleia para extrair o óleo, que era vendido no país e no exterior para iluminação. Essas fábricas complexas e caras funcionavam principalmente com mão de obra cativa. Uma armação típica era uma operação de grande porte, que empregava em média de cinquenta a cem escravos. Uma das maiores no século XIX foi a Armação de Nossa Senhora da Piedade, na ilha de Santa Catarina, com 125 escravos, dos quais 107 eram adultos[61]. Além de escravos sem qualificação, a força de trabalho incluía carpinteiros, ferreiros e tanoeiros brancos ou livres de cor, e também trabalhadores especializados no corte da carne de baleia e na produção de espermacete. As sete principais armações da ilha em 1817 possuíam no total 329 escravos[62]. Embora se dedicassem a uma atividade que era altamente sazonal, as fábricas podiam usar até 2 mil a 3 mil escravos em uma boa temporada.

A abertura do interior brasileiro estendeu o povoamento ao sul e oeste da colônia e impulsionou a criação de importantes redes de transporte para ligar esses mercados. Os escravos eram essenciais nas frotas de canoas e comboios de mulas usados para suprir as necessidades das capitanias mineradoras do interior. Dada a precariedade de dados sobre essas atividades, é difícil estimar o número de cativos envolvidos. Outra importante área do transporte favorecida pelos mercados interioranos e meridionais foi a navegação costeira, e para esta existe uma base que permite estimar a importância relativa dos escravos. Relatos contemporâneos indicam altas taxas de participação de escravos como marinheiros em todos os tipos de embarcação costeira. Uma estimativa aproximada do transporte costeiro inter-regional em fins do século XVIII indica que eram usadas aproximadamente 2 mil embarcações. Supondo um mínimo de cinco escravos por tripulação nesses barcos (um terço da tripulação média dos navios mercantes da costa), haveria cerca de 10 mil cativos trabalhando como marinheiros de cabotagem no fim do século XVIII[63].

O Brasil também foi singular por usar marinheiros escravos na navegação internacional, especialmente em rotas do tráfico atlântico de escravos. Devido às suas relações comerciais diretas com a África, sem ligações triangulares com Portugal, o país desenvolveu cedo uma marinha mercante muito poderosa. Centenas de navios de proprietários brasileiros percorriam o Atlântico levando aguardente, pólvora e tabaco brasileiros e produtos manufaturados europeus e americanos a portos de Angola e Moçambique. Essas mercadorias eram trocadas por escravos que eram trazidos para o Brasil. Os navios pertencentes a brasileiros também controlavam a maior parte do transporte de mercadorias para a Europa, em nítido contraste com as áreas hispano-americanas. Dado o papel crucial que os escravos desempenharam em todos os aspectos da economia brasileira, não foi por acaso que até mesmo em navios negreiros houvesse cativos na tripulação. Em 147 dos 350 navios negreiros que atracaram no porto do Rio de Janeiro entre 1795 e 1811, escravos de proprietários brasileiros foram arrolados como membros da tripulação. Eram cativos 2.058 dos 12.250 marinheiros empregados no tráfico. Em média havia quatorze marinheiros escravos por navio: pouco menos de metade da tripulação total de um navio negreiro típico. Como os registros sempre justificam a necessidade de usar escravos alegando a escassez de marinheiros livres, isso leva a crer que os escravos foram ainda mais importantes nas outras rotas internacionais desse período[64]. O Rio de Janeiro não teve a exclusividade nessa prática. O governador da Bahia informou à Coroa em 1775 que o porto de Salvador contava com apenas 678 marinheiros livres, e embora a maioria deles fosse branca, eram insuficientes para tripular os navios negreiros que zarpavam para a África. Nas palavras do governador, "esta falta faz que os navios e corvetas que trilham o comércio d'África, costumam equipar-se com uma pequena equipagem de quatro ou seis marinheiros brancos, suprindo os pretos cativos para o resto da mareação de que carecem"[65].

O crescimento da mineração foi acompanhado pelo desenvolvimento de novos produtos agrícolas provenientes de zonas produtoras mais recentes e também pelo revivescimento da indústria açucareira no Nordeste e pelo crescimento de um importante centro de produção de açúcar no Sul. Todo esse avanço nas exportações tradicionais e novas levou a uma grande expansão da economia colonial brasileira na segunda metade do século XVIII. Além disso, a dinâmica administração do marquês de Pombal em Portugal de 1750 a 1777 promoveu o desenvolvimento da economia brasileira e a ascensão de uma nova atividade baseada no braço escravo no norte da colônia. O regime iluminista de Pombal usou procedimentos mercantilistas clássicos para fomentar o crescimento de regiões brasileiras até então negligenciadas. Com o interior e o Sul prosperando, Pombal voltou sua atenção para a região nordestina do Pará e Maranhão, que até a segunda metade do século XVIII era marcada pelo atraso e povoamento esparso. Em 1755 e 1759, respectivamente, Pombal criou duas importantes companhias, a Companhia Geral de Comércio do Grão-Pará e Maranhão e a Companhia Geral de Comércio de Pernambuco e Paraíba. Ambas receberam, como apoio econômico, direitos monopolistas na importação de cativos para essas duas regiões — única exceção à usual política de livre comércio permitida por Portugal. Por sua vez, essas companhias ficaram incumbidas de investir no desenvolvimento comercial das regiões nordestinas. No total, as companhias importaram cerca de 85 mil africanos para o Pará, Maranhão, Pernambuco e Paraíba no período 1756-1787[66].

Depois de muita experimentação, uma nova cultura de exportação importante desenvolveu-se no Maranhão e em Pernambuco: o algodão, produzido em grandes fazendas com trabalho escravo. Na época em que esse produto estava sendo cultivado nas colônias britânicas com mão de obra cativa, também se tornava um item fundamental das exportações brasileiras. A partir da década de 1760, os algodoais do Maranhão passaram a exportar para a Europa. A produção aumentou constantemente nas décadas seguintes e logo se disseminou por Pernambuco. A fazenda de algodão típica nessas duas regiões possuía um plantel de cinquenta escravos, não muito diferente do plantel médio de uma *plantation* algodoeira do sul estadunidense no século XIX. Com o aumento ininterrupto dos preços na Europa, a produção cresceu continuamente. A resposta brasileira foi tão vigorosa que no início dos anos 1790 o Brasil supria 30% das importações de algodão bruto da Grã-Bretanha[67]. Na primeira década do século XIX, mais de 30 mil cativos trabalhavam na produção algodoeira dos Estados do Nordeste do Brasil. O sistema da grande lavoura de algodão continuou a expandir-se por mais duas décadas, até que foi praticamente eliminada pela produção de algodão descaroçado nos Estados Unidos, ocorrendo então um declínio de longo prazo nesse setor.

Os esforços das companhias pombalinas também foram importantes para finalmente reviver a economia açucareira de Pernambuco nas décadas de 1770 e 1780. Embora Pernambuco nunca recuperasse a posição dominante nessa área, tornou-se o segundo produtor nordestino, só perdendo para a Bahia. Esta, por sua vez, crescera não só com a expansão da indústria açucareira, mas também graças às estreitas ligações com Minas Gerais. A proximidade do rio São Francisco, principal rota fluvial interiorana para as minas, garantia o contato constante com a zona mineradora. De início, a Coroa tentou impedir o comércio com os mineiros, temendo a perda de mão de obra escrava crucial nos engenhos. Mas a alta dos preços do açúcar depois de 1711 aliviou a pressão sobre a indústria açucareira baiana, e a Coroa revogou a proibição à venda de cativos baianos para o interior. O comércio com as minas também fomentou a expansão da cultura de mandioca e gêneros alimentícios pelo interior nordestino e promoveu o crescimento da pecuária, que agora supria os engenhos costeiros e as minas do sertão.

A principal mudança na economia açucareira no século XVIII, porém, não foi o revivescimento dos engenhos nordestinos, e sim o crescimento de novas regiões produtoras no Rio de Janeiro e São Paulo. Embora a cultura canavieira na região de Campos dos Goitacases, no Rio de Janeiro, já tivesse mais de um século de existência, uma grande expansão dos engenhos locais teve início na segunda metade do século XVIII. Em 1779, Campos já possuía cinco engenhos com mais de cem escravos cada um, e em 159 engenhos grandes e pequenos o plantel médio era de quinze cativos. Além disso, os escravos compunham mais de metade da população, estimada em 30 mil habitantes[68]. No fim do período colonial, o Rio de Janeiro ocupava o terceiro lugar na produção brasileira e era responsável por dois terços da produção de açúcar mascavo. Além disso, era o principal produtor brasileiro de aguardente, que além de suprir o mercado interno, era exportada para a África. Nessa época, havia no Rio de Janeiro cerca de 84 mil cativos[69], dos quais possivelmente um quarto trabalhavam em todas as divisões da indústria açucareira. São Paulo, embora fosse então apenas uma capitania mediana na produção e no número de escravos, finalmente começou a exportar para o mercado internacional no período final do século XVIII. Essa evolução marcou o início da que viria a ser a mais importante região de grande lavoura escravista do Brasil no século XIX.

Apesar do crescimento de novas áreas de produção açucareira e do fato de o açúcar ainda ser responsável por um terço do valor total das exportações brasileiras, a economia açucareira atravessou boa parte do século XVIII em relativa depressão. Enquanto na década de 1730 a produção colonial média por ano ficou em torno de 36 mil toneladas, nos anos 1770 caíra para 20 mil toneladas e provavelmente representava menos de 10% da produção açucareira total da América. Entretanto, o volume e a importância variaram ao longo dos séculos XVIII e XIX. Em meados do século XVIII, o Brasil, com sua produção anual de 27 mil toneladas, estava em terceiro lugar, atrás de São Domingos (61 mil toneladas) e Jamaica (36 mil toneladas). Além disso, tornou-se uma importante fonte alternativa para os mercados setentrionais da Europa no contexto das frequentes guerras imperiais travadas por França e Inglaterra no século XVIII, que interromperam temporariamente o comércio antilhano com a Europa. Assim, na década de 1760 o açúcar brasileiro supria aproximadamente 8% da demanda europeia, e no período de guerra dos anos 1790 sua fatia do mercado passou a 15%. Essa contínua vitalidade dos engenhos da Bahia e Rio de Janeiro garantiu que mesmo com o forte crescimento das exportações de minérios no século XVIII, quando o Brasil tornou-se o maior fornecedor de ouro mundial, o açúcar continuasse a ser o maior produto de exportação brasileiro, representando metade do valor total das exportações da colônia. Nessa época, provavelmente foi bem inferior a 100 mil o número de escravos usados em todas as formas de produção e processamento da cana-de-açúcar — contando-se a exportação do açúcar branco acabado e do açúcar mascavo semiprocessado, além da produção de aguardente para consumo interno e exportação para a África. No começo dos anos 1780, as tensões na Europa e as interrupções do tráfico começavam a afetar os preços e incentivar a produção interna; na década de 1790, o profundo impacto da revolução Francesa e a rebelião subsequente no Haiti introduziriam uma nova era de expansão para o açúcar do Brasil[70].

O outro grande desdobramento do escravismo na economia colonial brasileira foi a surpreendente diversificação ocorrida na capitania de Minas Gerais em fins do século XVIII. Nas décadas intermediárias desse século, entraram em declínio primeiro a produção de ouro e depois a de diamantes, e a economia mineira viu-se diante de uma grave crise econômica. Na primeira década do século XIX, apesar de a mineração de ouro e diamante estar em franca decadência, a população escrava da capitania superava 150 mil pessoas e continuaria a crescer pelo resto do século. A deterioração urbana instalara-se com o declínio da atividade mineradora, diminuindo ainda mais as oportunidades de uso do braço escravo. Além disso, a população livre de cor agora estava empregada em todas as partes e superava numericamente a escrava. No entanto, a população de cativos continuou a crescer continuamente durante o século XIX, e mais que dobrara em fins do século, na época da abolição, o que significa que no início e no final do século XIX Minas Gerais tinha a maior população escrava de todas as províncias brasileiras[71].

Aparentemente o que contribuiu para que Minas Gerais conservasse e aumentasse sua força de trabalho escrava foi diversificar sua produção agrícola voltada ao mercado interno, e décadas mais tarde introduzir a cafeicultura de exportação. Nas regiões Sul e Leste da capitania desenvolveu em fins do século XVIII e começo do século XIX uma agricultura diversificada, baseada no trabalho escravo. As fazendas escravistas produziam açúcar, café, gêneros alimentícios e gado[72]. O número total de proprietários de escravos na população livre era maior e o número de cativos por proprietário era menor em Minas do que nas províncias costeiras e, sob o impacto da diversificação agrícola, esse padrão acentuou-se ainda mais. O que essa diversificação significou para os rumos da escravidão em Minas Gerais no século XIX? Esse é um debate importantíssimo na historiografia brasileira, e o assunto será abordado no próximo capítulo.

Embora ainda haja muito a descobrir sobre a história da economia mineira, a vitalidade da escravidão em suas fronteiras em fins do século XVIII e começo do XIX indica uma economia escravista incomum para os padrões americanos. Há quem afirme que a escravidão voltou-se essencialmente para a agricultura de subsistência a partir do declínio da mineração no fim do século XVIII até a ascensão da produção comercial de café em meados do século XIX. Essa, porém, parece ser uma posição muito extrema[73]. É mais provável que a produção local fosse comercializada no mercado nacional e que Minas Gerais houvesse invertido a direção de suas relações com a economia da costa, tornando-se importante fornecedora de gêneros alimentícios necessários ao funcionamento do regime de grande lavoura exportadora imperante nas regiões litorâneas. Esses, porém, são assuntos de que trataremos no próximo capítulo[74].

Em todo o Brasil em 1800 havia quase um milhão de escravos. Portanto, encontrava-se no Brasil a maior concentração de cativos de origem africana de todas as colônias americanas e, provavelmente, também a maior diversificação no uso econômico da mão de obra escrava do hemisfério ocidental. Embora sempre seja difícil classificar detalhadamente a população escrava segundo as atividades econômicas, pode-se estimar que não mais que um quarto dos cativos era empregado na grande lavoura ou na mineração. O restante estava amplamente disperso pelas cidades e áreas rurais da colônia, ocupado em todos os tipos de atividade econômica. Até 10% da população escrava total talvez se concentrasse na zona urbana, mas o resto da escravaria era empregado em atividades rurais, trabalhando na agricultura, pesca, transporte e em todos os tipos de ocupação. O Brasil, com seu meio milhão de pessoas livres de cor, tinha a maior população de negros e mulatos livres da América. Embora o açúcar, o ouro, os diamantes e outros produtos exportáveis passassem pelos clássicos ciclos coloniais de crescimento e declínio, a vitalidade da economia brasileira permitiu o desenvolvimento de novos produtos, a abertura de novas regiões e a criação de um vigoroso mercado interno.

Tudo isso garantiu que não cessasse o fluxo de escravos. Estima-se que, na última década do século XVIII, chegassem aos portos brasileiros, sobretudo Rio de Janeiro e Salvador, 28 mil escravos por ano. Na primeira década do século seguinte, a entrada anual aumentaria para 34 mil cativos e se manteria crescente a cada década até os anos 1830[75]. O Brasil continha também uma florescente população de pessoas livres de cor, que na época chegava a quase 500 mil indivíduos. Portanto, inquestionavelmente, o Brasil abrigava em 1800 a maior população de africanos e afro-descendentes de todas as colônias europeias do Novo Mundo, e era o maior sistema escravista das Américas[76].

NOTAS

1. Nos últimos trinta anos do século XVII, a Coroa envolveu-se diretamente na questão da produção aurífera. Existe abundante documentação sobre esse assunto na correspondência entre a Corte e os paulistas. A Coroa forneceu alguns recursos, enviando especialistas em mineração, oferecendo prêmios aos descobridores de jazidas e estabelecendo normas legais para a exploração, mas quis deixar a cargo dos paulistas a maior parte dos custos e do esforço de procura dos metais. Ver Pedro Taques de Almeida Paes Leme, *Notícias das Minas de São Paulo e dos Sertões da Mesma Capitania*. Para o contrato com a Coroa escrito por Bartolomeu Bueno da Silva referente ao descobrimento de ouro em Goiás em 1720, ver Alida C. Metcalf, *Families of Planters, Peasants, and Slaves: Strategies for Survival in Santana de Parnaíba, Brasil, 1729-1820*, p. 57.
2. Para uma boa introdução à evolução da economia mineradora em Minas nesse período, ver Charles R. Boxer, *The Golden Age of Brazil, 1695-1750: Growing Pains of a Colonial Society*; Virgílio Noya Pinto, *O Ouro Brasileiro e o Comércio Anglo-português*; Sérgio Buarque de Holanda, "Metais e Pedras Preciosas"; Francisco Vidal Luna, *Minas Gerais: Escravos e Senhores*; Francisco Vidal Luna e Iraci del Nero da Costa, *Minas Colonial: Economia e Sociedade*; João Pandiá Calógeras, *As Minas do Brasil e Sua Legislação;* W. L. Eschwege, *Pluto Brasiliensis*; Alice P. Canabrava, "João Antonio Andreoni e Sua Obra", em José João Antonil, *Cultura e Opulência do Brasil*.
3. Um bom levantamento dos dados censitários disponíveis para Minas Gerais no século XVIII e início do XIX encontra-se em Eduardo França Paiva, *Escravos e Libertos nas Minas Gerais do Século XVIII*, pp. 67-78. Para um censo pormenorizado de Minas Gerais em 1814, com listas de nascimentos e óbitos, ver ANRJ, cod. 808, 1, fls. 130-132.

4. Laird W. Bergad, *Slavery and the Demographic and Economic History of Minas Gerais, Brazil, 1720-1888,* tabela 3.2, p. 91.

5. Segundo Leonardo Kelmer Mathias, já no período 1711-1717 as vendas de escravos em Minas Gerais alcançavam um valor mais elevado do que as do Rio de Janeiro no mesmo período (1711-1720), o que mostra o vigor da atividade econômica em Minas nesses vinte primeiros anos de colonização da região. Carlos Leonardo Kelmer Mathias, "O Perfil Econômico da Capitania de Minas Gerais na Segunda Década do século XVIII, Notas de Pesquisa, 1711-1720".

6. Dauril Alden, "Late Colonial Brazil, 1750-1808", tabela 3, p. 605.

7. Francisco Vidal Luna, *Minas Gerais: Escravos e Senhores,* p. 82, tabela 9.

8. Francisco Vidal Luna, "Estrutura da Posse de Escravos em Minas Gerais (1804)", tabela 7.

9. Francisco Vidal Luna e Iraci del Nero da Costa, "Algumas Características do Contingente de Cativos em Minas Gerais", tabelas 5 e 7.

10. Luna, *Minas Gerais: Escravos e Senhores,* p. 39 e nota 9, p. 60.

11. Segundo o Regimento de 1702, artigo 5°, por ocasião do anúncio da descoberta de uma área com potenciais minas de ouro, o Superintendente das Minas deveria dividir a nova região de exploração por sorteio entre os mineiros ricos interessados, "regulando-se pelos escravos que cada um tiver que em chegando a doze escravos e daí para cima, fará repartição de uma data de trinta braças [corresponde a 66 metros] conforme o estilo e àquelas pessoas que não chegarem a ter doze escravos lhes serão repartidas duas braças e meia por cada escravo para que igualmente fiquem todos lucrando da mercê que lhes faço [...]", o que corresponde a 5,5 metros por cativo. Ao descobridor da jazida seria dada a prioridade na escolha da área, e uma data seria reservada para a Coroa antes de ter início o sorteio, do qual só poderia participar quem possuísse escravos. Para os detalhes da lei, ver Pedro Taques de Almeida Paes Leme, *Notícias das Minas de São Paulo e dos Sertões da Mesma Capitania,* p. 190; ver também Luna, *Minas Gerais: Escravos e Senhores,* p. 39.

12. Pelos censos até 1759, a razão de sexo entre os cativos era superior a quinhentos homens para cem mulheres; ver Francisco Vidal Luna, "Estrutura da Posse de Escravos", p. 51, tabela 11.

13. Francisco Vidal Luna, "Estrutura da Posse de Escravos em Minas Gerais (1718)", tabelas 7 e 9.

14. Kathleen J. Higgins, *"Licentious Liberty"*, pp. 74-75, tabelas 2.7 e 2.8.

15. Luna, "Estrutura da Posse de Escravos em Minas Gerais (1804)", tabela 6.

16. Francisco Vidal Luna e Iraci del Nero da Costa, "Estrutura da Massa Escrava de Algumas Localidades Mineiras (1804)", tabela 2.

17. Mariana L. R. Dantas, *Black Townsmen: a Comparative Study of Persons of African Origin and Descent in Slavery and Freedom: Baltimore, Maryland and Sabará, Minas Gerais, 1750-1810*, p. 132, tabela 2.4.

18. Iraci del Nero da Costa, *Vila Rica: População (1719-1826),* p. 245, tabela 5.

19. Sobre a organização da indústria mineradora e as políticas de governo, ver Francisco Vidal Luna, "Mineração: Métodos Extrativos e Legislação", pp. 845-859; "Economia e Sociedade em Minas Gerais (Período Colonial), pp. 33-44. A Coroa chegou a declarar, em 1752, que todos os mineiros possuidores de trinta ou mais escravos — uma distinta minoria —estavam isentos de ter seus cativos ou equipamento de mineração apreendidos por dívidas. Boxer, *The Golden Age of Brazil,* p. 184.

20. Já havia quase 21 mil escravos em Vila Rica em 1735. Ver Alda Maria Palhares Campolina, Cláudia Alves Melo e Mariza Guerra de Andrade, *Escravidão em Minas Gerais: Cadernos do Arquivo*, p. 31.

21. A. J. R. Russell-Wood, "Colonial Brazil: the Gold Cycle, c. 1690-1750", p. 573. Descrições minuciosas dos métodos extrativos encontram-se em Francisco Vidal Luna,

Minas Gerais: Escravos e Senhores; João Pandiá Calógeras, *As Minas do Brasil e Sua Legislação;* W. L. Eschwege, *Pluto Brasiliensis.*; José João Antonil, *Cultura e Opulência do Brasil.*

22. W. L. Eschwege, *Pluto Brasiliensis,* vol. 2, pp. 20-49.

23. Bergad, *Slavery and the Demographic and Economic History of Minas Gerais,* tabela 3.2, p. 91.

24. Gilka V. F. Salles, *Economia e Escravidão na Capitania de Goiás,* p. 231. Sobre o progresso da mineração aurífera no século XVIII, ver W. L. von Eschwege, *Pluto Brasiliensis,* pp. 88-118.

25. Lucia Helena Gaeta Aleixo, *Mato Grosso: Trabalho Escravo e Trabalho Livre (1850-1888),* p. 63, tabela 13. Sobre o avanço da mineração aurífera nessa capitania no século XVIII, ver Eschewge, *Pluto Brasiliensis,* v. I, pp. 119-136.

26. Sobre "salários" para escravos mineiros e outros incentivos, ver Boxer, *The Golden Age of Brazil,* pp. 162-203.

27. Russell-Wood, "Colonial Brazil: the Gold Cycle, c. 1690-1750", pp. 581-582; Eschwege, *Pluto,* v. II, p. 126.

28. Francisco Vidal Luna e Iraci del Nero da Costa, "Demografia Histórica de Minas Gerais no Período Colonial", tabela 5.

29. Essas proporções são aproximadamente iguais às encontradas em um censo de Sabará de 1720 abrangendo 894 proprietários e 5.908 escravos. Aproximadamente 78% dos senhores possuíam nove escravos ou menos, mas seus cativos compunham apenas 42% de toda a escravaria. Higgins, *"Licentious Liberty",* p. 49, tabela 2.2.

30. Nos dois casos o número de proprietários com indicação de alfabetização era bem pequeno: apenas 32 em Vila Rica e dezesseis em Vila do Carmo. Rodrigo Castro Rezende *et al.*, "Os Proprietários de Escravos nas Minas Gerais em 1718-19: um Estudo Comparativo os Distritos de Vila do Carmo e Vila Rica", tabelas 7-10, pp. 19-21.

31. Isso contrasta com a importante zona açucareira de Itu, em São Paulo, onde o valor e o tamanho das propriedades eram aproximadamente iguais para homens e mulheres; ver Joseph Cesar Ferreira de Almeida, *Entre Engenhos e Canaviais: Senhoras do Açúcar em Itu (1780-1830),* tabela 5, p. 55.

32. Higgins, *"Licentious Liberty"*, p. 81, tabela 2.11.

33. Francisco Vidal Luna, "Estrutura da Posse de Escravos em Minas Gerais (1718)", tabelas 1-5.

34. Para uma análise minuciosa da evolução da estrutura tributária do ouro, ver Francisco Vidal Luna, "Mineração: Métodos Extrativos e Legislação"; e para a tributação de ouro e diamantes e a organização monopolista, ver Boxer, *The Golden Age of Brazil,* capítulos 7 e 8.

35. Boxer, *The Golden Age of Brazil,* pp. 317-318.

36. Luna, *Minas Gerais: Escravos e Senhores,* p. 133, tabela 38.

37. "Rol das pessoas que confessam e comungam na Freguesia de Congonhas do Sabará, 1771", Caixa 202, pacote único, Arquivo Nacional, Rio de Janeiro.

38. Reproduzido em Laura de Mello e Souza, *Desclassificados do Ouro, a Pobreza Mineira no Século XVIII,* p. 104.

39. Sobre autoridades da Coroa e sua expressa oposição e/ou ambivalência à população de cor livre, o trabalho clássico é *Desclassificados do Ouro,* de Laura de Mello e Souza; ver especialmente pp. 144 segs. Ver também Boxer, *The Golden Age of Brazil,* pp. 164 segs. Como declarou o governador Lourenço de Almeida, "até os chamados grandes [da província de Minas Gerais] são criados no leite da servidão" (p. 164). A Coroa chegou ao ponto de proibir pessoas livres de cor de participarem da câmara municipal, tentou implementar leis suntuárias contra mulheres negras e pardas e até impedir que pessoas livres de cor possuíssem armas, embora permitisse aos ca-

pitães do mato organizar bandos armados e, evidentemente, admitir pessoas livres de cor em milícias organizadas com base na cor.

40. Caio César Boschi, *Os Leigos e o Poder (Irmandades Leigas e Política Colonizadora em Minas Gerais)*, pp. 19-20. Como ele ressaltou, "ser admitido numa ordem terceira significava pertencer à elite social" e ser de "origem racial branca e católica incontestável". Além disso, a ordem terceira de Nossa Senhora do Carmo atraía os mineiros e os comerciantes da elite, enquanto a ordem de S. Francisco de Assis era a preferida pelos militares e burocratas. Boschi, *Os Leigos e o Poder*, pp. 162, 164. Essa divisão social entre irmandades e ordens terceiras explica o predomínio das primeiras e a relativa escassez das segundas em Minas colonial.

41. Boschi, *Os Leigos e o Poder*, pp. 187-188. Ver também Elizabeth W. Kiddy, *Blacks of the Rosary, Memory and History in Minas Gerais, Brazil*; *Escravos e Libertos nas Irmandades do Rosário: Devoção e Solidariedade em Minas Gerais, séculos XVIII e XIX*, e Julita Scarano, *Devoção e Escravidão - a Irmandade de Nossa Senhora do Rosário dos Pretos no Distrito Diamantino no Século XVIII*.

42. Boschi afirma que a precariedade da presença da Igreja oficial em Minas significava que as irmandades eram, de fato, as únicas responsáveis pela construção de igrejas nas cidades da região. Boschi, *Os Leigos e o Poder*, p. 23.

43. Para uma introdução à arquitetura urbana dessa cultura, ver Suzy e Mello, *Barroco Mineiro*.

44. Para uma análise recente sobre a época e a vida do Aleijadinho, ver Ana Helena Curti (org.), *Aleijadinho e Seu Tempo: Fé, Engenho e Arte*; e para o mais recente catálogo de suas esculturas religiosas, ver Myriam Andrade Ribeiro de Oliveira *et al.*, *O Aleijadinho e Sua Oficina: Catálogo das Esculturas Devocionais*.

45. Sobre os músicos, ver Daniela Miranda, *Músicos de Sabará: a Prática Musical Religiosa a Serviço da Câmara (1749-1822)*, e Francisco Kurt Lang, "A Música Barroca".

46. Afirmou-se que provavelmente antes disso já havia extração de diamantes, mas essa é a data oficial do anúncio da descoberta à Coroa. Holanda, "Metais e Pedras Preciosas", pp. 241-242. Uma boa análise do estabelecimento do distrito diamantífero exclusivo e do controle régio muito maior exercido sobre essa atividade mineradora em comparação com a do ouro encontra-se em Boxer, *The Golden Age of Brazil*, cap. 8.

47. A Coroa inicialmente limitou os contratadores a usarem no máximo seiscentos escravos na mineração de diamantes, uma política destinada a manter a produção baixa e os preços, altos. Eschwege, *Pluto Brasiliensis*, v. II, p. 120. De fato, no importante distrito diamantífero de Serro do Frio, o plantel médio era de cinco cativos em 1738 (Serro do Frio: Escravos, Livro de Matrícula", Códice n. 1068. Arquivo da Casa dos Contos). Em comparação, em quatro distritos auríferos em 1718 o plantel médio continha sete escravos. Francisco Vidal Luna, "Estrutura da Posse de Escravos em Minas Gerais (1718)", p. 6, tabela 7.

48. A fonte clássica sobre o abastecimento das Minas Gerais é Mafalda P. Zemella, *O abastecimento da Capitania das Minas Gerais no Século XVIII*; para um estudo de caso recente sobre comerciantes individuais, ver Cláudia Maria das Graças Chaves, *Perfeitos Negociantes, Mercadores das Minas Seiscentistas*.

49. Sobre a população da Cidade do México nesse período, ver Herbert S. Klein, "The Demographic Structure of Mexico City in 1811", pp. 66-93.

50. Zemella, *O Abastecimento da Capitania das Minas Gerais*, cap. 8.

51. Sobre a povoação e evolução social e econômica da colônia de São Paulo, ver as obras fundamentais de Sérgio Buarque de Holanda: *Caminhos e Fronteiras*; *Monções*; *Visão do Paraíso*; "Movimentos da População em São Paulo no Século XVIII"; e *Raízes do Brasil*; as de Alfredo Ellis Júnior, "Ouro e a Paulistânia"; "O Ciclo do Muar", e, com Miriam Ellis, "A Economia Paulista no Século XVIII"; Pedro Taques de Almeida Paes Leme, *Notícias das Minas de São Paulo e dos Sertões da Mesma Capitania, São Paulo*;

os estudos de Caio Prado Júnior, *Evolução Política do Brasil e Outros Estudos* e os de Alcântara Machado, *Vida e Morte do Bandeirante,* e Cassiano Ricardo, *Marcha para Oeste.* Além desses trabalhos clássicos, ver os estudos de Alice P. Canabrava, "Uma Economia de Decadência: os Níveis de Riqueza na Capitania de São Paulo, 1765-67", e "A Repartição da Terra na Capitania de São Paulo, 1818".

52. Só no começo do século XVIII os africanos passaram a ter importância numérica em São Paulo. Alcântara Machado, autor de um importante estudo sobre testamentos nos primeiros séculos da colonização paulista, encontrou aproximadamente cem africanos nesses documentos no século XVII. Notavelmente, o valor desses cativos era invariavelmente superior ao de escravos indígenas. Machado, *Vida e Morte,* p. 181. Ellis Jr., "O Ouro e a Paulistânia", p. 4, analisou 2 mil inventários dos séculos XVI e XVII e encontrou menos de trezentos africanos. Queiroz, em um estudo de fontes alternativas, encontrou africanos no período inicial, mas concluiu que eles não foram relevantes nos dois primeiros séculos da ocupação portuguesa. Suely Robles de Queiroz, *Escravidão Negra em São Paulo,* p. 12.

53. Vários aldeamentos tornaram-se vilas ou distritos (bairros) da cidade de São Paulo. Sobre esse tema, ver Pasquale Petrone, *Aldeamentos Paulistas,* pp. 84-351.

54. Há divergências entre os autores com respeito à magnitude dessas transações, mas não quanto à sua ocorrência. Ellis Jr., "O Ouro e a Paulistânia", p. 53; Roberto C. Simonsen, *História Econômica do Brasil,* p. 218; Buarque de Holanda, "Movimentos de População", entre outros, salientam a importância da escravidão indígena. Opinião contrária têm autores como Monteiro, *Negros da Terra,* pp. 76-81, que admitem a existência desse tráfico de indígenas para outras capitanias, mas refutam sua importância.

55. Para uma análise mais detalhada da economia paulista nos séculos XVI e XVII, ver Francisco Vidal Luna e Herbert S. Klein, *Slavery and the Economy of São Paulo, 1750-1850,* cap. 1.

56. A escravidão indígena foi sistematicamente combatida pela Coroa na segunda metade do século XVIII, mas a persistência dos aldeamentos permitiu que o trabalho forçado continuasse sob uma forma disfarçada. Em 1802, os aldeamentos foram supostamente abolidos, mas o uso do trabalho forçado de indígenas prosseguiu, embora precariamente, até meados do século XIX. Em 1846 houve uma derradeira tentativa de ressuscitar os aldeamentos, mas eles já haviam desaparecido. Entre a abundante literatura sobre esse tema, ver Agostinho Marques Perdigão Malheiro, *A Escravidão no Brasil*; Georg Thomas, *Política Indigenista dos Portugueses no Brasil, 1500-1640*; Rodrigo Otávio, *Os Selvagens Americanos perante o Direito*; Warren Dean, "Indigenous Populations of the São Paulo-Rio de Janeiro Coast: Trade Aldeamento, Slavery and Extinction"; Alexander Marchant, *Do Escambo à Escravidão: as Relações Econômicas de Portugueses e Índios na Colonização do Brasil, 1500-1580*; John Manuel Monteiro, *Negros da Terra: Índios e Bandeirantes nas Origens de São Paulo,* e seu ensaio "From Indian to Slave: Forced Native Labour and Colonial Society in São Paulo during the 17th century"; e Manuela Carneiro da Cunha (org)., *História dos Índios no Brasil.*

57. Existem bons dados sobre várias charqueadas do começo do século XIX. Uma delas, pertencente a João Nunes Batista, possuía 66 escravos, dos quais 31 trabalhavam como carneadores, charqueadores e marinheiros na produção e transporte do charque. Ester J. B. Gutierrez, *Negros, Charqueadas & Olarias, um Estudo sobre o Espaço Pelotense,* pp. 61-62. Um levantamento de numerosas charqueadas de meados do século computou uma média de 84 escravos por propriedade, a maior parte deles atuando como trabalhadores qualificados diretamente no beneficiamento e transporte de produtos de carne. Gutierrez, p. 91. Em meados do século XIX, um charqueador típico empregava oitenta escravos e dez trabalhadores livres e abatia cerca de duzentas a 250 reses por dia. Mário José Maestri Filho, *O Escravo no Rio Grande do Sul. A Charqueada e a Gênese do Escravismo Gaúcho,* p. 89.

58. As maiores fazendas dessa região, sediadas no distrito de Castro, possuíam em média dezessete cativos. Horácio Gutiérrez, *Escravidão e Pequena Propriedade no Paraná.*

59. Horácio Gutiérrez, "Donos de Terras e Escravos no Paraná: Padrões e Hierarquias nas Primeiras Décadas do século XIX", pp. 102-103.

60. Herbert S. Klein, "Os Homens Livres de Cor na Sociedade Escravista Brasileira", tabela 1.

61. Myriam Ellis, *A Baleia no Brasil Colonial*, p. 100. Sobre o uso extensivo de escravos nas armações da costa, ver Fernando Henrique Cardoso e Octavio Ianni, *Cor e Mobilidade Social em Florianópolis*, pp. 23-26. As armações de Santa Catarina foram as mais importantes de meados a fins do século XVIII, mas também havia fábricas relevantes nos portos de Salvador e Rio de Janeiro que remontavam ao século XVII, todas elas na costa. Ver Dauril Alden, "Yankee Sperm Whalers in Brazilian Waters, and the Decline of the Portuguese Whale Fishery (1773-1801)", pp. 270 segs.

62. Ellis, *A Baleia no Brasil Colonial*, p. 190. Para uma análise completa dos diferentes usos de escravos e trabalhadores livres de cor nessa atividade, ver Ellis, *A Baleia no Brasil Colonial, capítulo 3.*

63. Esse é um número aproximado, baseado em dados de navegação do início do século XIX. Na década de 1830, por exemplo, somente no Porto do Rio de Janeiro atracaram em média 1.807 navios (transportando anualmente em média 123.733 toneladas) arrolados na categoria de cabotagem. *Jornal do Commercio*, 4 de janeiro de 1840, para todos os anos da década de 1830.

64. Herbert S. Klein, *The Middle Passage: Comparative Studies in the Atlantic Slave Trade*, pp. 58-59.

65. IHGB/CU Arq 1-1-19, *Correspondência do Governador da Bahia, 1751-1782*, folios 228v-230, 3 julho 1775, Bahia. O governador informou que os escravos compunham 64% dos 1.905 marinheiros registrados na capitania da Bahia e 39% dos pescadores.

66. António Carreira, *As Companhias Pombalinas de Grão-Pará e Maranhão e Pernambuco e Paraíba*, p. 249.

67. O Maranhão começou a exportar quantidades significativas de algodão na década de 1760; nos anos 1770 o Pará tornou-se um produtor significativo mas não o principal, e finalmente na década de 1790 Pernambuco substituiu o Maranhão como maior produtor. Alden, "Late Colonial Brasil, 1750-1808", v. II, tabela 8, pp. 636-637. No período 1796-1800, a exportação de algodão chegou a 4.443 toneladas, e seu valor quase igualou o das exportações açucareiras nesse quinquênio, abastecendo cerca de 30% do mercado inglês. Jorge M. Pedreira, "From Growth to Collapse: Portugal, Brazil, and the Breakdown of the Old Colonial System (1760-1830), p. 843. O algodão chegou a ultrapassar temporariamente o açúcar em valor e tornar-se o principal produto de exportação brasileiro na primeira década do século XIX. José Jobson de Andrade Arruda, *Brasil no Comércio Colonial*, pp. 353-354.

68. Silvia Hunold Lara, *Campos da Violência. Escravos e Senhores na Capitania do Rio de Janeiro, 1750-1808*, pp. 138-39.

69. Lara, *Campos da Violência*, p. 136.

70. Um bom panorama do comércio do açúcar nesse período encontra-se em Galloway, *The Sugar Cane Industry*, caps. 4 e 5; Schwartz, *Sugar Plantation in the Formation of Brazilian Society*, cap. 15; e Noel Deer, *History of Sugar.*

71. A melhor fonte individual sobre a população escrava no século XIX por província é Joaquim Norberto de Souza e Silva, *Investigações sobre os recenseamentos da população geral do Império e de cada província de per si tentados desde os tempos coloniais até hoje.*

72. Para uma análise das economias regionais em Minas Gerais, ver Clotilde Andrade Paiva, *População e Economia nas Minas Gerais do Século XIX*; Marcelo Magalhães Godoy, "Espaços Canavieiros Regionais e Mercado Interno, Subsídios para o Estudo da Distribuição Espacial da Produção e Comércio de Derivados da Cana-de-açúcar da Província de Minas Gerais"; e Marcelo Magalhães Godoy, Mário Marcos Sampaio Rodarte e Clotilde Paiva, "Negociantes e Tropeiros em um Território de Contrastes, o Setor Comercial de Minas Gerais no Século XIX".

73. Roberto Borges Martins, *Growing in silence: the slave economy of nineteenth-century Minas Gerais, Brazil*; Amílcar V. Martins Filho e Roberto B. Martins, "Slavery in a Non-export Economy: Nineteenth-century Minas Gerais Revisited", pp. 537-568.

74. Francisco Vidal Luna e Wilson Cano, "Economia Escravista em Minas Gerais".

75. O comércio flutuaria entre 15 mil e 19 mil escravos desembarcados por ano até a década de 1780, quando teria início um longo crescimento secular, chegando a 30 mil por ano na década de 1790. Esses números baseiam-se nas mais recentes estimativas do volume do tráfico no banco de dados Emory, acessado em 18 de agosto de 2008.

76. Para dados comparativos da população escrava e livre nas Américas, ver Herbert S. Klein e Ben Vinson III, *African Slavery in Latin America and the Caribbean*, apêndice, tabelas 1-3.

A escravidão e a economia no século XIX

A evolução da sociedade escravista brasileira no século XIX apresentou várias características importantes. A primeira foi a ascensão de uma nova cultura de exportação, o café, que formaria a base de uma nova economia escravista de grande lavoura na região Sudeste. A segunda foi o contínuo crescimento das tradicionais culturas coloniais de exportação. O açúcar voltou a ser um produto competitivo no mercado mundial com o declínio da indústria açucareira em São Domingos e nas Antilhas Britânicas; além disso, a produção brasileira de algodão, depois de sofrer com a forte competição do Sul dos Estados Unidos na primeira metade do século, reviveu no período da fome mundial de algodão na década de 1860, durante a Guerra de Secessão americana. Finalmente, houve também o contínuo crescimento da população escrava em Minas Gerais — a maior do Brasil — em uma região dedicada sobretudo à produção para o mercado interno que, apesar disso, manteve e expandiu sua população cativa mesmo na era do tráfico interno.

O crescimento de todas essas culturas de exportação, tanto as tradicionais como as mais novas, gerou uma demanda sempre crescente por escravos, e na terceira década do século XIX o tráfico atlântico chegou ao auge. Mas o fechamento do tráfico em 1850 acarretou um aumento secular nos preços dos cativos e a consequente expansão do tráfico interno por terra e mar nas duas décadas seguintes, até que o tráfico interprovincial finalmente foi proibido no último decênio antes da abolição. Mas durante esse período o tráfico interno movimentou um volume significativo de escravos, das províncias do Nordeste e do Sul para as fazendas do Centro-Sul do país.

Embora no período de existência do tráfico atlântico houvesse um fluxo comercial de escravos entre portos e dos portos regionais para os respectivos mercados, esse comércio diferia daquele que se organizou a partir de 1850. Até aquele ano, grande parte dos escravos enviados ao interior eram cativos recém-chegados da África, via tráfico negreiro. No período seguinte, até o fim da escravidão, os escravos que circularam no tráfico interno eram fornecidos pelas áreas de menor densidade econômica e abasteciam as ricas zonas de expansão da grande lavoura. Havia também um movimento de escravos das áreas urbanas para o campo. Nesse sentido, a movimentação de escravos pós 1850 assemelhava-se ao tráfico interno de escravos que ocorreu nos Estados Unidos durante o século XIX, tráfico terrestre que cruzava as fronteiras dos Estados, como também por via marítima a partir dos Estados do Sudeste, por exemplo, para o porto de Nova Orleans. A comparação de dados deste tráfico interno pré e pós 1850 no Brasil e dos Estados Unidos na primeira metade do século XIX, mostram maior importância do tráfico interno por via marítima nos Estados Unidos do que no Brasil[1]. Estudos que utilizaram registros fiscais dos portos do Rio de Janeiro e Salvador, no final do século XVIII e início do século XIX, revelam que grande parte dos escravos que chegavam ao Brasil eram levados para o interior por tropeiros[2], em pequenas tropas com até cinco escravos[3]. Embora o volume dessa movimentação fosse elevado — por exemplo, entre 1825 e 1839 cerca de 61 mil escravos foram levados do porto do Rio de Janeiro para o interior do país — esse tráfico interno era feito normalmente por comerciantes que fizeram só uma viagem e abasteciam apenas um região[4]. Essa falta de especialização dos comerciantes de escravos poderia caracterizá-los como "pequenos comerciantes eventuais"[5], ao invés de grandes comerciantes de escravos. Esse padrão foi também encontrado em outras regiões. Minas Gerais foi a região que mais recebeu escravos que chegavam pelo Rio de Janeiro e Salvador, respondendo por mais da metade desse comércio interno dos escravos africanos que chegavam naqueles dois portos. Entretanto, havia uma importante diferença no destino da outra metade dos escravos que chegavam a Salvador e ao Rio de Janeiro. Salvador abastecia todo o Brasil, enquanto os escravos embarcados pelo Rio de Janeiro que não seguiam para Minas Gerais eram enviados essencialmente para o interior da província e para São Paulo.

Todas essas mudanças econômicas e sociais acarretaram uma transferência progressiva da população escrava no Brasil, dos centros menos prósperos para as regiões mais dinâmicas e das áreas urbanas para as rurais. Além disso, com a expansão dos trabalhadores livres de cor, diminuiu a necessidade de cativos nas áreas urbanas. De fato, de acordo com o primeiro censo de 1872, o acelerado crescimento da população livre de cor no século XIX fez dela o maior grupo populacional do império. Apesar dessa multiplicação da população livre negra, a agricultura de exportação, na maioria das regiões, permaneceu baseada principalmente na mão de obra escrava até o fim da escravidão.

O último grande tema do século XIX veio a ser, obviamente, a lenta abolição da própria escravidão. Percebendo que a instituição não poderia sobreviver no mundo do século XIX, especialmente depois que a Guerra de Secessão eliminou a escravidão africana nos Estados Unidos, o Brasil caminhou devagar rumo à emancipação dos cativos. Em 1872 foi proclamada a Lei do Ventre Livre, e criaram-se fundos para comprar a alforria de escravos[6]. Em 1885 todos os cativos com mais de 65 anos foram libertados[7], e a abolição definitiva veio três anos mais tarde. Preparando-se para a abolição que fatalmente ocorreria, e em virtude do declínio da população cativa após 1850, no último quartel do século antes da abolição o Brasil foi trocando a base de sua mão de obra para uma mistura mais complexa de trabalho escravo e livre na maioria das regiões e atividades e, com exceção de Minas Gerais, o número decrescente de escravos concentrou-se ainda mais na agricultura de exportação. Embora a abolição tenha causado comoção na economia açucareira e cafeeira no Sudeste do país em 1888, a transição para uma nova forma de trabalho assalariado baseada em grupos de imigrantes recém-chegados ocorreria com relativa rapidez e um mínimo de transtorno para o setor exportador.

Todos esses complexos desdobramentos seriam acompanhados pelo deslocamento da população cativa em relação à distribuição regional vigente no século XVIII. O Nordeste e o Sul perderiam sua importância relativa na concentração de escravos, e as três províncias cafeeiras, Rio de Janeiro, Minas Gerais e São Paulo, assumiriam a primazia como centros escravistas em fins do século XIX (ver Tabela 4.1). Embora o tráfico interno não tivesse a mesma magnitude do tráfico atlântico, foi suficiente para mudar a distribuição da população cativa, concentrando-a nessas três províncias. Os produtores tradicionais, que vendiam para o mercado interno, e os grandes fazendeiros em regiões com fontes abundantes de trabalhadores livres sem terra foram levados a abandonar lentamente sua dependência do braço escravo e adotar uma força de trabalho mista de cativos e livres, ou recorrer exclusivamente a trabalhadores livres assalariados. Embora o tráfico interno também viesse a cessar, quando isso ocorreu o centro da escravidão voltara-se drasticamente na direção da grande lavoura cafeeira e açucareira do Sudeste. Se em 1818 Minas, Rio de Janeiro e São Paulo continham apenas 35% da população cativa total, em 1872 haviam aumentado sua parcela para 58%, e esta continuou a crescer até o fim da escravidão, atingindo 65% em 1886-1887.

Tabela 4.1: Participação dos escravos na população por província, 1819, 1872 e 1886-1887 (a classificação tem por base a participação em 1886-1887)

Províncias	1819	1872	1886/87
Minas Gerais	15,2	24,5	26,5
Rio de Janeiro*	13,2	22,6	23,5
São Paulo	7,0	10,4	14,8
Bahia	13,3	11,1	10,6
Pernambuco	8,8	5,9	5,7
Maranhão	12,0	5,0	4,6
Sergipe	2,4	1,5	2,3
Alagoas	6,2	2,4	2,1
Espirito Santo	1,8	1,5	1,8
Pará	3,0	1,8	1,5
Paraíba	1,5	1,4	1,3
Piauí	1,1	1,6	1,2
Rio Grande do Sul	2,6	4,5	1,2
Goiás	2,4	0,7	0,7
Santa Catarina	0,8	1,0	0,7
Paraná	0,9	0,7	0,5
Mato Grosso	1,3	0,4	0,4
Rio Grande do Norte	0,8	0,9	0,4
Ceará	5,0	2,1	0,0
Amazonas**	0,5	0,1	-
	100,0	100,0	100,0
(n)	1.107.389	1.510.806	723.419

Notas: * Inclui a cidade Imperial do Rio de Janeiro.
** Não há dados disponíveis para o Amazonas em 1886-1887.
Fonte: 1819: Norberto, (1872), p. 152; Censo de 1872; Ministério da Agricultura, *Relatório 1887*, p. 24.

A população afro-brasileira teria uma expansão explosiva no século XIX tanto entre os cativos como entre as pessoas livres. O século começou com uma elevação das importações de africanos a cada década até os anos 1840 (ver Gráfico 4.1). Ao mesmo tempo, prosseguiu o aumento do número de escravos nascidos no Brasil, de modo que as distribuições por sexo e idade na população escrava residente tornaram-se menos distorcidas pelo impacto das entradas de africanos, muito embora essa população ainda mostrasse um desequilíbrio, com viés para os homens adultos em detrimento de mulheres e crianças. Finalmente, a população livre de cor aumentou mais depressa que a população cativa, e na época do primeiro censo nacional, em 1872, tornara-se o maior grupo populacional do Brasil (ver Tabela 4.2).

Tabela 4.2: População distribuida pela cor e situação social, em 1872. Províncias ordenadas pelo total de pessoas de cor.

	Pessoas livres de cor	Escravos	Total de pessoas de Cor	Total de brancos
Minas Gerais	805.967	370.459	1.176.426	830.987
Bahia	830.431	167.824	998.255	331.479
Pernambuco	449.547	89.028	538.575	291.159
Rio de Janeiro*	252.271	341.576	593.847	455.074
Ceará	368.100	31.913	400.013	268.836
São Paulo	207.845	156.612	364.457	433.432
Alagoas	217.106	35.741	252.847	88.798
Maranhão	169.645	74.939	244.584	103.513
Paraíba	200.412	21.526	221.938	144.721
R.G.do Sul	82.938	67.791	150.729	258.367
Piauí	121.527	23.795	145.322	43.447
Pará	110.556	27.458	138.014	92.634
Sergipe	100.755	22.623	123.378	49.778
R.G.do Norte	107.455	13.020	120.475	102.465
Goiás	103.564	10.652	114.216	41.929
Esp.Santo	27.367	22.659	50.026	26.582
Paraná	37.377	10.560	47.937	69.698
Mato Grosso	27.989	6.667	34.656	17.237
Santa Catarina	15.984	14.984	30.968	125.942
Amazonas	8.592	979	9.571	11.211
Total	4.245.428	1.510.806	5.756.234	3.787.289

Fonte: Censo de 1872.
Nota: * Inclui o Município Neutro (cidade do Rio de Janeiro).

Gráfico 4.1: Estimativa da média de escravos africanos que chegaram ao Brasil por décadas, 1781-1850.

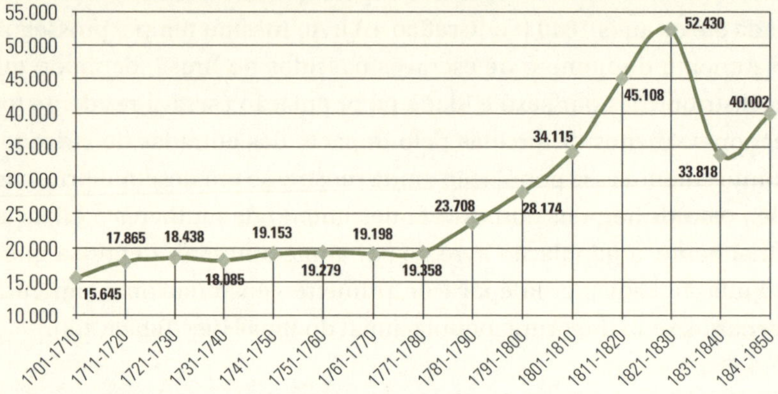

Fonte: Emory Dataset, acessado em 18 de agosto de 2008.

A primeira grande transformação na economia escravista brasileira no século XIX foi o revivescimento da expansão da grande lavoura açucareira baseada no trabalho escravo. O colapso da produção no Haiti escravocrata e o declínio, em meados do século XIX, da produção açucareira nas Antilhas Britânicas influenciaram o renascimento da produção brasileira nas tradicionais regiões nordestinas e nos centros mais novos do Sudeste. No momento da derrocada haitiana o Brasil vivia uma séria crise exportadora. Nas últimas décadas do século XVIII ocorrera o declínio da mineração aurífera e diamantífera no interior central do Brasil, enquanto a economia açucareira enfrentava séria concorrência dos produtores franceses e britânicos nas Antilhas.

O impacto imediato do declínio de São Domingos — uma economia dinâmica e dominante em várias áreas de produção escravista — deu vida nova em velhas indústrias como a do açúcar e a do algodão, além de abrir para a colônia a possibilidade de novas atividades produtivas baseadas no trabalho cativo. Em uma década, a produção de açúcar ultrapassou seu antigo limite de 15 mil a 20 mil toneladas anuais quando os preços e a demanda mundiais iniciavam uma longa tendência secular ascendente, e a produção brasileira reagiu atingindo a faixa de 100 mil toneladas em fins da década de 1840[8]. O impacto haitiano, portanto, intensificou o sistema de *plantation* no velho Nordeste, aumentando o número de engenhos e de escravos usados na produção açucareira, e também incentivando a expansão de canaviais no Rio de Janeiro e São Paulo. Por essas condições da oferta e forte expansão da demanda, o Brasil tornou-se novamente competidor no mercado mundial. Os açúcares brasileiros, limitados principalmente a Portugal e ao Mediterrâneo durante a maior parte do século XVIII em virtude de tarifas restritivas impostas por Inglaterra e França, penetraram nos mercados do centro e norte da Europa e no fechado mercado inglês. A produção aumentou tão firmemente ao longo das décadas que o Brasil voltou a ocupar posição de destaque como produtor mundial, com 15% da produção global em 1805; o açúcar permaneceu até os anos 1830 como a principal cultura de exportação brasileira em valor da produção[9]. Embora o açúcar cubano houvesse assumido a liderança no começo do século, o Brasil tornou-se o segundo maior produtor da América, especialmente depois que a crise da emancipação afetou desastrosamente a produção nas Antilhas Britânicas na década de 1830. No começo dos anos 1840, quando sua produção era apenas metade da cubana, o Brasil era responsável por um quinto da produção americana e por 13% das exportações mundiais de açúcar de cana (ver Gráfico 4.2)[10].

Gráfico 4.2: Participação do Brasil na produção mundial de açúcar.

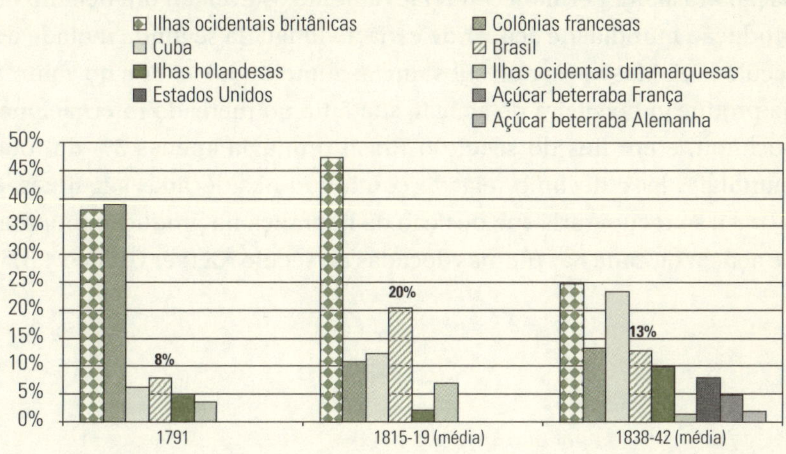

Fonte: Fraginals, (1978) I 40-42; 2:173.

A expansão da produção mundial de açúcar por todo o século XIX, especialmente para novas regiões, levou a uma diminuição da participação brasileira no mercado, apesar de ter havido um aumento no volume produzido. Vários produtores americanos importantes ingressaram no mercado canavieiro, entre eles Cuba e Porto Rico. Até o Peru e o México começaram a exportar açúcar na segunda metade do século XIX, recorrendo à mão de obra de trabalhadores índios e de chineses livres contratados sob o sistema de *indentured labor*. A concorrência cubana, em especial, teve forte impacto nos preços e na participação do Brasil em mercados europeus. Também na Ásia ocorreu um aumento da produção açucareira, competindo seriamente com a produção americana. Franceses e britânicos usaram cativos africanos para produzir grandes quantidades de açúcar em suas possessões no oceano Índico, mas o trabalho livre também foi empregado no fabrico do açúcar na Índia, em Java e mais tarde nas Filipinas. Ainda mais importante foi o crescimento da indústria do açúcar de beterraba na Europa, consolidada na década de 1850. A indústria do açúcar de beterraba, que em meados do século detinha cerca de 15% do mercado mundial de açúcar, controlava 50% nos anos 1880. O Brasil tampouco conseguiu encontrar um mercado alternativo nos Estados Unidos, pois a produção em Louisiana expandiu-se para suprir as necessidades do país, complementada por Cuba e Porto Rico[11]. Ainda assim, a participação brasileira permaneceu relativamente estável em um décimo da produção mundial de açúcar de cana ao longo da segunda metade do século XIX. Mas apesar do substancial aumento no valor e no volume da produção brasileira de açúcar, sua fatia no mercado internacional declinou, e em fins do século o Brasil produzia apenas 3% do total mundial[12]. Esse declínio relativo continuou nas décadas seguintes, e o Brasil só recuperaria sua posição de liderança na produção mundial de açúcar de cana nas últimas décadas do século XX (ver Gráfico 4.3)[13].

Gráfico 4.3: Produção de açúcar no Brasil como porcentagem (com tendência linear) da produção mundial de açúcar (cana+beterraba), 1839-1909.

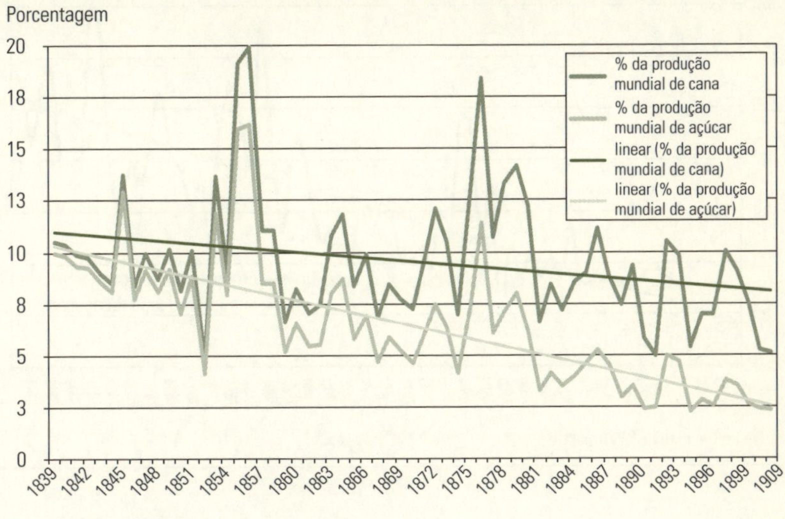

Fonte: Deerr (1949-1950), p. 113, p. 490.

Apesar de seu declínio relativo nos mercados mundiais, a produção brasileira de açúcar expandiu-se durante a maior parte do século XIX. Na década de 1820 chegou a 40 mil toneladas, e na década seguinte aumentou para 70 mil. Um decênio depois atingia a faixa das 100 mil toneladas, e nesse patamar permaneceria pelas duas décadas seguintes, quando os preços mundiais sofreriam o golpe da entrada do açúcar de beterraba no mercado europeu (ver Gráfico 4.4). Mas a expansão voltou a ocorrer com preços mundiais favoráveis, e nos anos 1870 a produção brasileira média era de 168 mil toneladas, chegando a 200 mil toneladas na última década da escravidão[14].

Gráfico 4.4: Produção brasileira de açúcar e tendência linear, 1760 a 1909.

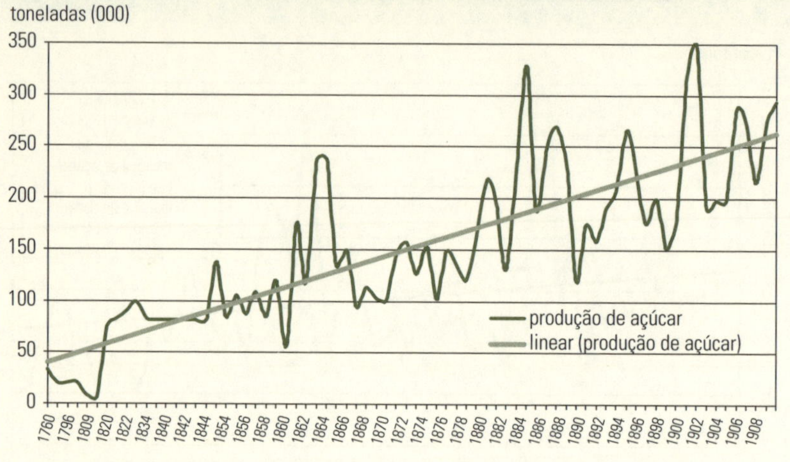

Fonte: Deer (1949-1950), p.113.

Embora diminuísse a importância relativa do açúcar brasileiro no mercado mundial e no conjunto das exportações brasileiras, o valor total das exportações açucareiras aumentou juntamente com a produção até o começo da década de 1880 (ver Gráfico 4.5) Isso significou que a economia escravista açucareira efetivamente cresceu durante a maior parte do século XIX, embora ocorresse um lento deslocamento das zonas produtoras, intensificando-se a importância dos produtores do Sudeste no total nacional.

Gráfico 4.5: Exportações brasileiras de açúcar, volume anual (em toneladas) e valor anual (em libras), 1821-1906.

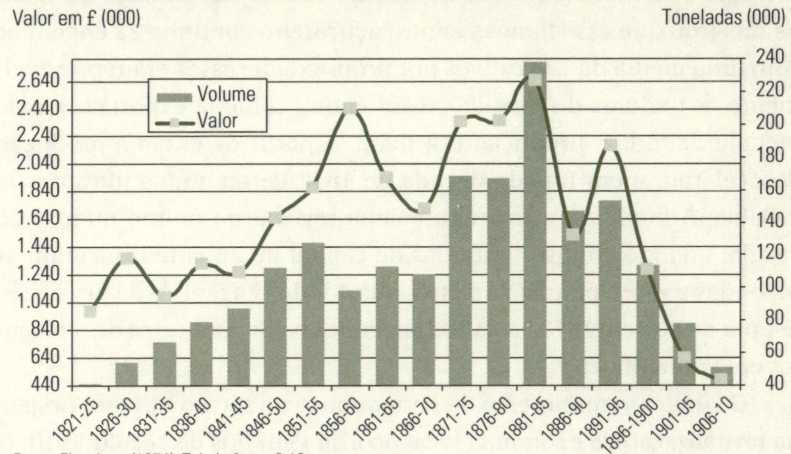

Fonte: Eisenberg (1974), Tabela 2, pp. 9-10.

O crescimento mais intensivo da indústria açucareira no século XIX ocorreu inicialmente nas regiões mais antigas do Nordeste brasileiro, com Bahia e Pernambuco à frente de todas as outras regiões. Nessa época, exceto pela introdução da variedade de cana otahiti no Brasil, também introduzida em Cuba, não houve nenhuma outra grande inovação tecnológica na indústria. A estrutura dos engenhos não mudou, e as máquinas a vapor e ferrovias só chegariam em fins do século XIX[15]. A produção média por engenho no Nordeste açucareiro permaneceu igual à do período colonial até a conversão para a moenda a vapor no final do século XIX. Portanto, o aumento da produção nos principais Estados nordestinos não ocorreu graças a novas tecnologias durante boa parte do século XIX, mas à expansão da zona açucareira para novas terras além da tradicional área do Recôncavo e ao aumento do número de engenhos. A existência de um mercado nacional em crescimento protegeu a indústria local das intensas variações dos preços internacionais.

Houve também um importante deslocamento das zonas de produção nordestinas nesse período. Entre 1790 e 1820, a Bahia duplicou o número de seus engenhos para mais de quinhentos. Houve também um aumento expressivo na sua população escrava para quase 150 mil pessoas, mas uma parte considerável dessa população não foi empregada na produção açucareira conforme a economia se diversificou e se expandiu[16]. A Bahia, aliás, possuía os maiores engenhos brasileiros. Um censo efetuado em 1835 no distrito baiano de Santiago do Iguape mostrou que esse famoso centro açucareiro continha 22 engenhos com uma média de 123 cativos por propriedade; esses eram provavelmente os maiores do Brasil[17]. Nessa época, a Bahia exportava quase metade de toda a produção brasileira. A partir de então a produção desacelerou, e em fins da década de 1840 Pernambuco ultrapassou a Bahia. A indústria açucareira baiana reviveu no último quartel do século, quando vultosas entradas de capital finalmente trouxeram as moendas a vapor para mais de três quartos dos engenhos da província. Estima-se que em 1877 havia 802 engenhos na Bahia e cerca de oitocentos em Pernambuco[18].

O fabuloso crescimento de Pernambuco no século XIX teve origem na revitalização da economia local ocorrida em fins do século XVIII. O trabalho da companhia monopolista pombalina na capitania fora eficaz, deixando-a em posição vantajosa para aproveitar o *boom* pós-1791 nos preços do açúcar. Expandiram-se os engenhos tanto nas áreas tradicionais como nas de fronteira; ao mesmo tempo, o tráfico de escravos intensificou-se, e a população cativa local aumentou para quase 100 mil pessoas na segunda década do século XIX. A produção de açúcar cresceu a cada década, e em meados do século Pernambuco já ultrapassara a Bahia. Na metade dos anos 1880 os engenhos pernambucanos produziam mais de 100 mil toneladas de açúcar, quase metade do total exportado pelo Brasil. Esse crescimento foi obtido com uma população escrava em declínio na província. Na década de 1850, época do fechamento do tráfico, havia em Pernambuco 145 mil cativos; no censo de 1872, o número deles caíra para 106 mil, e na década seguinte para 85 mil[19]. O crescimento da população livre de cor mais do que compensou essa queda, ocasionada em parte pela expansão do tráfico interno após 1850. Estima-se que entre 1850 e o início da década de 1880 tenham sido vendidos de 23 mil a 38 mil cativos pernambucanos para fazendas de café do Sudeste[20]. Já na década de 1850, os engenhos da zona açucareira mais rica de Pernambuco possuíam em média setenta escravos e 49 assalariados livres em sua força de trabalho[21]. A parcela de trabalhadores livres cresceu justamente quando a introdução da moenda a vapor elevou a produção de açúcar por trabalhador; assim, não foi difícil para os senhores nordestinos substituir seus cativos por assalariados mal remunerados e geralmente sazonais. Além disso, em Pernambuco, como na Bahia e em toda a zona açucareira do Nordeste, a crescente complexidade do fabrico do açúcar, e ampliação da escala de produção, aumentou a importância dos lavradores de cana, que com seus próprios escravos abasteciam os engenhos de matéria-prima, e também fez crescer a contribuição de assalariados livres, trabalhadores sazonais e até posseiros[22]. Embora existam poucas estatísticas sobre os lavradores, está claro que muitos deles eram agricultores de medianas posses ou pobres. Em um censo das freguesias do Recôncavo em 1816-1817, foram arrolados 165 senhores de engenho e 478 lavradores de cana. Estes últimos possuíam em média apenas dez escravos cada um, e um censo de 1835 de um distrito baiano indica que quase um quarto desses produtores de cana não tinha escravos e aproximadamente 44% deles eram pessoas livres de cor[23].

Também na província do Rio de Janeiro registrou-se um extraordinário crescimento da indústria açucareira no período pós-1791. No entorno da baía de Guanabara e nas planícies interioranas de Campos, essa atividade ganhou ímpeto. No começo dos anos 1820 havia mais de 170 mil escravos na província, e só em Campos funcionavam cerca de quatrocentos engenhos com uma força de trabalho média de 36 cativos, pouco menos de metade da média baiana da época, que era de 66 escravos por propriedade[24]. Os engenhos dessa região Centro-Sul em geral usavam a mesma tecnologia que os do Nordeste, mas em média eram menores. Nas décadas intermediárias do século, porém, ocorreu um considerável crescimento nessa indústria. Por fim, no último quartel dos Oitocentos verificou-se uma importante mudança nas áreas produtoras de açúcar, com a criação dos primeiros engenhos movidos a vapor, chamados engenhos centrais — uma revolução na tecnologia que já ocorrera em outros países. Com apoio do governo, que garantiu empréstimos para a construção, inúmeros engenhos foram construídos. Embora o programa de implantação de engenhos centrais não tivesse o sucesso esperado, pois muitos fracassaram, a nova tecnologia permitiu ampliar a produção. Além disso, o processo também impeliu profundas modificações na organização da mão de obra. Os caros engenhos centrais, instalados nas áreas mais avançadas, eram operados por trabalhadores assalariados livres, o que levou à total concentração da escravaria na lide braçal dos canaviais. Numerosos engenhos centrais foram estabelecidos não só no Nordeste e no Rio de Janeiro, mas também em São Paulo. No entanto, a transformação foi apenas parcial, e em muitos casos a tecnologia da moenda a vapor foi aplicada a velhos engenhos; nesses casos, não houve a conversão total da tecnologia dos engenhos centrais. Ademais, também parece ter havido problemas iniciais com o abastecimento de cana para os engenhos centrais, que, em contraste com os engenhos tradicionais, dependiam acentuadamente do fornecimento de cana de terceiros. Mas o suprimento de cana proveniente de engenhos mais antigos não ocorreu como se esperava, em parte por problemas de transporte e em parte devido a um boicote dos poderosos senhores de engenho tradicionais, que se viram transformados em meros fornecedores de cana e proprietários dos chamados "engenhos mortos". Assim, os engenhos centrais, apesar do apoio do governo, não alcançaram o êxito previsto, mas foram os iniciadores do processo de destruição da velha ordem social baseada nos engenhos tradicionais. Posteriormente ocorreria a ascensão das usinas, indústrias em grande escala dotadas de tecnologia moderna que produziam quase toda a cana que processavam e, assim, eram imunes ao boicote dos velhos senhores de engenho. Com as usinas e sua maior escala de produção, novos grupos sociais surgiram no comando da indústria açucareira. Essa lenta transformação também geraria uma ruptura nas relações de poder vigentes mesmo antes do fim da escravidão nas regiões açucareiras[25].

A última região a ganhar uma produção de relevo nesse período foi a capitania de São Paulo. Ao longo do litoral norte e no oeste paulista, o açúcar passou a ser produzido para exportação. Embora São Paulo sempre mantivesse um mero quarto lugar na produção nacional e fosse responsável por não mais de 5% da produção brasileira, o açúcar revelou-se vital para a economia paulista. Imediatamente, transformou-se na mais valiosa exportação paulista e, embora a produção mal chegasse às mil toneladas nesse período inicial, já representava mais de metade do valor total das exportações da província. Na década de 1820 o açúcar era a principal exportação paulista, e atingira a faixa de 5 mil a 10 mil toneladas. As exportações do produto continuaram a expandir-se até fins dos anos 1840, juntamente com uma importante produção de aguardente, pela qual São Paulo e Rio de Janeiro tornaram-se conhecidas, especialmente na troca por escravos na África[26]. Em toda parte onde o açúcar se estabeleceu, ele se desenvolveu como cultura de exportação e atingiu o maior número de trabalhadores escravos por unidade agrícola. Em geral devido ao alto custo de implantação e à rápida maturação dos canaviais, na maioria das regiões do mundo os produtores de açúcar concentraram-se exclusivamente no cultivo da cana. Mas as fazendas de cana no Sudeste brasileiro destacaram-se porque continuaram a produzir gêneros alimentícios.

No decorrer do século XIX, a introdução da nova tecnologia dos avançados produtores antilhanos aumentou consideravelmente os investimentos e a produção dos engenhos, e tudo isso gerou a necessidade de ainda mais cana-de-açúcar. Como podemos ver nos dados para o início do século XIX (ver Tabela 4.3), pelo critério de tamanho do plantel médio o Nordeste ainda possuía os maiores engenhos, que eram quase duas vezes maiores que os do principal centro açucareiro paulista, Campinas; entretanto, como se vê nas mudanças de 1804 a 1829, os produtores do Sudeste começavam, na época, a aproximar-se dos tradicionais níveis da grande propriedade nordestina. Mas nenhuma dessas zonas sequer chegou perto da média de duzentos cativos por unidade que se via na Jamaica[27].

Tabela 4.3: Escravos nos engenhos em várias regiões.

Anos	Capitania de São Paulo, 1804	Província de São Paulo, 1829	Oeste Paulista, 1829	Campinas, SP, 1829	Itu, SP, 1829	Rio de Janeiro, 1778 (1)	São Francisco, Bahia 1816-1817	Santo Amaro, Bahia 1816-1817
Número de Engenhos	501	589	473	85	107	323	80	85
Escravos	8.387	18.224	15.142	3.521	2.897	11.623	5.560	5.253
Média escravos por engenho	17	31	32	41	27	36	70	62
Moda	5	16	20		13	30		
Mediana	12	23	25	31	20			
Porcentagem de escravos por tamanho de plantel								
1 - 10 escravos	14,2	3,0	2,4	1,8	2,6	3,2		0,2
11 - 20 escravos	22,8	14,4	14,1	8,7	22,5	10,9		0,9
21 - 40 escravos	34,9	29,2	29,9	19,7	32,7	30,7	7,4	14,2
41 - 60 escravos	18,7	22,2	22,5	18,1	20,4	11,9	15,5	13,1
61 - 100 escravos	9,4	22,4	24,3	34,8	21,8	10,2	49,6	42,5
101 +		8,8	6,8	16,9		33,1	27,5	29,1

Fonte: Listas Nominativas dos Habitantes, AESP; Schwartz (1995), p. 364 e Costa (1988).
Nota: (1) Somente os engenhos (não foram consideradas as engenhocas).

Embora nos engenhos típicos homens livres trabalhassem em funções especializadas ou como feitores de escravos, a maioria dos trabalhadores, nos canaviais ou no beneficiamento da cana, era escrava.

Obviamente havia diferença nas habilidades e na autonomia dos cativos empregados em lavrar a terra e nos que eram usados no processo industrial. O trabalho do campo era pesado, pouco especializado e em geral realizado em turmas, com significativa participação de mulheres. A única tarefa especializada nessa área era a fiscalização dos trabalhadores. Nas atividades de beneficiamento, o trabalho era organizado em tarefas especializadas, categorizadas por habilidades e dificuldades físicas. Embora algumas dessas funções fossem executadas por trabalhadores livres, a maior parte delas, mesmo as mais complexas e dependentes de mais treinamento, era executada por cativos. Estes tinham grande valor para seu senhor, e isso se refletia em seus preços de mercado. Um dos melhores estudos sobre a divisão do trabalho em um engenho do Nordeste data do século XVIII, mas também se aplica ao século seguinte. A propriedade estudada continha um grupo numeroso de trabalhadores especializados, muitos dos quais eram escravos[28]. Em uma amostra de engenhos do Recôncavo Baiano no século XVIII, entre um grupo de 1.331 cativos a maioria trabalhava nos canaviais (984), no beneficiamento (126) e em transporte (87); havia ainda 42 artesãos e dez feitores, além de 82 usados em serviços domésticos[29]. Um estudo de engenhos de Minas Gerais na década de 1830 constatou que, em uma amostra de 589 escravos empregados na lide açucareira, 326 trabalhavam no cultivo da cana, 183 eram artesãos, 39 exerciam tarefas domésticas, 28 eram usados no transporte e treze em outras ocupações. Nesse caso foi encontrada uma porcentagem ainda maior de cativos em trabalhos especializados e semiespecializados[30].

Enquanto o Nordeste permaneceu concentrado no açúcar e, em menor grau, no algodão pela maior parte do século XIX, as regiões do Rio de Janeiro e São Paulo introduziram rapidamente e em níveis impressionantes uma nova cultura de exportação que não tardou a rivalizar com a tradicional produção açucareira. Nos aspectos da mudança cultural e do crescimento, não foi a produção do açúcar, e sim a do café a mais influenciada pela situação haitiana. Embora já se cultivasse café no Brasil desde o início do século XVIII e essa já fosse uma cultura de exportação secundária mas crescente no fim do século, a queda pela metade da produção haitiana no século entrante e a demanda crescente por café nos mercados norte-americanos e europeus criaram um grande mercado para o novo produto brasileiro. O café, fortemente impulsionado pelo colapso de São Domingos, seria o mais destacado produto do braço escravo no Brasil do século XIX. Embora as fazendas de café na segunda metade do século finalmente competissem com os grandes engenhos no aspecto do número de escravos que possuíam, muitas começaram dedicando-se a culturas variadas e, por várias décadas, basearam-se em plantéis relativamente pequenos ou mesmo no trabalho da família do proprietário ou de trabalhadores livres. Sendo longo o período de maturação dos pés de café, normalmente as fazendas dedicavam-se ao cultivo de gêneros alimentícios e a outras culturas comerciais. Mesmo depois que essas propriedades atingiram um tamanho considerável e seus cafeeiros estavam no auge da produção, os fazendeiros continuaram a cultivar outros produtos, inclusive após a libertação dos escravos.

De início, a produção de café no Brasil aconteceu esparsamente na colônia. Foi na capitania do Rio de Janeiro que a cafeicultura tornou-se uma atividade importante. O caso brasileiro destaca-se pelo ingresso tardio na produção nas Américas, pela rapidez com que o café brasileiro dominou a produção mundial e pelo grau de concentração regional dos cafezais. Em uma trajetória inversa à do açúcar, o Brasil aprendeu com as Antilhas a cultivar café. Os cafeicultores do Rio de Janeiro absorveram primeiro de São Domingos e depois de Cuba as técnicas de produção em escala comercial. A combinação da crise criada pela eliminação de São Domingos com o aumento pós-1815 da demanda na Europa e América do Norte gerou a alta dos preços que finalmente levou a indústria à sua fase madura[31].

Antes do fim das guerras napoleônicas, a produção era insignificante, e mesmo em 1821 os cafeicultores do Rio de Janeiro ainda não exportavam além de 7 mil toneladas. Essa quantidade era um terço da produção cubana e porto-riquenha, e nem chegava perto das 42 mil toneladas que São Domingos produzia em 1791. Na própria província o café só veio a substituir o açúcar como a mais valiosa exportação nos anos 1820. Nessa década a cafeicultura iniciou seu impressionante crescimento. Em 1831 as exportações de café finalmente ultrapassaram as de açúcar pela primeira vez no Brasil e suplantaram o recorde de toneladas atingido por São Domingos em 1791. Em meados da década, o Brasil estava produzindo o dobro da produção combinada de Cuba e Porto Rico e era o maior produtor mundial. Na década de 1840 a produção aumentou para mais de 100 mil toneladas anuais e aumentou para mais de 200 mil nos anos 1850 (ver Gráfico 4.6). Nessa época, o Brasil respondia por mais de metade da produção mundial[32]. No começo da década de 1830, o café já era o mais importante produto de exportação brasileiro (ver Gráfico 4.7), e substituía o açúcar e o algodão como a mais valiosa *commodity* brasileira, uma posição que manteria pelo resto do século.

Gráfico 4.6: Exportações brasileiras de café, volume anual (em toneladas) e valor (em libras), 1821-1910.

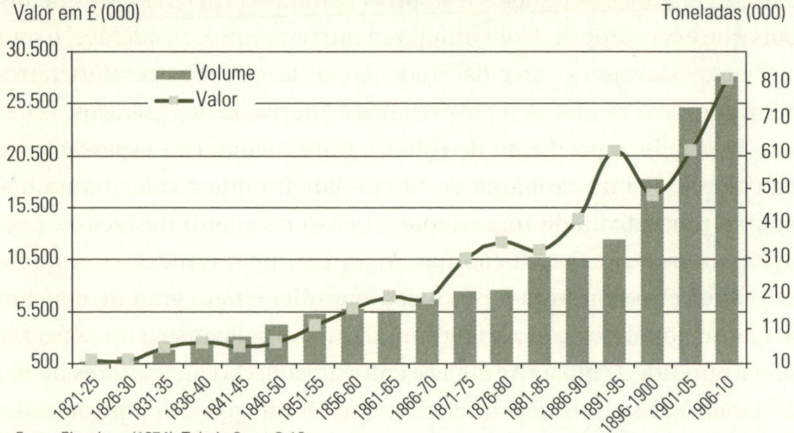

Fonte: Eisenberg (1974), Tabela 2, pp. 9-10.

Gráfico 4.7: Participação relativa no café, açúcar e algodão no valor total das exportações brasileiras, 1821-1860.

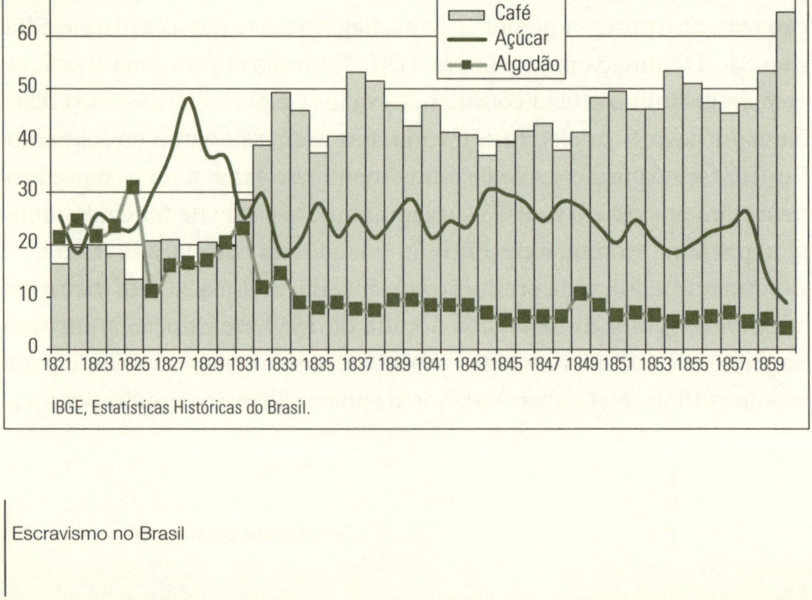

IBGE, Estatísticas Históricas do Brasil.

Embora os custos de entrada na produção cafeeira permitissem a participação de agricultores sem cativos, desde o início o café foi produzido por trabalho escravo. Além disso, conforme os fazendeiros aumentaram a participação do café em seu conjunto de culturas, os escravos foram adquirindo importância cada vez maior na força de trabalho dos cafezais. Desse modo, o crescimento da cafeicultura nas províncias do Rio de Janeiro, Minas Gerais e São Paulo, as três principais produtoras, associou-se fortemente ao aumento e expansão do tráfico atlântico de africanos para o Brasil, e este atingiu seu volume máximo no século XIX. A expansão das fronteiras do café, dos vales litorâneos para os planaltos interioranos, também foi típica de uma economia escravista de grande lavoura. Terras virgens foram a variável crucial para determinar a produtividade. Como a fertilização do solo não era uma prática usual, o esgotamento deste foi o motor da contínua expansão da fronteira. A partir da década de 1820 até fins dos anos 1860, os vales centrais do Rio de Janeiro foram as principais zonas de exploração, e o Vale do Paraíba constituiu o núcleo da nova atividade. Dali a cafeicultura alastrou-se para oeste, adentrando o sudeste de Minas Gerais, cuja economia mineradora em declínio foi revivida inicialmente pela produção do açúcar e depois pela do café. Na década de 1860 a produção local expandiu-se tão depressa que Minas Gerais substituiu São Paulo temporariamente como segundo maior produtor brasileiro, com mais de um quinto das exportações totais de café. Por boa parte da década de 1860 e no início do decênio seguinte, a produção de Minas aproximou-se da do Rio de Janeiro e manteve-se à frente da de São Paulo[33]. Só em fins dos anos 1870 e na década de 1880, no final da era escravocrata, a fronteira do café por fim se mudou acentuadamente para as planícies do oeste paulista, e ex-regiões açucareiras como Campinas tornaram-se centros de cafeicultura. Nem mesmo a abolição e a transição para a mão de obra livre impediram o deslocamento da fronteira, que em fins do século XIX atingira o sul de São Paulo e penetrara na província do Paraná[34].

De início, o café era produzido em propriedades relativamente pequenas na faixa litorânea do Rio de Janeiro e mais para o interior, no Vale do Paraíba. Nessa fase, o café era produzido lado a lado com outras culturas, e só lentamente começou a dominar a produção local. Face ao longo período de maturação dos cafeeiros, que só começavam a produzir grãos no terceiro ou quarto ano de crescimento, os fazendeiros reduziam seu risco produzindo também milho e outros gêneros. Mesmo depois de terem surgido fazendas com centenas de milhares de pés de café, o cultivo conjunto com outros gêneros alimentícios foi comum a todas as fazendas cafeeiras. Havia ampla variação na qualidade do solo e na idade das plantas, e isso causava grandes variações na produção anual entre as fazendas. Em um estudo de municípios cafeeiros paulistas representativos, a produção média de quatrocentos quilos por trabalhador encontrada nas primeiras fazendas da década de 1820 aumentou significativamente nas décadas seguintes e na fase madura da cafeicultura, no último quartel do século, atingiu pouco mais de 2 mil quilos de café por ano[35]. O número de escravos por fazenda de café em todo o Brasil elevou-se lentamente pelo resto do século; no começo da década de 1880, um levantamento de 707 fazendas de café na principal província produtora, Rio de Janeiro, registrou uma média de 43 cativos por unidade[36]. Esse tamanho de plantel ainda era menor que a média de 128 escravos por fazenda de café encontrada na Jamaica em 1832[37], um nível atingido apenas por uma minoria das fazendas do Rio de Janeiro e São Paulo mesmo na derradeira década da escravidão.

A busca por solos virgens de alta qualidade impeliu constantemente a fronteira do café para o interior. Os vales interioranos da província eram cobertos por densas matas e possuíam terras excelentes. Por essa razão, a produção inicial dos cafeeiros foi extremamente elevada. Porém, com suas matas derrubadas e cultivadas de modo impróprio, essas terras de vales íngremes sofreram erosão do solo, e deu-se um rápido decréscimo na produtividade de seus cafezais. Assim, um ciclo de expansão e declínio acompanhou o café nesses primeiros centros. Uma área típica dessa fase foi o Vale do Paraíba, no interior fluminense, e seu distrito central, Vassouras. Povoada a partir da década de 1790, Vassouras só veio a ter fazendas de café nos anos 1820. Mas a riqueza do seu solo, os altos preços do café nos mercados europeus, a disponibilidade de capitais, parcialmente gerados pelo sistema da grande lavoura açucareira, ensejaram o desenvolvimento de um novo tipo de grande lavoura, a cafeeira. Com capitais, havia mão de obra escrava em abundância que permitiu o funcionamento das grandes fazendas de café, que surgiram inicialmente em Vassouras[38]. Ao longo do século XIX, a produtividade dos escravos aumentou à medida que mais terras virgens foram desbravadas nos planaltos e que se adquiriu mais experiência no cultivo. Estimou-se que nas fazendas mais produtivas a produção média por escravos atingia 34 sacos de café por ano[39]. Na era pré-ferrovia — ou seja, antes da década de 1850 — os transportes compunham parte importante do custo final do café, pois uma porcentagem elevada da força de trabalho escrava era empregada para levar as sacas ao mercado em lombo de mula. Antes da introdução das linhas férreas, nada menos que um terço da força de trabalho cativa em uma fazenda de café trabalhava fora das plantações, transportando mercadorias de e para mercados portuários distantes. As estradas de ferro eliminaram essas tropas de mulas na segunda metade do século XIX. Os comboios foram substituídos por carros de boi e estradas secundárias que permitiam conduzir as mercadorias até a estação ferroviária mais próxima[40]. Essa revolução nos transportes reduziu consideravelmente os custos, mas pouco fez para mudar a estrutura da força de trabalho nas fazendas cafeeiras. Em estudos de fazendas de café, o número de trabalhadores empregados no cultivo nunca atingiu 58% do número total de cativos usados em uma fazenda[41]. Esses trabalhadores da lavoura eram divididos em turmas e supervisionados por feitores brancos ou escravos. Exatamente como nas fazendas de açúcar das Antilhas e do resto do Brasil, a maioria dos que trabalhavam nessas turmas eram mulheres. No café, como no açúcar, os homens exerciam todas as ocupações especializadas, mas eram sub-representados nas tarefas não especializadas como plantar, capinar e colher. Dada a grande quantidade de trabalhadores brancos e negros livres disponíveis até mesmo nas zonas cafeeiras mais densamente povoadas, deixavam-se para trabalhadores livres todas as tarefas perigosas, como derrubar a mata virgem, por exemplo, que nas Antilhas Britânicas e Francesas geralmente eram reservadas a homens escravos.

O crescimento das fazendas de café e da população escrava nelas empregada não se restringiu às áreas tradicionais e se deslocou constantemente por todo o Vale do Paraíba. Zonas mais antigas com cafeeiros velhos e que já não contavam com áreas com mata virgem, como Vassouras, apresentaram um declínio no número de cativos em idade produtiva, pois essa mão de obra foi vendida ou transferida para as zonas com maior produtividade. Assim, embora um intenso tráfico de africanos mantivesse as fazendas abastecidas de cativos até a década de 1850, com um pico de entrada de 50 mil africanos por ano em todo o Brasil na década de 1820 (ver Gráfico 4.1 acima), o grosso do crescimento pós-1850 na grande lavoura deu-se por um volumoso tráfico interno, com migração de cativos entre municípios, províncias e regiões[42]. Nas regiões mais antigas, como Vassouras, declinou a proporção de africanos, a média de idade dos cativos diminuiu, e ocorreu também um melhor equilíbrio na razão de sexo pelo aumento na proporção de cativos nascidos no Brasil. Além disso, houve uma redução dos escravos possuídos pelos produtores mais antigos e menos eficientes, enquanto aumentava rapidamente o número de escravos dos cafeicultores estabelecidos nas áreas em expansão.

A província paulista, ingressante tardia na exportação dos principais produtos, entrou na corrida do açúcar como produtora secundária, mas nas primeiras décadas do século XIX classificava-se em quarto lugar na produção total. Em fins da década de 1830, a província continha 79 mil escravos, a maioria usada em ocupações rurais, sobretudo na indústria açucareira. Mas nos anos 1840 o café finalmente suplantou o açúcar. Nesse decênio o número de cativos empregados na produção açucareira provavelmente chegava a 20 mil, enquanto os que trabalhavam em fazendas de café eram 25 mil, sendo a província como um todo, com 53 mil toneladas de café, responsável por quase um quarto da produção nacional. Embarcando metade das sacas pelo porto do Rio de Janeiro e metade por seus portos marítimos, a província de São Paulo começou a aproximar-se do Rio de Janeiro na década de 1880. Em 1854 São Paulo tinha mais de 2.600 fazendas de café, na qual trabalhavam cerca de 55 mil escravos, e o plantel médio continha pouco mais de vinte cativos (ver Tabela 4.4).

Tabela 4.4: Trabalhadores, animais e produção nas fazendas de café, São Paulo, 1854.							
Regiões	Fazendas (número)	Agregados	Colonos	Escravos	Animais (mulas)	Produção de café (toneladas)	Valor (em mil réis)
Vale do Paraíba	1.150	2.719	31	29.516	14.546	33.731	5.902.282
Região da Capital	230	349	11	4.372	2.952	2.947	556.965
Oeste Paulista	556	723	2.042	13.519	4.992	11.222	2.311.576
Caminho do Sul	43	199	2	1.262	479	220	45.700
Litoral	633	233	73	7.165	373	4.488	818.450
Total	2.612	4.223	2.159	55.834	23.342	52.608	9.634.973
Média por fazenda							
Vale do Paraíba	1.150	2	0	26	13	29	5.132
Oeste Paulista	556	1	4	24	9	20	4.158
Província	2.612	2	1	21	9	20	3.689

Fonte: José J. Machado de Oliveira, "Quadro Estatístico de alguns Estabelecimentos Ruraes da Província de São Paulo", (São Paulo, 1855).

O café irradiou-se do Rio de Janeiro não só para sudoeste, chegando a São Paulo, mas também para noroeste, adentrando o sudeste de Minas Gerais na área conhecida como Zona da Mata. Em fins dos anos 1820, Minas já não era um importante centro de mineração. Dedicava-se a um complexo conjunto de atividades da agricultura e pecuária e exportava uma grande variedade de produtos, como algodão, couros e açúcar, quando o café começou a emergir como uma cultura expressiva. Na década de 1850, o café finalmente tornou-se a principal exportação da província em valor total e, exceto pela crise acarretada pela abolição em fins dos anos 1880, apresentou forte crescimento até o começo do século XX. Embora a qualidade do café mineiro fosse considerada muito boa, o tamanho médio do plantel e o número total de trabalhadores ocupados na cafeicultura foram um pouco menores que os do Rio de Janeiro e São Paulo[43]. Usando as mesmas técnicas de plantio, colheita e turmas de trabalhadores cativos que eram empregadas nas fazendas cafeeiras típicas do Rio e São Paulo, as fazendas mineiras tendiam a dedicar-se a um misto de culturas e à criação de gado. Como essas outras regiões produtoras de café, e em contraste com a maioria das outras economias escravistas, a população cativa de Minas expandiu-se até o dia da abolição. A população escrava dos municípios cafeeiros de Minas atingiu 90 mil pessoas no começo dos anos 1870 e 96 mil em 1886[44].

Com o passar do tempo, o café foi absorvendo cada vez mais mão de obra e, por fim, nas duas derradeiras décadas da era escravocrata, tornou-se a atividade que mais empregava cativos no Brasil. Depois de vários experimentos fracassados com o uso de imigrantes europeus, os cafeicultores, ao contrário de seus compatriotas do Nordeste, abandonaram todas as tentativas de combinar trabalho livre e escravo e concentraram-se exclusivamente na força de trabalho cativa[45]. Assim, o fim do tráfico atlântico em 1850, o subsequente crescimento da produção cafeeira nesse século e a alta nos preços dos escravos acarretaram uma acentuada transferência de cativos de todas as partes do império para as regiões cafeeiras. Tal processo intensificou-se após 1850. Embora sempre houvesse existido um tráfico interno, com o fechamento do tráfico atlântico em meados do século desenvolveu-se um tráfico interprovincial e intrarregional, intensificado nas duas décadas seguintes, resultando em marcantes alterações na distribuição da população escrava no Brasil. Estimou-se que entre 1850 e 1888 o tráfico interno por via marítima tenha promovido a migração de 100 mil a 200 mil escravos de portos do Nordeste e de mais ao sul para Rio de Janeiro e Santos[46]. Ocorreram também importantes transferências, dentro de uma mesma província, entre zonas mais pobres e distritos vizinhos mais ricos[47]. Estimativas apontam que na década de 1870 os municípios cafeeiros de São Paulo continham aproximadamente 81 mil escravos, e os do Rio de Janeiro, 148 mil[48]. Somando esses números aos da estimativa mencionada sobre a população escrava na cafeicultura em Minas Gerais, significaria que a produção do café absorveu um total de 320 mil cativos. Dos 1,2 milhão de escravos economicamente ativos arrolados no primeiro censo nacional em 1872, escravos trabalhando no café representavam apenas um quinto do total de cativos no império.

No começo dos anos 1880, as fazendas de café haviam atingido seu tamanho máximo no período escravista, mas com significativas variações regionais. Claramente, o Rio de Janeiro ainda dominava, possuindo as maiores fazendas e uma força de trabalho média maior do que as das fazendas das outras duas principais províncias cafeeiras (ver Tabela 4.5). De fato, as fazendas no Rio de Janeiro tinham em média vinte escravos a mais do que as fazendas mineiras, e também mais do que a maioria das fazendas paulistas. Na última década de escravidão, os cafeicultores cariocas aproximavam-se dos maiores senhores de engenho do Nordeste em tamanho de plantel. Como mostrou a conhecida análise de Van Delden Laerne, não só os escravos eram uma parte fundamental da força de trabalho, mas também seu valor representava mais de 40% do valor total das fazendas e seus cafezais. Além disso, esse número aproximou-se do valor global em quase todos os inventários *post-mortem* de fazendas de açúcar e café para todas as regiões do Brasil e foi consideravelmente superior ao valor dos cativos usados na pecuária e em fazendas de culturas mistas[49].

Tabela 4.5: Estatísticas básicas das plantações de café no Rio de Janeiro, Minas Gerais e São Paulo, 1881-1883*.

Regiões **	Municípios	Número de fazendas	Tamanho das fazendas em hectares	Número de pés de café	Número de escravos	Valor total das fazendas em mil réis	% dos escravos no valor total	Escravos por fazenda	Pés de café por escravo
Zona Santos-São Paulo	20	146	92.442	12.904.090	5.266	19.372.860	38,2%	36	2.450
Zona Rio-Rio de Janeiro	13	191	119.945	37.638.543	10.712	26.651.098	47,0%	56	3.514
Zona Rio-São Paulo	10	53	47.424	7.881.000	1.987	5.996.591	41,1%	37	3.966
Zona Rio-Minas Gerais	11	153	90.453	20.633.000	5.568	15.122.308	44,0%	36	3.706
	54	543	350.264	79.056.633	23.533	67.142.857	43,3%	43	3.359

Notas: * Excluidas fazendas de café com outros cultivos, e fazendas dedicadas a outros cultivos.
** O trabalho divide as fazendas naquelas relacionadas ao porto do Rio de Janeiro, independentemente da província, e de Santos inclui apenas aqueles municípios na zona central e sul de São Paulo diretamente vinculados ao porto de Santos.
Fonte: C.F. Van Delden Laerne (1885), pp. 222-223.

Apesar da crescente concentração da escravaria na cafeicultura, a maioria dos cativos do Brasil não trabalhava em fazendas de açúcar ou café nem mesmo no Centro-Sul. Mesmo com sua posição dominante no valor total das exportações, o café absorvia apenas uma pequena fração dos escravos rurais da região. Minas Gerais foi um caso único porque seu setor de agricultura mista, que produzia exclusivamente para o mercado interno, absorvia a maioria dos escravos nessa que era a maior província escravista do império. Na década de 1870 havia 382 mil cativos em Minas, dos quais 279 mil arrolados como trabalhadores rurais; entretanto, os que trabalhavam na cafeicultura representavam menos de um quarto da escravaria total da região. Tampouco os municípios que continham mais escravos eram os mais associados ao café[50]. Pecuária, beneficiamento de alimentos e produção de grãos e raízes alimentícias eram atividades que empregavam mão de obra cativa e livre. Havia, inclusive, um número significativo de escravos em ocupações especializadas e semiespecializadas. Numa análise detalhada do censo não publicado de 1831-1832, cerca de 14% dos 88 mil escravos adultos foram descritos como trabalhadores não agrícolas especializados e semiespecializados. A maior concentração de escravos especializados e semiespecializados ocorria na fiação e tecelagem de algodão, pois os cativos artesãos compunham 20% da escravaria ocupada nessas atividades; na construção o percentual era de 28%. Estimou-se que quase um quarto de todas as escravas adultas se ocupassem de serviços não domésticos[51]. Portanto, Minas Gerais é um caso raro na América de utilização de escravos em larga escala para a produção de gêneros destinados ao mercado local ou nacional. Minas Gerais também se destacou em sua distribuição da posse de escravos. Como em todo o continente americano, o número médio de cativos por proprietário foi bem pequeno, mas, ao contrário da maioria das zonas escravistas americanas, o número de senhores foi muito grande, e eles representaram uma porcentagem muito maior da população livre. Grandes fazendeiros com numerosos escravos foram poucos e controlaram uma parcela relativamente pequena da força de trabalho total da província.

Entretanto, Minas não esteve isolada nessa distribuição mais complexa da escravaria. Constatou-se que até em Pernambuco, com sua alta concentração de escravos dedicados ao fabrico do açúcar, entre 30% e 40% dos cativos rurais trabalharam fora das zonas de grande lavoura por todo o século XIX. Eles foram usados na produção de algodão, na pecuária e no cultivo de gêneros alimentícios. As fazendas de algodão na região interiorana do agreste produziam também uma significativa quantidade de alimentos[52]. Ademais, como se poderia esperar, nessas pequenas propriedades interioranas dedicadas a culturas diversas, à pecuária e ao algodão os plantéis eram muito menores, a maioria dos senhores possuía em média menos cativos, e havia muito menos plantéis grandes do que os existentes na região açucareira (ver Tabela 4.6).

Tabela 4.6: Posse de escravos por regiões, Pernambuco, 1800-1887*.			
Tamanho do plantel	% dos escravos		
	Mata	Agreste	Sertão
1 – 5	12,2	16,8	23,7
6 – 10	10,7	24,7	27,3
11 – 20	10,0	19,0	32,7
21 – 50	38,7	19,8	11,8
Mais de 50	28,4	19,7	4,5
Total	100,0	100,0	100,0
Total fazendas	117	325	226
Total escravos	1.300	2.618	1.484

Nota: Informações obtidas em Inventários.
Fonte: Versiani e Vergolino, (2002), tabela 3.

Como já mencionamos, além de produzir açúcar, que ainda era a segunda exportação mais valiosa do Brasil, escravos eram encontrados na produção de arroz[53], algodão, aves e suínos, e no cultivo de cereais, grãos variados e de alimentos em geral para o mercado interno. Ocorreu também um significativo emprego de escravos ao lado de trabalhadores livres na pecuária das duas tradicionais áreas de pastagem do Sul, bem como nas fazendas de gado que estavam em expansão nas províncias nordestinas. O algodão brasileiro, que fora um produto vital na era colonial e ainda abastecia o mercado europeu na primeira década do século XIX, reviveu no período 1860–1880. A Guerra de Secessão nos Estados Unidos acarretou a escassez de algodão para as tecelagens europeias, e o resultado foi o revivescimento do setor algodoeiro maranhense e o crescimento de novas regiões produtoras, como Minas Gerais, desenvolvendo-se alguma produção também em São Paulo. Embora notável financeiramente, esse crescimento temporário no valor das exportações de algodão não teve um impacto duradouro nem significativo na distribuição da mão de obra. A produção duplicou no período 1860-1880, enquanto o valor das exportações mais do que quintuplicou. A consequência foi um deslocamento temporário e acentuadamente local de cativos para o cultivo algodoeiro, com pouco impacto de longo prazo sobre os escravos usados em outras culturas.

Os cerca de 370 mil escravos usados em outras ocupações rurais encontravam-se dispersos por todo o império, dedicando-se a atividades destinadas a alimentar o crescente mercado representado pelos 9,9 milhões de brasileiros. Escravos também foram importantes na indústria do charque da província do Rio Grande do Sul, que competiu com êxito durante todo o século XIX com a indústria do charque uruguaia, baseada em trabalho livre. Embora no Brasil já se empregassem trabalhadores livres nessa atividade, o uso de cativos permaneceu vital e lucrativo até a década de 1880[54]. O mesmo ocorreu nas fazendas de gado no Nordeste, onde foi comum o uso conjunto de escravos e trabalhadores livres. Escravos também foram importantes na fabricação de laticínios e derivados de carne suína para mercados locais e regionais em Minas. Junto com o algodão, por exemplo, agricultores nordestinos cultivavam vários outros produtos, muitos para exportação. A Bahia, por exemplo, possuía uma florescente indústria de fumo e farinha de mandioca, e parte da produção provinha do braço escravo. Embora a maioria dos produtores de fumo e mandioca fossem pequenos agricultores livres com poucos agregados ou empregados contratados, uma significativa minoria desses produtores possuía escravos e exportava seus produtos. Além disso, muitos dos mais bem-sucedidos dentre esses agricultores começavam a comprar cativos assim que seus lucros aumentavam. No período 1846-1860, em um distrito produtor de fumo, Cachoeira, dois terços dos agricultores possuíam nove escravos ou menos. E não havia nenhum plantel com mais de quarenta cativos. Nas fazendas de mandioca eram usados ainda menos escravos, embora elas tivessem produção expressiva para os mercados regionais. Mas até nessa atividade encontravam-se proprietários com mais de dez escravos, empregados na produção da farinha de mandioca[55].

Uma tentativa recente de avaliar a posse de escravos no Brasil como um todo na década de 1870 mostra que os cativos se distribuíram de modo amplo e desigual pelas comunidades agrícolas[56]. Os municípios açucareiros e cafeeiros continham o maior número médio de escravos por plantel e a mais desigual distribuição da escravaria, mas em todas as outras atividades a distribuição dos escravos era razoavelmente abrangente, em pequenos plantéis e por uma grande variedade de atividades na agricultura, na pecuária e outras ocupações rurais (ver Tabela 4.7).

Tabela 4.7: Escravos possuídos por tamanho do plantel e por região em 1870.						
Tamanho do plantel	Pernambuco e Pará	Maranhão, Pará e Piauí	Sudeste	Bahia e Sergipe	Goiás	Rio Grande do Sul
1	768	2.343	3.386	1.012	881	420
2-4	1.957	5.657	9.571	1.908	2.376	1.297
5-9	2.088	5.365	9.747	1.798	2.173	1.750
10-19	1.956	4.621	9.322	1.974	1.371	1.220
20-39	1.850	2.623	7.775	1.621	384	255
40+	1.928	731	11.506	1.053	114	-
	10.547	21.340	51.307	9.366	7.299	4.942
Indicadores básicos						
20+ escravos	36%	16%	38%	29%	7%	5%
Mediana posse escravos	10-19	5-9	10-19	5-9	5-9	5-9
Média de escravos	5,1	3,7	5,4	4,2	3,3	3,9

Fonte: Marcondes (2005), tabelas 4-5,5-5,6-5,7-5,8-5,9-5.

Finalmente, ao redor de todo grande centro urbano havia roças de gêneros alimentícios cultivados para o mercado, muitas das quais eram unidades que empregavam um pequeno número de escravos juntamente com lavradores livres pobres.

Muitos dos 345 mil escravos economicamente ativos em 1872 que não trabalhavam diretamente na agricultura tinham atividades associadas ao mundo rural. O exemplo mais óbvio foram os 95 mil cativos arrolados como jornaleiros, alguns dos quais provavelmente trabalhavam nas fazendas junto com os escravos residentes. Parte dos 7 mil artesãos que trabalhavam com madeira e metal, especialmente carpinteiros e ferreiros, também podem ter sido empregados em fazendas. Porém, como revela o exemplo de Minas Gerais, havia também na força de trabalho cativa uma significativa parcela de pessoas que não trabalhavam diretamente na agricultura de exportação, mas ainda assim tinham papel importante na economia. Por exemplo, escravos compunham 10% dos 126 mil trabalhadores de tecelagens, que na época ganhavam relevo no Brasil como a primeira atividade industrial importante. Os 175 mil escravos usados em serviços domésticos compunham 17% de todas as pessoas nessa ocupação e 15% dos escravos economicamente ativos. Escravos também eram encontrados em parcelas superiores a 15% da população ativa em atividades como construção (4 mil cativos, representando 19% de todos os empregados nessa atividade), alvenaria, cantaria e ofícios afins (18%), e excediam sua parcela na população como jornaleiros (23%). Finalmente, havia algumas ocupações nas quais, embora os escravos representassem uma parcela pequena do total de trabalhadores, o número absoluto de cativos era notável. Nessa categoria estavam as costureiras, com 41 mil escravas, que representavam apenas 8% do total de pessoas nessa ocupação.

Um grande número de escravos vivia em cidades, onde, como no resto do país, eles compunham uma minoria do total da população de cor. Dos 4,2 milhões de pessoas livres de cor encontradas no Brasil, a porcentagem que vivia em cidades era muito maior do que a parcela urbana da população total de 1,5 milhão de cativos brasileiros. Não obstante, os escravos foram uma força de trabalho importante em todas as cidades. Das 785 mil pessoas que viviam em cidades com população superior a 20 mil habitantes, no mínimo 118 mil, ou 15%, eram cativas. Esse provavelmente não foi o maior número de escravos urbanos atingido, pois a escravaria urbana, como todo o restante da população escrava, estava diminuindo numericamente naquele período. Desde o fim do tráfico de escravos em meados do século, o número total de cativos, cujo máximo fora 1,7 milhões, entrou em declínio. O término do intenso tráfico de escravos acarretou uma taxa de crescimento negativa da população cativa residente. A queda nos números totais também impeliu uma mudança na distribuição da escravaria. A drástica alta nos preços de escravos resultante do fim do tráfico atlântico, o crescente impacto das alforrias e a contínua expansão da cafeicultura tiveram como consequência a venda de escravos das cidades para as áreas rurais em números cada vez maiores. Em 1849, por exemplo, a cidade do Rio de Janeiro continha 78 mil cativos, ao passo que em 1872 havia apenas 39 mil. Mas ainda assim os escravos do Rio representavam mais de um quinto da população de 183 mil pessoas da cidade. Salvador, o segundo maior centro em 1872, com 108 mil habitantes, tinha 13 mil escravos, e Recife ficava em terceiro lugar, com 57 mil habitantes e 10 mil cativos. Até mesmo a pequena cidade de São Paulo possuía 3 mil escravos em sua população de 28 mil pessoas[57].

A escravidão urbana existiu no Brasil nas duas formas clássicas de relação entre senhores e escravos predominantes na zona rural:

a posse direta com residência na propriedade do senhor e a posse direta combinada ao aluguel a terceiros. Mas havia também um número significativo de cativos que tinham autonomia para trabalhar, chamados, no Brasil, de escravos de ganho[58]. Tais escravos eram encontrados em todo o espectro ocupacional, das atividades menos especializadas aos trabalhos mais perigosos e aos mais bem remunerados. Nessa categoria encontravam-se, inclusive, cativos com mais de uma ocupação. Na cidade de Salvador nas décadas de 1850 e 1870 foram registrados diversos casos de cativos com múltiplas habilidades ou ocupações. Por exemplo, o jovem escravo André, da nação nagô, trabalhava como carregador de cadeira e aprendiz de carpinteiro, e Ricardo, também nagô, trabalhava em serviço de roça e como escravo de ganho. Amália, de vinte anos, era escrava de ganho em uma fábrica de charuto e também trabalhava como passadeira[59]. Esse mesmo padrão de mais de uma ocupação foi encontrado para escravos de ganho na cidade de Salvador em meados do século XIX[60]. Todos os dados indicam que esses carregadores, vendedores ambulantes, artesãos especializados e semiespecializados não só trabalhavam por conta própria e pagavam uma quantia fixa a seu senhor, mas também tinham de manter sua própria moradia ou viver como aprendizes na casa de mestres artesãos que não eram seus donos. Estudos de registros municipais de cidades importantes indicam a existência de vários domicílios escravos independentes[61]. Esses cativos independentes chegavam a criar famílias completas em seus domicílios, como foi o caso de sete dos oito cativos pertencentes a dona Catarina de Oliveira no distrito paulista de Curitiba em 1776. Três de seus escravos não só viviam separadamente como cada qual tinha sua família e cultivava uma roça por conta própria; os demais viviam à parte e se responsabilizavam pelas necessidades de seu domicílio[62]. Escravos de ganho também eram contratados como aprendizes por artesãos livres. Isso ocorreu, por exemplo, com quatro dos cinco escravos de Antonio de Souza Ferreira, que morreu no Rio de Janeiro em 1824; dois desses cativos eram aprendizes de carpinteiro e outro de sapateiro, enquanto outro era carpinteiro e vivia de jornal. Muitos artistas e músicos eram escravos de ganho, embora alguns residissem com seu senhor. Esse foi o caso de Antonio José Dutra, nascido na África, um barbeiro do Rio que ao morrer, em 1849, possuía treze escravos, sobretudo africanos; a maioria deles formou uma banda e trazia ao seu senhor uma renda muito maior do que a que ele auferia com seus dois imóveis alugados e sua barbearia. Esses cativos músicos também trabalhavam como barbeiros no estabelecimento do seu senhor[63].

Muitos escravos eram alugados a indústrias. Em 1840, por exemplo, José Vieira Sarmento possuía uma pequena fábrica de pente de tartaruga na cidade onde empregava onze de seus escravos (quatro jornaleiros e sete aprendizes), além de nove cativos alugados[64]. Na cidade de Niterói em 1855, havia 130 cativos trabalhando em fábricas, dos quais 85 pertenciam ao dono da fábrica e 45 eram alugados. Na cidade do Rio de Janeiro, metade (527) dos 1.039 operários eram escravos, embora se desconheça a correspondente divisão entre alugados e próprios. Em fins de 1855, a maior fábrica têxtil do Brasil, Companhia da Ponta D'Arêa, empregava 622 pessoas, das quais 181 eram escravas[65]. Ademais, apesar do constante aumento de trabalhadores livres estrangeiros na indústria, em 1872 o censo ainda arrolou 2.135 escravos operários, comparados a 9.458 estrangeiros em uma força de trabalho industrial total de 18.091 pessoas[66]. Um minucioso censo não publicado de Minas Gerais em 1831-1832 arrolou aproximadamente 23 mil escravos em atividades industriais. Eles representavam 17% da escravaria da província (comparados a 41% de pessoas livres ocupadas em atividades manufatureiras). Metade dos escravos, assim como metade das pessoas livres, foram descritos como empregados em atividades manuais e mecânicas, mas os cativos aparecem em porcentagem superior à de sua média na província como metalúrgicos, trabalhadores na construção e em atividades têxteis. A divisão por sexo era bem pronunciada nas atividades têxteis; ali trabalhavam 9.998 escravas, compondo 95% dos cativos naquela atividade[67].

Toda essa flexibilidade ensejou um complexo padrão de atividades escravistas e uma participação muito mais pronunciada dos cativos na economia de mercado como consumidores e recebedores de renda. Embora vários municípios criticassem a relativa liberdade e a carência de apoio financeiro para os escravos de ganho, estes mostraram ser um investimento tão lucrativo para seus senhores que a prática nunca foi abolida. Estimativas de aluguéis de cativos em cidades e fazendas indicam que o aluguel de escravos, depois de descontados os gastos com sua moradia e alimentação (estimados em

20% da renda bruta que eles obtinham) proporcionava ao senhor um lucro anual aproximado de 10% a 20% do investimento inicial feito na compra do escravo[68]. Nas áreas rurais, porém, esses cativos foram usados moderadamente, sendo essa uma das principais características que distinguiram a escravidão urbana da rural no Brasil. Na Bahia ocorreu inclusive uma greve, organizada em 1857, dos escravos de ganho que trabalhavam como carregadores. Esses cativos transportavam objetos, água, pessoas em cadeiras e inúmeras outras cargas, e se organizavam em grupos, em geral segundo suas nacionalidades africanas. Havia também a participação de africanos livres e de escravos nascidos no Brasil, e o elemento dominante eram os nagôs ou iorubás. Naquele ano de 1857, a tentativa do governo de tributar o trabalho dos escravos de ganho e criar outras formas de limitação à sua liberdade de trabalhar acarretou uma greve de uma semana de todos os trabalhadores ativos, levando o governo municipal a abandonar a maioria de suas tentativas de controlar e taxar a atividade[69].

Finalmente, escravos trabalhavam em todas as partes da complexa rede de transporte brasileira, como, por exemplo, os tropeiros nos comboios de mulas, que foram a base do transporte interiorano até a segunda metade do século XIX[70], e os marinheiros na navegação de longa distância, no comércio costeiro e na pesca local. Como já mencionamos, havia cativos na tripulação regular de navios negreiros que iam buscar escravos na África, e escravos tiveram importância vital no comércio costeiro em fins do século XVIII e começo do XIX[71]. Mesmo no século XIX, marinheiros cativos continuaram a ter participação fundamental na navegação. Por exemplo, no porto do Rio de Janeiro no período de 1815 a 1826, as autoridades emitiram passaporte para 2.463 marinheiros escravos que trabalhavam no comércio costeiro com portos meridionais[72]. Em Porto Alegre em 1857, dos 3.193 marinheiros arrolados como trabalhadores no comércio costeiro, na pesca ou em transporte em barcos, 1.157 eram escravos. Os marinheiros cativos representavam 49% do total de marinheiros no comércio costeiro, sua mais significativa participação, 30% dos que trabalhavam no comércio marítimo de longa distância, 27% dos marinheiros em rios e portos e apenas 10% dos pescadores[73]. Mais de uma década depois, em 1869, registrava-se apenas um leve declínio na proporção, mas não no número de marinheiros escravos. Naquele ano o governo arrolou 3.638 marinheiros trabalhando no porto ligados ao comércio marítimo e costeiro, à pesca e ao transporte local por barco, dos quais 1.168, quase um terço, eram cativos[74]. Também era escrava uma parcela significativa dos trabalhadores em estaleiros no ano de 1869: 72 dos 247 trabalhadores que fabricavam e reparavam embarcações no estaleiro naval do porto[75].

O relativo declínio da escravidão urbana, embora não da população de cor das cidades, foi parte de um processo mais amplo de redistribuição geográfica dos escravos ocorrido no período pós-tráfico atlântico. Uma proporção mais elevada de cativos foi encontrada não só nas atividades mais produtivas, como a cafeicultura, mas também nas regiões em que essas atividades se concentravam. Em meados do século, menos de metade dos cativos residia nas três principais províncias cafeeiras, mas em 1872 mais de metade concentrava-se nessas regiões. Um ativo tráfico interno pós-1850 ajudou na convergência de cativos para a região Centro-Sul, com o Nordeste e as províncias mais meridionais exportando seus escravos para Rio de Janeiro, Minas Gerais e principalmente São Paulo. Às vésperas da abolição, em 1887, quase três quartos dos 751 mil cativos remanescentes encontravam-se nessas três províncias. Portanto, a escravaria, como em Cuba, concentrava-se acentuadamente nas regiões mais dinâmicas de suas respectivas sociedades ao aproximar-se a abolição. Com a alta no custo dos cativos e as taxas de crescimento das populações escravas negativas, cada vez mais escravos afluíram para os setores exportadores dos dois maiores países escravistas da América Latina.

NOTAS

1. Veja Richard H. Steckel, "Slave Height Profiles from Coastwise Manifests", p. 364. Esse tráfico interno foi muito maior do que o ocorrido no Brasil, pois entre 1790 e 1860 movimentou aproximadamente 835 mil escravos das áreas exportadoras para as importadoras do Sul dos Estados Unidos, dos quais a metade representava a comercialização de escravos e a outra metade a movimentação com seus respectivos proprietários. Jonathan B. Pritchett, "Quantitative Estimates of the United States Interregional Slave Trade, 1820-1860", pp.467-475. Outro estudo mostrou que entre 1810 e 1860, ou seja, no período posterior ao término do tráfico, cerca de 20 mil escravos cruzavam as fronteiras estaduais anualmente. Michael Tadman, *Speculators and Slaves, Masters, Traders and Slaves in the Old South*, p. 12, tabela 2.1. Os escravos envolvidos nesse tráfico marítimo inter-regional eram predominante homens e 90% tinham idade entre onze e 30 anos. Herman Freudenberger e Jonathan B. Pritchett,

"The Domestic United States Slave Trade: New Evidence", pp. 447-477. Em contraste, o tráfico interno no Brasil de escravos do Nordeste e do Sul para a principal região importadora, que era o Rio de Janeiro, não superava o número de 5 mil a 6 mil escravos anuais nas décadas de 1850 e 1860. Entretanto, somente dois terços situavam-se na faixa etária de onze a 30 anos, percentual alto, mas bem abaixo daquele encontrado nos manifestos de Nova Orleans; quanto a distribuição por sexo, ocorria predomínio masculino no tráfico interno do Brasil e dos Estados Unidos. Herbert S. Klein, "The Internal Slave Trade in Nineteenth-Century Brazil: A Study of Slave Importations into Rio de Janeiro in 1852", pp. 568, 571-572.

2. Uma estimativa sugere que cerca de um quarto dos africanos importados pelo porto de Salvador entre 1760 e 1770 foram remetidos para outras regiões no interior do Brasil, sendo 59% enviados para Minas Gerais. Dos escravos que deixaram o porto para o interior naquele período, 95% eram africanos. Alexandre Vieira Ribeiro, "E Lá se Vão para as Minas: Perfil do Comércio de Escravos Despachados da Bahia para as Gerais na Segunda Metade do Século XVIII", pp. 7-8, tabelas 3 e 3.1. Veja também Maria do Carmo Salazar Martins e Helenice Carvalho Cruz da Silva, "VIA BAHIA: A Importação de Escravos para Minas Gerais pelo Caminho do Sertão, 1759-1772", p. 5, tabela 1. Esse padrão permaneceu por boa parte do século XIX. No período 1809-1830, Minas Gerais era ainda a zona dominante dos escravos remetidos do porto do Rio de Janeiro. Veja-se Fábio W. A. Pinheiro, *O Tráfico Atlântico de Escravos na Formação dos Plantéis Mineiros, Zona da Mata, c.1809-c.1830*, p. 99, tabela 13.
3. A média de escravos embarcados do Rio de Janeiro para o interior no período 1822-1833 era de 4,7 escravos. João Luis Fragoso, *Homens de Grossa Aventura: Acumulação e Hierarquia na Praça Mercantil do Rio de Janeiro, 1790-1830*, p. 219. A média de escravos que chegavam à província do Rio Grande do Sul foi de 4,8 escravos por remessa nos períodos 1788-1802 e 1809-1814. Gabriel Santos Berute, *Dos Escravos Que Partem para os Portos do Sul: Características do Tráfico Negreiro do Rio Grande de São Pedro do Sul, c.1790-c.1825*, p. 126, tabela 16.
4. Fragoso, *Homens de Grossa Aventura*, pp. 177-178, tabela 12-9.
5. "Pequeno traficante eventual" é o termo usado por Fragoso, *Homens de Grossa Aventura*, p. 219.
6. Sobre o debate a respeito da lei, ver Martha Abreu, "Slave Mothers and Freed Children: Emancipation and Female Space in Debates on the 'Free Womb' Law, Rio de Janeiro, 1871", pp. 567-580.
7. Sobre a Lei dos Sexagenários, ver Joseli Maria Nunes Mendonça, *Entre a Mão e os Anéis: a Lei dos Sexagenários e os Caminhos da Abolição no Brasil.*
8. Para estimativas da produção brasileira de açúcar no século XVIII, ver Noel Deerr, *The History of Sugar*, v. II, p. 113.
9. Peter Eisenberg, *The Sugar Industry in Pernambuco, Modernization Without Change, 1840-1910*, p. 5, tabela 1.
10. Os dados sobre a produção americana de cana-de-açúcar provêm de Deerr, *The History of Sugar*, v. II, pp. 113, 131, 193-204. Para uma estimativa da produção mundial ver Manuel Moreno Fraginals, *El Ingenio: Complejo Económico Social Cubano del Azúcar*, v. II. P. 173.
11. J. H. Galloway, *The Sugar Cane Industry: an Historical Geography from its Origins to 1914*, cap. 7.
12. Eisenberg, *The Sugar Industry in Pernambuco*, tabela 7, p. 20.
13. Hoje o Brasil é o maior produtor e exportador de açúcar de cana.
14. Deerr, *The History of Sugar*, v. II, p. 113.
15. Eisenberg, *The Sugar Industry in Pernambuco*, cap. 3.
16. Schwartz, *Sugar Plantations in the Formation of Brazilian Society*, pp. 423 segs.

17. B. J. Barickman, "Revisiting the Casa-grande: Plantation and Cane-farming Households in Early Nineteenth-Century Bahia", p. 626.

18. Deerr, *The History of Sugar*, v. I, p. 111.

19. Eisenberg, *The Sugar Industry in Pernambuco*, tabela 22, p. 147.

20. *Idem*, p. 157.

21. *Idem*, p. 146.

22. Ver Schwartz, *Sugar Plantations in the Formation of Brazilian Society*, cap. 15; Eisenberg, *The Sugar Industry in Pernambuco*, cap. 8.

23. Schwartz, *Sugar Plantations in the Formation of Brazilian Society*, p. 454, tabela 16-6; Barickman, "Revisiting the Casa-grande", p. 627.

24. Schwartz, *Sugar Plantations in the Formation of Brazilian Society*, pp. 428, 446, tabela 16-3. Sobre o desenvolvimento inicial dos engenhos de açúcar em Campos, ver Arthur Cézar Ferreira Reis, "A Província do Rio de Janeiro e o Município Neutro", em Sérgio Buarque de Holanda (org.), *História Geral da Civilização Brasileira*, tomo II, v. 2, p. 317.

25. Deerr, *The History of Sugar*, v. I, p. 111. Alice P. Canabrava, "A Grande Lavoura". Análises recentes da ajuda governamental a esses engenhos no período 1875-1889 encontram-se nos trabalhos de Roberta Barros Meira, "O Processo de Modernização da Agroindústria Canavieira e os Engenhos Centrais na Província de São Paulo"; e *Banguês, Engenhos Centrais e Usinas: o Desenvolvimento da Economia Açucareira em São Paulo e a sua correlação com as políticas estatais (1875-1941)*.

26. O melhor estudo global da indústria açucareira paulista é o de Maria Thereza Schorer Petrone, *A Lavoura Canavieira em São Paulo. Expansão e Declínio (1765-1851)*. Outros estudos sobre esse período incluem: Suely Robles Reis de Queiroz, "Algumas Notas sobre a Lavoura de Açúcar em São Paulo no Período Colonial"; e os vários estudos regionais sobre o açúcar nesse período, entre os quais destacam-se Lucila Herrmann, *Evolução da Estrutura Social de Guaratinguetá num Período de Trezentos Anos*; Almeida Prado Bacellar, *Os Senhores da Terra: Família e Sistema Sucessório entre os Senhores de Engenho do Oeste Paulista (1765-1855)* e Ramón Vicente Garcia Fernandéz, *Transformações Econômicas no Litoral Norte Paulista (1778-1836)*. Sobre esse tema, ver também Meira, *Banguês, Engenhos Centrais e Usinas*.

27. Em 1832 havia na Jamaica 531 engenhos com 223 escravos, em média, por propriedade, e apenas quatro deles produziam outro gênero além de açúcar. B. H. Higman, *Slave Populations of the British Caribbean, 1807-1834*, p. 14.

28. Para uma descrição dessas ocupações especializadas, ver Stuart Schwartz, *Segredos Internos*, cap. 12, e João António Andreoni (André João Antonil), *Cultura e Opulência do Brasil*.

29. Stuart Schwartz, *Segredos Internos,*, p. 137, tabela 13.

30. Marcelo Magalhães Goya, "Fazendas Diversificadas, Escravas Polivalentes, Caracterização Sociodemográfica e Ocupacional dos Trabalhadores Cativos em Unidades Produtivas com Atividades Agroaçucareiras de Minas Gerais no século XIX", p. 20, tabela 13.

31. Sobre a evolução da cafeicultura no Brasil, ver Affonso de E. Taunay, *História do Café no Brasil*, especialmente v. 1 e 2; Stanley J. Stein, *Vassouras, a Brazilian Coffee County, 1850-1900*. O melhor estudo sobre o café a partir da segunda metade do século XIX é o de Antônio Delfim Netto, *O Problema do Café no Brasil*.

32. Pedro Carvalho de Mello, *The Economics of Labor in Brazilian Coffee Plantations, 1850-1888*, p. 42, tabela 14b.

33. Havia aproximadamente 5.200 escravos nas fazendas de café de Juiz de Fora, o maior município cafeeiro de Minas Gerais, no final da era escravocrata, e treze dessas fazendas possuíam mais de cem cativos. Luiz Fernando Saraiva, "Estrutura de Terras e Transição do Trabalho em um Grande Centro Cafeeiro, Juiz de Fora, 1870-1900".

34. Sobre a evolução do café na província de São Paulo, ver Warren Dean, *Rio Claro. A Brazilian Plantation System, 1820-1920*; a tese de Carvalho de Mello, *The Economics of Labor in Brazilian Coffee Plantations, 1850-1888*, e a tradução para o português, *A Economia da Escravidão nas Fazendas de Café: 1850-1888*; José Flávio Motta, "A Família Escrava e a Penetração do Café em Bananal (1801-1929); *Corpos Escravos e Vontades Livres – Estrutura da Posse de Cativos e Família Escrava em um Núcleo Cafeeiro (Bananal, 1801-1929)*; José Flávio Motta e Nelson Hideiki Nozoe, "Cafeicultura e Acumulação"; Armênio de Souza Rangel, *Escravismo e Riqueza – Formação da Economia Cafeeira no Município de Taubaté - 1765/1835*; Renato Leite Marcondes, *A Arte de Acumular na Economia Cafeeira*; Francisco Vidal Luna e Herbert S. Klein, *Slavery and the Economy of São Paulo, 1750-1850*, cap. 3.

35. Indicado pela média de 33,6 sacas de café, a sessenta quilos por saca. Ver Carvalho de Mello, *The Economics of Labor in Brazilian Coffee Plantations, 1850-1888*, p. 18.

36. C. F. Van Delden Laerne, *Brazil and Java. Report on Coffee-culture in America, Asia and Africa*, pp. 222-223.

37. B. W. Higman, *Slave Population and Economy in Jamaica, 1807-1834*, p. 13, tabela 1.

38. O estudo clássico sobre a sociedade e a economia cafeeira de Vassouras é Stein, *Vassouras, a Brazilian Coffee County, 1850-1900*. Veja também o recente trabalho de Ricardo Salles, *E o Vale Era o Escravo: Vassouras, Século XIX, Senhores e Escravos no Coração do Império*.

39. Ver Carvalho de Mello, *The Economics of Labor in Brazilian Coffee Plantations, 1850-1888*, p. 18.

40. Para uma análise dos papéis relativos das mulas, carroças e trens no transporte de café, ver Herbert S. Klein, "The Supply of Mules to Central Brazil: the Sorocaba Market, 1825-1880".

41. Para os cafezais do Rio de Janeiro nos anos 1870 e 1880, Carvalho de Mello estima que os trabalhadores da lavoura compunham 57% da força de trabalho. Ver *The Economics of Labor in Brazilian Coffee Plantations, 1850-1888*, p. 14.

42. No capítulo 6 há uma estimativa detalhada do tráfico interno de escravos.

43. Para um bom estudo geral da principal zona cafeeira de Minas Gerais, ver Rafael Rangel Giovanini, *Regiões em Movimento: um Olhar sobre a Geografia Histórica do Sul de Minas e da Zona da Mata Mineira (1808-1897)*, pp. 103 segs.; Peter Louis Blasheim, *A Regional History of the Zona da Mata in Minas Gerais, Brazil, 1870-1906*.

44. Giovanini, *Regiões em Movimento*, tabela 16, p. 149.

45. Sobre as tentativas pré-abolição de incorporar a mão de obra de imigrantes livres, ver Dean, *Rio Claro*, cap. 4.

46. Uma fonte contemporânea mencionou que 26.622 escravos foram importados de outras áreas para o Rio de Janeiro entre 1852 e 1859, ou seja, uma média anual de 3.327 cativos. Sebastião Ferreira Soares, *Notas Estatísticas sobre a Produção Agrícola e Carestia dos Gêneros Alimentícios no Império do Brasil*, pp. 135-136. O ministro britânico no Rio de Janeiro, W. D. Christie, informou que 34.688 escravos foram importados por via marítima para o Rio de Janeiro entre janeiro de 1852 e julho de 1862, ou seja, uma média de 275 por mês, ou 3.300 por ano. W. D. Christie, *Notes on Brazilian Questions*, p. 93. J. H. Galloway estima que o Nordeste tenha perdido no total 90 mil cativos migrantes entre 1850 e 1880, ou 3 mil escravos por ano, embarcados por via marítima para a região do porto do Rio de Janeiro. Ver Galloway, "The Last Years of Slavery on the Sugar Plantations of Northeastern Brasil". Essa estimativa pode ser considerada o limite inferior, pois exclui exportações do Sul e quaisquer dados pós-1880. Sobre o tráfico interno em um ano para o porto do Rio de Janeiro, ver Herbert S. Klein, "The Internal Slave Trade in Nineteenth-Century Brazil: a Study of Slave Importations into Rio de Janeiro in 1852", pp. 567-568.

47. Ver José Flávio Motta, "Escravos Daqui, Dali e de Mais Além: o Tráfico Interno de Cativos em Constituição (Piracicaba), 1861-1880"; "O Tráfico de Escravos na Província

de São Paulo, Areias, Silveiras, Guaratinguetá e Casa Branca, 1861-1887"; "Tráfico Interno de Cativos: o Preço das Mães Escravas e Sua Prole", e José Flávio Motta e Renato Leite Marcondes, "O Comércio de Escravos no Vale do Paraíba Paulista: Guaratinguetá e Silveiras na Década de 1870". Ver também os vários estudos sobre Minas: Cláudio Heleno Machado, *O Tráfico Interno de Escravos na Região de Juiz de Fora na Segunda Metade do Século XIX*; Rômulo Andrade, "Havia um Mercado de Famílias Escravas? (a Propósito de uma Hipótese Recente na Historiografia da Escravidão)"; Camila Carolina Flausino, *Negócios da Escravidão: Tráfico Interno de Escravos em Mariana: 1861-1886*.

48. Carvalho de Mello, *The Economics of Labor in Brazilian Coffee Plantations, 1850-1888*, tabelas 21 e 22, pp. 76-77.

49. Para os senhores de engenho de Salvador no século XIX, o valor da escravaria era 51%, e para quem tinha propriedades agrícolas, 32% do valor total. Para a maioria dos profissionais urbanos, a porcentagem era inferior a 10%. Katia M. de Queirós Mattoso, *Bahia, Século XIX, uma Província no Império*, tabela 116, p. 629. Na região do agreste pernambucano, os escravos compunham 51% do valor total das propriedades escravistas (92) — um valor muito semelhante ao dos engenhos baianos —, e em ambos os casos os cativos representavam a mais importante fonte de riqueza. Em uma amostra que continha fazendas de gado da região do sertão pernambucano no mesmo período, os escravos eram o segundo bem mais importante, perdendo para os animais, e compunham 31% da riqueza total desses proprietários de terra. Flávio Rabelo Versiani e José Raimundo Oliveira Vergolino, "Posse de Escravos e Estrutura da Riqueza no Agreste e no Sertão de Pernambuco, 1777-1887", tabelas 10 e 14, pp. 373, 375. Na zona agrícola e pecuarista de Barbacena, em Minas Gerais, em 302 inventários *post-mortem* de importantes agricultores e pecuaristas de 1791-1822, a escravaria representou 35% do valor total (monte-mor) de seus bens. Adriano Braga Teixeira, *População, Sistema Econômico e Poder na Transição o Século XVIII para o XIX em Minas Colonial - Barbacena, 1791-1822*, tabela 14, p. 78; e no município paulista de Mariana, que se dedicava à agricultura mista e vendia para o mercado interno, nas 227 fazendas que usavam mão de obra cativa a escravaria representava 39% da riqueza total dessas famílias agricultoras, compondo o item mais importante da riqueza de seus proprietários. Heloísa Maria Teixeira, *Reprodução e Famílias Escravas em Mariana, 1850-1888*, tabela 3, p. 32. Em outras regiões pecuaristas, os escravos foram menos importantes. Os cativos tiveram a mesma importância relativa que animais e terra nas regiões pecuaristas da província do Rio Grande do Sul, e na primeira metade do século XIX compuseram aproximadamente 20% do valor de todas as propriedades que continham escravos. Luiz Paulo Ferreira Nogueról *et al.*, "Elementos Comuns e Diferenças entre os Patrimônios Registrados na Pecuária Gaúcha e na Pernambucana no Início do século XIX", tabela 9, que abrange 326 inventários *post-mortem* nos quais foram arrolados escravos no período 1820-1949, para os distritos de Pelotas, Rio Pardo, Rio Grande e Porto Alegre. Um estudo de Pelotas isoladamente no período 1850-1871 concluiu que os escravos ficavam em segundo lugar em importância, depois de terra e moradia, mas compunham 30% do valor total das fazendas de gado com escravos, e foram mais importantes do que os animais nesse período. Luana Teixeira, "Trabalho Escravo na Produção Pecuária: São Francisco de Paula de Cima da Serra (Rio Grande de São Pedro, 1850-1871)", tabela IV. Mesmo mais ao sul, no distrito de Lages, em Santa Catarina, para os pecuaristas os escravos representaram 18% do valor total em 149 propriedades, e quanto mais rica a propriedade, mais valiosa a escravaria. Nilsen C. Oliveira Borges, *Terra, Gado e Trabalho: Sociedade e Economia Escravista em Lages, SC (1840-1865)*, tabela VIII, p. 86.

50. Giovanini, *Regiões em Movimento*, tabelas 12 e 14, pp. 139, 144.

51. Marcelo Magalhães Godoy, Uma Província Artesã: o Universo Social, Econômico e Demográfico dos Artífices das Minas nos Oitocentos", tabelas 1, 6 e 7.

52. Flávio Rabelo Versiani e José Raimundo Oliveira Vergolino, *Posse de Escravos e Estrutura da Riqueza no Agreste e Sertão de Pernambuco, 1777-1887*; e, dos mesmos

autores, "Slave Holdings in Nineteenth-Century Brazilian Northeast: Sugar Estates and the Backlands", que adiciona as zonas açucareiras às suas seleções regionais anteriores.

53. Uma análise parcial da produção de arroz por escravos no Maranhão encontra-se em Judith A. Carney, "With Grains in Her Hair: Rice in Colonial Brazil". Um estudo mais completo de um caso de escravos trabalhando na rizicultura em São Paulo no século XIX encontra-se em Agnaldo Valentim, *Arroz no Vale do Ribeira (1800-1888).*

54. Leonardo M. Monastério, "FHC Errou? A Economia da Escravidão no Brasil Meridional".

55. B. J. Barickman, *A Bahian Couterpoint: Sugar, Tobacco, Cassava and Slavery in the Recôncavo, 1780-1860*, cap. 6.

56. Renato Leite Marcondes, *Desigualdades Regionais Brasileiras: Comércio Marítimo e Posse de Cativos na Década de 1870.*

57. Ver abaixo a Tabela 6.3 e suas fontes.

58. Sobre os escravos de ganho, ver, entre outros, Luiz Carlos Soares, "Os Escravos de Ganho no Rio de Janeiro do Século XIX"; Leila Mezan Algranti, "Os Ofícios Urbanos e os Escravos de Ganho no Rio de Janeiro Colonial (1808-1822)".

59. Maria Cristina Luz Pinheiro, "O Trabalho de Crianças Escravas na Cidade de Salvador, 1850-1888", p. 162.

60. Como observou Katia Mattoso, "é difícil distinguir entre escravos de ganho, os que vão para as ruas mercadear, e escravos domésticos, pois seus proprietários utilizam seus serviços ou os alugam de acordo com suas necessidades do momento: um mesmo escravo pode, muito bem, ser ganhador e doméstico ao mesmo tempo". Katia M. de Queirós Mattoso, "Sociedade Escravista e Mercado de Trabalho: Salvador, Bahia, 1850-1868", p. 17.

61. Ver, p. ex., Leila Mezan Algranti, *O Feitor Ausente. Estudo sobre a Escravidão Urbana no Rio de Janeiro, 1808-1821*; Ynaê Lopes dos Santos, *Além da Senzala: Arranjos Escravos de Moradia no Rio de Janeiro (1808-1850).*

62. Adriano Bernardo Moraes Lima, *Trajetórias de Crioulos: um Estudo das Relações Comunitárias de Escravos e Forros no Termo da Vila de Curitiba (c. 1760-c. 1830)*, p. 41.

63. Zephyr Frank, *Dutra's World: Wealth and Family in Nineteenth-Century Rio de Janeiro.*

64. Luiz Carlos Soares, "A Escravidão Industrial no Rio de Janeiro do Século XIX", p. 4.

65. Artur José Renda Vitorino, "Operários Livres e Cativos nas Manufaturas: Rio de Janeiro, Segunda Metade do século XIX", p. 7.

66. Luiz Carlos Soares, "A Manufatura na Sociedade Escravista: o Surto Manufatureiro no Rio de Janeiro e suas Circunvizinhanças (1840-1870), p. 42.

67. Marcelo Magalhães Godoy, "Uma Província Artesã: o Universo Social, Econômico e Demográfico dos Artífices das Minas dos Oitocentos", p. 4.

68. As melhores estimativas de lucratividade da posse de escravos no século XIX encontram-se em Pedro Carvalho de Mello, *The Economics of Labor in Brazilian Coffee Plantations*, cap. 4.

69. João José Reis, "The Revolution of the Ganhadores: Urban Labour, Ethnicity and the African Strike of 1857 in Bahia, Brazil".

70. Os escravos nascidos na África aparentemente estavam super-representados entre os tropeiros, e um terço da força de trabalho empregada na criação de animais de carga eram escravos. Ver Marcelo Magalhães Godoy, Mario Marcos Sampaio Rodarte e Clotilde Andrade Paiva, "Negociantes e Tropeiros em um Território de Contrastes: o Setor Comercial de Minas Gerais no século XIX".

71. Ver também Jaime Rodrigues, "Cultura Marítima: Marinheiros e Escravos no Tráfico Negreiro para o Brasil (sécs. XVIII e XIX). Há, inclusive, casos de escravos fugitivos

que alegaram ser livres, alistaram-se na Marinha brasileira e serviram em navios de guerra por vários meses. Álvaro Pereira do Nascimento, "Do Cativeiro ao Mar: Escravos na Marinha de Guerra".

72. Fábio W. A. Pinheiro, *Tráfico Atlântico de Escravos na Formação dos Plantéis Mineiros, Zona da Mata, c. 1809-c.1830*, tabela 6, p. 75.

73. Vinícius Pereira de Oliveira, "Sobre o Convés: Marinheiros, Marítimos e Pescadores Negros no Mundo Atlântico de Porto de Rio Grande/RS (século XIX).

74. Paulo Roberto Staudt Moreira, *Os Cativos e os Homens de Bem. Experiências Negras no Espaço Urbano, Porto Alegre, 1858-1888*, p. 74.

75. *Idem*, p. 75.

A economia da escravidão

> Os escravos são as mãos e os pés do senhor de engenho, porque sem eles no Brasil não é possível fazer, conservar e aumentar fazenda, nem ter engenho corrente[1].
>
> João António Andreoni (André João Antonil)

Essa célebre frase do padre Antonil, escrita no começo do século XVIII, não poderia ser mais verdadeira e não precisa restringir-se apenas aos senhores de engenho. Os escravos foram a mão de obra básica para a maioria da população livre, que dependia de seus serviços. Em todas as atividades econômicas exercidas no Brasil até o último quartel do século XIX, os cativos constituíram a força de trabalho essencial.

Esse reconhecimento da importância dos escravos no Brasil coexistiu, porém, com uma visão distorcida sobre a sociedade brasileira. Frases famosas como a de Antonil, apesar de sua óbvia verdade, talvez tenham contribuído para essa percepção errônea. A ideia de uma massa escrava e uma elite de grandes fazendeiros com exclusão de todas as outras classes dominou a historiografia brasileira até a primeira metade do século XX. A grande lavoura, a monocultura e o trabalho escravo foram considerados a essência da sociedade brasileira. A segmentação dessa sociedade restringia-se a senhores e escravos, sendo o cativo visto como "coisa", um ser culturalmente atrasado, moralmente pervertido que nada contribuiu para a cultura brasileira. Felizmente essa concepção da sociedade brasileira começou a mudar a partir da década de 1930, particularmente graças ao trabalho pioneiro de Gilberto Freyre, que deu vida aos escravos e revelou a importante contribuição que trouxeram para a formação dessa sociedade culturalmente mista.

Entretanto, embora Freyre e seus predecessores no movimento afro-brasileiro da Bahia tenham modificado a visão sobre o papel dos africanos e seus descendentes na formação do Brasil moderno, ainda mantiveram a ideia de uma sociedade essencialmente composta de senhores e escravos. Ocorre que, quando falamos em senhores, precisamos qualificá-los. Geralmente, "senhor" era sinônimo de proprietário de escravos. Mas quem foram os proprietários de escravos no Brasil? Quais as características dos indivíduos pertencentes a esse grupo e em que atividades eles empregaram seus cativos? Podemos citar dezenas de tipos de proprietários de escravos, cada qual com posição social e interesses econômicos completamente distintos. Quando falamos em senhor de engenho, tratamos de uma elite econômica e social com dezenas ou até centenas de escravos, dedicada à cultura da cana-de-açúcar no Nordeste, Rio de Janeiro e São Paulo. Esse tipo de elite também se destacou nas grandes fazendas de café do Vale do Paraíba no último século da escravidão. Talvez a mineração em grande escala nas lavras de Minas Gerais apresentasse características semelhantes. Essas atividades em grande escala organizavam a escravaria em turmas de trabalho e se caracterizaram pela pouca especialização e muito trabalho braçal. O controle rígido e a violência física necessários para assegurar a produtividade talvez sejam os fatores que marcaram essa forma de exploração. Há, porém, que perguntar: quanto essas atividades foram representativas da sociedade brasileira? Obviamente sua importância foi imensa, pois elas constituíram as principais atividades econômicas em vários períodos da história brasileira e foram a razão da ocupação e colonização do território, bem como a forma de inserção do Brasil no mercado internacional, tanto sob as regras do sistema colonial como na condição de país independente. Mesmo assim, não podemos caracterizar a escravidão no Brasil somente com base nessas atividades. Pelo menos de 1700 em diante, em nenhum momento da história da escravidão brasileira os cativos dos engenhos, minas e cafezais compuseram a maioria dos escravos residentes no Brasil. Na verdade, a maior parte da população cativa pertencia a proprietários muito diferentes dos grandes fazendeiros e mineiros. Podemos classificar nessa categoria econômica e social o padre que tinha uma velha escrava para ajudá-lo no trabalho da igreja? Ou a negra forra que, nas Minas Gerais do século XVIII, declarou-se pobre apesar de possuir sete escravos? Ou os milhares de agricultores que se dedicavam ao cultivo para o mercado interno, além de produzir para subsistência empregando um ou dois escravos que ajudavam a família no trabalho em seu pequeno pedaço de terra? Como definir o senhor que empregava seus cativos no comércio urbano, ou o faiscador que possuía alguns escravos a quem ele dava total liberdade de movimentos e do qual recebia uma remuneração diária em ouro? Como caracterizar o dono de um escravo coartado que conseguiu efetiva autonomia e gradualmente pagou pela própria liberdade? Como caracterizar um agricultor proprietário de um cativo que trabalhava com ele em sua roça? Como classificar o senhor que alforriou seu escravo sob a condição de que este continuasse a servi-lo enquanto ele vivesse? Como classificar as relações do proprietário de escravo com seu filho ilegítimo ainda mantido em cativeiro? Finalmente, como classificar o agregado que reside na casa de outrem, não tem uma atividade identificável e possui escravos? Tudo isso sugere uma estratificação e organização social muito mais complexas do que aquela apontada pelas análises tradicionais sobre a escravidão no Brasil. A abundante historiografia atual sobre a escravidão mostra situações cada vez mais complexas e peculiares, embora igualmente frequentes, que marcaram a escravidão no Brasil.

A categoria "escravo", por outro lado, é bem determinada, particularmente sobre o aspecto jurídico. Mas quando estudamos o efetivo espaço social dos cativos no Brasil, encontramos variadas situações que exigem qualificações para o entendimento da organização e do funcionamento da escravidão brasileira. Vejamos alguns exemplos. Como comparar o papel social, as oportunidades e a liberdade de ação dos cativos empregados na produção e os numerosos escravos usados em serviços domésticos? Como comparar esses três fatores para os cativos de áreas urbanas e rurais? Como comparar os escravos inseridos nas turmas do trabalho agrícola e os cativos com qualificação empregados no beneficiamento da cana ou como artesãos? Como classificar um cativo casado com uma pessoa livre? Ou um escravo cujos filhos são livres? Ou, ao contrário, qual é a relação entre um escravo e seu proprietário quando este é forro ou vive de esmolas? Como classificar um domicílio composto apenas de escravos? Onde situar o cativo coartado? Qual a posição social de um escravo que é filho de seu senhor e foi reconhecido e alforriado no testamento deste? Como comparar os cativos envolvidos no duro trabalho das turmas nas fazendas com os que se dedicavam a conduzir comboios de mulas ou a criar gado? Esses exemplos são apenas alguns que sugerem a complexidade da sociedade escrava no Brasil e a diversidade de espaços sociais que os cativos podiam ocupar no sistema. Os estudos recentes sobre a escravidão brasileira evidenciam essa imensa diversidade dos escravos e senhores e nos permitem compreender melhor as complexas relações sociais prevalecentes no Brasil durante o longo período da escravidão.

Os estudos sobre a escravidão no Brasil realizados nos últimos trinta anos revelaram uma sociedade muito complexa tanto do ponto de vista econômico como social. Encontramos escravos alforriados em toda parte, inclusive forros possuidores de cativos. No distrito diamantífero de Serro do Frio, no auge do *boom* mineiro, forros representavam a extraordinária parcela de 20% dos proprietários de escravos. Seria possível classificá-los como "senhores"? Teriam eles o *status* social de um senhor? Também encontramos escravos em todo tipo de atividade. Cativos eram a força de trabalho não só nas minas e fazendas, mas também na produção de gêneros básicos, nas atividades artesanais, no comércio, transporte, pesca, artes e no trabalho doméstico. Eles são mais reprimidos nas áreas rurais e mais livres nas cidades. Face à intensa miscigenação, logo os mestiços, mulatos e pardos formam a maioria da sociedade — como escravos, forros e pessoas livres de cor. A despeito das qualificações feitas, cabe salientar que o regime escravista no Brasil, apesar das suas complexidades e especificidades no tempo e no espaço, baseou-se na violência, aparente ou velada, que era um elemento essencial para a sobrevivência desse sistema de trabalho em qualquer sociedade. Mostrar a complexidade daquela sociedade não atenua a violência do regime escravista; apenas amplia nossa compreensão. Como *O manual do agricultor brasileiro* alertou seus leitores em 1839, dado que a escravidão era uma violação dos direitos naturais, a única maneira de forçar os escravos a trabalhar era incutir "medo, e somente o medo, aliás empregado com muito sistema e arte, porque o excesso obraria contra o fim que se tem em vista [...]"[2].

A análise de um modelo interpretativo da escravidão no Brasil não é uma tarefa fácil. Nosso interesse é descobrir formas de classificar suas relações sociais e econômicas, sem preocupação com a análise teórica dos modos de produção, um tema que foi fundamental em meados do século XX[3]. Assim, examinamos a literatura disponível em busca de modelos que nos ajudem a entender o que ocorreu, sem perder de vista a especificidade da experiência brasileira nem simplificar excessivamente a realidade do Brasil. O economista Stefano Fenoaltea criou um modelo explícito de uma economia escravista baseada tanto na escravidão clássica como na moderna[4]. Segundo ele, em tarefas que requerem maior esforço físico, pouca habilidade e pouco cuidado, a violência física e a necessidade de rigorosa supervisão constituem as características essenciais. Nesses casos, pode-se obter mais produção dos escravos com a violência efetiva ou pelas ameaças. Os custos de usar a violência e supervisionar mais de perto são compensados por uma produção maior. Essa foi a característica das formas do uso da mão de obra na mineração em grande escala e na grande lavoura. Em contraste, quando o trabalho requer atenção meticulosa, dedicação e habilidade, o uso da força não é tão eficaz. Nesses casos, adotam-se diversas formas de incentivo positivo. O modelo de Fenoaltea pode ser usado para definir os diferentes sistemas de trabalho usados na escravidão brasileira. O trabalho rotinizado em turmas com efetivo ou potencial uso da violência como forma predominante de controle da mão de obra claramente prevaleceu na agricultura e na mineração em grande escala. Em todas as outras variadas atividades espalhadas pelo Brasil houve uma mistura de incentivos negativos e positivos. Foram os incentivos positivos que ensejaram a alforria de escravos, voluntária ou por autocompra. Todos — desde os cativos que trabalhavam nas casas, mascates e mineiros itinerantes, até os jornaleiros — tinham acesso a uma renda ou a outras formas positivas de incentivo ao trabalho. Em algumas atividades, esse era o meio mais eficaz de obter melhores resultados da mão de obra cativa. Razões humanitárias, até mesmo nos casos de filhos ilegítimos de senhores, embora presentes, não foram a principal causa da concessão voluntária da alforria.

Contudo, até mesmo em tarefas nas quais se usavam incentivos positivos, a violência esteve presente. O senhor tinha poder absoluto sobre o escravo e podia infligir castigos físicos sérios. Como explicou Taunay, um fazendeiro podia exercer o poder como "chefe de um pequeno reinado, [...] governar despoticamente, e acumular as atribuições de legislador, magistrado, comandante, juiz e algumas vezes de verdugo [...]"[5]. O senhor controlava a liberdade do escravo, e do filho do escravo caso nascesse de mãe cativa. Alguns cativos obtinham a própria liberdade, mas não a de sua mulher, filhos ou pais. A violência também era implícita no sistema que permitia a separação da família pela venda de seus membros. Assim, mesmo com incentivos positivos, não se pode falar em escravidão sem reconhecer sua inerente violência.

Podemos citar um exemplo que ilustra claramente os dois tipos de trabalho, e na mesma ocupação. Praticava-se a mineração de ouro e diamante em Minas Gerais na primeira metade do século XVIII. Por mais atenta que fosse a supervisão dos escravos, era preciso contar com a responsabilidade e a iniciativa deles nas áreas auríferas e diamantíferas. Por isso, inclusive nas grandes lavras, os mineiros tentavam incentivar seus cativos de vários modos. Podemos distinguir duas fases nesse processo extrativo. No trabalho mais bruto, que exigia grande esforço físico, usavam-se escravos para escavar, movimentar terra, perfurar canais, construir barragens, canalizar rios etc. Essas tarefas requeriam controle e supervisão, mas não uma atenção intensa por parte dos feitores. A outra fase, que consistia na apuração do ouro ou dos diamantes, demandava controle mais apurado, porém este não era suficiente. Havia necessidade de estimular o interesse, cuidado e atenção dos cativos. As extraordinárias aquarelas e litografias de Rugendas e Carlos Julião mostram o rigor do controle nessa fase, na qual cada escravo tinha seu supervisor. Essa inusitada supervisão individual garantia que o escravo não poderia roubar ouro ou diamante, mas não o impedia de descartar ouro ou diamantes valiosos. Nessa fase final da mineração, era normal oferecer algum tipo de recompensa ao escravo, especialmente na extração dos diamantes. Encontrar uma pedra de alto valor poderia ser premiada até mesmo com a alforria. No caso de mineiros com poucos escravos e baixo capital, havia todo um leque de incentivos e acordos entre o proprietário e seus escravos. Era comum, por exemplo, dar ao escravo itinerante — o faiscador — total autonomia para garimpar com a condição de pagar ao respectivo proprietário uma importância fixa em oitavas de ouro[6].

Devemos ressaltar que, quando afirmamos que inúmeras formas de trabalho escravo baseavam-se em incentivos positivos e não na violência física direta, não estamos dizendo que a violência não foi uma das características básicas do escravismo moderno no Brasil. Claramente, foi através da violência que pessoas livres foram transformadas em escravos na África e transportadas à força para a América. A violência da captura, da travessia do Atlântico e do afastamento forçado de parentes e amigos foram características essenciais do sistema. Estudos recentes mostraram os numerosos testemunhos dessa violência e as manifestações individuais e coletivas de revolta e agressão. Entretanto, a sociedade que se formou no Brasil foi suficientemente complexa para gerar outro tipo de violência, semelhante a que ocorria entre os livres, como a violência de natureza pessoal, fruto do convívio social cotidiano. Isso pode ser exemplificado na violência entre cativos e destes com pessoas livres fora da relação escravo-senhor. Como em qualquer sociedade humana, esse tipo de violência refletia conflitos sociais ou paixões. Às vezes é difícil separar os dois tipos de violência em uma sociedade escravista, mas eles precisam ser separados. Claramente, a violência contra o escravo destinada a extrair-lhe trabalho e a violência do escravo contra o sistema e contra seu senhor compõem um padrão, e os conflitos cotidianos entre iguais compõem outro completamente diferente. Mas também é crucial perceber que havia incentivos positivos, os quais faziam sentido econômico, sobretudo nas tarefas exigidas pelo proprietário nas quais a violência seria contraproducente e dispendiosa.

Essa discussão sobre incentivos positivos e negativos foi uma parte fundamental do argumento dos economistas Robert Fogel e Stanley Engerman em sua análise da escravidão norte-americana[7]. Mas a ênfase desses autores incide em um suposto nível uniforme de incentivos positivos com um mínimo de violência em todas as atividades escravas. Por isso eles foram criticados por numerosos estudiosos, os quais mostraram quanto foi importante a supervisão rigorosa e a violência para a produtividade da mão de obra cativa no Sul dos Estados Unidos[8]. O importante no modelo de Fenoaltea é que ele reconhece, alicerçado no estudo de numerosos sistemas escravistas, que diferentes tipos de trabalho escravo podem diferir acentuadamente em produtividade com base nos incentivos positivos e negativos. Claramente, reconhecer tais diferenças contribui para explicar as surpreendentes variedades de situações encontradas na escravidão brasileira, e ainda mais a expansão rápida e precoce das pessoas livres de cor ocorrida muito antes da abolição da escravidão em 1888.

Outro fator que vale a pena considerar ao analisarmos a estrutura econômica da escravidão brasileira é a surpreendente distribuição dos escravos por todos os grupos socias e atividades, desde os fazendeiros brancos da elite às mulheres forras e pessoas que poderiam ser classificadas como pobres. Esse é um padrão diferente do que se desenvolveu nos Estados Unidos, apesar do fato de que os dois sistemas escravistas foram parecidos no que respeita à importância relativa dos cativos e proprietários de escravos e ao tamanho relativamente modesto dos plantéis em comparação com as Antilhas. Porém, como mencionou o economista Gavin Wright, nos Estados Unidos os produtores agrícolas diferiram drasticamente quanto a posse de escravos[9]. Lá a escravidão associou-se quase exclusivamente a um alto nível de produção comercial, enquanto o setor agrícola com baixa comercialização usualmente não possuía cativos. Os pequenos produtores tendiam a dedicar-se à produção de gêneros de subsistência, com pouca venda de excedentes no mercado local. Para Wright, o alto risco no longo prazo associado à produção para o mercado, bem como os elevados investimentos necessários para ingressar naqueles setores, mantiveram a grande maioria dos agricultores fora da atividade exportadora. Segundo o autor, essa divisão baseada no risco de longo prazo marcou a distinção entre proprietários e não proprietários de escravos. Os primeiros associavam-se principalmente com o mercado exportador, e os outros, com a produção local de gêneros de subsistência. Portanto, Wright ressalta a associação entre alto risco de mercado e adoção da mão de obra escrava.

Já no Brasil, embora inquestionavelmente o setor exportador tenha absorvido uma parte substancial e crescente da força de trabalho cativa ao longo do tempo, nota-se uma surpreendente distribuição da posse de escravos entre produtores de alimentos e até entre alguns agricultores de subsistência, além de uma parcela elevada da escravaria pertencer a artesãos. Havia claramente um risco de longo prazo na agricultura de exportação e na mineração, mesmo quando se procurava adotar medidas de redução de risco para os produtores. Por exemplo, a divisão entre senhores de engenho e lavradores de cana no princípio da indústria açucareira do Nordeste foi uma tentativa de reduzir os riscos dos proprietários de engenhos. Estes corriam riscos maiores e tinham o maior investimento de capital, enquanto os lavradores de cana tinham baixo nível de capitalização associados aos dispendiosos processos de beneficiamento. Contudo, mesmo para os lavradores independentes, existia um alto nível de risco ligado aos preços no mercado internacional, especialmente porque o ciclo de produção da cana era longo. Na segunda metade do século XIX, os grandes cafeicultores corriam risco semelhante. A partir do início do século XIX, quando o capital estrangeiro substituiu o nacional na mineração aurífera, o uso da mão de obra cativa e a existência do risco de mercado de longo prazo continuaram a existir, devido a fatores de mercado e geológicos que estiveram presentes durante todo o período de suas operações. Os investimentos em prospecção eram imensos e nem sempre compensavam.

Esse modelo de risco e escravidão, porém, não se sustenta tão bem para o Brasil. Durante quatro séculos, escravos foram usados tanto na produção para o mercado exportador quanto para o mercado local e em todos os aspectos da produção agrícola, inclusive a de gêneros alimentícios e na agricultura de subsistência, além de serem empregados em numerosas ocupações artesanais. Embora os cativos fizessem parte da força de trabalho rural, compondo as turmas que trabalhavam nas fazendas, grande parte da população escrava era usada em serviços domésticos e na agricultura de subsistência, em manufaturas e em atividades voltadas ao mercado local. Além disso, havia no Brasil pequenos produtores que vendiam para o mercado externo, alguns dos quais, inclusive, não possuíam escravos. Isso ocorreu no início da cafeicultura e da exploração de ouro aluvial em Minas Gerais. Ademais, apesar do grande desenvolvimento do modelo da grande lavoura escravista no Brasil, como ocorrido na indústria açucareira do Nordeste e depois no Rio de Janeiro e São Paulo e na cafeicultura no Rio de Janeiro, São Paulo e Minas Gerais no século XIX, a importância do sistema de *plantation* no tocante à parcela da escravaria total sob seu controle foi limitada, não ultrapassando 20% da população cativa residente[10]. Mesmo no auge do *boom* minerador, os escravos usados nas grandes lavras compuseram uma parcela minoritária da população cativa existente nas regiões mineiras. O caso brasileiro mostra uma imensa diversidade de usos dos escravos em outras áreas fora da grande lavoura. Além disso, encontramos produtores sem escravos em todos os tipos de atividade, com exceção do fabrico de açúcar. É essa diversidade no uso dos cativos e de produtores sem escravos a principal característica do escravismo brasileiro.

Por falta de uma defesa positiva da escravidão no Brasil durante o período colonial e no século XIX[11], nunca emergiu uma escola de pensamento que defendesse a instituição com argumentos econômicos. A suposição de praticamente toda a literatura histórica foi a da racionalidade econômica da posse de escravos. A tradição historiográfica marxista adotou a ideia da ineficiência do trabalho escravo e sua suposta incompatibilidade com o capitalismo moderno, mas não questionou sua base econômica[12]. Por causa dessa tradição, contamos com relativamente poucos estudos detalhados sobre a economia da instituição. Os melhores dentre esses estudos, alguns influenciados pelo trabalho clássico de Conrad e Meyer[13], são os de Pedro Carvalho de Melo[14], Flávio Versiani[15], Antonio Barros de Castro[16], Iraci del Nero da Costa[17] e, mais recentemente, Roberto Monastério[18]. Todos concluíram que os padrões de investimento de capital em mão de obra escrava no café, açúcar ou até no charque no Rio Grande do Sul foram economicamente racionais, e que a eficiência relativa do trabalho escravo foi competitiva com o trabalho livre nos tipos de atividade agrícola que empregaram cativos. Além disso, pesquisas recentes mostram crescente interesse na racionalidade econômica da administração do trabalho escravo no século XIX, tanto no Brasil, como em outras sociedades escravistas da América. Utilizando modelos de controle e administração do trabalho livre, proprietários e profissionais envolvidos diretamente na administração do trabalho cativo tentaram aplicar aquelas técnicas para seus trabalhadores escravos. No Brasil, tais ideias surgiram na primeira metade do século XIX[19], mas alcançaram importância na segunda metade do século, com a dramática expansão da cafeicultura e face a escassez de mão de obra e custos crescentes do fator trabalho. Tais ideias representavam as modernas técnicas de administração do trabalho e o aprofundamento da racionalidade que ocorria no mundo capitalista [20].

Outro debate a respeito da escravidão procura determinar se o uso da mão de obra cativa inibiu ou limitou o desenvolvimento tecnológico da economia brasileira. Essa é uma questão difícil de responder, devido à escassez de estudos sobre o tema que abordem a experiência brasileira. Inegavelmente, o fabrico do açúcar nos séculos XVI e XVII empregou a mais avançada tecnologia do período. O declínio relativo da indústria açucareira no Brasil deveu-se à ascensão de novos centros com melhor tecnologia, mas estes também empregavam mão de obra escrava. Isso se aplica especialmente a Jamaica e Cuba, onde ocorreu uma revolução na tecnologia açucareira no século XIX com uso do braço escravo. É verdade que em geral as funções mais especializadas na tecnologia do açúcar eram reservadas para trabalhadores livres, porém nada impedia que os senhores usassem essa modalidade de mão de obra, e muitos o fizeram. Ademais, algumas dessas funções e habilidades eram encontradas entre trabalhadores cativos. O atraso econômico da indústria da mineração no Brasil, muito discutido na literatura, não se deveu ao trabalho escravo, mas à inexperiência dos empreendedores portugueses e brasileiros. Além do mais, quando a tecnologia mais avançada foi introduzida por mineradoras inglesas em Minas Gerais no século XIX, essas companhias estrangeiras empregaram trabalho escravo exatamente como todos os outros empreendimentos brasileiros[21]. Nas tecelagens, minas e fazendas brasileiras não havia restrições ao emprego de trabalhadores livres e escravos ao mesmo tempo, embora em geral as partes mais rudimentares e não qualificadas do trabalho fossem deixadas para os escravos. Trabalhadores livres e cativos foram usados lado a lado e, em certos casos, cativos foram incumbidos de tarefas tão especializadas quanto trabalhadores livres[22]. O uso de incentivos positivos em algumas das tarefas mais especializadas nos setores de serviço ou de produção muitas vezes deixou escravos em posição semelhante à de trabalhadores livres no que respeita à remuneração. Muitos cativos conseguiram obter a liberdade nesses tipos de ocupação em troca de trabalho ou comprando-a com os salários ou premiação que receberam. O trabalho nos moldes de uma linha de montagem de fábrica, com sua minuciosa divisão de tarefas, provavelmente seria difícil de manter-se com mão de obra cativa, embora escravos pudessem ser encontrados em todas as fábricas têxteis e em outras manufaturas estabelecidas no século XIX. Não é difícil imaginar que escravos possam ter sido usados nessa força de trabalho industrial, considerando que no período inicial da industrialização, no século XIX, a força de trabalho nas fábricas caracterizou-se pela presença de crianças e mulheres, más condições de trabalho, longas horas e uso de violência física. Assim, ao que parece, o emprego do braço escravo em si não foi impedimento ao desenvolvimento tecnológico, tendo este, provavelmente, sido influenciado mais pelas condições de capital e mercado do que pela disponibilidade ou indisponibilidade de trabalhadores assalariados livres.

Um número considerável de trabalhos recentes investigou o mercado de escravos e, mais particularmente, a mutável estrutura de preços desse mercado. Todos esses estudos mostraram que a estrutura de preços dos cativos representa uma visão positiva dos investidores quanto ao futuro da instituição. O preço de uma escrava adulta em idade fértil, por exemplo, incluía um ágio pelo potencial de gerar filhos cativos, o chamado "preço positivo por filhos não nascidos"[23]. Tais estudos também indicaram uma lenta e constante evolução de um mercado nacional de escravos com convergência dos preços dos cativos ao longo do tempo. Os mais abrangentes desses estudos são os de Bergad sobre Minas Gerais[24], Carvalho de Melo sobre o Rio de Janeiro[25], Katia Mattoso sobre a Bahia[26] e Versiani e Vergolino sobre Pernambuco[27]. Outros estudiosos também levantaram séries de curto prazo ou de âmbito local levando em conta ocupações, idades e sexos dos escravos[28]. Esses trabalhos constataram a racionalidade do mercado de escravos e mostraram que no século XIX havia um mercado nacional coerente de cativos, cujos preços seguiam trajetórias semelhantes em todas as regiões do Brasil, desde o litoral e o interior de Pernambuco até as regiões cafeeiras de São Paulo e as cidades interioranas de Minas Gerais.

A manutenção de um sistema escravista moderno por quatro séculos requereu uma organização complexa do mercado de escravos, que era o próprio mercado de trabalho no Brasil. Os preços dos cativos não eram fixos e refletiam variações nas condições de mercado, além de variarem no tempo e por região. Como a compra de um cativo representava uma compra futura de trabalho, o proprietário tinha de levar em consideração as condições de mercado para seus próprios produtos. Mas quais eram os principais fatores determinantes da oferta e demanda de cativos e, portanto, do trabalho escravo? Inicialmente, podemos salientar as condições de oferta de cativos nos principais mercados e a organização do tráfico. Além de disputas permanentes entre as principais nações envolvidas no controle do fornecimento de cativos e seu transporte para a América, ocorreram também mudanças nas condições de oferta ocasionadas por conflitos dentro da África, em importantes áreas fornecedoras de escravos. Apesar da progressiva expansão do mercado de cativos nascidos no Brasil, até 1850 o tráfico atlântico foi o elemento determinante na fixação dos preços, particularmente nas regiões onde predominavam as culturas de exportação. Como mencionado, escravos foram usados nas mais diversas áreas, mas provavelmente as atividades econômicas mais importantes e sua lucratividade determinaram as condições da demanda, sobretudo para os cativos mais aptos para o trabalho: adultos em boas condições físicas que, além disso, possuíssem algum tipo de especialização valorizada pelo mercado. Além do mais, como a compra de um escravo representava a compra antecipada de força de trabalho, as condições de crédito e as taxas de juros eram fundamentais na determinação da estrutura de preços dos escravos. Assim, dadas as condições de mercado das atividades econômicas predominantes, a oferta de escravos e o mercado de crédito, seria de esperar o surgimento de uma estrutura de preços de escravos, que privilegiasse fatores como vigor físico, sexo, idade e qualificações, abarcando os cativos de todas as idades, inclusive crianças e velhos.

Os estudos demonstram que mesmo no Brasil, em alguns períodos e regiões, existiu a possibilidade da reprodução natural da força de trabalho escrava. Mesmo quando isso não ocorreu, houve um processo de reprodução que aumentava a participação dos cativos nascidos no Brasil e sua importância na oferta interna de mão de obra escrava. A disponibilidade de cativos nascidos no Brasil alterava as condições da oferta, pois criava uma fonte de escravos independente do tráfico atlântico e com características demográficas próprias. Em vez de adultos do sexo masculino, o grupo populacional mais visado pelo tráfico, a oferta interna ofereceu um leque amplo de oportunidades, com igualdade numérica entre os sexos e bem distribuídos entre as várias faixas etárias. Isso expandiu as oportunidades no mercado de escravos, tanto para compradores como para vendedores. Para um produtor especializado que necessitasse de cativos — um mineiro, por exemplo, que não tivesse interesse em sustentar sua força de trabalho e possuísse um plantel altamente concentrado em homens adultos —, investir na reprodução de cativos era menos interessante do que para um agricultor que cultivasse produtos variados, pois este talvez preferisse ter um plantel equilibrado do ponto de vista demográfico. Cuidar de crianças escravas, como demonstraram muitos estudos, era, aliás, uma atividade especializada nas unidades escravistas maiores. De fato, constatamos que nos grandes plantéis agrícolas foi maior a parcela de cativos casados e de crianças. Assim, como exemplificado por esses dois casos extremos, cada proprietário de escravos, efetivo ou em potencial, via-se diante de várias alternativas de idade e razão de sexo para compor sua escravaria, dependendo do tipo de uso da mão de obra. Um proprietário poderia vender um adulto apto ao trabalho por um preço suficiente para adquirir dois escravos jovens, que gradualmente atingiriam maturidade física e experiência valorizadas pelo mercado. Outros senhores podiam usar os serviços de uma criança ou uma mulher idosa, dependendo das necessidades e possibilidades do comprador. Os diferentes tipos de ocupação dos cativos permitiram a formação de uma estrutura de preços que refletiu as condições específicas de demanda e as diversas capacidades e aptidão de trabalho dos escravos.

O mercado de escravos também foi influenciado por diferentes tipos de tributos, desde as taxas cobradas por vários governos na África ou América na fase do transporte até as vigentes no mercado local. Durante alguns anos, o governo chegou a cobrar dos proprietários uma taxa especial *per capita*, como ocorreu em Minas Gerais na fase inicial da mineração. Esse foi um modo de a Coroa apropriar-se de parte da renda gerada na região. Em alguns períodos, a parcela da produção aurífera cobrada pela Coroa, o quinto[29], foi calculada indiretamente com base no número de escravos do proprietário, número esse que representava a "produção potencial" de cada mineiro. Era, taxada portanto, a "capacidade potencial" e não a produção efetiva, que dependia de fatores diversos, entre eles a pura sorte. A tributação também foi usada para limitar a movimentação interprovincial de escravos após a abolição do tráfico atlântico. O tráfico interprovincial refletia a atração de cativos para as atividades mais lucrativas, e nesse período o centro de atração eram as zonas cafeicultoras. A cobrança de tributos sobre os escravos transacionados era o único meio para manter a força de trabalho cativa nas regiões onde não se plantava café e as atividades eram menos lucrativas. Isso claramente prejudicava os proprietários de cativos nas regiões vendedoras, mas mantinha a viabilidade econômica das atividades ali desenvolvidas. A manutenção de atividades que empregavam o braço escravo em todas as regiões foi fundamental para a preservação da escravidão no terceiro quartel do século XIX, quando se intensificou o movimento abolicionista. Com a fixação da tributação sobre as transações de escravos entre províncias, evitou-se a concentração de todos os escravos em poucas regiões. Dessa forma, a abolição representava um prejuízo que atingia proprietários de escravos por todo o Brasil, fortalecendo o movimento contra a abolição.

Numerosos estudos sobre renda e riqueza no Brasil pré-abolição demonstraram que os escravos representavam uma parte significativa da riqueza pessoal[30]. Embora haja variações conforme o tempo e o lugar, os resultados desses estudos sobre riqueza indicam que em geral os cativos compunham cerca de 30% do patrimônio das pessoas abastadas no Brasil. Ademais, a parcela da riqueza aplicada em escravos tinha um nível de liquidez muito superior a outras formas de alocação de riqueza, como terras e equipamentos[31]. Além disso, parte das transações com escravos realizava-se por intermédio de crédito, possibilitado pela alta liquidez representada pelos cativos, especialmente em comparação com outros ativos não financeiros, e pela relativa estabilidade dos preços dos escravos, mostrada em vários estudos que analisaram o tema. Também é importante compreender a relação entre terra e posse de escravos. As sesmarias foram o principal meio de obtenção de terras até parte do século XIX. Essas vastas extensões fundiárias eram concedidas pela Coroa sob a condição de que fossem efetivamente exploradas. Como sabemos, na estrutura da posse de escravos, predominavam os plantéis pequenos e médios, poucos eram os plantéis com mais de quarenta cativos e raros os que chegavam a cem. Assim, havia uma clara incompatibilidade entre a extensão da propriedade fundiária recebida na forma de sesmaria e potencial de exploração econômica dos proprietários, tendo por base a capacidade da força de trabalho cativa em cada plantel[32]. Mesmo com o aumento significativo da população livre pobre que foi continuamente empregada na economia brasileira, a utilização desse contingente não foi de grande importância na força de trabalho utilizada nas grandes propriedades. Como, então, essas áreas imensas que foram minimamente exploradas puderam ser mantidas por gerações? Aparentemente, a maioria dos grandes proprietários pôde defender suas terras permitindo que elas fossem ocupadas precariamente por agricultores dedicados a cultivos de subsistência. No momento em que puderam empregar suas terras em alguma atividade comercial de vulto, expulsavam esses agricultores pobres e faziam seus próprios cultivos, empregando mão de obra escrava[33].

É fundamental entender a extraordinária extensão do trabalho escravo no Brasil e seus reflexos sobre as demais formas de trabalho. Embora nos quatro séculos de escravismo no Brasil ocorresse grande expansão da população livre, cuja maioria compunha-se de pessoas de cor, nunca se organizou um mercado de trabalho assalariado livre que permitisse substituir os cativos por empregados livres nas atividades econômicas mais importantes, ou seja, as voltadas sobretudo para o mercado internacional, como açúcar e café. O trabalho livre existiu, mas geralmente em atividades esparsas e não nas formas mais complexas de produção agrícola, como as turmas de trabalho nas fazendas ou nas lavras. O trabalhador livre situou-se nos dois polos da organização do trabalho: em ocupações qualificadas e especializadas ou em tarefas suplementares dos grandes centros exportadores (abrindo estradas, derrubando mata virgem, consertando cercas etc.). Além disso, como se sabe, a persistência da escravidão inibiu o uso da mão de obra imigrante, apesar da grande oferta de trabalhadores europeus no século XIX. Enquanto existiu escravidão não foi possível introduzir com eficácia o trabalho imigrante no Brasil. Logo em seguida à Abolição, a imigração estrangeira ocorreu em massa nas principais regiões cafeeiras do Sudeste, em especial São Paulo. A oferta internacional dessa mão de obra foi tão abundante que, apesar da abrupta emancipação dos cativos, não houve graves perdas de força de trabalho no núcleo cafeeiro. Imediatamente os escravos negros foram substituídos pelo intenso fluxo de imigrantes que supriram de braços o mercado de trabalho local, enquanto em outras áreas rurais desenvolveram-se variadas formas de utilização do trabalho livre executado por ex-escravos, que manteve a produção local e a exportação de culturas tradicionais.

Por que um grande contingente de pessoas livres, em grande parte mestiços e não proprietários de escravos que se dedicavam à subsistência ou viviam como dependentes ou agregados na terra de outrem, não pôde ser organizado em um mercado de trabalho livre capaz de substituir ou mesmo complementar o trabalho escravo? Mesmo depois que o encerramento do tráfico atlântico e as crescentes pressões da comunidade internacional tornaram o fim da escravidão uma possibilidade distinta e clara, por que essa substituição da mão de obra cativa foi impossível de ser obtida? Desde o princípio, foi patentemente difícil atrair trabalhadores assalariados livres em razão das características do Brasil: um país tropical inóspito, mas sobretudo dotado de abundância de terras. Não havia um sistema de controle capaz de impedir que trabalhadores assalariados gradualmente se transformassem em pequenos agricultores livres (como proprietários de terras, posseiros ou agregados), sem que houvesse algum tipo de restrição à liberdade para trabalhar. Na clássica frase de George Gibbons Wakefield:

> Qual foi a causa única de os cristãos reavivarem a escravidão senão a descoberta de regiões incultas [vazias] e a desproporção que sempre existiu nessas regiões entre a demanda e a oferta de trabalho? E o que é que aumenta o número de cativos para os senhores cristãos senão o aumento de capitalistas cristãos necessitando de trabalhadores por causa da difusão do povo cristão por terras até então incultas?[34]

Como observou o economista moderno Evsey Domar, de três elementos — "terras livres, camponeses livres e proprietários de terra que não trabalham — podem existir simultaneamente quaisquer dois, *mas nunca três*. A combinação que será encontrada na realidade dependerá do comportamento de fatores políticos — medidas governamentais [...]"[35]. Claramente, no contexto brasileiro, com abundância de terras livres e uma classe de proprietários de terra promovida pela Coroa, o recurso ao trabalho forçado foi inevitável. Basta recordar que em fins do século XIX os mapas da província de São Paulo mostravam que metade do seu território ainda era classificada como "terras ocupadas por índios selvagens", ou seja, uma fronteira aberta e livre para novas ocupações[36].

O que determinava se uma terra era livre ou ocupada era, na verdade, sua viabilidade para a exploração econômica, e não um simples título de propriedade. A viabilidade era em grande parte determinada pelo sistema de transportes. Enquanto o sistema de transporte baseou-se exclusivamente em mulas, cultivos destinados ao mercado internacional não podiam ser produzidos em áreas muito distantes do litoral. A distância não limitava a extração do ouro e dos diamantes em razão do elevado valor desses produtos. Contudo, ele restringiu a disseminação de culturas volumosas como o café, que só alcançou o oeste de São Paulo por ferrovias. Portanto, sempre existiram terras livres em abundância, na fronteira ou em áreas exploradas, esgotadas e abandonadas, uma característica comum da agricultura brasileira. A efetiva ocupação econômica do Brasil não foi além de algumas centenas de quilômetros da costa antes da segunda metade do século XIX. Esse fator explica a abundância de trabalhadores livres sem escravos na agricultura de subsistência e a ausência de um grande mercado de trabalho livre no Brasil. Este só foi criado com a abolição da escravidão e a imigração em massa de trabalhadores europeus livres no fim do século XIX, e quando a terra economicamente explorável havia sido apropriada. Também cabe notar que a própria existência da escravidão como uma força de trabalho alternativa inibiu o desenvolvimento de um mercado de trabalho livre, pois criava um preconceito contra o trabalho manual, assalariado. A integração de trabalhadores brasileiros livres ao mercado de trabalho foi um processo lento que, de fato, estendeu-se até a segunda metade do século XX. Há casos bem conhecidos de tentativas de integrar cativos e imigrantes na produção cafeeira. Mas isso acarretou greves e conflitos nas fazendas e acabou levando vários países europeus a proibir o recrutamento de trabalhadores para o Brasil.

Com base na profusão de estudos sobre a escravidão nas várias regiões e em diferentes períodos, o que podemos afirmar a respeito da organização geral desse sistema de trabalho no Brasil? De modo geral, podemos dizer que ele reproduziu as características essenciais encontradas em outras regiões, mas também há características exclusivas no desenvolvimento brasileiro da escravidão africana na América que devem ser ressaltadas. Elas resultaram do especial processo histórico da evolução desse sistema de trabalho implantado na estrutura da sociedade e economia brasileiras. Por sua vez, tal sistema foi tão longevo que influenciou fundamentalmente a estrutura da sociedade e da economia do Brasil até a segunda metade do século XIX.

O trabalho escravo de africanos foi inicialmente introduzido no Nordeste brasileiro, essencialmente na produção açucareira, que avançou pelos séculos XVI e XVII. Provavelmente, nesse período essa mão de obra limitou-se às áreas influenciadas pelo fabrico do açúcar e foi pouco utilizada em outras partes da colônia. Outras regiões podiam empregar marginalmente os cativos de origem africana, mas recorreram sobretudo aos índios, disponíveis por toda parte. Por cooptação ou compulsão, estes se tornaram a força de trabalho básica em muitas regiões. Os paulistas, por exemplo, verdadeiros desbravadores do sertão do Brasil, basearam suas múltiplas atividades na mão de obra indígena, de modo geral na forma de trabalho forçado. No terceiro século da colonização, apenas uma parte limitada do atual território brasileiro era economicamente explorada. As povoações margeavam a costa e tinham pouca integração econômica entre si. As regiões exportadoras de açúcar, baseadas no trabalho escravo após 1600, eram as únicas áreas relativamente integradas. Embora na fase inicial os indígenas tenham sido intensamente utilizados na própria atividade açucareira, foram posteriormente substituídos pelos africanos e teriam sido deslocados para outras atividades auxiliares à exportação, como, por exemplo, a produção de alimentos e o abastecimento de madeira.

A descoberta de ouro e diamantes em Minas Gerais, Goiás e Mato Grosso no começo do século XVIII alterou profundamente a estrutura da ocupação da colônia. Senhores mudaram-se com seus escravos e dependentes para o oeste, adentraram o interior e seguiram para o sul pela costa, expandindo, assim, a povoação portuguesa. Com as novas regiões mineradoras no centro, a colônia tornou-se muito mais integrada economicamente, desenvolvendo-se a criação de muares no extremo sul, plantando-se gêneros alimentícios e criando-se animais no planalto paulista e no Rio de Janeiro para abastecer a crescente população interiorana. Abriram-se estradas conducentes às três capitanias mineradoras, e as tropas de mulas que se tornaram a forma comum de transporte nesses caminhos propiciaram o surgimento de povoações de apoio ao longo das rotas, as quais aprovisionavam os mercados interioranos e forneciam víveres e serviços aos tropeiros e seus animais. Naquele século, o trabalho africano estava sendo introduzido em todas as regiões, independentemente da atividade econômica a que se dedicavam. Em São Paulo, onde outrora a força de trabalho baseara-se quase unicamente nos indígenas, rapidamente adotou-se o trabalho do escravo africano. Em outras áreas isso provavelmente ocorreu na mesma época, embora talvez com menor intensidade. Os estudos recentes mostram a presença de escravos africanos em todas as regiões ou setores, quer se tratasse de atividades ligadas à exportação de açúcar, café e metais preciosos, de charque ou alimentos para o mercado próximo, de pesca ou mesmo de produção artesanal local. No caso das culturas de exportação, eles constituíram a base da força de trabalho. Em atividades voltadas para o mercado interno, em muitos casos trabalharam ao lado de membros da família dos proprietários ou como assistentes e jornaleiros para artesãos e profissionais liberais. Além disso, foram empregados em todo tipo de trabalho doméstico.

Provavelmente a atividade econômica predominante em cada região era o fator determinante da demanda por escravos e sua estrutura de preços. O comportamento regional dessa demanda gerava o estímulo para a oferta de cativos africanos, trazidos de ultramar ou de outras regiões da colônia. Embora no Brasil tivesse existido uma estrutura de preços relativamente homogênea e moldada pelas condições de oferta na África e pelo tráfico, as peculiaridades dos mercados locais, em especial nos mercados distantes do litoral, criaram estruturas de preços com características regionais.

Essa homogeneidade no mercado nacional também resultou da mobilidade geográfica dos senhores e seus escravos. Em todas as sociedades americanas escravistas de fronteira em expansão, proprietários de escravos puderam mudar-se constantemente com seus cativos para regiões econômicas recém-abertas. O Brasil é célebre pela expansão contínua de suas fronteiras econômicas e populacionais. Agricultores, pecuaristas e grandes fazendeiros que exauriam o solo ou que buscavam novas oportunidades econômicas mudavam-se para uma área virgem, ocupavam-na temporariamente e muitas vezes tornavam a se mudar para outra nova área virgem; essa fronteira permaneceu aberta até muito depois do fim da escravidão. A mão de obra seguia esses desbravadores, e os senhores que migravam levavam consigo seus cativos. Não havia um mercado de trabalho estático que inibisse a movimentação de cativos para essas novas regiões ou mesmo para novos tipos de trabalho. Escravos seguiam seus senhores e novos cativos podiam ser comprados em mercados locais ou distantes.

As condições econômicas locais também tiveram seu impacto sobre a estrutura demográfica da população escrava, pelo menos nos períodos iniciais. Tradicionalmente, pensava-se que as atividades de maior intensidade econômica, em geral ligadas à exportação e ao modelo de *plantation*, levassem à extrema exploração da mão de obra e acarretassem uma expectativa de vida baixa e a incapacidade de reprodução natural da escravaria. Estudos recentes mostraram que o fator determinante na capacidade de reprodução natural dos escravos foi a própria estrutura demográfica da população cativa, sobretudo a distribuição por idade e sexo[37]. Nas principais regiões de cultura de exportação havia alta demanda por cativos adultos do sexo masculino, e isso levou à distorção da estrutura de idade e sexo. Uma população composta acentuadamente de homens adultos não é ideal para a autorreprodução. Os estudos atuais indicam que nas regiões em que as atividades exportadoras eram menos intensas ou estavam em declínio, a reprodução natural tornou-se possível graças às proporções mais equilibradas nas idades e sexos dos cativos residentes. Isso pode ter ocorrido em Minas Gerais no século XIX, depois da decadência da mineração, em São Paulo, antes da ascensão da produção açucareira e cafeeira, e no Paraná, quando predominavam a agricultura e pecuária em pequena escala[38].

Em todas as regiões e em todas as atividades encontramos o uso generalizado de escravos desde o começo do século XVIII até meados do século XIX. Só após 1850, com o fim do tráfico, os cativos voltaram a concentrar-se principalmente nas zonas de maior desenvolvimento econômico. Durante esse século e meio — o período de atividade mais intensa do tráfico atlântico —, os escravos estiveram bem distribuídos por toda a colônia e império e foram utilizados em variadas atividades econômicas. É inegável que os senhores, que usavam seus cativos em atividades tão diversas, tiveram uma clara noção da viabilidade econômica de sua ocupação e das potenciais alternativas para o uso de sua força de trabalho. Adquirir um escravo representava uma compra antecipada de trabalho e requeria que o comprador determinasse o preço máximo que ele poderia pagar baseado no valor futuro do fruto do trabalho. Ademais, deveria levar em conta fatores como o custo do capital, as despesas com a manutenção dos escravos, a expectativa de vida do cativo e sua capacidade de produção no longo prazo, bem como as condições de mercado para os bens produzidos pelo braço escravo. As condições do mercado local de cativos eram amplamente conhecidas e, em função do lucro potencial de cada negócio, realizava-se a aquisição dos escravos mais adaptados ao tipo de atividade praticada. O mercado oferecia homens e mulheres de todas as idades, condições físicas e habilidades inatas ou aprendidas. Dada a liquidez desse mercado, o agricultor, artesão ou prestador de serviço tinha um leque de alternativas para trocar, vender ou comprar novos cativos. Existem, inclusive, casos de venda ou herança que envolviam a posse compartilhada de um único escravo. Em atividades de baixa lucratividade provavelmente eram usados cativos de preço mais baixo, como crianças, velhos ou adultos com capacidade de trabalho limitada. Escravos também eram intensamente utilizados em trabalhos domésticos, em praticamente todas as numerosas atividades exercidas nessa área. Mulheres compunham a maioria da escravaria doméstica, mas também eram empregadas em outras atividades, inclusive na agricultura.

Uma característica peculiar da escravidão no Brasil foi o grande número de "escravos de ganho", que vendiam produtos ou serviços por conta própria. No Brasil e na maioria das sociedades escravistas americanas existiam proprietários que alugavam seus cativos a terceiros para todo tipo de trabalho, mas os escravos de ganho foram peculiaridades do Brasil e de algumas sociedades escravistas latino-americanas. Os cativos alugados por senhores eram simplesmente cedidos a uma instituição, um negociante, um artesão, um agricultor ou outro indivíduo, e o proprietário recebia do locatário uma quantia fixa, em geral paga mensalmente. Nesse sistema, normalmente o locatário pagava a manutenção do cativo. Nesse processo o escravo não tinha autonomia alguma, e essa prática foi comum no Brasil e em todas as demais sociedades escravistas[39]. Em contraste, no sistema dos escravos de ganho os cativos tinham total autonomia para combinar as condições de seu próprio aluguel, sob a condição de que eles próprios, e não os locatários, pagassem o aluguel ao seu senhor. A diferença essencial, portanto, é que esses escravos de ganho firmavam contratos legais, trabalhavam por conta própria e pagavam a seus senhores um "aluguel" fixo diário ou semanal. Muitos deles, em especial os que trabalhavam na rua, tinham licença da Câmara Municipal. Assim, eram reconhecidos como donos de um pecúlio, independentemente de seu senhor, desde que pagassem seu aluguel fixo e todos os custos de manutenção em que incorressem. Esses escravos de ganho podiam morar na casa de seu senhor, que neste caso pagaria por sua manutenção, ou em outro lugar, com o senhor pagando por sua manutenção ou esta ficando por conta do próprio cativo. Se o escravo fosse oficial de um artesão, este pagava por sua manutenção; se trabalhasse em uma fábrica, em geral o dono faria o mesmo. As estimativas do custo de manutenção de um escravo variam. Um proprietário urbano de Salvador estimou, em 1839, que o custo de manutenção de dez cativos era de 640 réis semanais por escravo, ou seja, 91 réis por dia, per capita. Outro calculou que seu escravo doméstico custava-lhe mais que o dobro disso, 200 réis por dia[40]. Supondo a mais alta dessas estimativas, ao que parece um escravo que pagasse pela própria manutenção teria de ganhar no mínimo 600 réis diários para cobrir todas as suas despesas, caso seu aluguel chegasse a 400 réis por dia, e sua manutenção poderia chegar a 200 réis por dia. Alguns analistas sugerem que, depois de pagos o aluguel e os custos de manutenção (se este ficasse por conta do escravo), o cativo que alugava seus próprios serviços ficava com relativamente pouco dinheiro para poupar. Mas, dado que a autocompra foi comum nesse grupo, pode-se supor que alguma poupança, mesmo que pequena, fosse uma parte essencial do sistema; do contrário, não haveria incentivo para que o cativo trabalhasse sob tais condições. Ao mesmo tempo, essas foram as ocupações clássicas para as quais os senhores tinham de oferecer incentivos positivos a fim de obterem bons resultados econômicos.

Na cidade do Rio de Janeiro entre 1851 e 1879, cerca de 2.868 escravos (dos quais apenas 45 eram mulheres) receberam licença para trabalhar como "escravos de ganho na rua", atividade essa que, embora fosse a mais comum, não era a única para esses cativos. Embora a maioria (95%) fosse simplesmente descrita como trabalhadores da rua, a maior categoria individualmente definida para homens foi a de vendedores de peixe e, para as mulheres, vendedoras de artigos de armarinho. O segundo grupo importante foi o de vendedores de pães e bolos[41]. No tocante à origem, 2.195 (77%) dos escravos de ganho na rua eram africanos[42]. Tais licenças parecem ter sido comuns em outros centros. Em Salvador a lei de registro foi aprovada pela Câmara Municipal em 1835, e no Rio em 1838[43].

A maioria desses cativos eram vendedores ambulantes ou trabalhavam como carregadores, sozinhos ou em grupo, levando a carga em carroças, carrinhos de mão, nos ombros ou em um cesto na cabeça[44]. A maioria das pessoas da elite deslocava-se pela cidade em cadeiras carregadas por escravos de ganho. Esses numerosos vendedores e carregadores cativos eram presença comum em todas as cidades brasileiras, e aparecem em várias pinturas de europeus que retrataram cenas do cotidiano nas cidades do Brasil colonial e imperial. Havia também escravos de ganho que não trabalhavam na rua, entre os quais estavam pescadores, "marítimos", artesãos especializados ou semiespecializados e até quitandeiros. Havia barbeiros, cirurgiões e estivadores formalmente registrados na alfândega ocupados exclusivamente em descarregar navios. Uma das práticas mais comuns era um proprietário mandar seus escravos aprenderem um ofício industrial e, depois do período de aprendizado, permitir-lhes exercer o ofício em estabelecimentos de pessoas livres ou mesmo tornar-se operários em oficinas e manufaturas. Neste caso, os fabricantes ou artesãos pagavam aos cativos um salário descontado o custo de manutenção, e parte dessa renda era então entregue ao dono do escravo. Havia também casos de escravos de ganho que se dedicavam à mendicância ou à prostituição e também pagavam ao seu senhor uma quantia fixa diária ou semanal[45].

Alguns inventários *post-mortem* indicam o grau de importância financeira da renda auferida com o aluguel desses escravos. Um inventário com data de 1847 em Salvador registrou que escravos de ganho, "carregadores de cadeira", pagavam a seu senhor 400 mil-réis por dia, e até então haviam trabalhado 934 dias, acumulando uma renda bruta de 373$600 réis. Esse valor representava a significativa parcela de 83% a 62% do preço de um escravo do sexo masculino em boa saúde na faixa etária mais valorizada. Esses mesmos escravos foram avaliados em 450 a 600 mil-réis dependendo da idade, condições de saúde e habilidade. Portanto, eram necessários 1.500 dias para um escravo compensar os 600 mil-réis de seu preço de compra original. Esse mesmo proprietário possuía quatro adultos carregadores de cadeira e um oficial de sapateiro, o qual também pagava os usuais 400 mil-réis por dia. Possuía ainda dois outros carregadores de cadeira, ainda moços, que pagavam apenas 320 mil-réis por dia, além de Raquel, a única escrava de ganho, que era lavadeira e engomadeira e lhe pagava 240 mil-réis por dia. Esses oito escravos de ganho viviam todos fora da casa do senhor e pagavam o próprio sustento. Esse proprietário possuía também uma escrava para serviços domésticos, Francisca Nagô, cuja manutenção custava-lhe 200 réis por dia — sua única despesa com sustento de escravo. Como não há registro de outra propriedade importante para esse indivíduo, esses escravos de ganho (mais a jovem escrava doméstica) representavam quase um terço do valor total de seus bens (que foram avaliados em mais de 15:000$000 réis)[46]. O interessante é que esses oito escravos pagaram-lhe, em 934 dias, a vultosa quantia de 2:689$920 réis, mais de metade do valor total corrente de seu plantel e 17% de seu patrimônio total[47].

Além dos dados disponíveis em inventários, há também dados sobre escravos de ganho em anúncios de venda nos jornais diários. Por exemplo, em 1846 um proprietário no Rio de Janeiro pôs à venda um pedreiro qualificado "que ganha 1$000 réis diários", o qual, tendo em vista sua qualificação, obviamente se inseria no extremo mais elevado da escala salarial[48] (embora em outro anúncio um "moleque", um "perfeito oficial" cujo ofício não está indicado, ganhasse por dia mil-réis)[49]. Um "preto de nação, oficial de correeiro, que dá de jornal 800 rs." foi posto à venda, e um "preto de roça" anunciado ganhava 480 réis diários[50]. Surpreendentemente, um "reforçado preto", para o qual não foi mencionada nenhuma qualificação, ganhava 640 réis por dia[51], enquanto um "preto de media idade", também sem qualificação mencionada, ganhava 480 réis por dia[52].

Existem poucos dados para trabalhadores mais pobres indicando o valor dos ganhos, mas o aluguel pelos proprietários desses cativos era muito comum, e com base nesses valores mensais de aluguel podemos ter uma ideia aproximada do que receberiam se fossem escravos de ganho. Amas de leite estavam na faixa mais alta da escala e provavelmente podiam alcançar um aluguel de 645 réis por dia, caso o valor mensal requerido por um proprietário, 20 mil-réis, representasse o padrão usual[53]. Crianças e adultos que eram alugados como criados domésticos e pajens ganhavam em média entre 322 e 419 réis por dia, com base no aluguel médio mensal de 10 a 13 mil-réis[54].

Muitos dos cativos que viviam fora da casa do senhor moravam em cortiços, que eram abundantes em todas as principais cidades. Estimou-se, por exemplo, que em 1868 havia na cidade do Rio de Janeiro

642 cortiços de pobres, com um total de 9.671 quartos que abrigavam cerca de 21.029 pessoas em dez das onze freguesias da cidade[55]. Portanto, moradias baratas para os pobres eram comuns por toda parte, e muitos registros criminais mostram que havia pouca discriminação contra os escravos nos bares populares da cidade. Assim, os escravos de ganho tinham à disposição vários lugares para morar e passar as horas vagas. Não é estranho, embora possa parecer, que cativos possuíssem sua própria loja e alugassem outros cativos. Esse é o curioso caso de Henrique, um escravo de ganho que possuía um "angu" (estabelecimento que vendia essa comida) e a quem sobrava, após pagar ao seu senhor uma quantia diária ou mensal, o suficiente para poder alugar os serviços da escrava Mariana, pertencente a outro senhor, e usá-la como ajudante para servir sua clientela. Mariana, aliás, também era amante de Henrique[56].

Todas as fontes evidenciam que a escravidão urbana declinou após o fim do tráfico africano em 1850 e que um número crescente de ocupações passou a ser exercido por pessoas livres. Porém, de modo geral esses escravos de ganho sobreviveram sobretudo como carregadores de fardos e cadeiras no Rio de Janeiro até a abolição da escravidão[57], embora a ocupação de cocheiro, mais valorizada, pareça ter sido assumida por pessoas livres mesmo antes do fim da escravidão[58].

Esses amplos e variados usos dos escravos nas áreas rurais e urbanas e na maioria das áreas povoadas criaram várias formas de autonomia, controle, incentivo, punições e relações entre escravos e senhores, entre cativos e outras pessoas livres e entre os próprios cativos. Em algumas atividades, como já mencionamos, a intensidade do trabalho era imposta por meio de rigoroso controle e muita violência física. Em outras, ainda que sem eliminação do controle e do potencial de violência física, foram cruciais os incentivos e recompensas materiais e imateriais. Nos trabalhos domésticos, prestação de serviços, ofícios artesanais e pequenas unidades agrícolas talvez predominassem os incentivos positivos. Na forma de exploração do trabalho vigente na grande lavoura, onde predominavam a força física e o trabalho estruturado, talvez a violência e outros incentivos negativos tenham sido mais importantes. Essas relações de trabalho e coexistência geraram uma situação atípica na sociedade escravista brasileira. Significativas taxas de alforria, muitas delas compradas pelos próprios cativos, aumentaram a população livre de origem africana, a qual, por sua vez, cresceu não apenas graças às alforrias, mas também a um generalizado processo de miscigenação ocorrido entre pessoas livres e entre livres e escravos. A forma na qual a escravidão foi organizada no Brasil permitiu uma ampla socialização da população cativa e a formação de famílias, das quais algumas foram mantidas por gerações. Esse é um tema que abriu uma importante área de novos estudos. Casamentos, famílias, parentescos são temas que recentemente proliferaram em estudos de diversas regiões do país. Essas pesquisas demonstram que era comum escravos produzirem parte do alimento que consumiam, trabalhando principalmente aos domingos, o dia normalmente dedicado ao descanso. Qualquer excedente dessa produção podia ser vendido no mercado local, representando uma renda potencial para o escravo. Se para o cativo era uma oportunidade, para o senhor significava uma redução no custo de manutenção.

A estrutura da distribuição dos escravos também reflete as condições sociais e econômicas que analisamos. Há diferenças, mas de modo geral os cativos estiveram presentes em 20% a 30% dos domicílios no período abordado. Na população total, representaram parcela semelhante. A escravaria estava bem distribuída entre os senhores. Os pequenos proprietários eram numerosos, e os grandes fazendeiros com muitos escravos eram minoria. Os senhores com cinco cativos ou menos normalmente compunham metade do total de proprietários e possuíam cerca de um quarto da escravaria. Também devemos ressaltar que entre esses cativos havia crianças, mulheres e velhos. No setor da grande lavoura de exportação, encontramos senhores com cinquenta ou mesmo várias centenas de escravos. E esses cativos de plantéis grandes compunham uma porcentagem representativa da população escrava local. No caso oposto, em que predominavam os pequenos proprietários, os plantéis com quarenta ou mais cativos eram relativamente insignificantes mesmo no total da força de trabalho escrava. O plantel médio variava de cinco a oito escravos na maioria das regiões, e raramente ultrapassava esse tamanho. Isso, obviamente, ocorreu no período anterior a 1850. Após o fechamento do tráfico verificou-se uma tendência de concentração dos escravos nas atividades mais lucrativas, especialmente nas regiões cafeeiras, onde eles eram mantidos em grandes plantéis, geralmente em fazendas de café com mais de cem cativos.

Em comparação com a maioria das principais sociedades escravistas das Américas, o Brasil pré-1850 assemelhou-se mais aos Estados Unidos do que a qualquer sociedade antilhana. Tinha aproximadamente a mesma proporção de proprietários de escravos na população livre e a mesma parcela de cativos na população total. Porém, mesmo nesses moldes, o plantel médio no Brasil nesse período foi menor do que nos Estados Unidos, e até 1850 foram menos numerosos os donos de plantéis de grande porte. Se em 1790 os Estados Unidos se pareciam com Minas e São Paulo — todos com 6% a 7% dos senhores possuindo vinte ou mais escravos —, em 1850 a parcela desses grandes proprietários nos Estados Unidos aumentara para 11%, e em 1860 para 12%. Em contraste, a Jamaica em 1833 já tinha 20% de seus senhores controlando um plantel de vinte ou mais cativos (ver Tabela 5.1).

Tabela 5.1: Distribuição dos proprietários por tamanho do plantel, regiões e países, 1790-1860.

Tamanho do plantel	São Paulo		Minas Gerais		EUA						Jamaica	
	1829	%	1833	%	1790	%	1850	%	1860	%	1832 (1)	%
1	2.669	24,5%	5.003	24,5%	14.262	30,3%	68.060	19,7%	78.726	20,0%		
2-4	3.828	35,1%	7.281	35,7%	15.402	32,8%	105.144	30,4%	112.677	28,6%	6.649	53,4%
5-9	2.333	21,4%	4.489	22,0%	9.459	20,1%	80.629	23,3%	91.676	23,3%	1.954	15,7%
10-19	1.261	11,6%	2.368	11,6%	4.990	10,6%	54.556	15,8%	63.317	16,1%	1.394	11,2%
20-49	630	5,8%	1.085	5,3%	2.275	4,8%	29.731	8,6%	36.578	9,3%	945	7,6%
50-99	144	1,3%	161	0,8%	471	1,0%	6.195	1,8%	8.635	2,2%	580	4,7%
100-199	19	0,2%	23	0,1%	123	0,3%	1.479	0,4%	2.039	0,5%	538	4,3%
200-299	19	0,2%	3	0,0%	26	0,1%	187	0,1%	230	0,1%	274	2,2%
300 +		0,0%	3	0,0%	7	0,0%	67	0,0%	89	0,0%	119	1,0%
Total	10.903	100,0%	20.416	100,0%	47.015	100,0%	346.048	100,0%	393.967	100,0%	12.453	100,0%
Número de escravos	75.783		135.951		694.207		3.200.600		3.950.528		310.817	
Média	7		7		15		9		10		25	

Fontes: B. W. Higman, (1976), pp. 274-275; US Census of 1790, 1850 & 1860; para São Paulo e Minas, Luna e Klein, (2003).

Nota (1): Os dados dos proprietários da Jamaica não estão divididos na faixa de 1-5 escravos. Foi necessário recalcular a estrutura de faixas de tamanho de plantel de Higman para torná-las comparáveis com as demais regiões.

No século XVIII, ao menos para Minas Gerais e para a maioria dos municípios de São Paulo, o padrão geral foi a predominância dos senhores na categoria com cinco ou menos escravos, estando um quarto ou mais do total da escravaria nesses plantéis menores, e uma parcela relativamente pequena de proprietários na categoria com vinte ou mais escravos, em geral controlando uma porcentagem da escravaria total semelhante à do grupo dos plantéis com cinco ou menos cativos, ou menos de metade do total dos escravos (ver Tabela 5.2). Embora existam poucos dados comparativos para as outras regiões, podemos supor, com base em desdobramentos posteriores, que essas zonas de atividade escravista não diferiram excessivamente, em seus padrões de distribuição, de São Paulo e Minas Gerais no mesmo século[59].

Tabela 5.2: Distribuição dos proprietários de escravos por tamanho de plantel, Minas Gerais e São Paulo 1718-1792 (localidades com mais de cem escravos).

		Plantel 1-5 (%)		Plantel 20+ (%)	
District	Anos	Proprietários	Escravos	Proprietários	Escravos
Vila de Pitanguy	1723	69,6	29,8	5,9	30,4
Serro Frio	1738	78,4	34,8	3,7	27,0
Congonhas do Sabará	1771	68,4	29,0	1,1	21,5
Sepurihu	1789	60,0	38,8	10,0	14,6
São Domingos	1789	59,5	23,3	10,8	49,9
Agua Suja	1789	71,1	24,3	3,4	30,4
Congonhas do Sabará	1790	75,0	34,7	0,0	17,3
Santa Luzia	1790	71,6	25,3	7,3	45,8
São João Barra Longa	1792	69,1	19,5	5,1	42,1
Inficionado	1792	74,9	27,0	5,7	41,2
São Paulo/Várias localidades	1777-78	70,2	30,7	3,1	21,5

Fontes: Luna (1980) e Luna e Klein (2003).

Entretanto, esse padrão diferiu não só entre as regiões, mas também, obviamente, entre os tipos de atividade; além disso, ocorreram níveis crescentes de concentração dos cativos nas unidades maiores (plantéis com 21 ou mais escravos) ao longo do tempo. Em São Paulo, como podemos ver na Tabela 5.3, a concentração geral e por atividade aumentou no decorrer do tempo mesmo antes do fim do tráfico. Entre 1804 e 1829, nas atividades econômicas mais dinâmicas, os grandes senhores aumentaram sua participação não só entre os próprios proprietários, como também, e principalmente, entre os escravos possuídos.

Tabela 5.3: Atividades econômicas dos proprietários, por tamanho de plantel, São Paulo, 1804-1829.				
	1804		1829	
	Tamanho de plantel		Tamanho de plantel	
% dos proprietários	1-5	21+	1-5	21+
Açúcar	23%	30%	5%	57%
Aguardente	49%	7%	34%	13%
Café	63%	4%	53%	11%
Alimentos	75%	2%	72%	2%
Pecuária	45%	11%	43%	10%
% dos escravos				
Açúcar	4%	63%	1%	83%
Aguardente	16%	29%	9%	38%
Café	26%	21%	14%	46%
Alimentos	38%	13%	35%	15%
Pecuária	13%	36%	12%	37%

Fonte: Luna e Klein (2003).

Essa tendência evidenciou-se em Minas e em algumas outras regiões que já mostravam declínio na participação proprietários com até cinco escravos. Mas devemos salientar que a tendência não foi uniforme em todas as regiões. Dados censitários da década de 1870 mostram ampla variação entre regiões e distritos, dependendo das condições econômicas locais, mas em geral nota-se que houve uma tendência para aumento na participação dos grandes proprietários nos centros de exportação. Estudos de dois distritos do Piauí em 1875 e outro de Minas Gerais nos anos 1860, baseados em inventários *post-mortem* , também indicaram taxas de distribuição que diferiram pouco dos distritos mineiros no século XVIII[60]. Comum a quase todos foi o padrão de concentração crescente — medido pelo índice de distribuição de Gini que vemos na Tabela 5.4. Em contraste com os valores na faixa dos 40 e do meio da faixa dos 50 encontrados na maioria das localidades no século XVIII e início do XIX, os da segunda metade do século XIX situaram-se nas faixas superiores dos 50 e nos 60.

Tabela 5.4: Número de escravos, número de proprietários e índice de Gini da distribuição dos escravos em distritos selecionados de várias províncias, nos anos iniciais da década de 1870.

	Proprietários	Escravos	Gini
Paraná	2.514	7.940	0,484
Pernambuco	1.434	8.980	0,619
Paraíba	630	1.567	0,428
Maranhão	1.690	5.325	0,488
Pará	594	2.895	0,505
Piauí	3.435	13.120	0,539
Espirito Santo	554	2.963	0,564
Minas Gerais	3.579	1.311	0,510
Rio de Janeiro	350	1.497	0,555
São Paulo	5.090	33.736	0,660
Bahia	556	2.796	0,612
Sergipe	1.687	6.570	0,575
Goiás	2.213	7.299	0,477
Rio Grande do Sul	1.270	4.942	0,469

Fonte: Marcondes (2005), tabelas 3.4, 4.4, 5.4, 7,4 e 8.4.

Finalmente, não há dúvida de que as fazendas de café de fins do século XIX concentraram os maiores plantéis já vistos no Brasil, rivalizando com os maiores distritos açucareiros do Nordeste e com os das Antilhas no século XIX. Como se pode notar, as fazendas de café médias nas regiões cafeeiras mais avançadas continham 43 cativos (ver Gráfico 5.1), e essas médias sugerem, com base em um estudo de um distrito cafeeiro de Minas Gerais nesse período, que mais de metade dos cafeicultores possuía 21 cativos ou mais, e que a extraordinária parcela de 90% dos escravos usados na lavoura de café trabalhavam nessas unidades maiores[61].

Gráfico 5.1: Número de fazendas e média de escravos possuídos nas principais zonas de café, Brasil, 1881-88 (número de escravos = 23.553).

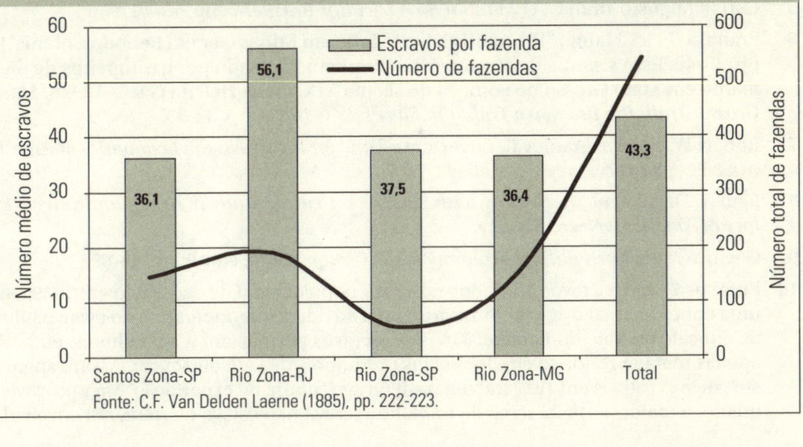

Fonte: C.F. Van Delden Laerne (1885), pp. 222-223.

Ao mesmo tempo em que encontramos escravos por toda parte, também observamos uma complexa organização da produção de gêneros alimentícios, da qual participavam tanto proprietários como não proprietários de escravos. Ambos os grupos vendiam produtos no mercado. Os não proprietários e os pequenos agricultores vendiam no mercado local o excedente de sua produção não consumido na subsistência. Essa atividade, bem registrada em documentos contemporâneos, evidenciou-se particularmente em Minas Gerais, São Paulo e Paraná, mas também foi encontrada no Nordeste, tudo isso indica a complexidade da sociedade brasileira colonial e imperial e mostra quanto era importante o mercado local e regional. Essa complexidade e importância só recentemente foram compreendidas.

NOTAS

1. André João Antonil, *Cultura e Opulência do Brasil*, p. 159.
2. Citação de Carlos Augusto Taunay em *O Manual do Agricultor Brasileiro*, p. 54. Schwartz cita um observador português que declarou: "Quem quiser tirar proveito de seus negros, há de mantê-los, fazê-los trabalhar bem e surrá-los melhor; sem isso não se consegue serviço nem vantagem alguma". Stuart B. Schwartz, *Segredos Internos, Engenhos e Escravos na Sociedade Colonial*, pp. 122-23.
3. Ver, por exemplo, Fernando Henrique Cardoso, *Capitalismo e Escravidão no Brasil Meridional: o Negro na Sociedade Escravocrata do Rio Grande do Sul*; Ciro Flamarion Cardoso, *Escravo ou Camponês? O Protocampesinato Negro nas Américas*; Ciro Flamarion Cardoso *et al.*, *Escravidão e Abolição no Brasil: Novas Perspectivas*; Jacob Gorender, *O Escravismo Colonial*.
4. Stefano Fenoaltea, "Slavery and Supervision in Comparative Perspective: a Model". Esse modelo também é usado em Flávio Rabelo Versiani, "Escravidão 'Suave' no Brasil: Gilberto Freyre Tinha Razão?".
5. Carlos Augusto Taunay, *O Manual do Agricultor Brasileiro*, pp. 48-49.
6. Francisco Vidal Luna, "Economia e Sociedade em Minas Gerais (Período Colonial)", pp. 43-46. Esse sistema de remuneração também foi usado por garimpeiros de diamante em Mato Grosso no começo do século XIX. Lucia Helena Gaeta Aleixo, *Mato Grosso: Trabalho Escravo e Trabalho Livre (1950-1880)*, pp. 32-33.
7. Robert W. Fogel e Stanley L. Engerman, *Time on the Cross, the Economics of American Negro Slavery*.
8. Paul A. David *et al.*, *Reckoning with Slavery: a Critical Study in the Quantitative History of American Negro Slavery*.
9. Gavin Wright, *The Political Economy of the Cotton South*, cap. 3, pp. 43-89.
10. Entre os 75 mil escravos arrolados no censo populacional de São Paulo em 1829, em uma época na qual o açúcar tornava-se uma atividade predominante no oeste paulista, e o café no Vale do Paraíba, 81% dos escravos pertenciam a agricultores, embora apenas metade residisse em domicílios produtores de café ou açúcar. Assim, apenas 40% desses cativos em 1829 trabalhavam na agricultura de exportação. Mais provavelmente, a maior parte da força de trabalho escrava não estava diretamente envolvida

na produção para exportação; alguns estavam fora do mercado (crianças pequenas e idosos) e outros atuavam nas mais diversas atividades, como serviços domésticos e agricultura de subsistência, por exemplo. Luna e Klein, *Slavery and the Economy of São Paulo*, cap. 1.

11. Ver Barbara Weinstein, "Slavery, Citizenship and National Identity in Brazil and the United States South".
12. Ver, por exemplo, Fernando Henrique Cardoso, *Capitalismo e Escravidão no Brasil Meridional*; Octavio Ianni, *As Metamorfoses do Escravo: Apogeu e Crise da Escravatura no Brasil Meridional*, e Caio Prado Jr., *Formação do Brasil Contemporâneo*. Um reexame dessa visão encontra-se em Jacob Gorender, *O Escravismo Colonial* e *A Escravidão Reabilitada*.
13 Alfred H. Conrad e John R. Meyer, "The Economics of Slavery in the Ante Bellum South".
14. Pedro Carvalho de Mello, "Aspectos Econômicos da Organização do Trabalho da Economia Cafeeira do Rio de Janeiro, 1858-1888"; ver também Pedro Carvalho de Mello e Robert W. Slenes, "Análise Econômica da Escravidão no Brasil"; e "Estimativa da Longevidade de Escravos no Brasil na Segunda Metade do século XIX".
15. Flávio Versiani, "Brazilian Slavery: Toward an Economic Analysis".
16. Antonio Barros de Castro, *Escravos e Senhores nos Engenhos do Brasil. Um Estudo sobre os Trabalhos do Açúcar e a Política Econômica dos Senhores*.
17. Iraci del Nero da Costa, *Repensando o Modelo Interpretativo de Caio Prado Jr.*
18. Leonardo M. Monastério, "FHC Errou? A Economia da Escravidão no Brasil Meridional".
19. Nessa categoria, veja-se Carlos Augusto Taunay, *Manual do Agricultor Brasileiro*.
20. Marquese foi um dos autores que desenvolveu interessantes trabalhos sobre essa nova linha de pesquisas no Brasil. Ver Rafael de Bivar Marquese, *Feitores do corpo, Missionários da Mente*, e seu estudo *Administração & Escravidão. Ideias sobre a Gestão da Agricultura Escravista Brasileira*.
21. Ver, por exemplo, Douglas Cole Libby, *Trabalho Escravo e Capital Estrangeiro no Brasil: o Caso de Morro Velho*.
22. Para um bom exame da compatibilidade do trabalho livre e escravo na indústria, ver Sérgio de Oliveira Birchal, *O Mercado de Trabalho Mineiro no século XIX*; Douglas Cole Libby, "Proto-industrialization in a Slave Society: the Case of Minas Gerais"; e Mário Danieli Neto, *Escravidão e Indústria: um Estudo sobre a Fábrica de Ferro São João de Ipanema - Sorocaba (SP) - 1765-1895*.
23. Fogel e Engerman, *Time on the Cross*, pp. 73-75.
24. Laird W. Bergad, *Slavery and the Demography and Economic History of Minas Gerais, Brazil, 1720-1888*.
25. Pedro Carvalho de Mello, *A Economia da Escravidão nas Fazendas de Café, 1850-1888*.
26. Katia M. de Queirós Mattoso e S. L. Engerman, "Trends and Patterns in the Prices of Manumitted Slaves: Bahia, 1819-1888; reimpresso em João José Reis (org.), *Escravidão e Invenção da Liberdade. Estudos sobre o Negro no Brasil*, pp. 60-72.
27. Flávio Rabelo Versiani e José Raimundo Oliveira Vergolino, *Preços de Escravos em Pernambuco no Século XIX*.
28. Ver Renato Leite Marcondes e José Flávio Motta, "Duas fontes documentais para o Estudo dos Preços dos Escravos no Vale do Paraíba Paulista"; Maria Luíza Marcílio *et al.*, "Considerações Sobre o Preço do Escravo no Período Imperial: uma Análise Quantitativa (Baseada no Registro de Escritura de Compra e Venda de Escravos na Bahia); Luiz Paulo Ferreira Nogueról, *Sabará e Porto Alegre na Formação do Mercado Nacional no Século XIX*, capítulo 4; Carlos A. M. Lima, "Escravos Artesãos: Preço e Família (Rio de Janeiro, 1789-1839)", pp. 447-484; Afonso de Alencastro Graça Filho, "As Flutuações dos Preços e as Fazendas Escravistas de São João del Rei no século XIX".

29. A Coroa arrecadava a quinta parte do ouro produzido, daí o nome "quinto".

30. "Comparativamente, a riqueza em escravos apresenta características distintas da riqueza representada pela terra. Em economias escravistas modernas, introduzidas a partir da colonização da América, o escravo significa uma das principais formas de riqueza e talvez uma das mais líquidas. Mas é uma riqueza 'perecível' e com custo de manutenção. Não pode ser comparada à riqueza representada pela terra. Esta, na sociedade colonial brasileira, além de seu efetivo valor como meio de produção, representava reserva de valor e poder. A forma como a terra era distribuída, pelo sistema de sesmarias, dava aos detentores desse privilégio uma dimensão de terra de difícil ocupação, dada a tecnologia então utilizada. Talvez na pecuária pudesse ser explorada parcela significativa de uma sesmaria. Talvez na economia açucareira, com o expressivo investimento no engenho, fizesse sentido possuir terra suficiente para uma exploração que se mantivesse no tempo, e da qual se pudesse extrair a madeira necessária ao engenho. Nas demais atividades existia uma incompatibilidade entre a capacidade de ocupação de uma sesmaria e a força de trabalho disponível, em face da tecnologia existente." Francisco Vidal Luna, "São Paulo: População, Atividades e Posse de Escravos em Vinte e Cinco Localidades – (1777-1829)".

31. Ver Tabela 4.5 e capítulo 4, nota 44.

32. "A nosso ver, a somatória dos escravos, dos agregados, dos eventuais assalariados e a própria força de trabalho familiar permitia dimensionar a verdadeira capacidade de trabalho em cada fogo. Não o tamanho da terra. O Brasil, exceto nas áreas açucareiras, era um país de grande propriedade e pequena exploração econômica. Isso fica evidente quando se estuda a posse de escravos." Luna, "São Paulo: População, Atividades e Posse de Escravos em Vinte e Cinco Localidades – (1777-1829)". Para uma análise dessa fronteira móvel e seu impacto sobre a estrutura de classe e o uso dos escravos, ver Alida Metcalf, *Family and Frontier in Colonial Brazil: Santana de Parnaíba, 1580-1822.*

34. Edward Gibbon Wakefield, "A Letter from Sydney".

35. Evsey D. Domar, "The Causes of Slavery or Serfdom: a Hypothesis", p. 21.

36. Ver, por exemplo, o mapa de 1868 de São Paulo produzido por Candido Mendes em seu *Atlas do Império do Brasil,* encontrado em <http://www.novomilenio.inf.br/santos/mapa23g.htm>; e o mapa de 1888 da Província encontrado em Claudio Lomellino de Carvalho, *Atlas do Império do Brazil,* mapa XVII.

37. Francisco Vidal Luna "Caracteríticas Demográficas dos Escravos de São Paulo (1777-1829)".

38. Francisco Vidal Luna e Wilson Cano. "A Reprodução Natural dos Escravos em Minas Gerais (século XIX). Uma Hipótese".

39. Por exemplo, um estudo dos anúncios relacionados a escravos no *Jornal do Commercio,* do Rio de Janeiro, publicados em janeiro de 1848 mostrou que escravos de aluguel eram oferecidos quase diariamente nos jornais e que faziam os mais diversos trabalhos, como artesãos especializados, cozinheiras, passadeiras, lavadeiras e até amas-de-leite, que eram alugadas diretamente por seus senhores. Um exemplo bem característico desse tipo de anúncios foi o publicado em 18 de janeiro de 1846: "Aluga-se uma preta que sabe lavar, engomar e cozinhar por 12$ adiantados". Em 6 de janeiro de 1847, na página 4 do mesmo jornal, ofereceu-se: "aluga-se uma preta ama de leite do primeiro parto, parida há dois meses por 20$ mensais pagos adiantados".

40. Maria José de Souza Andrade, *A Mão de Obra Escrava em Salvador, 1811-1860*, pp. 134-135.

41. Luiz Carlos Soares, *O "Povo de Cam" na Capital do Brasil: a Escravidão Urbana no Rio de Janeiro do século XIX"*, tabela XLVIII, p. 421.

42. O maior grupo, composto por mais de mil pessoas, provinha da África centro-ocidental; metade desse número vinha da África ocidental, e 294 da África oriental. Para

347 pessoas não foi mencionada a nação africana. Soares, *O "Povo de Cam" na Capital do Brasil,* p. 128.

43. Também se requeria licença a trabalhadores livres que vendiam na rua seus serviços ou produtos. Para essas duas leis, ver Paulo Cruz Terra, *Tudo Que Transporta e Carrega é Negro? Carregadores, Cocheiros e Carroceiros no Rio de Janeiro (1824-1870),* pp. 34-35.

44. Uma das poucas ocupações de carga exclusivamente identificadas com escravos foi a de "ganho com cesto", na qual o cativo carregava na cabeça um cesto com vários tipos de mercadoria. Terra, *Tudo Que Transporta...,* p. 40.

45. Um dos melhores estudos detalhados sobre os escravos de ganho, também conhecidos como ganhadores, é o de Soares, *O "Povo de Cam" na Capital do Brasil,* capítulo 5. A maioria das prostitutas profissionais no Rio na primeira metade do século XIX eram mulheres livres de cor nascidas no Brasil ou portuguesas; entraram depois em seu lugar mulheres do centro e leste europeu. As escravas praticavam formas mais ocasionais e discretas de prostituição, embora senhores mandassem suas cativas oferecer-se nas ruas, mesmo depois da hora de recolher, e lhes permitissem trabalhar como escravas de ganho a fim de encorajar essa prática. Luiz Carlos Soares, *Rameiras, Ilhoas, Polacas... a Prostituição no Rio de Janeiro do Século XIX,* especialmente cap. 5. Uma série de casos relacionados a prostituição de escravas na década de 1870 sugere que proprietários pobres, a maioria mulheres, mandavam suas cativas prostituir-se, mas em geral em bordéis obscuros, pois oferecer seus serviços na rua era perigoso demais para escravas. De fato, aparentemente as que se ofereciam nas ruas eram escravas de ganho. Sandra Lauderdale Graham, "Slavery Impasse: Slave Prostitutes, Small-time Mistresses, and the Brazilian Law of 1871", pp. 670, 673.

46. Sobre os preços relativos de escravos qualificados e não qualificados por idade e sexo, ver Carlos M. Lima, "Escravos e Artesãos, Preço e Família (Rio de Janeiro 1789-1839)", tabelas 4 e 5 e gráficos 1-5, pp. 478-479, 482-484. O interessante é que os preços dos trabalhadores qualificados permaneceram no mesmo nível elevado para as idades entre vinte e quarenta anos, enquanto para os não qualificados de ambos os sexos caiu significativamente depois do auge na casa dos vinte.

47. Andrade, *A Mão de Obra Escrava em Salvador, 1811-1860,* pp. 133-134.

48. *Jornal do Commercio,* 18 de janeiro de 1846, p. 4.

49. *Jornal do Commercio,* 7 de janeiro de 1846, p. 4.

50. *Jornal do Commercio,* 12 de janeiro de 1845, p. 4; 7 de janeiro de 1846, p. 4.

51. "Vende-se por muita precisão um reforçado preto que ganha 640 réis por dia [...]" *Jornal do Commercio,* 6 de fevereiro de 1846, p. 3.

52. *Jornal do Commercio,* 9 de fevereiro de 1846, p. 3.

53. *Jornal do Commercio,* 6 de janeiro de 1846, p. 4. Para uma análise de numerosos outros anúncios de aluguel e venda de amas-de-leite no Rio de Janeiro em 1848 no *Jornal do Commercio,* ver o ensaio não publicado de Bárbara Canedo Ruiz Martins, *Meninas e Mulheres: as Imagens das Amas-de-leite no Mercado de Trabalho Doméstico Urbano do Rio de Janeiro (1830-1888),* e para períodos posteriores, ver sua tese *Amas-de-leite e Mercado de Trabalho Feminino: Descortinando Práticas e Sujeitos (Rio de Janeiro, 1830-1890).*

54. Ver, por exemplo, ofertas de aluguel de cinco "pretas" a 12$ e 13$ mil-réis, e outro de uma "preta que sabe lavar, engomar e cozinhar por 12$", *Jornal do Commercio,* 18 de janeiro de 1846, p. 4.

55. Marilene Rosa Nogueira da Silva, *Negro na Rua, a Nova Face da Escravidão,* tabela 13, p. 126.

56. Soares, *O "Povo de Cam" na Capital do Brasil,* pp. 140-41.

57. *Idem,* p. 128.

58. Sobre trabalho livre em algumas subespecialidades como cocheiro de carruagens

puxadas por cavalo, ver Ana Maria da Silva Moura, *Cocheiros e Carroceiros, Homens Livres no Rio de Senhores e Escravos*.

59. Em um extremo estavam as comunidades pecuaristas do Paraná, nas quais, em 1818, os proprietários de vinte ou mais cativos detinham apenas 17% da força de trabalho escrava total, e o plantel médio compunha-se de apenas cinco escravos (para 483 senhores e 2.345 escravos). Darío Horacio Gutiérrez Gallardo, *Terras e Gado no Paraná Tradicional*, tabela 4, p. 65.

60. Renato Leite Marcondes e Miridan Britto Knox Falci, *Escravidão e Reprodução no Piauí: Oeiras e Teresina (1875)*, tabelas 4 e 5; ambos os distritos tiveram Gini na faixa média dos 50. Um dos Gini mais altos registrados (.076) foi para Bananal, São Paulo, em 1873: José Flávio Motta, Nelson Nozoe e Iraci del Nero da Costa, "Às Vésperas da Abolição: um Estudo sobre a Estrutura da Posse de Escravos em São Cristóvão (RJ), 1870, tabela 12, p. 191. Para o estudo sobre Minas, ver Deborah Oliveira Martins dos Reis, Araxá, 1816-1888: Posse de Escravos, Atividades Produtivas, Riqueza", tabela 4, painel 1866-1868.

61. Um estudo separado apenas sobre cafeicultores no município mineiro de Santo Antônio de Paraibuna de 1851 a 1870, baseado em testamentos, também indicou uma média de 43 escravos por fazenda (108 proprietários e 4.683 cativos). Aproximadamente 90% dos escravos residiam em fazendas com vinte cativos ou mais, e estas estavam em posse de 53% dos senhores. A média para essas fazendas foi elevada: 74 cativos por plantel. Mônica Ribeiro de Oliveira, "Cafeicultura Mineira: Formação e Consolidação, 1809-1870", quadro 4, p. 70.

A sociedade escravista no Brasil

Vida, morte e migração na sociedade escrava afro-brasileira

A expansão do setor exportador do Brasil durante os quatro séculos de sua evolução foi a principal causa da migração forçada de trabalhadores africanos para a costa brasileira. Mercadores portugueses possibilitaram essa migração abrindo os mercados africanos pelo Atlântico e organizando uma frota para traficar cativos. O posterior crescimento ou declínio dessa população africana e seus descendentes no Brasil foi determinado posteriormente por fatores demográficos clássicos, como as taxas de natalidade e mortalidade e as porcentagens de alforrias e migrações internas. São esses os temas que analisaremos neste capítulo, resumindo os estudos mais recentes da história demográfica dos milhões de migrantes forçados que entraram no Brasil até 1850.

Para transportar os estimados 5,5 milhões de trabalhadores da África na travessia do Atlântico até o Brasil, emergiu um complexo e refinado sistema de compra de cativos africanos mediante pagamento com mercadorias demandadas pelos mercados africanos, o que, por sua vez, ligou as economias da Ásia, América e Europa à economia de mercado em desenvolvimento na África. Inegavelmente, o Brasil foi o mais destacado destino de cativos africanos na América. Dos estimados 10,7 milhões de africanos que sobreviveram à travessia do Atlântico de fins do século XV a fins do século XIX, estima-se que 4,8 milhões tenham aportado no Brasil[1]. A intensidade dessa migração atlântica forçada de cativos africanos correlacionou-se acentuadamente com o crescimento das exportações e a expansão da economia no Brasil. Assim como o maior crescimento da produção brasileira ocorreu no final do século XIX e no século XIX, também o mais importante período nesses quatro séculos de tráfico foi o da última parte do século XVIII e, principalmente, o século XIX (ver Gráfico 6.1).

Gráfico 6.1: Estimativa da média anual de chegada de escravos pelos portos brasileiros, 1651-1850, por década.

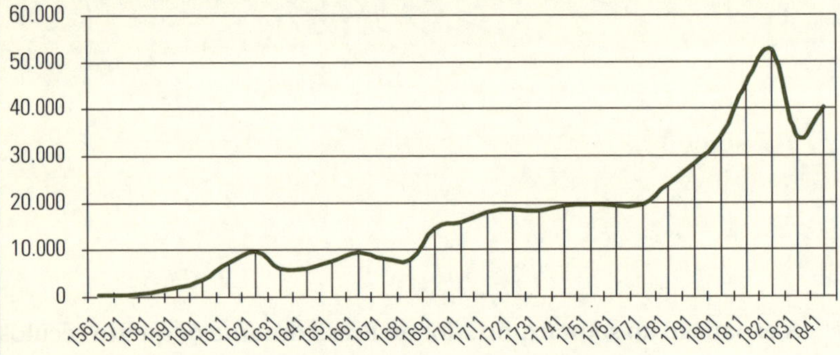

Fonte: Dados acessados em agosto de 2008 de <http://www.slavevoyages.org/tast/assessment/estimates.faces>.

Houve também mudanças significativas na importância relativa das regiões de chegada dos cativos no Brasil. Nos séculos XVI e XVII, a maioria dos escravos entrou pelos portos do Nordeste, com exceção do período da ocupação de Pernambuco pelos holandeses. Mas, em fins do século XVIII, o porto do Rio de Janeiro, no Sudeste, já predominava e continuaria a distanciar-se à frente de seus rivais nordestinos por todo o século XIX (ver Gráfico 6.2). Em meados do século XVIII, o Rio de Janeiro já era a mais importante porta de entrada de africanos no Brasil, recebendo 43% dos escravos imigrantes da África, e na primeira década do século seguinte passou a receber mais de 50%. Na década de 1820, a parcela do Rio atingiu três quartos da escravaria desembarcada, e nos anos 1830 e 1840 essa fatia aumentou para quatro quintos. Está claro que, com a lenta transferência do centro econômico para sul do Brasil ao longo do período colonial, a entrada de africanos acompanhou as mudanças econômicas e políticas na colônia e no império.

Gráfico 6.2: Estimativa da média anual da chegada de escravos pelos principais portos brasileiros, por década, 1561-1851.

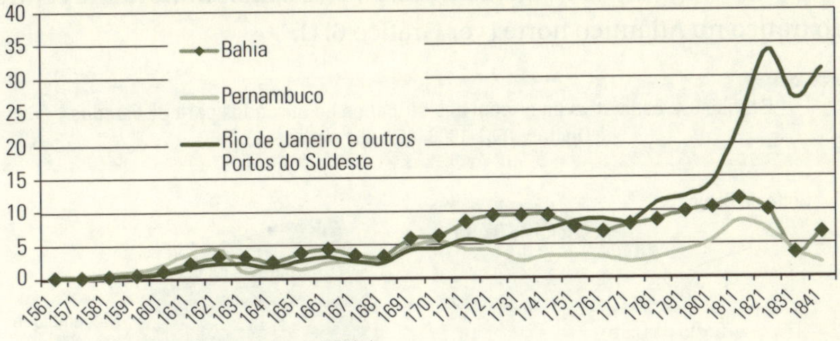

Fonte: Dados acessados em agosto de 2008 de <http://www.slavevoyages.org/tast/assessment/estimates.faces>.

De modo geral, as três principais regiões de origem dos cativos africanos trazidos para o Brasil foram as regiões de Angola e Congo/ Luanda (sudoeste da África), golfo de Benin (oeste) e Moçambique (leste). Embora suas participações variassem ao longo do tempo, no total essas foram as regiões de origem de 94% de todos os africanos desembarcados no Brasil (ver gráfico 6.3)[2].

Gráfico 6.3: Estimativa dos africanos de diversas origens embarcados para o Brasil, 1561-1850 (5.479.583 pessoas).

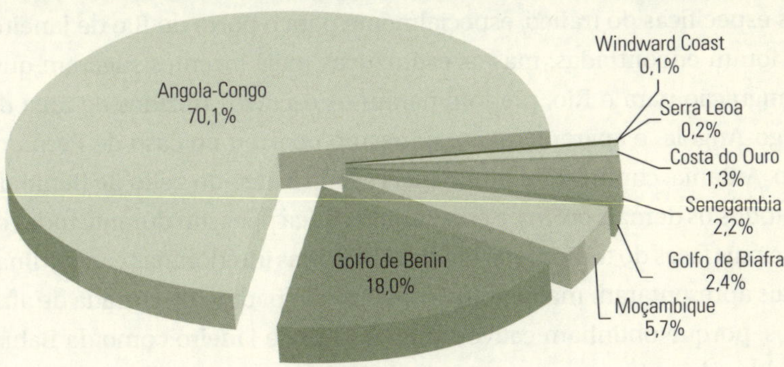

Fonte: Dados acessados em agosto de 2008 de <http://www.slavevoyages.org/tast/assessment/estimates.faces>.

É interessante notar que todas essas regiões de origem foram bem diferentes das que enviaram cativos africanos para a América do Norte.

Embora em um tráfico muito menor, a maioria dos africanos levados para o continente norte-americano provinha da África ocidental, sobretudo da região da Senegâmbia, sendo este o mais importante centro do tráfico no Atlântico norte (ver Gráfico 6.4).

Gráfico 6.4: Estimativa da origem dos africanos embarcados para os Estados Unidos, 1581-1808 (452, 651 pessoas).

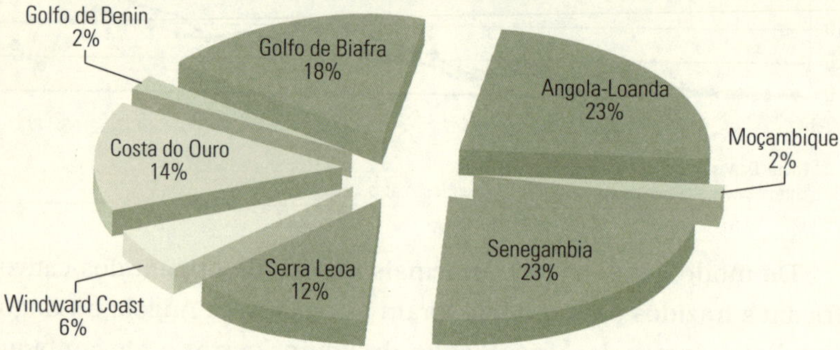

Fonte: Dados acessados em agosto de 2008 de <http://www.slavevoyages.org/tast/assessment/estimates.faces>.

Embora os escravos brasileiros proviessem principalmente de portos do sudoeste africano, nem todos os portos de chegada recebiam seus cativos das mesmas fontes africanas. Até para um mesmo porto brasileiro as origens diferiram ao longo do tempo. Muitas informações sobre viagens específicas do tráfico, especialmente para o porto do Rio de Janeiro, não foram encontradas, mas as estimativas mais recentes sugerem que, na migração para o Rio, predominaram os escravos trazidos da área do Congo-Angola, e aparentemente o mesmo ocorreu no caso de Pernambuco. A Bahia, contudo, foi muito mais ligada à área do golfo de Benin do que todos os demais portos, e essa característica persistiu durante todas as principais fases do tráfico (ver Tabela 6.1). Zonas interioranas como Minas Gerais apresentaram maior grau de mistura no padrão de entrada de africanos, porque obtinham cativos tanto do Rio de Janeiro como da Bahia. Estudos sobre Minas no começo século XVIII mostram uma participação muito elevada de cativos africanos provenientes da região do golfo de Benin. Portanto, a dicotomia norte/sul do Brasil alinhada à origem oeste/centro-oeste africana não se sustenta completamente, já que no centro do Brasil os escravos tiveram diferentes origens[3].

Tabela 6.1: Estimativa da chegada de africanos nos principais portos brasileiros, distribuição para 4,6 milhões de escravos cuja região africana de partida é conhecida, 1581-1850.

	Senegambia, Serra Leoa & Winward Coast	Costa do Ouro	Golfo de Benin	Golfo de Biafra	Centro Oeste da África	Sudoeste da África	Total	Número
A: Rio de Janeiro								
< 1699	0,0	0,0	0,3	0,0	99,7	0,0	100,0	224.670
1700-49	0,9	0,9	5,3	0,3	92,6	0,0	100,0	280.421
1750-99	0,0	0,0	3,4	0,0	96,1	0,5	100,0	474.833
1800 >	0,2	0,1	1,4	1,5	78,9	17,9	100,0	1.280.063
Total	0,2	0,2	2,2	0,9	86,3	10,2	100,0	2.259.987
B: Bahia								
< 1699	2,2	0,6	13,4	2,8	78,5	2,4	100,0	317.842
1700-49	1,2	1,9	59,9	6,0	30,8	0,2	100,0	414.291
1750-99	0,2	0,1	59,1	1,9	38,3	0,4	100,0	399.860
1800 >	1,9	0,2	48,3	7,0	39,4	3,1	100,0	413.014
Total	1,3	0,7	47,0	4,5	44,8	1,5	100,0	1.545.007
C: Pernambuco								
< 1699	0,3	2,2	3,6	2,2	91,4	0,0	100,0	238.909
1700-49	0,8	21,2	28,4	0,4	47,7	0,0	100,0	184.179
1750-99	0,3	0,2	13,4	0,8	85,4	0,0	100,0	144.885
1800 >	1,0	0,6	2,5	7,4	82,6	5,9	100,0	256.340
Total	0,6	5,5	10,4	3,1	78,1	1,8	100,0	824.313
Total Geral	0,8	1,3	18,5	2,4	71,2	5,8	100,0	4.629.307

Fonte: New Emory, acessado em 11 de outubro de 2008.
Nota: Esta tabela é uma reconstrução parcial da chegada dos escravos ao Brasil; há informações perdidas e os números são estimativa e não registros oficiais.

A ligação Bahia-Benin foi intensa e envolveu a movimentação de pessoas, mercadorias e até mesmo ideias através do Atlântico Sul. Inicialmente, os portugueses construíram uma feitoria e um forte em Elmina. Quando os holandeses tomaram a região na primeira metade do século XVII, houve um redirecionamento temporário do comércio para as outras áreas. Mas o crescimento de um forte comércio entre a África e o Nordeste brasileiro anterior ao domínio holandês impediu que essa ligação fosse totalmente interrompida pela Holanda. A demanda africana pelo fumo baiano era tão intensa que os holandeses viram-se forçados a fazer concessões e permitir a continuidade do comércio. Além disso, com a abertura dos campos auríferos em Minas, os comerciantes brasileiros e portugueses intensificaram suas relações com a região de Benin, dispondo também de ouro para a aquisição de escravos. A relação especial entre essas duas regiões foi tão intensa e duradoura que o Nordeste brasileiro provavelmente foi a mais concentrada área das culturas ganesa e nigeriana na América. O relacionamento foi tão estreito e recente que mesmo no período pós-abolição manteve-se um fluxo de retorno de afro-brasileiros para as regiões do golfo de Benin, a fim de lá se estabelecerem; houve também intenso fluxo cultural, contribuindo para reforçar a influência africana nas crenças religiosas no Brasil no final do século XIX[4].

O tráfico de cativos da África começou a um ritmo relativamente lento. Humanos escravizados foram apenas uma das principais mercadorias exportadas da África para a Europa e a América nos primeiros dois séculos e meio do contato pelo Atlântico. Só em princípios do século XVIII os escravos tornaram-se o mais importante item de "exportação" da África[5]. Foram os portugueses que abriram a costa atlântica da África ao comércio internacional, e nessa época o ouro e o marfim eram mais importantes do que os escravos para os mercadores. Mas à medida que o Brasil se desenvolveu como importante economia de *plantation,* isso mudou. Embora os portugueses atuassem em toda a costa, a maioria dos cativos despachados para o Brasil — estimada em 71% — proveio da região do Congo-Angola, parte da qual havia sido colonizada por mercadores portugueses no século XVI. No século XIX ocorreu um significativo avanço do tráfico para o Brasil: os portos de Moçambique finalmente foram franqueados aos traficantes portugueses de escravos. Embora o tráfico originado nessa região fosse intenso, especialmente em fins dos anos 1830, os portos de Moçambique foram responsáveis por pequena parcela dos escravos desembarcados no Brasil. Estima-se que 85% desses cativos moçambicanos tenham ido para o Rio de Janeiro, mas mesmo nesse porto eles constituíram somente 17% das entradas de escravos no século XIX. Assim, as regiões de Biafra e centro-oeste africano, somadas, permaneceram até o fim como principal área do tráfico, e apenas 6% de todos os cativos mandados para o Brasil no século XIX provieram do leste da África (ver Tabela 6.1 acima).

Em contraste com a maior parte do tráfico para outras regiões do mundo, o tráfico de escravos para o Brasil foi, desde o início, monopólio de portugueses e brasileiros, e assim permaneceu até encerrar-se em 1850. Portugueses e brasileiros tiveram um papel expressivo no início do tráfico para a América espanhola e foram também importantes no tráfico para Cuba nas décadas mais avançadas do século XIX[6]. Apesar da tradicional discriminação anglo-saxã contra os portugueses, refletida na literatura histórica[7], não houve diferença substancial entre lusos e outros traficantes europeus no modo como transportaram e trataram os africanos. Independentemente da nacionalidade dos traficantes, quase todos lidaram com os cativos de maneira semelhante, especialmente no século XVIII. Todos os europeus transportavam aproximadamente o mesmo número de africanos por navio em embarcações mais ou menos do mesmo tamanho, fazendo em tempos equivalentes a travessia atlântica. Abrigavam e alimentavam seus cativos do mesmo modo e, apesar dos costumeiros desmentidos e preconceitos, tratavam seus escravos com graus equivalentes de crueldade ou atenção. Tiveram aproximadamente as mesmas porcentagens de êxito e fracasso na travessia do Atlântico com seus cativos, e níveis semelhantes de mortalidade[8].

Embora os ingleses tenham introduzido cirurgiões antes de outros traficantes, essa medida teve pouco impacto mensurável sobre a mortalidade ou a incidência de doenças entre os africanos a bordo dos navios negreiros. A melhora generalizada nos conhecimentos dos europeus sobre alimentação e o uso de métodos incipientes de vacinação contra a varíola disseminaram-se por todos os países que traficavam cativos na segunda metade do século XVIII. Esse fato parece explicar a queda uniforme nas taxas médias de mortalidade, que passaram de aproximadamente 20% no período pré-1700 para cerca de 5% a 8% em fins do século XVIII e começo do XIX[9].

Cabe ressaltar que, apesar de as taxas de mortalidade terem diminuído do século XVI até o início do século XIX, elas ainda eram extremamente elevadas, e teriam sido consideradas de proporções epidêmicas caso se registrassem em uma população de faixa etária equivalente que não estivesse sendo transportada. Além disso, também seriam altas se ocorressem para não escravos transportados nesse período. Os escravos tiveram, em média, metade do espaço dado a condenados, emigrantes ou soldados transportados no mesmo período, e obviamente dispuseram apenas dos mais rudimentares recursos sanitários. Embora as taxas de mortalidade entre esses outros grupos de classes inferiores às vezes fosse tão alta quanto a dos africanos, elas finalmente caíram para menos de 1% no final do século XVIII e começo do XIX: índice sempre superado no tráfico de escravos[10]. Até mesmo a taxa de 5% para um período de dois a três meses em uma população de adultos jovens sadios na segunda metade do século XVIII — a melhor taxa obtida pelos traficantes de escravos — era muito alta. Em uma população contemporânea de camponeses europeus não migrantes, esse índice teria sido considerado de proporções epidêmicas, sobretudo porque todos os transportados no tráfico eram sadios e partiam em boas condições físicas. Embora os traficantes europeus aplicassem tudo o que sabiam sobre medidas de saúde e saneamento, a maioria delas pouco adiantava, pois o modo característico de transportar trezentos escravos em um navio de duzentos toneladas garantia um ambiente insalubre do qual poucos escapavam ilesos.

Ainda que em geral o tempo de travessia não se correlacionasse com a mortalidade, em algumas rotas ele era um fator determinante. O tráfico do leste africano proveniente de Moçambique em fins do século XVIII e no século XIX, simplesmente por ser um terço mais longo do que qualquer outra rota, destacou-se por taxas globais de mortalidade mais elevadas do que as rotas do oeste da África; no entanto, a mortalidade diária no mar era igual ou menor do que a das rotas mais curtas. Além disso, a simples aglomeração de cativos oriundos de várias zonas epidemiológicas da África provocava a transmissão de um conjunto de doenças endêmicas a todos os embarcados. Deve-se lembrar que muitos escravos que desembarcavam adoecidos morriam logo depois do seu desembarque no Brasil. Estimou-se que, no porto do Rio de Janeiro em 1825 e 1828, a taxa de mortalidade para os escravos recém-chegados tenha variado de 2,3% a 4% do total de escravos desembarcados nesses anos[11]. Embora se desconheça a mortalidade durante os trajetos dos portos marítimos para o interior, provavelmente era relativamente baixa. Muitos cativos recém-chegados (chamados de "novos", ou escravos não batizados e que não falavam português) eram logo transferidos do porto juntamente com escravos "ladinos" (os que já residiam no Brasil e falavam português), em grupos numerosos levados em tropas de mulas. Um estudo recente calculou que, em média, mais de 18 mil cativos por ano no período 1824-1830 foram levados do porto do Rio de Janeiro para as províncias de Minas Gerais, Rio de Janeiro e São Paulo, e esse número representa, em média, cerca de metade dos africanos recém-desembarcados no porto[12].

Embora o *markup* dos preços dos escravos na América relativamente aos preços pagos na África fosse alto, os vendedores africanos controlavam as condições de oferta e exigiam mercadorias caras em pagamento pelos cativos que forneciam. Produtos têxteis, a maioria proveniente de tecelagens da Índia, eram as principais importações europeias usadas para pagar pelos escravos. No caso do tráfico português, o processo consistia em remeter mercadorias diretamente da Índia para a África, além de armas, pólvora, aguardente, fumo e ouro em pó do Brasil para efetuar os pagamentos. Todos esses artigos, juntamente com lingotes de ferro, representavam um custo elevado para os europeus, e mesmo quando se usavam cauris e/ou outros artigos aceitos como moeda na África, estes tinham de ser pagos com mercadorias europeias, as quais, por sua vez, eram pagas com ouro e prata[13].

Em contraste com boa parte das principais rotas do tráfico, que foram triangulares entre Europa, África e América, o tráfico da África ao Brasil foi direto[14]. O tráfico português/brasileiro nunca envolveu Portugal diretamente. Eram navios vindos do Brasil que transportavam mercadorias brasileiras para a África e voltavam direto para os portos brasileiros trazendo cativos. Eram navios portugueses que levavam mercadorias asiáticas para a África e com elas compravam escravos. Embora o capital mercantil português estivesse envolvido em todos os aspectos do tráfico, ao lado de uma crescente parcela de capital brasileiro, nenhum navio negreiro se dirigia a Portugal. Além disso, como portugueses residiam em Moçambique e Angola, eles provavelmente podiam comprar escravos africanos com um pouco mais de presteza do que a maioria dos outros europeus com seu usual sistema de comércio marítimo. As mercadorias da Ásia usadas para comprar cativos africanos, em vez de serem trazidas por comerciantes brasileiros, em geral eram adquiridas diretamente da Ásia para as feitorias africanas, enquanto os navios brasileiros concentravam-se no transporte de mercadorias produzidas no Brasil, como aguardente, pólvora, fumo e ouro, as quais também eram usadas para comprar cativos[15].

Embora muitos fazendeiros afirmassem preferir cativos africanos de determinada nacionalidade ou grupo, hoje está evidente que eles aceitavam o que pudessem obter, e que isso dependia exclusivamente das condições na África. Todos os estudos sobre as rotas de tráfico indicam que os europeus, exceto os portugueses em Angola e Moçambique, desconheciam a natureza das sociedades com as quais negociavam. Na maioria dos casos, os africanos eram simplesmente designados segundo o porto de embarque, e não conforme sua etnia ou identidade nacional. Em algumas ocasiões, como quando ocorria o colapso de um grande Estado ou alguma derrota militar importante, nações inteiras de grupos bem definidos e claramente delineados entravam no tráfico de escravos e ficavam conhecidas na América por seus nomes corretos. Essa, porém, era uma exceção e não a regra. Enquanto os europeus lutavam uns contra os outros para proteger áreas específicas da costa oeste da África, intrusos de outros países europeus e de outros grupos africanos desdobravam-se para garantir que nenhum monopólio fosse criado. Embora os portugueses controlassem Benguela e Luanda, por exemplo, os franceses e ingleses obtinham cativos nas mesmas áreas do interior ancorando mais ao norte ao longo da costa loango-congolesa. Muitas tentativas por um grupo africano de monopolizar o tráfico local resultaram na abertura de novas rotas de tráfico pelos concorrentes.

As condições da oferta na África eram determinantes não só na origem dos escravos embarcados, como também na sua composição por sexo. Estimou-se que 65% de todos os africanos emigrados eram do sexo masculino[16]. Embora existisse um diferencial de preço para homens e mulheres na América, ele não basta para explicar a maioria de quase dois terços de homens entre os cativos trazidos. As mulheres executavam quase as mesmas tarefas braçais que os homens nas fazendas da América e, inclusive, eram maioria em boa parte das turmas de trabalhadores nas lavouras de cana, café e algodão. Assim, no Brasil havia forte demanda por mulheres africanas, livres e escravas, mas as condições de oferta na África foram a razão de menos mulheres entrarem no tráfico atlântico. Em algumas sociedades africanas, as mulheres eram muito valorizadas por serem um meio de adquirir prestígio, laços de parentesco e filhos. Uma das características distintivas das sociedades da África ocidental foi a ênfase nos sistemas de parentesco matrilineares e matrilocais. Como até mesmo escravas podiam ser elos significativos nas redes familiares, sua importância no sistema social era muito acentuada. Além disso, era mais barato adquirir cativas do que mulheres livres nas sociedades polígamas; por isso, as escravas eram valorizadas em sociedades onde vigorava esse sistema de casamento. Ainda mais importante foi a disseminada prática, na África ocidental, de usar principalmente mulheres no trabalho agrícola. Por todas essas razões, as mulheres tinham preços mais altos do que os homens nos mercados internos africanos[17].

Além da presença predominante de homens, o tráfico também se caracterizou pela parcela pequena de crianças, que compuseram, em média, 22% das pessoas transportadas[18]. Embora durante a travessia as crianças não apresentassem taxas de mortalidade mais elevadas do que os demais grupos de cativos, seu baixo preço de venda combinado ao custo de transporte igual ao dos adultos desestimulava a compra de crianças pelos navios negreiros.

Todos esses desequilíbrios de idade e sexo entre os migrantes africanos tiveram um impacto direto sobre o crescimento e declínio das populações cativas afro-brasileiras. A baixa porcentagem de mulheres em cada navio que aportava, o fato de que a maioria dessas cativas eram adultas maduras que já haviam passado vários de seus anos reprodutivos na África e o fato de que relativamente poucas crianças foram trazidas para o Brasil tiveram importância fundamental na história subsequente do crescimento populacional. Tais circunstâncias impossibilitaram aos escravos trazidos da África para a América manter numericamente sua população por meio de novos nascimentos. As africanas que vieram para o Brasil haviam deixado para trás vários de seus anos de potencial reprodução, e eram incapazes de repor até mesmo o número total de sua coorte imigrante, que dirá de criar uma geração mais numerosa do que a das pessoas trazidas da África. As regiões brasileiras onde houve um afluxo intenso e constante de escravos africanos tiveram dificuldade para manter suas populações cativas, e ainda mais para aumentá-las numericamente, sem recorrer a mais migrantes. Foi só nas regiões onde o tráfico se extinguiu ou perdeu importância antes do fim da escravidão que as taxas de crescimento natural positivas — comuns no segmento dos escravos nascidos no Brasil — permitiram o crescimento da população escrava residente como um todo. O clássico caso de taxa de crescimento positiva foi o da população cativa dos Estados Unidos, que inquestionavelmente apresentou o mais elevado nível de reprodução dentre todos os regimes escravistas das Américas[19]. Mas os Estados Unidos não foram uma exclusividade. Estudos recentes apontaram que algumas províncias brasileiras também atingiram taxas positivas de crescimento natural antes do fim do tráfico atlântico, embora não chegassem perto das norte-americanas. Destacaram-se nesse aspecto as províncias de Minas Gerais, Paraná e Piauí no século XIX[20].

O impacto dos desequilíbrios de idade e sexo dos escravos trazidos da África pode ser visto em uma amostra, razoavelmente completa, de um grande contingente de cativos divididos por origem nas províncias de São Paulo em fins dos anos 1820 (ver Gráfico 6.5a-6.5b) e Minas Gerais no começo da década de 1830 (ver Gráfico 6.6a-6.6b). Como se pode notar nas pirâmides etárias dos cativos nascidos na África, predominou o sexo masculino, e os homens em idade de trabalho compuseram as coortes mais importantes, enquanto os escravos nascidos no Brasil nas duas províncias originaram uma pirâmide etária característica de uma população pré-transição, com uma distribuição próxima da normal para homens e mulheres. Entretanto, a população escrava total residente nas duas províncias reflete profundamente a influência dos africanos, e isso, obviamente, ocasionou taxas de crescimento populacional negativas (ver Gráfico 6.5c-6.6c). A razão de sexo para os cativos de São Paulo foi da ordem de 154, e para os de Minas foi quase idêntica: 155.

Gráfico 6.5a: Pirâmide etária dos escravos africanos, São Paulo, 1829 (n = 29.989).

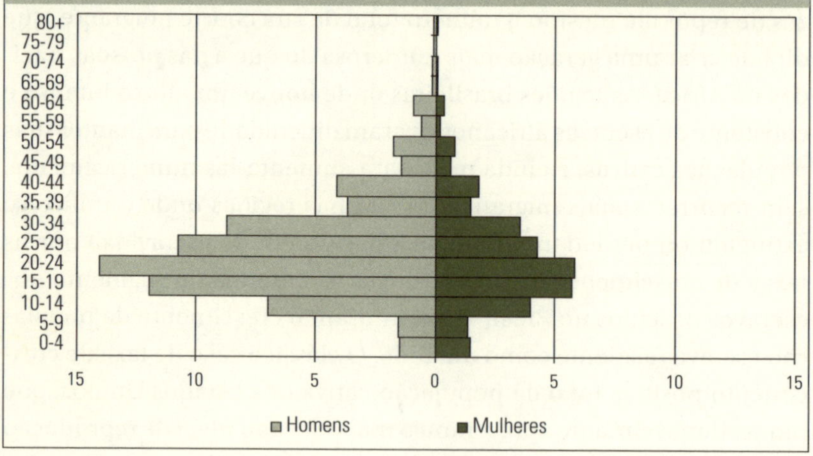

Gráfico 6.5b: Pirâmide etária dos escravos nascidos no Brasil, São Paulo, 1829 (n = 22.554).

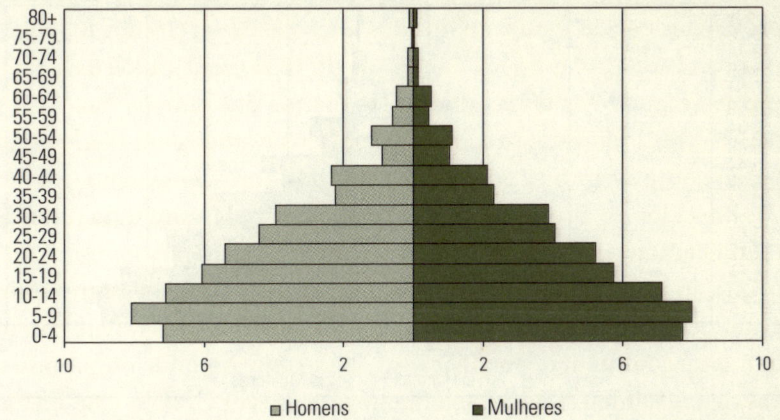

Gráfico 6.6a: Pirâmide etária dos escravos africanos, Minas Gerais, 1829. (n = 55.843).

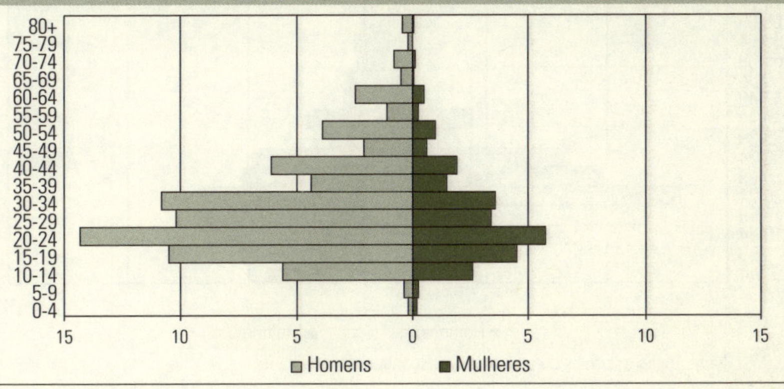

Gráfico 6.6b: Pirâmide etária dos escravos nascidos no Brasil, Minas Gerais, 1829 (n = 74.047).

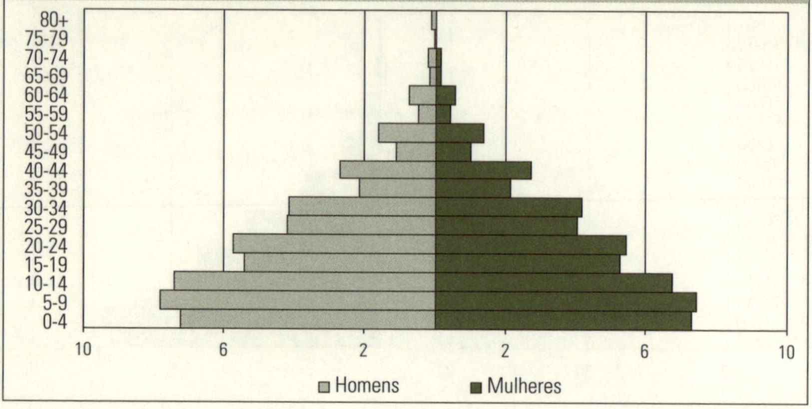

Gráfico 6.5c: Pirâmide etária de todos os escravos, São Paulo, 1829 (n = 75.072).

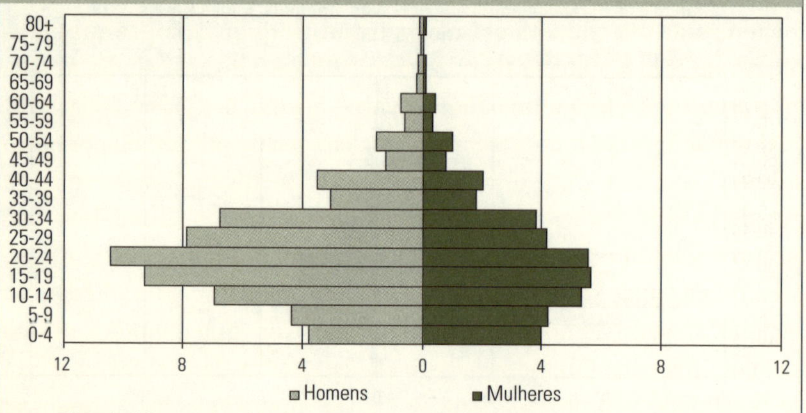

Nota: Inclui escravos cuja origem é desconhecida.

Gráfico 6.6c: Pirâmide etária de todos os escravos, Minas Gerais, 1829 (n = 129.890).

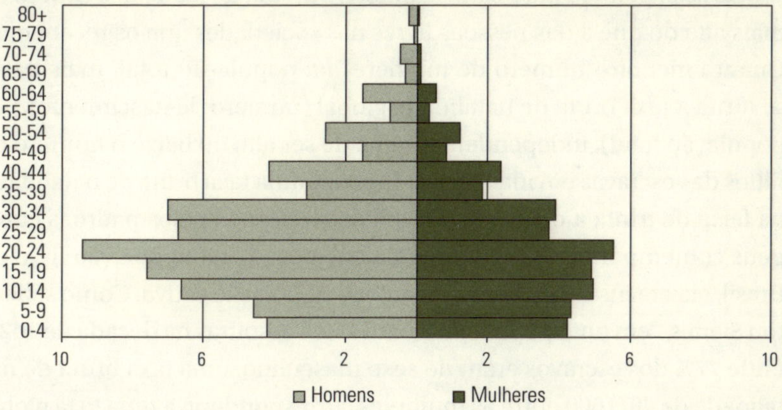

Essa tendência de declínio populacional sob o impacto do tráfico foi percebida por contemporâneos, a maioria dos quais supôs que ela se relacionasse às condições do tratamento dispensado aos cativos. Analistas posteriores retomaram o tema, e várias afirmações foram feitas acerca do melhor ou pior tratamento físico dispensado por um ou por outro sistema escravista e por este ou aquele tipo de atividade ou cultura da grande lavoura. Defendeu-se a lógica econômica dos fazendeiros, que teriam rejeitado a reprodução por ser dispendiosa demais e, portanto, preferido a "mais barata" importação de escravos africanos adultos. No entanto, análises demográficas recentes mostram que nenhuma dessas ideias se sustenta. Em todos os regimes escravistas das Américas, a taxa de natalidade padronizada para as cativas americanas foi comparável com a registrada pela maioria dos países europeus contemporâneos, ou até mais elevada. Enquanto os cativos nos Estados Unidos no século XIX tinham taxas de fecundidade altíssimas por qualquer padrão — na faixa de cinquenta nascimentos por mil — para os cativos do Brasil as taxas de natalidade situavam-se na faixa dos 35 a 45 por mil, valores razoavelmente elevados pelos padrões europeus contemporâneos[21].

Mas essas altas taxas de natalidade das escravas foram insuficientes para manter as populações locais, devido ao número desproporcional de homens entre os africanos desembarcados e às elevadíssimas taxas de mortalidade dos cativos, resultante da elevada proporção de adultos na escravaria que chegava ao Brasil. Em todos os sistemas escravistas americanos com altos índices de imigração de africanos, a razão de sexo pendeu para o masculino, e a média de idade dos cativos foi mais alta do que a das pessoas livres nas sociedades que os receberam. Quanto menor o número de mulheres na população total, mais baixa se torna a taxa bruta de natalidade global (número de nascimentos por população total), independentemente de ser alto ou baixo o número de filhos das escravas em idade fértil. Embora uma taxa bruta de natalidade na faixa de trinta a quarenta por mil fosse elevada pelos padrões europeus contemporâneos e próxima da encontrada na população livre do Brasil, ela era insuficiente para manter a população cativa. Como salientou Slenes, "em uma população como a de Vassouras na década de 1820, onde 77% dos escravos eram do sexo masculino, uma taxa bruta de natalidade de 40/1000 entre as mulheres corresponderia a uma taxa global de apenas 18/1000". Portanto, ele conclui, o desequilíbrio entre os sexos na população cativa devido ao tráfico é "a principal razão de as mortes excederem os nascimentos na primeira metade do século XIX. [...] nessas circunstâncias, mesmo uma alta fecundidade intrínseca resultaria apenas em uma taxa bruta de natalidade moderada ou baixa"[22].

Também as taxas de mortalidade eram elevadas para os escravos. Considerando a idade dos africanos imigrantes, entre os quais eram raras as crianças e adolescentes, era inevitável que a população imigrante apresentasse uma taxa bruta de mortalidade mais alta que a dos escravos nascidos no Brasil ou das pessoas livres. Se os africanos compusessem uma parte suficientemente grande da população cativa, suas altas taxas de mortalidade influenciariam as taxas de mortalidade totais. E foi isso que ocorreu. Obviamente, para a segunda geração de escravos, já nascida na América, as taxas de mortalidade aproximaram-se mais das encontradas entre as populações livres nativas. Mas as taxas de mortalidade dos escravos, mesmo nas melhores condições, invariavelmente foram mais elevadas do que as da população livre em quase todas as áreas.

Por essa razão, era preciso taxas brutas de natalidade na faixa entre 45 e 55 por mil pessoas para suplantar as taxas brutas de mortalidade próximas dos 45 por mil. Pelos padrões mundiais, essas taxas de natalidade eram extremamente elevadas, e no entanto foram encontradas na maioria dos regimes escravistas da América, e entre as escravas nascidas no Brasil. O declínio da população escrava total em colônias escravocratas muitas vezes mascarou uma taxa de crescimento positiva da escravaria nascida no Brasil, e quando a primeira geração de africanos morreu e não foi substituída, normalmente a população escrava nascida no Brasil apresentou crescimento. Em geral, esse crescimento ocorria se não houvesse demasiadas alforrias de mulheres jovens — as quais, aliás, compunham a maior parcela dos forros — e se não existisse tráfico interno ou intra-americano de escravos que removesse cativos mais jovens da população local. Este último movimento ocorreu, de fato, no Nordeste brasileiro, onde um importante tráfico interno após 1850 retirou homens e mulheres jovens das populações da Bahia, Pernambuco e outras províncias, bem como do Rio Grande do Sul e Santa Catarina. Como resultado, essas regiões continuaram a apresentar um declínio na população cativa total, apesar das altas taxas de natalidade entre os escravos nascidos no Brasil e da redução gradual da população nascida na África.

Nos casos em que não houve migração para fora da área, e as alforrias foram mantidas em um nível baixo e privilegiaram escravos mais velhos em idade pós-reprodutiva, os sistemas escravistas da América recomeçaram a crescer mais ou menos uma geração depois do fim do tráfico atlântico. Embora essa pareça ter sido a regra para a maioria dos sistemas escravistas americanos, nenhum deles chegou perto dos níveis de crescimento atingidos pela população escrava dos Estados Unidos. Como salientaram muitos estudiosos, Estados Unidos e Brasil começaram o século XIX com uma população escrava de um milhão de pessoas cada um. O Brasil importou aproximadamente dois milhões de cativos no século XIX e tinha, em fins dos anos 1850, uma população escrava residente de apenas 1,7 milhão; já os Estados Unidos importaram algumas centenas de milhares de cativos e registraram uma população residente de quatro milhões de cativos às vésperas da Guerra de Secessão. Se, no entanto, acrescentarmos os escravos alforriados e seus filhos, a diferença diminui consideravelmente. Havia apenas 4,4 milhões de afro-americanos livres e escravos nos Estados Unidos na época da Guerra de Secessão, enquanto no Brasil na época do primeiro censo de 1872 esses dois grupos somavam 5,8 milhões de pessoas. Isso leva a crer que as duas sociedades tiveram um crescimento positivo de sua população africana original muito além dos números iniciais de cativos trazidos pelo tráfico, embora ainda assim a população afro-americana da América do Norte crescesse a um ritmo mais acelerado.

Muitos afirmaram que o tratamento dispensado aos escravos nos Estados Unidos diferiu do praticado no resto da América. Essa ideia foi corroborada com uma comparação das estatísticas demográficas da população cativa dos Estados Unidos com as de todos os demais grupos de escravos nas Américas. Esse argumento, porém, contém sérios problemas em vários aspectos. Para começar, as taxas de natalidade e mortalidade dos escravos em toda a América refletiram as dos brancos e as da população livre de cor entre os quais os cativos viviam, e essas taxas diferiram entre as populações livres dos diversos países. As taxas da população escrava da América Latina foram próximas das taxas das populações livres em seus respectivos países, assim como as taxas da população cativa nos Estados Unidos foram próximas das da respectiva população livre. Portanto, a comparação não é entre grupos de escravos em determinadas fronteiras políticas, mas dentro de cada país, entre sua população escrava e livre. Todos os dados até o presente indicam que as taxas de mortalidade dos escravos brasileiros foram mais altas que as dos cativos dos Estados Unidos, mas em compensação as taxas correspondentes para os brancos apresentaram as mesmas proporções. Isso indica que o argumento de que é possível detectar uma diferença de tratamento apenas comparando as taxas de mortalidade dos escravos entre fronteiras coloniais e nacionais não se sustenta se forem comparadas apenas as populações escravas. É preciso analisar as estatísticas demográficas da sociedade como um todo.

Há também quem afirme que diferentes padrões de fecundidade entre as mulheres indicam diferenças de tratamento. Como a fecundidade das mulheres é influenciada pela alimentação e pelo tratamento, seria de esperar que em sistemas com "bom tratamento" as idades em que as mulheres começam a ter filhos e em que têm o último parto sejam bem diferentes. Não há dúvida de que as escravas norte-americanas apresentaram as mais altas taxas de fecundidade de todas as cativas das Américas. Mas isso, na verdade, pode não ser resultado do tratamento. A comparação do primeiro e último parto de escravas nas Antilhas com as de cativas nos Estados Unidos mostra uma diferença apenas moderada. O tempo decorrido entre cada gestação diferiu para as escravas norte-americanas e as cativas de todas as outras sociedades escravistas das Américas, mas isso parece dever-se sobretudo a práticas de aleitamento distintas: as escravas nos Estados Unidos adotaram os períodos mais curtos dos norte-europeus, e todas as demais mantiveram os períodos africanos, mais longos. Assim, o tratamento, em si, não diferiu o suficiente entre os sistemas escravistas americanos para explicar as diferenças nas taxas de natalidade. Embora isso não signifique necessariamente que o tratamento fosse igual em todas as regiões ou que alguns regimes de trabalho não se mostrassem mais opressivos que outros, ou ainda que certas sociedades fossem mais pró-natalistas do que outras, temos aí uma prova de que a questão do "tratamento" é difícil de responder e que as minuciosas reconstituições demográficas realizadas até o presente não são úteis aos que anseiam por identificar sua história de escravidão como "melhor" do que outras[23].

Embora contemporâneos e estudiosos posteriores tenham teorizado profusamente sobre a expectativa de vida dos escravos, evidenciou-se que ela não diferiu da encontrada entre as populações livres das sociedades em que os cativos viveram. Um tema favorito, mesmo na literatura dos Oitocentos, é o da vida média de trabalho de sete anos para o escravo que entrava na idade adulta ou que chegava à América. Porém, mesmo adicionando-se a mortalidade relativamente elevada dos africanos recém-chegados nos primeiros meses em que tinham contato com as doenças de um novo meio — o chamado processo de "aclimatação" —, uma mortalidade tão elevada não ocorria nem mesmo entre os africanos, quanto mais entre os escravos nascidos no Brasil. A expectativa média de vida para os cativos nascidos na América Latina era de vinte e poucos anos. Ela contrasta com a dos cativos estadunidenses, que podiam esperar viver até o meio da casa dos trinta. Mas nos dois casos as taxas dos escravos refletem as das populações livres dos respectivos locais: os latino-americanos livres tinham expectativa de vida mais baixa que os norte-americanos livres. Além disso, a diferença de anos na expectativa de vida entre não escravos e escravos era muito maior nos Estados Unidos do que no Brasil. Para a população estadunidense em 1870, ela era de 42 anos para homens e 43 para as mulheres[24], enquanto para os cativos residentes nesse mesmo ano foi estimada em 33 anos para ambos os sexos, cerca de dez a onze anos a menos que a da população total[25]. No Brasil em 1872 a população total tinha uma expectativa média de vida de apenas 27 anos para ambos os sexos, sendo esta apenas 3,7 anos mais longa que a dos escravos do sexo masculino naquele ano, e somente 2,3 anos maior que a das escravas[26].

Quando se diz que a expectativa de vida para um escravo do sexo masculino no Brasil era de 23 anos nesse período (uma estimativa por cima), isso não quer dizer que um cativo morria em média nessa idade. Devemos lembrar que a mortalidade infantil era tão elevada no Brasil no século XIX que um terço de todos os meninos morria antes de completar um ano de vida, e pouco menos de metade não vivia além dos cinco anos. Para os cativos do sexo masculino que chegavam a completar um ano de idade, a expectativa de vida era de 33,6 anos; para os que sobreviviam aos cinco primeiros anos, o número médio de anos de vida restantes era 38,4 (ver Gráfico 6.7). Portanto, um escravo do sexo masculino que sobrevivesse aos perigosíssimos primeiros anos de vida tinha uma excelente chance de chegar à casa dos quarenta. Para as cativas, a expectativa de vida era maior. Apenas 27% delas morriam antes de um ano de idade, e 43% antes dos cinco anos; isso significa que a expectativa de vida ao nascer para as escravas era de 25,5 anos, com as correspondentes expectativas das que sobrevivessem ao primeiro ano chegando a 34 anos, e das que sobrevivessem aos cinco primeiros atingindo os 39 anos.

Gráfico 6.7: Estimativa do limite luperior da expectativa de vida dos escravos (desde o nascimento e coorte de cinco anos).

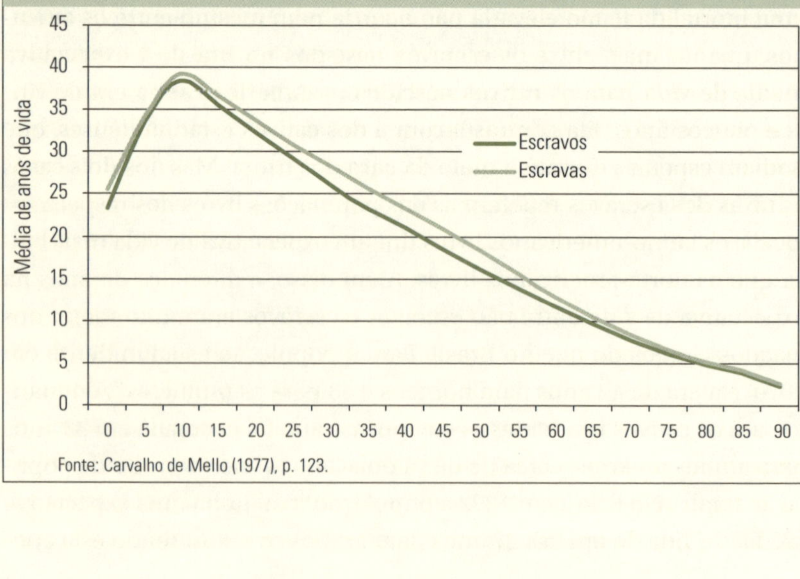

Fonte: Carvalho de Mello (1977), p. 123.

Finalmente, os dados disponíveis indicam que, embora a taxa de mortalidade infantil dos escravos fosse mais elevada que a da população como um todo, essa diferença diminuía significativamente nas idades de um e cinco anos (ver Tabela 6.2).

Tabela 6.2: Expectativa de vida dos escravos e da população total, com idades de 0, 1 e 5 anos.

Idades	População escrava	Total população	Diferença entre população total e escravos
0	23,4	25,5	2,2
1	33,6	34,2	0,6
5	38,4	39,3	0,9

Fonte: A mesma do Gráfico 6.7.

Os cativos que sobreviviam à disenteria e a outras doenças infantis obviamente tinham uma vida de trabalho média muito superior aos míticos sete anos. Ainda assim, não devemos esquecer que os cativos eram uma população quase exclusivamente trabalhadora e sofriam mais que proporcionalmente de acidentes de trabalho e das doenças infecciosas e relacionadas à alimentação que assolavam a população mais pobre[27]. Embora nas áreas rurais suas condições de saneamento e moradia provavelmente fossem melhores que as existentes para uma família média de agricultores livres dedicados aos cultivos de subsistência, o consumo de alimento dos cativos provavelmente não era muito melhor que o dos elementos mais pobres da sociedade. Portanto, considerando sua concentração exclusiva nas classes trabalhadoras do país, o alto índice de acidentes de trabalho e as altas porcentagens de participação na mão de obra, não admira que os escravos apresentassem os piores índices de doença e mortalidade em suas respectivas sociedades. Embora os níveis gerais de doença e mortalidade em cada sociedade americana individualmente considerada possam explicar os diferentes indicadores entre os sistemas escravistas, sem dúvida os cativos tiveram os piores níveis em todas as sociedades em que viveram.

Quando o tráfico atlântico chegou ao fim, havia ainda uma distribuição razoavelmente equilibrada dos cativos africanos pelo Brasil. As novas zonas cafeeiras do Rio de Janeiro estavam crescendo rapidamente e absorvendo cada vez mais cativos, enquanto as zonas açucareiras nordestinas ainda possuíam uma população escrava bem significativa, e o mesmo se podia dizer quanto às economias pecuaristas mais ao sul. Mas o fim do tráfico atlântico acarretou um aumento secular nos preços dos escravos[28]. Isso, por sua vez, tornou a mão de obra cativa nas economias mais marginais uma força de trabalho demasiado cara. De modo lento e contínuo, os escravos foram substituídos por uma força de trabalho livre, a qual, além disso, cresceu depressa nesse período. Ao mesmo tempo, preços atrativos agora estavam disponíveis aos senhores que desejassem vender seus escravos, e assim teve início um intenso tráfico interno. Com certa uniformidade, as regiões açucareiras e pecuaristas mais antigas começaram a registrar um constante declínio em sua força de trabalho escrava, enquanto os municípios cafeeiros do Sudeste passaram a expandir sua escravaria.

Embora sempre tenha existido no Brasil um tráfico interno de escravos, especialmente considerando-se que era comum encaminhar os africanos desembarcados nos principais portos costeiros para portos menores ou para regiões interioranas, o tráfico pós-1850 foi muito mais intenso[29]. Portanto, mesmo a movimentação inter-regional por via marítima não foi um fenômeno novo em 1850, e houve um tráfico interprovincial constante e disseminado mesmo enquanto o tráfico atlântico estava no auge. Além disso, como indicaram estudos recentes, uma importante parte do tráfico interno, tanto antes como depois de 1850, foi acentuadamente local, envolvendo transferências de cativos por terra dentro das fronteiras provinciais ou entre províncias contíguas. Como seria de esperar, os cativos vendidos nos mercados locais de São Paulo nos anos 1860 até a década de 1880 encontravam-se principalmente na faixa etária de 15 a 24 anos. Na maioria dos casos predominavam os do sexo masculino, embora em alguns mercados fossem vendidas quase tantas mulheres jovens quanto homens[30]. A maioria dos cativos vendidos em municípios individualmente considerados provinha de outras regiões da província, e só uma minoria era oriunda das províncias nordestinas, sendo que a maioria desses cativos nordestinos chegou no período 1876-1880. Aventou-se que uma crise agrícola no Nordeste em 1877-1879 teria ocasionado um período particularmente ativo do tráfico, com traficantes especializados comprando escravos locais para vendê-los fora da província[31]. Ademais, aparentemente os preços dos escravos no Nordeste foram consideravelmente mais baixos do que na região Sudeste, o que tornava esse tráfico lucrativo[32]. Não obstante, a impressão geral dada por todas essas vendas de cativos em mercados locais é que as vendas locais, regionais e intraprovinciais foram mais importantes do que as interprovinciais, mesmo no período anterior ao começo dos anos 1880[33].

Embora o tráfico oriundo dos portos nordestinos ainda apresentasse alguns elementos do tráfico intrarregional com características do período pré-1850, agora esses portos estavam enviando principalmente escravos locais e regionais para os portos do centro-sul que supriam as zonas cafeeiras do Brasil. O mesmo ocorreu nesse período nos portos mais meridionais do império. Os principais destinos desse tráfico costeiro eram Rio de Janeiro, o mais importante, e Santos. Em 1852, por exemplo, o Rio de Janeiro teria importado mais de 4.400 cativos, e sua importação anual média para os anos 1852-1859 foi estimada em 3.327 escravos[34]. Embora não haja dados disponíveis para Santos nesse período, sua importação anual de cativos uma década depois foi da ordem de mil a 2 mil pessoas. Em 1867 foram importados 904 escravos, em 1868 a entrada aumentou para 1.229, e em 1869 para 2.129[35]. Considerando que esses foram os principais portos de entrada dos cativos transportados por mar, a importação pode ter atingido até 5 mil a 6 mil cativos por ano nessas duas décadas. De fato, uma autoridade brasileira contemporânea estimou em 1860 que na década de 1850 cerca de 5.500 escravos foram exportados anualmente só do norte das províncias centrais[36]. Por fim, a diminuição da força de trabalho local levou os Estados "exportadores" a tributar o tráfico para reduzir-lhe o volume e, ajudados pelo governo imperial, eles conseguiram finalmente eliminar a importância do tráfico como fonte de escravos no começo dos anos 1880[37].

Mas mesmo quando a movimentação interprovincial estava em curso, a imensa maioria dos cativos nascidos no Brasil nas principais províncias importadoras (Rio de Janeiro e São Paulo) da região Sudeste era nascida na província em que residia, como se pode constatar pelo censo de 1872 (ver Tabela 6.3). Isso se aplica ainda mais às províncias exportadoras do Nordeste e extremo Sul e à singular província de Minas Gerais, cuja população escrava provavelmente crescia graças a reprodução natural dos escravos ali residentes. Existe apenas uma modesta diferença entre homens e mulheres no que respeita ao nascimento fora da província de residência, e mesmo para a província de São Paulo apenas 10% dos homens e 7% das mulheres provinham das províncias nordestinas. Em ambos os casos, a Bahia era o mais importante Estado de origem dos cativos, seguida por Minas Gerais. Nessa época, os escravos nascidos na África compunham apenas 8% da população cativa. Neste último caso, em comparação com as duas outras províncias importadoras, o Rio de Janeiro tinha maior diversidade, pois nada menos que 19% de sua população escrava era nascida na África, uma porcentagem não encontrada nas outras províncias aqui estudadas[38].

Tabela 6.3: Origem dos escravos e local de residência, por província em 1872 (para pessoas cujo local de nascimento era conhecido).

Província de residência	% de nascidos na província de domicílio		Escravos nascidos no Brasil			Escravos africanos	Porcentagem de africanos
	Homens	Mulheres	Homens	Mulheres	Total		
Minas Gerais	97%	98%	182.501	160.013	342.514	27.945	8%
Rio de Janeiro	94%	93%	109.498	126.875	236.373	56.261	19%
São Paulo	83%	86%	79.607	63.931	143.538	13.061	8%
Bahia	98%	99%	83.186	74.357	157.543	10.281	6%
Pernambuco	97%	97%	45.236	40.709	85.945	3.134	4%
Rio Grande do Sul	96%	96%	32.391	30.296	62.687	5.333	8%

Fonte: Cebrap, 1872, quadros de província, quadros 4, 5 e 6.

Debate-se na literatura se o fim do tráfico teria impelido os fazendeiros a incentivar nascimentos e casamentos entre seus escravos, ou, se teria ocorrido justamente o oposto[39]. Até o presente parece haver poucos indícios de que os fazendeiros fossem mais ou menos pró-natalistas antes e depois de 1850, e estudos recentes sobre as taxas positivas de crescimento natural no Paraná e Minas Gerais antes de 1850 levam a crer que não houve, entre os senhores, nenhuma tendência inerente contra a procriação de crianças escravas e/ou uniões e casamentos entre cativos[40].

Finalmente, o crescimento da população escrava foi influenciado não só por mortes e nascimentos, e por migrações internacionais e interprovinciais, mas também pelas taxas de alforria. Hoje a idade e sexo dos cativos alforriados são bem conhecidos graças a numerosos estudos. Historiadores sistematicamente aprofundaram os estudos pioneiros de Stuart Schwartz e Katia Mattoso para a Bahia. Realizaram mais estudos sobre a Bahia e também para quase todas as regiões do Brasil. Agora , mais do que qualquer outro aspecto quantitativo isoladamente considerado, a análise das cartas de alforria permite uma cobertura nacional muito melhor no estudo da escravidão[41]. Além disso, embora haja algumas variações entre áreas urbanas e rurais e entre as regiões Nordeste e Sudeste, todos os estudos mostram padrões semelhantes: foi maior a proporção de mulheres e jovens na população forra do que na população total, as alforrias voluntariamente concedidas (tanto as que exigiam como as que dispensavam obrigações pós-libertação) foram as mais significativas, e a autocompra sempre constituiu uma parcela importante das alforrias em quase todas as regiões. Foram feitas interessantes tentativas de relacionar os padrões de alforria com o tamanho dos plantéis, e um estudo mostrou que, quanto menor o plantel, maior a taxa de alforria[42]. Aparentemente, africanos e adultos foram mais representativos no grupo da autocompra do que no das alforrias voluntárias. Todos esses temas serão examinados de modo mais completo no capítulo 9; vale a pena, porém, salientar aqui que as taxas de alforria no Brasil no século XIX foram extremamente elevadas pelos padrões americanos e representaram uma constante migração de escravos em idade fértil para fora de sua condição social original.

Inquestionavelmente, a parcela da população brasileira de crescimento mais rápido foi a das pessoas livres de cor. Como as mulheres jovens em idade fértil constituíam o principal grupo alforriado, era inevitável que uma parte importante do crescimento dessa classe se devesse à migração da condição social de escravo para livre. Porém, dada a má qualidade dos dados censitários anteriores a 1872, é difícil medir com precisão os dois diferentes fatores que influenciaram o crescimento da população livre de cor, ou seja, o crescimento natural devido ao número de nascimentos superando o número de mortes e a entrada de pessoas recém-alforriadas. Usando algumas medidas aproximadas, podemos fazer uma vaga estimativa da influência relativa desses dois fatores no aumento da população livre de cor. Por exemplo, a província do Rio de Janeiro — excluindo a corte imperial na cidade do Rio — tinha uma população livre de cor de 64.592 pessoas em 1840, e em 1872 essa população aumentou para 178.960, o que significa uma taxa anual de crescimento de 3,2%. Na vizinha Minas Gerais, a população livre de cor entre 1814 e 1872 também cresceu 3,0% ao ano, e o mesmo ocorreu em Pernambuco entre 1829 e 1872. Até São Paulo, que teve uma das menores taxas de crescimento, viu sua população de cor livre aumentar 2,4% ao ano entre 1811 e 1872. Mesmo os grupos de crescimento mais lento dessas populações, que viviam nas províncias do extremo sul e do oeste, tiveram taxas de 2,0% ao ano ou mais (ver Tabela 6.3). Essas taxas de crescimento não foram encontradas na maioria das populações do mundo antes de haver um sistemático declínio da mortalidade — a chamada transição demográfica —, e esse evento só veio a ocorrer no Brasil no século XX. Para essa população, uma taxa de crescimento natural elevadíssima teria sido de 1% a 1,5% ao ano, mesmo considerando casos de miscigenação envolvendo brancos e pessoas livres de cor[43]. Portanto, metade do crescimento da população livre de cor provavelmente deveu-se à constante entrada de novos alforriados e a outra metade às taxas de crescimento natural. Embora seja difícil obter dados sistemáticos, uma estimativa sugere uma taxa global de alforrias de 8,5% na década de 1870 para todos os escravos que atingiam os dez anos de idade[44].

Tabela 6.4: População livre e escrava no século XIX, distribuição por cor e condição social.

Província	Ano	Livres								
		Brancos	Índios	Caboclos	Pardos	Pretos	Total de livres de cor	Total de livres	Escravos	População total
Amazonas	1819							13.310	6.040	19.350
	1840	3.454	23.339	10.871	1.980		1.980	39.644	940	40.584
	1855							40.907	912	41.819
	1859							42.945	968	43.913
	1860							45.161	1.026	46.187
	1872	11.211	0	36.828	7.256	1.336	8.592	56.631	979	57.610
Pará	1819							90.901	33.000	123.901
	1849							142.811	36.896	179.707
	1872	92.634	0	44.589	93.727	16.829	110.556	247.779	27.458	275.237
Maranhão	1804	23.223	0	0	10.534	2.792	13.326	30.549	37.845	74.194
	1819							66.666	133.334	200.000
	1872	103.513	0	10.943	144.361	25.284	169.645	284.101	74.939	359.040
Piaui	1819							48.321	12.405	60.726
	1826							59.734	25.113	84.847
	1854							136.033	16.858	152.891
	1866							152.766	19.204	171.970
	1870							147.954	19.836	167.790
	1872	43.447	0	13.453	106.665	14.862	121.527	178.427	23.795	202.222
Ceará	1819							145.731	55.439	201.170
	1860							468.318	35.441	503.759
	1873	268.836	0	52.837	339.166	28.934	368.100	689.773	31.913	721.686
R. G. do Norte	1819							61.812	9.109	70.921
	1839	27.638	3.103	0	33.326	6.274	39.600	70.341	10.189	80.530
	1845	48.157	6.785	0	64.770	11.207	75.977	130.919	18.153	149.072
	1872	102.465	0	11.039	84.090	23.365	107.455	220.959	13.020	233.979
Paraíba	1798	12.328	2.817	0	12.876	2.976	15.852	30.997	8.897	39.894
	1804	16.012	0	0	9.331	2.595	11.926	27.938	5.926	33.864

Tabela 6.4: População livre e escrava no século XIX, distribuição por cor e condição social.

Província	Ano	Livres								
		Brancos	Índios	Caboclos	Pardos	Pretos	Total de livres de cor	Total de livres	Escravos	População total
	1811	45.208	3.405	0	47.735	8.426	56.161	104.774	17.633	122.407
	1819							79.725	16.723	96.448
	1852							183.920	28.546	212.466
	1872	144.721	0	9.567	178.596	21.816	200.412	354.700	21.526	376.226
Pernambuco	1819							270.832	77.633	348.465
	1839	90.291	2.094	0	105.141	21.672	126.813	219.198	68.458	287.656
	1872	291.159	0	11.805	387.851	61.696	449.547	752.511	89.028	841.539
Alagoas	1819							42.879	69.094	111.973
	1847	56.199	6.733	0	92.236	12.451	104.687	167.619	39.675	207.294
	1849	56.797	6.603	0	92.134	12.442	104.576	167.976	39.790	207.766
	1855							220.104	48.123	268.227
	1857							205.269	44.418	249.687
	1870							278.194	49.336	327.530
	1872	88.798	0	6.364	200.199	16.907	217.106	312.268	35.741	348.009
Sergipe	1819							88.783	26.213	114.996
	1849	43.542	1.485	0	75.313	17.403	92.716	137.743	n.g.	
	1851							166.426	56.564	222.990
	1872	49.778	0	3.087	81.583	19.172	100.755	153.620	22.623	176.243
Bahia	1819							330.649	147.263	477.912
	1870							957.206	179.561	1.136.767
	1872	331.479	0	49.882	565.704	264.727	830.431	1.211.792	167.824	1.379.616
Minas Gerais	1808	106.684	0	0	129.656	47.937	177.593	284.277	148.772	433.049
	1819							463.342	168.543	631.885
	1872	830.987	0	32.322	598.813	207.154	805.967	1.669.276	370.459	2.039.735
Esp. Santo	1819							52.573	20.272	72.845
	1839	6.730	3.518	0	5.832	767	6.599	16.847	9.233	26.080
	1848	9.994	6.732	0	9.113	2.613	11.726	28.452	n.g.	n.g.
	1856	14.311	6.051	0	13.825	2.626	16.451	36.813	12.269	49.082
	1870							37.127	15.804	52.931
	1872	26.582	0	5.529	20.529	6.838	27.367	59.478	22.659	82.137
Rio de Janeiro	1821							104.676	119.688	224.364
	1840	112.973	5.615	0	51.205	13.387	64.592	183.180	224.012	407.192
	1844	122.152	5.055	0	54.488	15.231	69.719	196.926	239.557	436.483
	1850	160.945	4.952	0	77.193	19.436	96.629	262.526	293.554	556.080
	1872	303.275	0	7.852	121.245	57.715	178.960	490.087	292.637	782.724
Corte	1799	19.578	0	0	4.227	4.585	8.812	28.390	14.986	43.376
	1821							57.605	55.090	112.695
	1838							78.525	58.553	137.078
	1848							155.864	110.602	266.466
	1872	151.799	0	923	44.845	28.466	73.311	226.033	48.939	274.972
São Paulo	1800	95.349	0	0	28.947	3.139	32.086	127.435	42.109	169.544
	1803	97.335	0	0	43.864	3.049	46.913	144.248	44.131	188.379
	1804	97.470	0	0	40.154	3.326	43.480	140.950	43.874	184.824
	1811	112.965	0	0	44.053	3.951	48.004	160.969	48.150	209.119
	1815	115.203	0	0	44.289	4.966	49.255	164.458	51.272	215.730
	1819							160.656	77.667	238.323

Tabela 6.4: População livre e escrava no século XIX, distribuição por cor e condição social.										
		Livres								
Província	Ano	Brancos	Índios	Caboclos	Pardos	Pretos	Total de livres de cor	Total de livres	Escravos	População total
	1822	127.888	0	0	48.860	3.960	52.820	180.708	63.697	244.405
	1824	131.330	0	0	46.299	5.269	51.568	182.898	65.006	247.904
	1836	172.879	0	0	59.454	6.811	66.265	239.144	86.933	326.077
	1854							299.418	117.731	417.149
	1872	433.432	0	39.465	151.306	56.539	207.845	680.742	156.612	837.354
Paraná	1811	18.340	0	0	8.831	929	9.760	28.100	6.840	34.940
	1819							49.251	10.191	59.442
	1836	23.895	85	0	10.135	902	11.037	35.017	7.873	42.890
	1854	33.633			n.g.	n.g.	13.030	52.069	10.189	62.258
	1866							87.491	11.596	99.087
	1872	69.698	0	9.087	30.636	6.741	37.377	116.162	10.560	126.722
Sta. Catarina	1810	23.680			n.g.	n.g.	651	24.331	7.203	31.534
	1811	23.753			n.g.	n.g.	580	24.333	7.417	31.750
	1813	24.806			n.g.	n.g.	665	25.471	7.478	32.949
	1819							34.859	9.172	44.031
	1828	37.470	839	0	969	646	1.615	39.924	12.256	52.180
	1829	38.134	855	0	1.053	721	1.774	40.763	12.620	53.383
	1833	42.017	175	0	1.872	1.021	2.893	45.085	12.657	57.742
	1836	45.065	163	0	2.070	1.092	3.162	48.390	13.019	61.409
	1838	45.596	136	0	2.375	1.861	4.236	49.968	13.658	63.626
	1841							54.638	12.580	67.218
	1844							58.432	14.382	72.814
	1849							60.743	13.942	74.685
	1852							72.391	15.057	87.448
	1854							87.364	14.195	101.559
	1855							88.485	17.119	105.604
	1856							92.922	18.187	111.109
	1857							104.425	18.408	122.833
	1859							98.281	16.316	114.597
	1867							104.459	14.722	119.181
	1872	125.942	0	2.892	11.737	4.247	15.984	144.818	14.984	159.802
R. G. do Sul	1807	37.107	1.008	0	1.688	1.070	2.758	40.873	13.469	54.342
	1809	30.622			n.g.	n.g.	4.217	34.839	14.629	49.468
	1814	32.300	8.655		n.g.	n.g.	5.399	46.354	20.611	66.965
	1819							63.927	28.253	92.180
	1846							118.171	31.192	149.363
	1857							211.667	70.880	282.547
	1860							235.727	73.749	309.476
	1861							268.506	75.721	344.227
	1862							315.306	77.419	392.725
	1872	258.367	0	25.717	48.666	34.272	82.938	367.022	67.791	434.813
Goiás	1804	6.950	0	0	15.452	7.936	23.388	30.338	20.027	50.365
	1819							36.368	26.800	63.168
	1832	11.761	994	0	32.711	9.770	42.481	55.236	13.261	68.497
	1848							68.383	10.956	79.339
	1856							106.998	12.054	119.052

Tabela 6.4: População livre e escrava no século XIX, distribuição por cor e condição social.

Província	Ano	Livres								
		Brancos	Índios	Caboclos	Pardos	Pretos	Total de livres de cor	Total de livres	Escravos	População total
	1857							109.659	12.934	122.593
	1872	41.929	0	4.250	86.389	17.175	103.564	149.743	10.652	160.395
Mato Grosso	1800	4.242	1.015	0	6.348	3.321	9.669	14.926	11.910	26.836
	1815	5.813	0	0	7.908	2.656	10.564	16.377	11.985	28.362
	1817							18.853	10.948	29.801
	1819							23.216	14.180	37.396
	1828	4.278	2.733	0	12.311	3.221	15.532	22.543	10.122	32.665
	1849							43.672	10.886	54.558
	1872	17.237	0	8.524	20.914	7.075	27.989	53.750	6.667	60.417
Império	1872	3.787.289	0	386.955	3.324.278	921.150	4.245.428	8.419.672	1.510.806	9.930.478

Fontes: Paraíba, 1798: IHGB/CU, Arq. 1-1-13, fols. 148v-149; 1804, fol. 204. São Paulo, 1800: ANRJ, cod. 808, IV, fol. 255; 1803: fol. 256; 1822: fol. 262; 1811, 1815 e 1826: Bastide e Fernandes (1959), p. 26. Maranhão, 1798: IHGB/CU, Arq. 1-1-6, fol. 92. Santa Catarina, 1811: ANRJ, cod. 808, 111, fol. 75; 1828, fol. 93; 1831: fol. 84; 1838: fol. 86; 1860: Cardoso e Ianni (1960), p. 86. Rio Grande do Sul, 1807: ANRJ, cod. 808, 111, fol. 147. Mato Grosso, 1797: Revista do Instituto Histórico e Geográfico Brasileiro (Rio de Janeiro), XX (1857), 281; 1815: p. 292; 1828: ANRJ, cod. 808, 111, fols. 38-39. Minas Gerais, 1814: ANRJ, cod. 808, 1, fols. 130-132. Espírito Santo, 1839: ANRJ, cod. 808, I, fol. 35. Goiás, 1824: Saint-Hilaire (1937), I, pp. 296-297; 1832: ANRJ, cod.808, I, fol. 96. Rio de Janeiro, 1844: ANRJ, cod. 808, 11, £01. 62. Paraná, 1854: Ianni (1962), p. 104. Bahia, 1775: IHGBICU, Arq. 1-1-9, fol. 230. Brasil, 1872: Diretoria Geral de Estatística, Recenseamento Geral do Brazil de 1872. Outros censos obtidos em Souza e Silva (1986).

Se os cativos que foram alforriados houvessem permanecido na população escrava, é possível que a população cativa após 1850 tivesse mantido seus números ou até apresentado um crescimento positivo. Mas o que ocorreu na realidade foi um constante declínio da população escrava a partir de 1850. Em todas as províncias diminuiu o número de cativos, e somente em municípios cafeeiros exportadores selecionados esses números permaneceram no mesmo nível ou se expandiram nesse período. Segundo a matrícula de 1887, após a aprovação da Lei do Ventre Livre e da Lei dos Sexagenários, a população escrava total diminuiu para metade da registrada em 1872 e apresentou declínio anual de 4,8% (ver Tabela 6.5). De fato, como mostrou Carvalho de Mello, os preços começaram a refletir a redução da expectativa dos proprietários de escravos quanto à sobrevivência da escravidão. Em 1881, os preços ainda sugeriam que a escravidão talvez continuasse até o começo do século XX, e mesmo em 1886 eles indicavam uma expectativa de cinco ou mais anos de escravidão. Só em 1887 eles declinaram a ponto de mostrar que a expectativa de duração da escravidão era de apenas mais um ano[45]. Se o que Carvalho de Mello chamou de "abolicionismo forte" não houvesse existido, é evidente que a escravidão — que ainda era lucrativa na década de 1880 — poderia ter continuado com a população pós-1850 por muito tempo ainda[46].

Tabela 6.5: Declínio da população escrava, 1872-1885.					
Região/ província	1872	1874	1887	Taxa média anual de crescimento	
				1872-1887	1874-1885
NORTE					
Amazonas	979	n.g.	1.183	1,3%	
Pará	27.458	19.729	10.535	-6,2%	-4,7%
Maranhão	74.939	74.939	33.446	-5,2%	-6,0%
NORDESTE					
Piauí	23.795	25.483	8.970	-6,3%	-7,7%
Ceará	31.913	33.960	108	-31,6%	-35,7%
R. G. do Norte	13.020	13.484	3.167	-9,0%	-10,5%
Paraíba	21.526	26.025	9.448	-5,3%	-7,5%
Pernambuco	89.028	92.855	41.122	-5,0%	-6,1%
Alagoas	35.741	33.242	15.269	-5,5%	-5,8%
Sergipe	22.623	32.974	16.875	-1,9%	-5,0%
Bahia	167.824	n.g.	76.838	-5,1%	
CENTRO-OESTE					
Esp. Santo	22.659	22.738	13.381	-3,5%	-4,0%
Corte	48.939	47.260	7.488	-11,8%	-13,2%
Rio de Janeiro	292.637	304.744	162.421	-3,8%	-4,7%
Minas Gerais	370.459	n.g.	191.952	-4,3%	
São Paulo	156.612	169.964	107.085	-2,5%	-3,5%
OESTE					
Goiás	10.652	10.510	4.955	-5,0%	-5,6%
Mato Grosso	6.667	7.064	3.233	-4,7%	-5,8%
SUL					
R. G. do Sul	67.791	10.715	3.513	-17,9%	-8,2%
Sta. Catarina	14.984	10.551	4.927	-7,1%	-5,7%
Paraná	10.560	83.370	8.442	-1,5%	-16,2%
BRASIL	1.510.806	1.019.607	724.358	-4,8%	
Fonte: Slenes (1976).					

NOTAS

1. Os números aqui apresentados são provisórios, e todos representam estimativas baseadas na coleção sobre as viagens do tráfico atlântico de escravos. Trata-se de um projeto em andamento, realizado sob a orientação de David Eltis, da Emory University, e suas estimativas globais do volume do tráfico vêm sendo constantemente atualizadas e alteradas. A maior mudança desde a publicação do primeiro conjunto de dados (ver David Eltis *et al.*, *The Transatlantic Slave Trade, 1562-1867: A Database)* foi a quase duplicação da estimativa do tráfico de escravos para o Brasil. Hoje esse

tráfico é reconhecido como o mais longo e o maior dentre todos os tráficos de escravos pelo Atlântico, e estima-se que tenha transportado da África 5,5 milhões de africanos. Desse total, estima-se que 4,8 milhões tenham sobrevivido à travessia (todas as estimativas citadas aqui e no texto foram geradas com base em dados registrados no banco de dados das viagens em meados de agosto de 2008). Considerando-se o fato de que apenas 10% dos navios negreiros conhecidos têm dados sobre os números de cativos efetivamente transportados, as estimativas totais vão sendo modificadas à medida que novos navios são descobertos e que novas estimativas sobre os dados faltantes são feitas. A atual iteração do banco de dados (que acessamos em 18 de agosto de 2008) pode ser encontrada na internet no seguinte endereço: <http://www.slavevoyages.org/tast/index/faces>. Cabe notar que, embora todas as estimativas de volume do tráfico, da importância relativa de diferentes períodos e das taxas de participação nacional tenham mudado ao longo do último quarto de século, os números globais do tráfico de escravos ainda estão dentro dos limites totais estabelecidos por Philip Curtin em *The Atlantic Slave Trade, a Census*.

2. Esses dados sobre as origens, obtidos por nós em 10 de agosto de 2008, foram extraídos do conjunto de dados "Estimated", um subconjunto do banco de dados Voyages, encontrado em <http:www.slavevoyages.org/tast/assessment/estimates.faces>.

3. Sobre as origens dos escravos africanos em Minas, ver Francisco Vidal Luna e Iraci del Nero da Costa, "Algumas Características do Contingente de Cativos em Minas Gerais", e seu ensaio "A Presença do Elemento Sudanês nas Minas Gerais, pp. 14-16.

4. Sobre as estreitas relações entre as duas regiões, ver o clássico estudo de Pierre Verger, *Flux et reflux de la traite des négres entre le golfe de Benin et Bahia de Todos os Santos, du dix-septième au dix-neuvième siècle*. Sobre os contatos pós-escravidão, existe uma vasta literatura. Ver Manuela C. da Cunha, *Negros, Estrangeiros: os Escravos Libertos e a Sua Volta à África*; Mariano C. da Cunha, *Da Senzala ao Sobrado: Arquitetura Brasileira na Nigéria e na República Popular do Benin; From Slave Quarters to Town Houses: Brazilian Architecture in Nigeria and the Peoples Republic of Benin*; J. M. Turner, *Les Brésiliens: the Impact of Former Brazilian Slaves upon Dahomey*; Alcione M. Amos, "Afro-Brazilians in Togo: The Case of the Olympio Family, 1882-1945"; Alcione M. Amos e Ebenezer Ayesu, "Sou Brasileiro: História dos Tabom, Afro-brasileiros em Acra, Gana"; Robin Law, "The Evolution of the Brazilian Community in Ouidah"; Eliseacutee Soumonni, "Some Reflections on the Brazilian Legacy in Dahomey"; Olabiyi Babalola Yai, "The Identity, Contributions, and Ideology of the Aguda (Afro-Brazilians) of the Gulf of Benin: a Reinterpretation".

5. David Eltis, "The Relative Importance of Slaves and Commodities in the Atlantic Trade of Seventeenth-Century Africa".

6. David Eltis, *Economic Growth and the Ending of the Transatlantic Slave Trade*; Herbert S. Klein, "The Structure of the Atlantic Slave Trade in the 19th Century: An Assessment".

7. Para diferentes visões sobre essa questão, ver Joseph Miller, *The Way of Death: Merchant Capitalism and the Angolan Slave Trade, 1730-1830*; Robert E. Conrad, *Tumbeiros: o Tráfico de Escravos para o Brasil*.

8. Herbert S. Klein, *The Middle Passage: Comparative Studies in the Atlantic Slave Trade*; ver também Herbert S. Klein e Stanley Engerman, "Slave Mortality on British Ships, 1791-1797"; dos mesmos autores, "Facterus de mortalité dans le trafic française d'esclaves au XVIIIe siècle", e os artigos citados nas notas 6 e 7.

9. Herbert S. Klein e Stanley Engerman, "Long-term Trends in African Mortality in the Transatlantic Slave Trade"; e para dados pormenorizados sobre a mortalidade no tráfico de escravos para o Brasil, ver Herbert S. Klein, "The trade in African slaves to Rio de Janeiro, 1795-1811: estimates of mortality and patterns of voyages", *Journal of African History*, X, nº 4 (1969), pp. 533-549; e Herbert S. Klein e Stanley L. Engerman, "Shipping patterns and mortality in the African slave trade to Rio de Janeiro", *Cahiers d'Études Africaines*, nº 59, XV, nº 3 (1976), pp. 381-398.

10. Herbert S. Klein *et al.*, "Transoceanic Mortality: the Slave Trade in Comparative Perspective".

11. Baseado no total de africanos recém-chegados que foram enterrados no "Cemitério para Pretos Novos" no Rio de Janeiro nesses anos, em comparação com o número total estimado de chegadas. Esse cemitério não se destinava a forros ou escravos residentes, os quais eram todos sepultados pelas irmandades da cidade em suas respectivas igrejas ou cemitérios; portanto, era voltado quase exclusivamente para os que haviam morrido recentemente ao chegar da África. Júlio César Medeiros da S. Pereira, *À Flor da Terra: o Cemitério dos Pretos Novos no Rio de Janeiro*, pp. 120-121.

12. Fábio W. A. Pinheiro, "*Tráfico Atlântico de Escravos na Formação dos Plantéis Mineiros, Zona da Mata, c. 1809-1830*, tabela 13, p. 99 e tabela 7, p. 75. Em todo o período 1809-1830, aproximadamente um terço dos escravos africanos recém-chegados (ou "novos") foram mandados para o interior nesse período, embora as taxas anuais variassem muito e aumentassem drasticamente na década de 1820. Estimou-se para o porto da Bahia nos anos 1770 que 22% dos escravos novos foram transportados do porto para Minas Gerais e outras regiões interioranas, também nesse caso com variações anuais elevadas. Alexandre Vieira Ribeiro, "O Comércio de Escravos e a Elite Baiana no Período Colonial", p. 317.

13. Sobre a economia do tráfico, ver os dois trabalhos de Herbert S. Klein, *The Middle Passage: Comparative Studies in the Atlantic Slave Trade*, esp. caps. 2-4, e *The Atlantic Slave Trade*, caps. 4-5; ver também Joseph C. Miller, *The Way f Death, Merchant capitalism and the Angolan Slave Trade, 1730-1830*. Entre os trabalhos recentes sobre o tráfico brasileiro, incluem-se: Jaime Rodrigues, *De Costa a Costa, Escravos, Marinheiros e Intermediários do Tráfico Negreiro de Angola ao Rio de Janeiro (1780-1860)*; Selma Patonjá e José Flávio Sombra Saraiva (orgs.), *Angola e Brasil nas Rotas do Atlântico Sul*; Linda M. Heywood (org.), *Central Africans and Cultural Transformations in the American Diaspora*.

14. Na verdade, o tráfico triangular foi sobretudo um mito, no sentido de que os produtos do braço escravo da América eram transportados principalmente em navios comuns, e raramente navios negreiros eram usados para levar esses produtos da América para a Europa. Ver Klein, *The Atlantic Slave Trade*, caps. 4 e 5.

15. Manuel dos Anjos da Silva Rebelo, *Relações entre Angola e Brasil, 1808-1830*. O ouro era usado principalmente para comprar escravos apenas nos portos da baía de Benin. *Ver Klein, The Atlantic Slave Trade*, cap. 5.

16. A estimativa atual do banco de dados Emory é de que 65% dos escravos embarcados da África foram do sexo masculino. Esse foi o número obtido em 19 de agosto de 2008 na "Summmary Table" disponível no *site* da Voyage, e se baseia em apenas 12% das 33.388 viagens que registraram a divisão por sexo dos cativos transportados. Ver "Summary Statistics", em <http://www.slave voyages.org/tast/database/search.faces>.

17. Ver Herbert S. Klein, "African Women in the Atlantic Slave Trade".

18. Essa é a estimativa atual encontrada na "Summary Table" do banco de dados Emory acessado em 18 de agosto de 2008. Cabe ressaltar que apenas 12% das 33.388 viagens registradas nessa fonte apresentam a real divisão por idades dos africanos transportados.

19. Herbert S. Klein, *The Population History of the United States*, p. 83.

20. Para uma análise dessa questão para Minas Gerais, ver Francisco Vidal Luna e Wilson Cano, "A Reprodução Natural dos Escravos em Minas Gerais (século XIX): uma Hipótese"; Lair W. Bergad, *Slavery and the Demographic and Economic History of Minas Gerais, Brazil, 1720-1888*, pp. xix-xxi; e Clotilde Andrade Paiva e Douglas Libby, "Caminhos Alternativos: Escravidão e Reprodução em Minas Gerais". Para o Paraná, ver Horácio Gutierrez, "A harmonia dos sexos. Elementos da estrutura demográfica da população escrava no Paraná, 1800-1830"; "Demografia Escrava numa Economia não Exportadora: Paraná"; "Crioulos e Africanos no Paraná, 1798-1830". Sobre o equilíbrio dos sexos entre os escravos e a elevada incidência de crianças na economia relativa-

mente atrasada do Piauí no século XIX, ver Renato Leite Marcondes e Miridan Britto Knox Falci, *Escravidão e Reprodução no Piauí: Oeiras e Teresina (1875)*.

21. Pedro Carvalho de Mello, *The Economics of Labor in Brazilian Coffee Plantations, 1850-1888*, e Robert W. Slenes, *The Demography and Economics of Brazilian Slavery: 1850-1888*, cap. 7. Ver também a análise sobre a demografia no capítulo 9 deste livro.
22. Slenes, "The Demography and Economics of Brazilian Slavery", pp. 273-274.
23. Ver Herbert S. Klein e Stanley Engerman, "Fertility Differentials between Slaves in the United States and the British West Indies: A Notte on Lactation Practices and their Implications".
24. Michael R. Haines, "The Use of Model Life Tables to Estimate Mortality for the United States in Late Nineteenth Century", p. 307, tabela 7.
25. Jack Ericson Eblen, "New Estimates of the Vital Rates of the United States Black Population during the Nineteenth Century", p. 609, tabela 6. Na verdade, a diferença era ainda maior se comparamos apenas brancos e escravos na década de 1870. As taxas calculadas por Haines para os brancos mostram que os homens tinham expectativa de vida ao nascer de 43,1 anos, e as mulheres de 45,1 anos. Haines, "The Use of Model Life Tables to Estimate Mortality for the United States", p. 307, tabela 7.
26. Eduardo E. Arriaga, *New Life Tables for Latin American Populations in the Nineteenth and Twentieth Centuries*, tabela III.3, pp. 29-30; e Carvalho de Mello, "The Economics of Labor in Brazilian Coffee Plantations", tabela 32, p. 123.
27. Em um interessante estudo baseado em anúncios de fuga de escravos no principal jornal do Rio de Janeiro em 1850, constatou-se que, das condições patológicas mencionadas para 206 fugitivos, 31% eram relacionadas ao trabalho, e a maioria estava ligada a condições de pobreza. Márcia Amantino, "As Condições Físicas e de Saúde dos Escravos Fugidos Anunciados no Jornal do Commercio (RJ) em 1850", p. 1384, *tabela 1*.
28. Para uma análise dos preços de escravos no século XIX, ver Katia M. de Queirós Mattoso, Herbert S. Klein e S. L. Engerman, "Trends and Patterns in the Prices of Manummited Slaves: Bahia, 1819-1888". Uma versão em português foi publicada em João José Reis (org.), *Escravidão e Invenção da Liberdade. Estudos sobre o Negro no Brasil*, pp. 60-72. A mais recente compilação e análise desses preços encontra-se em Bergard, *Slavery and the Demographic and Economic History of Minas Gerais*.
29. Embora tenha havido flutuações significativas ao longo do tempo, estimou-se que no começo do século XIX apenas 13.168 africanos novos tenham sido levados para Minas Gerais por mercadores costeiros no período 1800-1830, juntamente com cerca de 561 escravos crioulos (ladinos). Cristiano Corte Restitutti, "A Circulação entre o Rio de Janeiro e o Sul de Minas Gerais, c. 1800-1830", tabela 8, p. 12. Isso daria uma taxa de 458 cativos por ano, claramente muito menos do que era comum no começo do século XVIII, e bem menos do que as taxas mencionadas para o período pós-1850. No caso de Porto Alegre, no Rio Grande do Sul, além de entradas diretas de africanos o porto recebeu, trazidos do Rio de Janeiro, cerca de 6.958 escravos no período de 1809 a 1824, com uma média de 435 cativos por ano. Gabriel Santos Berute, "A Concentração do Comércio de Escravos na Capitania do Rio Grande de São Pedro do Sul, c. 1790-c. 1825", tabela 1, coluna B, p. 6.
30. José Flávio Motta, "O Tráfico de Escravos na Província de São Paulo: Areias, Silveiras, Guaratinguetá e Casa Branca, 1861-1887", pp. 3-5; e o mesmo padrão foi encontrado para os anos 1870 em Guaratinguetá, embora nesse caso com uma razão de sexo mais equilibrada. José Flávio Motta e Renato Leite Marcondes, "O Comércio de Escravos no Vale do Paraíba Paulista: Guaratinguetá e Silveiras na década de 1870", tabela 2, p. 272.
31. Ver Erivaldo Fagundes Neves, "Sampauleiros Traficantes: Comércio de Escravos no Alto Sertão da Bahia para o Oeste Cafeeiro Paulista".

32. Aparentemente, em média os preços pagos por jovens homens adultos na faixa dos 15-29 anos em Rio Claro, São Paulo, foram o dobro dos pagos nesse mesmo ano por cativos homens nessa faixa etária na Bahia. Neves, "Sampauleiros Traficantes", tabela 5, p. 111.

33. Essa conclusão aplica-se a todos os anos em todo um conjunto de municípios paulistas. Ver Motta, "O Tráfico de Escravos na Província de São Paulo: Areias, Silveiras, Guaratinguetá e Casa Branca, 1861-1887", p. 7; José Flávio Motta: "Derradeiras Transações: o Comércio de Escravos nos Anos 1880 (Areias, Piracicaba e Casa Branca, Província de São Paulo)", gráfico 1, p. 8; em Piracicaba o autor constatou que apenas 12% dos escravos vendidos cujas origens eram conhecidas eram de fora da província na década de 1860. No distrito de Constituição em 1861-1869, os escravos interprovinciais compunham 38% da escravaria local, e além disso os cativos interprovinciais tinham uma proporção muito maior de homens do que os comprados de qualquer outra área. José Flávio Motta, "Escravos Daqui, Dali e de Mais Além: o Tráfico Interno de Cativos em Constituição (Piracicaba), 1861-1880", pp. 5-6, tabelas 3-4. As mesmas conclusões aparecem também em estudos sobre a província de Minas Gerais. Em Juiz de Fora, apenas 23% dos escravos comprados no mercado local em fins dos anos 1860 e começo da década de 1880 tinham origem interprovincial, e também nesse caso predominava o sexo masculino (que compunha mais de dois terços desses cativos), mais do que o encontrado em qualquer grupo de origem. Cláudio Heleno Machado, "O Tráfico Interno de Escravos na Região de Juiz de Fora na Segunda Metade do Século XIX", Tabela 5, p. 17. Em Mariana a maioria dos cativos, homens e mulheres, era muito jovem — a idade modal era 20-24 anos —, e só uma minoria foi trazida pelo tráfico interprovincial; ver Camila Carolina Flausino, *Negócios da Escravidão: Tráfico Interno de Escravos em Mariana: 1861-1886*, tabelas 14 e 15, pp. 82, 87. Até hoje, o único autor que encontrou números muito significativos de escravos interprovinciais foi Robert Slenes, em seu estudo sobre o mercado de Campinas de 1865-1879. De 2.684 escravos vendidos no mercado de Campinas, 68% provinham de fora de São Paulo e da região Sudeste em geral. Slenes, "The Demography and Economics of Brazilian Slavery", tabela 3.3, p. 136.

34. Uma fonte contemporânea informou que 26.622 escravos foram importados para o Rio de Janeiro entre 1852-1859, o que significa uma média anual de 3.327 cativos. Essa fonte indicou os seguintes números de escravos importados para o Rio de Janeiro:

Ano	Escravos	Ano	Escravos
1852	4,409	1856	5,006
1853	2,090	1857	4,211
1854	4,418	1858	1,993
1855	3,532	1859	963

Sebastião Ferreira Soares, *Notas Estatísticas sobre a Produção Agrícola e Carestia dos Gêneros Alimentícios no Império do Brasil*, p. 1351. O ministro britânico no Rio de Janeiro, W. D. Christie, informou: "34.688 escravos foram importados para o Rio de Janeiro por via marítima em dez anos e meio, de 1 de janeiro de 1852 a 1 de julho de 1862", resultando em uma taxa de 275 por mês, ou 3.300 por ano. O ministro relatou também que, com os escravos trazidos por terra de outras regiões, a estimativa era de 5 mil entradas por ano nesse tráfico interno. W. D. Christie, *Notes on Brazilian Questions*, p. 93.

35. Para os respectivos números de importação, ver Joaquim Saldanha Marinho, *Relatório apresentado à Assembleia Legislativa Provincial de São Paulo [...] no dia 2 de fevereiro de 1868 pelo presidente da mesma província [...]*, p. 15.; *Relatório com que sua excelência o sr. Senador Barão de Itaúna passou a administração da província ao exmo. sr. comendador Antônio Joaquim da Rosa*, Anexo n. 1, Mapa n. 7; e Antonio Cândido da Rocha, *Relatório apresentado à Assembleia Legislativa provincial de São*

Paulo pelo presidente da província [...], pp. 65-66. Cabe salientar, também, que foram exportados cativos desse mesmo porto, e que o ganho líquido para o porto foi de 580 escravos em 1867, 780 em 1868 e 1.746 em 1869.

36. Ferreira Soares, *Notas Estatísticas,* pp. 135-136. Devemos ressaltar, também, que enquanto os portos do sul, como Santos, exportaram escravos além de importar, portos do norte, como Salvador da Bahia, também importaram além de exportar.Por exemplo, em 1855 a Bahia exportou 1.699 escravos e importou 471, com uma perda líquida de 1.228. Em 1856 sua perda líquida foi de 1.794 cativos, com 2.388 exportados para outros portos do império e 594 importados. Álvaro Tibério de Moncorvo Lima, *Falla recitada na abertura da Assembleia Legislativa da Bahia. [...],* Mapa n. 48; João Lins Vieira Cansanção de Sinimbu, *Falla recitada na abertura da Assembléia Legislativa da Bahia. [...],* Mapa n. 24.

37. Já em 1862, a Bahia aprovou uma taxa de exportação de 200 mil-réis sobre cada cativo exportado para outra província. Outras províncias logo seguiram o exemplo, e o tráfico interprovincial foi definitivamente encerrado por decreto imperial em 1885, como parte da Lei dos Sexagenários. Fagundes Neves, "Sampauleiros Traficantes", pp. 107-108.

38. No total havia cerca de 177 mil africanos no Brasil, segundo o censo de 1872, dos quais 22% (ou 38 mil) eram livres.

39. Para a primeira posição, ver Manolo Florentino e Cacilda Machado, "Sobre a Família Escrava em Plantéis Ausentes do Mercado de Cativos: Três Estudos de Caso (Século 19), esp. p. 1381. Essa também é a posição de Gorender, para quem uma atitude pró-natalista dos senhores só poderia surgir depois do fim do tráfico de escravos; ver Jacob Gorender, *O Escravismo Colonial,* pp. 343 segs. Slenes tem opinião oposta, e aventa um interesse muito menor na fecundidade escrava e no casamento entre cativos em todas as áreas de grande lavoura no Sudeste após 1850. Ver Slenes, *Na Senzala, uma Flor,* p. 92. Para um argumento a favor da existência de laços matrimoniais significativos desde os primeiros tempos, ver Tarcisio Rodrigues Botelho, "Família e Escravidão em uma Perspectiva Demográfica: Minas Gerais (Brasil), Século XVIII".

40. Como salientou Carvalho de Mello, o efeito do fechamento do tráfico sobre a fecundidade provavelmente foi mínimo, pois "a resposta do comportamento demográfico a mudanças nas condições econômicas é um processo de longo prazo, demora algum tempo para começar, e mais para que os efeitos sejam significativamente observados". Carvalho de Mello, "The Economics of Labor in Brazilian Coffee Plantations", p. 120.

41. Nessa análise de seis estudos anteriores sobre alforrias no mundo latino-americano colonial, incluindo o Brasil, Johnson constatou que mulheres predominaram em todas essas listas de alforrias, e que a autocompra geralmente era responsável por metade das alforrias; ver Lyman L. Johnson, "Manumission in Colonial Buenos Aires, 1776-1810", *p.* 262, tabela 1. Isso também se aplica a todos os estudos mais recentes sobre o Brasil. Ver, entre outros, Kathleen J. Higgins, "Gender and the Manumission of Slaves in Colonial Brazil: the Prospects for Freedom in Sabará, Minas Gerais, 1710-1809"; Mieko Nishida, "Manumission and Ethnicity in Urban Slavery: Salvador, Brazil, 1808-1888"; e Marcus J. M. de Carvalho, *Liberdade, Rotinas e Rupturas do Escravismo, Recife, 1822-1850,* cap. 10. Ver também os estudos mais antigos de Kátia M. de Queirós Mattoso, "A Propósito de Cartas de Alforria: Bahia, 1779-1850", e "A Carta de Alforria como Fonte Complementar para o Estudo de Rentabilidade de Mão de Obra Escrava Urbana, 1819-1888"; e Stuart B. Schwartz, "The Manumission of Slaves in Colonial Brazil: Bahia, 1684-1745"; Peter L. Eisenberg, "Ficando livre: as alforrias em Campinas no século XIX"; Mary C. Karasch, *Slave Life in Rio de Janeiro, 1808-1850,* cap. 11; e Douglas Cole Libby e Clotilde Andrade Paiva, "Manumission Practices in a Late-Eighteenth-Century Brazilian Slave Parish: São José d'El Rey in 1795"; Francisco Vidal Luna e Iraci del Nero da Costa, "A Presença do Elemento Forro no Conjunto dos Proprietários de Escravos", pp. 838-841.

42. Entre os estudos mais recentes sobre alforrias, avaliando a importância relativa dos três tipos de alforria voluntária e por autocompra, incluem-se: Manolo Florentino

e José Roberto Pinto de Góes, *Do que Nabuco Já Sabia: Mobilidade e Miscigenação Racial no Brasil Escravista*; Antônio Henrique Duarte Lacerda, "Economia Cafeeira, Crescimento Populacional e Manumissões Onerosas e Gratuitas Condicionais em Juiz de Fora na Segunda Metade do século XIX"; e o estudo já citado de Nishida sobre alforrias em Salvador. Infelizmente, alguns autores reúnem a autocompra e o serviço pessoal pós-alforria sob a rubrica "manumissões onerosas", sem distinguir entre as duas. Esse foi o único problema do excelente estudo local de Adriano Bernardo Moraes Lima, *Trajetórias de Crioulos: um Estudo das Relações Comunitárias de Escravos e Forros no Termo da Vila de Curitiba (c. 1760-c. 1830)*, tabelas 10-13, embora o autor mostre que 46% dos 105 cativos alforriados foram mencionados com relações familiares, o que presumivelmente significa que alguns deles tiveram sua liberdade comprada por terceiros.

43. A taxa de crescimento populacional de treze importantes países europeus de 1820 a 1870 foi de 0,72% ao ano, e se elevou para apenas 0,99% no período 1870-1913. Nessas mesmas épocas, as taxas em Portugal foram, respectivamente, 0,56% e 0,75%. Angus Maddison, *The World Economy: a Millenial Perspective*, p. 242, tabela B-11. Sobre a transição demográfica, ver Jean-Claude Chesnair, *The Demographic Transition, 1720-1984*.
44. Usando as matrículas de 1873 e 1875, Slenes estimou uma taxa bruta média de manumissões de 6,3/1000, um número que se compara aos 0,45/1000 para os Estados Unidos na década de 1850. Fazendo o controle para a mortalidade, ele estimou que qualquer escravo que chegasse aos dez anos de idade tinha 5,1% de probabilidade de ser alforriado aos quarenta anos, e para a idade de sessenta anos a probabilidade global era de 8,4%. Slenes, "The Demography and Economics of Brazilian slavery", pp. 488-493.
45. Carvalho de Mello, "The Economics of Labor in Brazilian Coffee Plantations", p. 209, tabela 41.
46. *Idem*, cap. 5.

Resistência e rebelião no cativeiro

A evolução de um sentimento de identidade e comunidade entre os escravos afro-brasileiros foi essencial para sobreviverem como sociedade e como grupo. Eles formaram famílias, educaram filhos e adquiriram crenças que deram legitimidade à sua vida. Contudo, boa parte dessa vida era controlada por terceiros. Até seu comportamento social era restringido pelos brancos quando conflitava com as necessidades de controle ou com as normas de comportamento para eles aceitáveis. A violência física também foi inerente a essa forma clássica de escravidão e criou um nível de medo e incerteza jamais encontrado em outras formas de relações de classe ou trabalho na América. Finalmente, até o bem-estar físico do cativo e de sua família dependia dos caprichos de seu senhor, e podia ser afetado por fatores fora do controle do escravo.

Assim, independentemente do quanto sua cultura e comunidade pudessem fazê-los sentir-se ajustados à sociedade brasileira na qual se encontravam, os escravos sempre sofreram elevado grau de dependência e falta de controle sobre a própria vida, e isso gerou incerteza e hostilidades fundamentais contra todo o sistema. Para os que não conseguiam se ajustar ou restringir sua individualidade, ou que tivessem o infortúnio de não alcançar autonomia nem proteção no sistema, a resistência, a fuga e a rebelião eram as únicas alternativas viáveis. Para outros, a violência contra si mesmos e/ou contra outros, inclusive os de sua própria condição social, também foi um modo de extravasar as frustrações sofridas no cativeiro.

Como a maioria dos regimes escravocratas da América Latina e Caribe, os governos de Portugal e Brasil procuraram dar alguma proteção aos cativos. Esse apoio, essencial para a humanidade do escravo, evoluiu de um conjunto de leis medievais que foram influenciadas por preceitos romanos anteriores. Nesses códigos mais antigos, a escravidão era reconhecida como uma instituição que era "contra a razão natural". Tais palavras encontram-se no código *Las Siete Partidas*, do século XIII (Partida IV, Titulo XXI, ley I)[1], onde se acrescenta: "porque o homem, que é a mais nobre e livre das criaturas dentre todas as criações de Deus, é posto em poder de outro [...]" (Partida IV, Titulo V)[2]. Isso obviamente não significa que o Estado não legitimasse os contratos de venda ou posse de escravos. Mas indica que, embora reconhecesse a escravidão como uma necessidade e uma instituição histórica, o Estado também admitia ser responsabilidade sua e de suas instituições jurídicas garantir certos direitos mínimos ao escravo.

Dos três direitos básicos que a lei romana reconhecia como definidores do ser humano, o da liberdade pessoal era automaticamente sacrificado sob a escravidão. Mas os outros direitos primários, segurança e propriedade, não precisavam ser sacrificados para que a escravidão existisse. Um conjunto de direitos secundários também podia ser aceito sem interferir na definição dos escravos como propriedade; alguns determinavam que o cativo era responsável por suas ações voluntárias como ser humano, enquanto outros garantiam-lhe o direito dos sacramentos cristãos.

No que respeita à proteção da segurança pessoal, tanto as *Partidas* de Afonso X de Castela, do século XIII, como as elaboradas leis sobre o escravismo das *Ordenações Manuelinas* de Portugal do início do século XVI e os códigos imperiais do século XIX estipulavam que a morte de um escravo por seu senhor ou por qualquer outra pessoa era crime capital[3]. Embora pouquíssimos senhores tenham sido executados por tal crime no Brasil[4], houve alguns casos de proprietários de escravos que foram punidos com exílio ou vultosa multa, e quase todas as mortes não naturais de cativos, inclusive suicídios, acarretaram investigações judiciais formais. Porém, como salientou Sílvia Lara, era muito delicada a fronteira entre o castigo moderado e o tratamento violento pelos senhores. Todas as leis, assim como a sociedade em geral, reconheciam que era preciso controlar a punição excessiva, ainda que apenas por razões de autopreservação, prevenindo assim as rebeliões generalizadas e a retaliação da escravaria; mas era consenso que açoitar, marcar a ferro e cometer outras violências físicas constituíam tratamento aceitável para cativos[5]. Com efeito, o código criminal do Império de 1830 proibia especificamente o açoitamento de pessoas livres, mas permitia o procedimento para os escravos.

No caso da propriedade pessoal, os códigos brasileiros garantiam ao cativo o direito de possuir bens (seu pecúlio). Se o senhor desse licença a um escravo para usar algum pedaço de terra ou permitisse ao escravo viver e trabalhar fora de seu domicílio, a renda excedente resultante seria considerada propriedade pessoal do cativo. Todo excedente da roça que o proprietário concedia aos escravos em sua fazenda, ou toda renda que superasse os pagamentos estipulados dos escravos de ganho — aqueles que viviam separadamente e pagavam a seu senhor uma quantia fixa periódica — eram propriedade privada do escravo. Além disso, todos os presentes dados a escravos e outras compensações por terceiros eram considerados propriedade pessoal dos cativos e não podiam ser tomados por seu senhor. Portanto, quando um senhor concedia a um escravo o usufruto de terra para cultivo ou quando entrava em acordo com ele a respeito de determinadas transferências de renda, admitia explicitamente que o excedente resultante era considerado propriedade privada do cativo, reconhecida pelo Estado[6]. Esse reconhecimento pelo governo foi um fator crucial para garantir o direito dos cativos brasileiros a comprar sua própria liberdade.

Quanto aos direitos secundários, os códigos estabeleciam que os africanos — crianças e adultos — tinham de ser batizados imediatamente e trazidos para o rebanho da Igreja depois de receber os devidos ensinamentos[7]. Em virtude da idade dos escravos recém-chegados, o batismo de adultos foi muito comum em quase todas as paróquias em que havia cativos[8]. A Igreja, por sua vez, reconhecia que o casamento formal entre escravos equivalia ao casamento entre pessoas livres, e procurava zelar especialmente pela proteção da família[9]. Os escravos também podiam, com numerosas restrições, prestar depoimento em processos judiciais, e tinham alguns dos direitos legais básicos a julgamento e até *habeas corpus* concedidos às pessoas livres[10]. Como crianças dependentes, quando eles de fato gozavam desses direitos, os escravos podiam, às vezes, testemunhar ou até firmar certos contratos legais. Em geral, todos esses direitos eram bem limitados e sempre levavam em conta os direitos de propriedade do senhor sobre o cativo. Em última análise, os direitos do proprietário de escravos incluíam o absoluto controle sobre a mobilidade física do cativo e, obviamente, o indisputado direito, sustentado pelo Estado, de se desfazer de sua propriedade humana mediante venda ou doação. Mas nenhum código português ou lei municipal pressupunha que um escravo não tinha alguns dos direitos humanos básicos, por mais que as leis afirmassem sua condição de propriedade humana e protegessem as necessidades dos senhores.

A Igreja Católica, embora fosse uma ativa proprietária de escravos, aceitava que os africanos possuíam uma alma imortal e lhes concedia todos os direitos aos sacramentos. Embora fosse lenta e limitada quando se tratava de intervir entre senhor e escravo, a Igreja teve seu papel em toda sociedade escravista onde existiu como instituição. Nos primeiros sínodos dos bispos americanos, legislou-se profusamente sobre o proselitismo entre os cativos, concedendo-lhes tempo para as devoções e até legitimando suas práticas africanas de casamento e parentesco em relação à doutrina cristã — muito embora na realidade a conversão espiritual da população indígena recebesse muito mais atenção, especialmente no século XVI. A Igreja ressaltava que os escravos deviam ter acesso aos sacramentos e que isso devia ter precedência sobre todos os direitos do senhor. Além disso, como mostram muitos casos de protestos de cativos, esse direito era bem conhecido pela escravaria. Por exemplo, João, um escravo que em 1853 matou seu senhor Ignácio Mariano de Oliveira, em Campo Grande, Paraná, justificou seu ato declarando que seu dono submetia-o a "maus tratos, obrigando-lhe a um serviço forçado mesmo nos domingos e dias santos [...]"[11].

Nenhum dos códigos jurídicos ibéricos sobre a escravidão foi aprovado no Novo Mundo sem modificação, e muitos deles, inclusive, já tinham sido revisados nos séculos XV e XVI a fim de levar em consideração as mudanças na composição da força de trabalho cativa nas sociedades metropolitanas; outro elemento levado em conta foram as diferentes origens religiosas dos escravos oriundos da África. Ao traduzirem a escravidão ibérica para a América, as leis concebidas para uma escravaria predominantemente doméstica tiveram de ser ajustadas para o novo estilo dos sistemas escravistas de grande lavoura que emergiu no Novo Mundo. Em alguns casos, os códigos medievais foram modificados para apoiar os direitos dos escravos de um modo mais concreto, e em outros os direitos básicos foram modificados. Nem todos os regimes baseados no direito romano concediam igual acesso aos tribunais ou demonstravam a mesma sensibilidade às necessidades dos escravos. Finalmente, muitos dos direitos legais dos cativos eram suspensos em tempo de crise e de rebelião escrava, e houve, inclusive, uma resoluta tentativa de revogar parte da legislação protetora durante a generalizada reação da elite americana à rebelião no Haiti no período de 1791 até aproximadamente as décadas de 1830 e 1840, em todas as sociedades escravistas americanas.

Embora alguns historiadores não tenham dado o devido destaque à importância da lei para a escravidão e sua existência cotidiana na América[12], não há dúvida de que todo o edifício da escravatura só poderia ser construído com a indispensável assistência do Estado. A propriedade é, por natureza, uma instituição de bases legais, e os contratos fundamentam-se na capacidade do Estado e seus tribunais para impor seu cumprimento. Sem o apoio deste, a escravidão não teria existido. Embora os direitos dos senhores fossem muito mais enfatizados que os dos escravos, o Estado tinha todo o direito de manifestar-se a respeito da "singular instituição", como a chamavam os norte-americanos. Não foi por acaso que a escravização de indígenas em grande medida terminou no século XVII, quando as coroas portuguesa e espanhola se recusaram a reconhecer o direito legal de propriedade sobre esses cativos. Também está claro que a abolição efetivamente ocorreu em todo Estado escravocrata quando o respectivo governo declarou nulos tais contratos legais. Isso não significa que sempre e em toda parte se tenha imposto o cumprimento dos aspectos mais protetores e paternalistas do código escravista. A prática diferiu drasticamente entre os países e até entre as regiões. Na maioria dos casos, quanto mais o cativo estava limitado à zona rural e à fazenda, menos acesso ele tinha a compensações ou queixas na justiça, em especial porque os tribunais situavam-se predominantemente em áreas urbanas. Porém, em muitos casos, os princípios fundamentais da lei foram suficientemente conhecidos e reconhecidos para dar alguns direitos mínimos de proteção a um número significativo de escravos em todas as partes onde eles viveram.

Apesar desses direitos legais e proteções consuetudinárias, a maioria dos cativos viveu sujeita à vontade inquestionável do senhor e do feitor. Se a reparação legal mostrava-se impossível, o que ocorria na maioria dos casos para os cativos rurais, os únicos recursos que lhes restavam para escapar ao comportamento arbitrário eram a resistência, a fuga ou a violência. Desde o princípio, em todas as sociedades escravistas americanas, escravos escaparam e tornaram-se fugitivos; essa foi uma ocorrência comum em todas as partes e, como mostram os anúncios de jornal do século XIX, também no Brasil[13]. Todo esse sistema de fuga temporária ou permanente da escravidão, chamado em francês de *marronage,* tornou-se corriqueiro. Na maioria dos casos a fuga da fazenda era temporária, e boa parte dos cativos permanecia nas proximidades da propriedade de seu senhor — um padrão que na sociedade colonial francesa era designado como *petit marronage.* Essa era uma ocorrência tão comum que originou uma elaborada prática de intervenção em todas as sociedades. Dados os custos das ausências prolongadas ou permanentes, muitos fazendeiros e feitores se dispunham a negociar com os escravos, oferecendo uma punição moderada ou alguma compensação pelas queixas. Em alguns casos, as exigências dos fugitivos podiam ser complexas. Um caso dos mais famosos nas Américas aconteceu na Bahia no período 1789-1790. A maioria dos trezentos escravos do engenho Santana, em Ilhéus, rebelou-se depois de matar o mestre de açúcar e fugiu para a mata. O engenho ficou inativo por dois anos e os cativos permaneceram à solta, mas finalmente decidiram voltar. Enviaram a seu ex-senhor um documento com dezenove condições para retornar, entre as quais incluíam-se reivindicações sobre trabalho, conforto físico e comercialização dos seus excedentes[14].

Embora o *petit marronage* fosse uma ocorrência comum e associada às possibilidades de mediação, nada garantia que não houvesse represália. Em alguns casos, os cativos eram açoitados, encarcerados, agrilhoados ou mesmo torturados. Mas também havia os que eram aceitos de volta com um castigo moderado. Como um caso de *petit marronage* podia transformar-se no que os franceses chamavam de *grand marronage*, havia certas restrições à conduta dos senhores. Não sendo possível a negociação, ou quando as condições da negociação eram violadas, os escravos deixavam as vizinhanças da fazenda ou da residência do senhor e tentavam uma fuga permanente. Seu êxito dependia de diversos fatores, os quais variavam conforme a região. A existência de matas densas ou de montanhas inacessíveis a pouca distância do local de fuga era um fator crucial. Outro era a disponibilidade, nessas regiões inacessíveis, de solo e clima que permitissem a produção de alimentos e, assim, o sustento independentemente do regime escravista. Por fim, uma fronteira indígena relativamente pacífica era essencial para que os escravos fugitivos pudessem fixar-se.

Um dos poucos estudos disponíveis a respeito de fugas em uma determinada localidade refere-se a Vassouras no período 1839-1880; os inventários foram a fonte primária utilizada. Naquele período os inventários registraram 122 alforrias e 52 fugas. Deve-se realçar que as fugas foram mais comuns nos grandes plantéis, enquanto as alforrias foram maiores em plantéis de médio porte. Nos pequenos plantéis a relação pessoal seria muito maior, desestimulando a fuga e ao mesmo tempo criando as condições para alforrias nos inventários[15].

O Brasil, com sua fronteira aberta e em grande medida pacífica, era ideal para esse tipo de assentamento permanente de escravos fugitivos. Assim, os quilombos e seus habitantes, os quilombolas, foram comuns e numerosos em todas as províncias brasileiras. Os objetivos da maioria dos cativos fugidos eram conservadores: escapar da escravidão e levar uma vida normal como camponeses livres. Mas para estabelecer comunidades viáveis, eles precisavam de mulheres, ferramentas, sementes e outros suprimentos. Enquanto não conseguiam obter esses fatores, muitos quilombolas assaltavam as áreas de fazendas e entravam em sangrentos conflitos com os brancos e outras pessoas livres. Esconder-se e escapar eram seu principal objetivo, mas muitas vezes isso só podia ser alcançado por meio de atividades predatórias que acarretavam retaliação. No Brasil, os quilombos tornaram-se refúgio de todo tipo de fugitivos, e por isso foram constantemente atacados pelas autoridades. Finalmente, em alguns raros casos, algumas dessas comunidades juntaram-se em movimentos insurrecionais mais amplos formados por escravos ou outros oponentes da ordem estabelecida. No Brasil, o conflito entre as comunidades de fugitivos e os senhores acirrou-se a tal ponto que, como em todas as sociedades escravistas, foram usados grupos de milícia locais e até mercenários negros e brancos para destruir essas comunidades e recapturar os fugitivos. Essas guerras internas foram tão encarniçadas e as condições para o êxito tão difíceis que o estabelecimento de comunidades de fugitivos viáveis constituía uma tarefa árdua e complexa, muitas vezes dependente de uma série de ocorrências fortuitas.

Embora em todas as sociedades escravistas existissem comunidades de fugitivos, os quilombos ou mocambos brasileiros provavelmente foram as mais numerosas, duradouras e difundidas dessas comunidades nas Américas. Essas povoações existiram por bem mais de um século, e outras seriam continuamente fundadas até o término da escravidão em fins do século XIX. A intensidade das atividades dos quilombolas no Brasil deve-se, em grande medida, tanto ao tamanho da força de trabalho introduzida no país como à natureza aberta da fronteira em todas as regiões de grande lavoura ou de trabalho escravo. Essa fronteira já era habitada por fugitivos da justiça e por um grupo numeroso e essencialmente mestiço, os caboclos. Até o término da escravidão em fins do século XIX, a maior parte da produção na agricultura comercial e mineração do Brasil restringiram-se à região costeira e às zonas interioranas cercadas por fronteiras abertas. Em contraste com os Estados Unidos no século XIX, no Brasil as zonas escravistas não foram bloqueadas por uma fronteira indígena hostil nem cercadas por povoações agrícolas de brancos; em toda parte, elas deram acesso a fronteiras abertas que se situavam a poucos quilômetros do litoral.

A atividade dos quilombos correlacionou-se à distribuição da escravaria pelo Brasil. Embora pudessem ser encontrados ao sul até Santa Catarina, a maioria dos primeiros e maiores quilombos situou-se na região açucareira do Nordeste. O quilombo mais conhecido foi um dos primeiros a ser fundado: a comunidade de Palmares, na capitania de Pernambuco, criada na atual divisa entre Pernambuco e Alagoas. A República de Palmares foi um amálgama de várias comunidades, que haviam, todas, passado pela fase predatória inicial e se estabelecido como florescentes comunidades agrícolas autônomas. Essas povoações fortificadas organizaram-se como um Estado centralizado que cobrava tributos e era governado por um rei. Sua agricultura e religião eram um misto de elementos africanos, americanos e europeus. Originadas nos primeiros anos do século XVII, essas comunidades ganharam um numeroso contingente de novos residentes graças aos acirrados conflitos entre portugueses e holandeses na primeira metade do século. Estima-se que, já na década de 1640, a cidade central abrigasse cerca de 6 mil pessoas[16]. Nos anos 1690, quando Palmares chegou ao apogeu de seu poder e importância, lá vivam cerca de 20 mil pessoas, entre as quais muitas pertencentes à terceira geração de moradores do quilombo. Tanto holandeses como portugueses atacaram os quilombos a partir da década de 1630, mas essas comunidades continuaram a crescer e até chegaram a formar um exército mantido pelo Estado, com armas que roubavam ou compravam do inimigo. Nos anos 1670, seu rei, Ganga Zumba, tentara assinar um tratado de capitulação com os portugueses, mas líderes mais jovens mataram o rei e continuaram a guerra até a extinção. Passaram-se aproximadamente sessenta anos de campanhas intermitentes até que um exército de 6 mil soldados financiados pela Coroa, que incluía até homens de São Paulo, finalmente conseguiu destruir a república em 1695[17].

Nos séculos XVIII e XIX havia vários quilombos importantes estabelecidos em zonas isoladas, como a Amazônia, por exemplo; mais de oitenta dessas comunidades de fugitivos foram descobertas no período 1734-1816 nas regiões de Maranhão e Grão-Pará, ambas na fronteira e próximas das regiões escravistas mais prósperas[18]. Na região mineradora das Minas Gerais havia cerca de 160 quilombos conhecidos no século XVIII[19]. Eram povoações de tamanhos variados, desde as que tinham algumas dezenas de habitantes até uma com mil residentes. Esta última, o reino de Ambrósio, ou Quilombo Grande, abrigava quase mil cativos vivendo em povoações cercadas por paliçadas ou palenques. Depois de muita resistência, esse quilombo finalmente foi destruído em 1746[20]. Muitas dessas comunidades tinham estrutura formal, e documentos régios registraram a existência de reis, capitães e outros líderes comunitários. Um líder, capturado em Minas em 1777, declarou-se rei do quilombo que fora destruído e disse que fora capataz da fazenda onde servira como escravo[21]. Em Mato Grosso, o quilombo de Quariterê provavelmente foi fundado em 1730 e existiu esporadicamente por mais de meio século. Quando pela primeira vez o destruíram, em 1770, ele continha 79 escravos fugitivos e trinta índios, todos vivendo juntos sob o governo de um rei e uma rainha. Depois de ser reconstruído, o quilombo foi novamente atacado em 1795, e cerca de 54 cativos fugidos foram capturados[22]. Mato Grosso possuiu um dos maiores quilombos do século XIX: o Vila Maria, ou Sepotuba, que existiu por no mínimo meio século e, segundo consta, durante a década de 1860 abrigou duzentos ex-escravos armados[23]. Na cidade de Trombetas, a noroeste de Manaus e às margens do rio Amazonas, o quilombo Pará foi criado em 1823 e tinha uma população de 2 mil cativos fugidos. Esse quilombo foi singular por ter um ativo contato com a sociedade dos brancos e participar da economia de mercado. Não só o quilombo mantinha comércio com índios e brancos da região, mas também exportava cacau e outras culturas comerciais para a Guiana Holandesa. Destruído uma vez em 1823, foi rapidamente recriado e durou até a década de 1830. Um grupo oriundo dessas comunidades chegou a subir o rio e fundar a Cidade Maravilha, que na década de 1850 mandava suas crianças para serem batizadas em comunidades de brancos. No século XIX, quilombos participaram até de rebeliões lideradas por brancos livres contra o governo imperial[24]. No Maranhão em fins dos anos 1830, sob a liderança do ex-escravo Cosme Bento das Chagas, o quilombo Campo Grande mobilizou um exército de 3 mil ex-escravos para participar de uma revolução liberal encabeçada por brancos[25]. Um exército imperial debelou rapidamente a revolução republicana no Maranhão e em seguida atacou os quilombolas e destruiu o quilombo[26]. Os problemas inerentes dos quilombos refletiram-se no caso do indômito quilombo Manso, de Mato Grosso, que, segundo estimativa, era habitado por 293 pessoas em fins da década de 1860. Havia apenas vinte mulheres adultas e treze crianças na povoação[27]. Essa razão de sexo distorcida é uma das principais causas da inerente instabilidade de muitas dessas comunidades, e a necessidade de mulheres impelia muitos quilombolas a assaltar fazendas e cidades, provocando, assim, a reação dos proprietários de escravos. Juntamente com a desproporção entre os sexos, havia os problemas associados à obtenção de alimentos e recursos para sobreviver à margem da economia colonial e imperial. Nesse aspecto o quilombo Buraco de Tatu, destruído em 1763, foi típico. Situava-se próximo à cidade de Salvador, e seus cerca de cem habitantes viviam da pesca, de trocas com agricultores livres da região e até de furtos nos mercados urbanos próximos. Os quilombolas roubavam também mulheres das fazendas e povoações vizinhas para incorporá-las à comunidade[28].

Boa parte desses quilombos mais conhecidos foi destruída, mas obviamente houve exceções. As centenas de quilombos que deixaram seu nome na topografia de todas as províncias brasileiras foram, o mais das vezes, comunidades de algumas dezenas de ex-escravos que buscaram o maior grau possível de reclusão e anonimato. Algumas dessas comunidades mesclaram-se tão bem à sua região que por fim se tornaram indistinguíveis das povoações de caboclos e de outros povoados agrícolas de subsistência. Outras foram tão ousadas que chegaram a fixar morada temporariamente nas proximidades das maiores cidades do país. O que está claro, porém, é que elas existiram em todas as regiões e em todas as épocas e foram uma opção viável para os escravos fugidos, sobretudo porque raramente os brasileiros fizeram acordos formais com essas comunidades com o objetivo de barrar a entrada de novos escravos. A importância dos quilombos reflete-se no fato de ter existido, em todas as partes do Brasil, uma organização militar separada para capturar escravos fugidos e destruir suas comunidades. Em Minas no século XVIII, por exemplo, criou-se um Regimento dos Capitães-do-mato cuja incumbência exclusiva era caçar fugitivos e destruir quilombos. A remuneração desses capitães-do-mato, dos quais cerca de 15% eram forros, baseava-se no número de foragidos capturados. Houve, inclusive, casos de proprietários de escravos que obtiveram patente régia para se tornarem capitães-do-mato, armaram seus próprios escravos e os organizaram em unidades de combate — um dos raros casos conhecidos em que cativos foram armados em grandes números. Uma expedição em 1769 contou com 58 cativos armados e uma orquestra de câmara formada por escravos; os músicos pertenciam ao chefe da expedição, que os levava para entretê-lo tocando minuetos quando saíam a campo[29].

Uma fronteira alternativa para os escravos fugidos era a cidade ou a imersão na sociedade das pessoas livres de cor. Isso era possível porque o Brasil possuía grandes centros urbanos com muitos forros e escravos de ganho. Alguns fugitivos, especialmente os que sabiam algum ofício ou viviam como escravos de ganho, diziam-se livres. Em alguns casos, pessoas livres de cor ou outros amigos forjavam documentos para o fugitivo atestando ser ele uma pessoa livre. Essa amizade, ou mesmo apenas a consciência de classe, foi um fator evidente no caso do escravo Serafim, que fugiu de seu senhor na cidade de Leopoldina, província de Minas Gerais, e foi para a cidade do Rio de Janeiro em 1884. Ele fez toda a jornada a pé, passou por numerosas fazendas, sempre buscando a proteção de cativos conhecidos e desconhecidos, que lhe deram comida e abrigo[30]. Mesmo nos arredores da cidade do Rio de Janeiro havia montanhas e florestas suficientes onde os cativos urbanos podiam encontrar refúgio[31]. Alternativamente, também existiu no Brasil uma numerosa população livre de cor vivendo em áreas rurais onde o policiamento era muito difícil, e esse revelou-se o grupo ideal onde os escravos fugidos podiam desaparecer. Muitos foram os casos e anúncios de cativos fugidos que se disseram pessoas livres ou que escaparam de navio de seu local de cativeiro. Um deles foi Bráulio, um pardo escuro, analfabeto, que trabalhava na lavoura. Na década de 1870 ele fugiu de uma fazenda de café e foi viver como homem supostamente livre no Rio de Janeiro, onde adotou o nome de Braz e se designava como pardo livre com o ofício de carpinteiro. Ele foi finalmente capturado quando tentava encontrar um navio para retornar à sua terra de origem, a Bahia, de onde havia sido transferido[32]. Outro escravo fugido, um benguela de meia-idade chamado Joaquim, aparentemente escapou em 1845 quando estava a bordo do vapor *Vênus* e nunca mais foi visto[33]. Existem inclusive numerosos casos de escravos fugidos que entraram para o exército, a marinha ou a tripulação de navios mercantes a fim de escapar da escravidão[34].

Quer escapassem em grupo para quilombos, quer se perdessem individualmente numa cidade, nas matas próximas ou até se mudassem ilegalmente para outras fazendas, os escravos fugitivos existiram em números impressionantes. Estimou-se que, na província do Rio de Janeiro em 1826, havia 895 prisioneiros que eram escravos fugidos detidos no calabouço, e a maioria fora capturada no interior da província[35]. Outro estudo de registros policiais da cidade do Rio de Janeiro para o período 1800-1830 mostra um total de 5.363 fugitivos recapturados, dos quais 80% eram africanos[36]. Os 2.265 cativos arrolados como fugitivos capturados detidos na prisão do Rio de Janeiro entre 1810 e 1830 representavam 42% de todos os prisioneiros escravos cujo crime era conhecido. É interessante notar que apenas 178 desses fugitivos eram mulheres[37]. Um estudo detalhado de anúncios sobre fugas de cativos nos jornais do Rio de Janeiro do começo do século XIX evidenciou que a maioria dos fugitivos nessa cidade compunha-se de homens, sobretudo africanos. Na *Gazeta do Rio de Janeiro*, entre 1809 e 1821 encontram-se notícias sobre 337 escravos fugidos, cerca de 80% deles homens, e dois terços africanos. Na *Gazeta* e no *Diário do Rio de Janeiro* desse mesmo período, 1.258 africanos foram mencionados como fugitivos, e em geral eram mais jovens do que os escravos nascidos no Brasil que escapavam[38]. Em um levantamento de jornais do início do século XIX de três importantes cidades, contendo uma amostra de 686 anúncios, os africanos representavam dois terços dos escravos fugidos, e mais de 80% eram homens[39]. Isso talvez ocorresse porque os africanos mais jovens haviam sido escravizados recentemente, sendo por isso mais rebeldes do que os escravos nascidos no Brasil, os quais aceitavam melhor a escravidão e mais comumente fugiam só quando adquiriam uma compreensão mais refinada de sua potencial capacidade para ser bem-sucedidos na fuga.

É provável que a maioria dos fugitivos escapasse individualmente. Em muitos casos de cativos recapturados, está claro que se refugiaram em casa de amigos ou parentes e que tinham em mente algum destino definido. Existem inclusive alguns casos documentados de grupos de cativos que fugiram juntos e tinham laços de parentesco. Isso ocorreu, por exemplo, com dois grupos de escravos no Rio de Janeiro. Em março de 1852 foram capturados nos arredores de Parati 32 fugitivos; dentre eles havia seis casais, dois deles com filhos, e uma família que continha três gerações. Nesse mesmo ano, outra fazenda ficou sem escravos; consta que, dos 62 cativos que fugiram, quarenta eram parentes, e que homens africanos mais velhos predominavam no grupo dos 22 outros indivíduos não aparentados[40].

A capacidade de escapar do sistema pela fuga, fosse ela por períodos breves ou longos, de esconder-se em meio a escravos urbanos ou em comunidades de pessoas livres de cor ou de sumir em comunidades ocultas na fronteira foi, essencialmente, uma válvula de escape para o sistema escravista. Enquanto a opção da fuga estivesse disponível, as pressões internas que normalmente se avolumam em um regime escravista podiam ser suportadas. Mas em muitos casos a evasão era impossível, ou a provocação era demasiado imediata e drástica. Nesses casos, os cativos recorriam à violência. O resultado era a morte isolada do senhor ou feitor opressivo ou até o suicídio do cativo[41]. Às vezes, a consequência era uma rebelião em grande escala.

É possível encontrar escravos, assim como quaisquer outros membros da sociedade brasileira, como autores dos mais variados crimes: homicídios premeditados, crimes passionais, crimes contra senhores ou feitores, mas também contra pessoas livres de cor, brancos ou outros cativos. Por outro lado, também houve escravos que foram vítimas de crimes perpetrados por pessoas livres, por outros cativos e até por seu senhor. Além disso, houve cativos que roubaram ou praticaram outros tipos de violência, em muitos casos envolvendo relações sociais com outros cativos, forros ou elementos das camadas mais pobres da sociedade[42]. Como se poderia esperar, um aspecto singular do crime cometido por cativos era a grande frequência com que matavam seu senhor ou feitor. Em Campinas, província de São Paulo, no período 1831-1887, houve 79 assassinatos de senhores por escravos. Um fato notável é esses assassinatos eram em sua maioria cometidos por escravos nascidos no Brasil (70%) e, ainda mais surpreendente, em dois terços dos casos nos quais se conhecia o tempo de residência do cativo na província (o caso de 38 indivíduos), eles haviam morado na fazenda por seis ou mais anos[43]. Mas houve também cativos que foram vítimas de homicídio, não só por seu senhor ou feitor, mas por outros escravos e até pessoas livres. Nas cidades paulistas de Campinas e Taubaté nesse mesmo período, ocorreram oitenta crimes contra pessoas cometidos por escravos. Uma elevadíssima parcela deles, 54 crimes, foi cometida contra senhores e feitores, enquanto o restante vitimou outros cativos e pessoas livres[44]. Índices igualmente altos de ataques a senhores e feitores foram registrados na província do Rio Grande do Sul entre 1818 e 1833. Do total de 104 homicídios, 35 foram de escravos que mataram seu senhor e quatorze que mataram o feitor — 47% do total de assassinatos, em comparação com apenas 22 casos de escravo matando outro escravo[45]. Em São Paulo, entre as décadas de 1850 e 1870, 42 cativos envolveram-se em crimes violentos contra seu senhor e administrador, e apenas vinte contra outros cativos, além de dezessete contra pessoas livres mas pobres — 53% de crimes violentos contra a pessoa de senhores ou seus agentes[46].

Em outras regiões, esses altos índices de homicídios contra senhores parecem não ter sido comuns. Na cidade mineira de Juiz de

Fora, por exemplo, do período de 1851 até o fim da escravidão, houve 118 assassinatos ou tentativas de homicídio perpetrados por cativos, dos quais apenas dois casos foram contra o próprio senhor e vinte contra feitores — ou seja, apenas 18% dos ataques. Mas escravos também mataram ou tentaram matar 51 outros escravos e pessoas livres que não eram seu senhor ou capatazes da fazenda[47]. Um estudo encontrou 29 casos de escravos que mataram outros escravos, uma tentativa de homicídio e seis casos de agressão[48], e registraram 29 casos de agressão de pessoas livres contra cativos, dos quais doze foram ordenados por senhores ou feitores[49]. Na Bahia de 1800 a 1888, nos distritos sertanejos de Caetité e Rio das Contas, apenas três escravos envolveram-se em crime contra seu proprietário, e quatro senhores agrediram cativos seus, mas houve vinte escravos que agrediram outros escravos e 23 cativos que atacaram forros ou homens livres, além de quinze casos de forros e livres que atacaram escravos. Nesses números não entram os casos de escravos que participaram junto com outros indivíduos como perpetradores ou vítimas de crimes contra a pessoa[50]. Em Montes Claros, um distrito rural do norte de Minas, em meados do século XIX, apenas sete escravos mataram outros cativos, enquanto 36 escravos mataram ou tentaram matar pessoas livres, e 24 cativos foram mortos ou feridos por pessoas livres — em um total de 104 crimes de morte cometidos por membros da comunidade[51]. Na cidade do Rio de Janeiro entre 1810 e 1821, 3.682 escravos foram presos, sendo a maior categoria de crimes os cometidos contra a ordem pública (32%) e apenas 513 crimes de violência; estes últimos perderam numericamente para fugas, crimes contra a propriedade e até mesmo várias transgressões mal definidas[52]. Desses crimes de violência, aparentemente a maioria foi cometida contra outros escravos ou contra forros, e uma parcela menor contra brancos[53].

Todas essas estatísticas de crimes violentos cometidos por escravos sugerem que, embora houvesse diferenças regionais nas categorias de vítimas, de modo geral se pode dizer que provavelmente a frequência com que cativos se envolviam em ataques contra outros cativos e contra pessoas livres era igual à frequência com que eles cometiam crimes contra seu senhor ou feitores, e que também com a mesma frequência escravos figuravam como vítimas ou agressores. Na primeira categoria de crimes, que tendia a ocorrer entre pessoas conhecidas e em geral consistir em violência não premeditada, o local da ocorrência era, o mais das vezes, o de residência, trabalho ou lazer[54]. Por exemplo, um minucioso estudo de casos de escravos que mataram outros escravos em Juiz de Fora, zona cafeeira de Minas Gerais, mostrou que 28 dos 36 assassinatos foram entre escravos pertencentes a um mesmo senhor e apenas oito entre cativos de diferentes proprietários. Além disso, ferramentas de trabalho ou objetos naturais foram os meios usados para matar outros cativos[55]. Estudos sobre homicídios de mulheres, por exemplo, indicaram que os lugares mais comuns de ocorrência desses crimes violentos eram a margem de rios onde as mulheres lavavam roupa, feiras onde elas vendiam mercadorias ou vendas onde trabalhavam escravas e forras[56]. Para os homens, o mais comum era a violência irromper em momentos de lazer, quando estavam bebendo, ou em episódios de briga entre amantes ou outras pessoas com relacionamentos íntimos. Por exemplo, Raimundo, um escravo mineiro, estava na casa de um amigo ouvindo música e bebendo cachaça quando entrou em uma briga de bêbados com o amigo Celestino Fernandez da Costa, um trabalhador livre, e o atacou. Levado ao tribunal por sua agressão, ele não conseguiu lembrar-se dos detalhes[57]. Mais complexo, embora menos comum, foi o crime passional cometido por um cativo paulista chamado Alvez. Ele assassinou o forro Vicente em 1861 porque planejava fugir com a mulher dele, Maria do Carmo, com quem estava tendo um caso[58].

Crimes contra outros escravos e pessoas pobres, portanto, tendiam a ser não premeditados e ter características emocionais e pessoais, além de não diferir dos que ocorriam entre pessoas livres, exceto quando havia o envolvimento de terceiros, como o proprietário do cativo[59]. Mas agressões entre senhor e escravo eram exclusivas da escravidão, em muitos casos derivavam de conflitos antigos, ainda que não premeditados, e aparentemente sempre envolviam grande violência. O caso de Ana Maria, uma escrava casada, ocorrido na cidade de Rio das Contas em 1848, pode ter sido extremo, mas não foi atípico. Ela foi acusada de afogar seus dois filhos pequenos e tentar suicidar-se. Quando interrogada pelas autoridades, disse que fora severamente açoitada por sua senhora, a qual prometeu repetir a dose no dia seguinte; a escrava, então, ficou alucinada pelo tormento da surra e tentou escapar da violência matando os dois filhos e se suicidando[60]. São muitos os casos de escravos que justificam ter matado feitores ou senhores porque estes os espancavam constantemente e reduziam ao extremo seus direitos básicos à alimentação e ao descanso.

Escravos envolviam-se também em crimes contra a propriedade, mas geralmente como agentes de seu senhor ou na condição de fugitivos ou vítimas. Na verdade, uma vez que em geral era o próprio senhor quem punia seus escravos quando estes o roubavam, poucos casos desse tipo aparecem nos registros legais do governo. Houve numerosos casos de pessoas que reivindicaram ilegalmente a propriedade de escravos, e também de senhores que atacaram vizinhos ou outras pessoas com seus cativos. Em tais situações, geralmente o proprietário era responsabilizado pelas ações de seus comandados. Ocorriam, ainda, roubos da própria pessoa do escravo, subtraído de seu senhor como qualquer outro bem[61]. E havia até casos de senhores que escondiam escravos fugidos em sua propriedade, como o que ocorreu em Macaé no ano de 1864: na fazenda de Bernardo Lopes da Cruz foram encontrados 26 cativos fugidos, todos pertencentes a um mesmo proprietário[62].

Dado que a disciplina básica era deixada nas mãos dos senhores, e considerando a importância econômica dos escravos como força de trabalho, não admira que, quando o Estado lidava com crimes cometidos por cativos, a punição fosse rápida e aplicada em público, e que poucos cativos permanecessem na prisão por longo tempo. Por exemplo, apenas 11% dos 421 presos na cadeia de Mariana, em Minas Gerais, no período 1800-1830 eram escravos, e na verdade alguns simplesmente haviam sido deixados aos cuidados da prisão, com cama e comida pagas por seu senhor que saíra de viagem. Outros eram fugitivos que estavam detidos até poderem ser devolvidos ao dono. De modo geral, se não fossem executados ou mandados para as galés, os cativos infratores eram açoitados ou castigados de algum outro modo e rapidamente devolvidos ao seu senhor[63]. Cabe salientar que os senhores sempre tentavam defender seus escravos de uma punição de longo prazo, já que esta significava perda de propriedade, e preferiam castigos como chibatadas em público aplicadas sem demora ou um encarceramento por pouco tempo. Entretanto, existiam a pena de morte, as galés e sentenças de logo prazo na prisão. A reação dos senhores a essas sentenças é ilustrada por um episódio ocorrido em Vassouras em 1879. Cinco escravos mataram o feitor. Segundo a lei de 1835, a pena de morte era automaticamente aplicada a cativos que matassem seu senhor, familiares deste ou um feitor. Todas as testemunhas desse caso declararam, apesar das provas, que o homem assassinado estava simplesmente de passagem pela fazenda e não era o feitor. Com ajuda do delegado encarregado do caso, três escravos foram inocentados e dois receberam pena de açoitamento, sendo esta deixada a cargo do senhor, que assim manteve intacta sua propriedade[64].

Muitos eram os tipos de rebelião de escravos: da mais espontânea à mais planejada, de guerras estritamente raciais contra todos os brancos a complexos ataques a elementos específicos da classe dos senhores. Algumas revoltas já nasciam fadadas ao fracasso, e os próprios participantes reconheciam o fato; outras resultavam em uma bem-sucedida transição para a vida em um quilombo. Em todos os casos, porém, a rebelião escrava era o último recurso para homens e mulheres desesperados que não suportavam mais as atrocidades da escravidão. Do século XVI em diante, ocorreram rebeliões escravas em todas as sociedades escravistas das Américas. Embora seja difícil fazer generalizações para um processo social tão complexo, podemos discernir algumas características gerais. Quando o sistema escravista tinha forte presença de africanos, as revoltas costumavam ser mais numerosas e intensas do que em comunidades escravistas compostas por maioria de escravos nascidos no Brasil. Como todos os cativos sabiam qual era a consequência suprema das rebeliões, os que tinham mais comprometimento com a ordem social vigente tendiam a ser mais comedidos. Entre os africanos recém-chegados, grupo no qual o desequilíbrio entre os sexos acarretava poucos laços familiares ou locais, a rebelião era mais frequente. Os escravos nascidos no Brasil com laços familiares e comunitários eram menos propensos à rebelião, embora às vezes até mesmo eles fossem provocados além de seu instinto de conservação e de sua capacidade de suportar.

Na grande maioria dos casos, a revolta era espontânea e envolvia poucos escravos. Provavelmente a forma mais comum de rebeldia escrava era a do cativo indignado que matava seu senhor ou feitor. Quando um grupo de cativos premeditava um ato como esse, em geral tentava envolver toda a fazenda, e também procurava planejar a fuga. Tais revoltas costumavam ter a fuga permanente como objetivo final da violência. Isso aparentemente foi o que ocorreu em 1833 em uma grande fazenda mineira na região do rio das Mortes. Como os líderes foram mortos durante a própria rebelião, é difícil saber quanto de premeditação existiu, embora os amotinados que foram capturados declarassem ter havido muitos debates preliminares. Mas em uma fazenda cativos recusaram juntar-se aos revoltosos, enquanto em outra escravos foram armados pelo proprietário para repelir os atacantes. A revolta acabou por envolver trinta escravos que mataram vários brancos, parentes do fazendeiro, além de um pardo livre e um agregado. Como vários dos brancos pertenciam a famílias da elite, a resposta do governo foi fulminante: o número de escravos executados por essa rebelião de um dia que envolveu apenas três fazendas quase igualou o de revoltas muito maiores. Aventou-se também que essa revolta teria sido a causa da lei imperial de 1835, que determinava a pena de morte para qualquer escravo que matasse seu senhor, feitor etc., sem direito a julgamento por júri[65].

Revoltas ferozes e espontâneas como essa foram, claramente, o tipo mais comum no Brasil colonial e imperial. Houve, contudo, alguns casos bem conhecidos de verdadeiras guerras de raça e classe nas quais os escravos conspiradores tencionavam eliminar a classe dos senhores e apoderar-se das terras. Em alguns casos essas guerras foram apenas contra brancos, mas em outros ocorreram choques entre os próprios elementos da classe escrava. Houve, inclusive, episódios em que cativos e forros conspiraram em conjunto para formar uma república de negros e mulatos. O mais das vezes, a reação contra a escravização foi instintiva e baseada em ideias universais sobre justiça e humanidade. Mas algumas rebeliões evoluíram a partir de sistemas alternativos de crença religiosa e desenvolveram uma elaborada cosmologia, às vezes com conotações milenaristas.

Comunidades isoladas de mineiros eram particularmente propensas à rebeldia escrava, enquanto pequenas propriedades agrícolas familiares provavelmente tiveram menos revoltas. Em toda parte onde cativos congregavam-se em grande número, tornavam-se possíveis a conspiração e a rebelião. Nas regiões com uma fronteira viável e/ou uma numerosa classe de pessoas livres de cor, a intensidade dessas insurreições era menor. A variação na intensidade e no momento das revoltas não se relacionava apenas a esses fatores demográficos, geográficos e estruturais, mas também a mudanças ocorridas ao longo do tempo. Em fins do século XVIII e começo do XIX, muitas das revoltas começaram a apresentar mais características de consciência de classe e desejo de progresso. As revoluções francesa e haitiana inspiraram uma série de conspirações e sublevações por toda a América, buscando a emancipação dos escravos e a igualdade para os libertos. Essas revoltas geralmente foram lideradas por homens livres de cor e brancos pobres, mas também incluíram cativos. Esse foi o caso da Conspiração dos Alfaiates na Bahia em 1798. E nas décadas de 1820 e 1830, quando os governos metropolitanos se viram às voltas com as exigências de mudança dos liberais reformistas, a abolição tornou-se um tema geral de debate nas colônias. O resultado foi a maturação de conspirações escravas e de amplos movimentos de classe. À medida que os cativos crioulos conseguiam acesso a informações sobre reformas governamentais, greves e atividades de protesto em massa passaram a ser organizadas para exigir melhores condições de trabalho, mais terras para plantar o próprio alimento ou mesmo a abolição da escravidão.

O mais destacado movimento revolucionário de escravos foi a série de rebeliões islâmicas na Bahia de 1808 a 1835. Uma conspiração de cativos na cidade de Salvador foi reprimida em 1807, e um grande ataque de trezentos quilombolas à cidade interiorana de Nazaré das Farinhas em 1809 foi rechaçado com muito derramamento de sangue. Em 1810 ocorreu outra revolta de cativos muçulmanos em fazendas, seguida por uma insurreição de pescadores no litoral em 1814. Cerca de cinquenta pescadores escravos foram mortos por soldados vindos de Salvador, mas não antes que muitos senhores brancos da região fossem mortos. Outras cinco rebeliões ocorreram entre 1816 e 1835, na zona rural e na cidade. Em 1830, por exemplo, vinte cativos armados atacaram um mercado urbano de escravos e libertaram cem cativos africanos recém-chegados[66]. A revolta mais importante, contudo, aconteceu em 1835. Bem organizada na capital e em fazendas por escravos que eram, em sua maioria, muçulmanos, a rebelião acabou sendo descoberta antes de eclodir totalmente. Mas um número suficiente de cativos obteve armas, e houve muitas mortes e grande destruição de propriedade. Mais de cem cativos muçulmanos foram executados, e o pânico gerado na capital e no governo alastrou-se para outras regiões[67]. A repressão contra escravos e pessoas livres de cor na capital foi tão violenta que depois dessa data não voltariam a acontecer revoltas de grande vulto[68]. No entanto, o descontentamento dos escravos foi uma constante na cidade de Salvador, e durante a Sabinada, a revolta de 1837-1838 pela independência, a tensão aumentou quando escravos abandonaram seus senhores para aderir ao exército rebelde[69].

A Bahia não foi a única região a sofrer revoltas e conspirações. Na província de São Paulo, 32 escravos foram presos por tramar a destruição de engenhos na área de Campinas em 1832[70]. No importante município cafeeiro de Vassouras, em 1838, oitenta cativos insurgiram-se em uma grande fazenda, depois atacaram outra e libertaram várias centenas de escravos. O objetivo aparentemente era fundar um quilombo nas montanhas, mas a Guarda Nacional conseguiu impedir a fuga e capturar os rebeldes[71]. No Maranhão vários milhares de escravos fugidos aderiram à rebelião da província contra o governo central na revolta da Balaiada em 1840[72]. Esses levantes de escravos ou a adesão a bandos rebeldes parece ter sido comum nas várias rebeliões regionais até a década de 1850[73]. Próximo ao fim da era escravista também ocorreram conspirações e levantes de cativos que incluíram a reivindicação geral da abolição. Esse aparentemente foi o caso de uma insurreição planejada em Minas Gerais em 1874. Nesse ano, uma conspiração de escravos na região mineira de Serro e Diamantina destacou-se por apresentar aspectos mais ligados à consciência de classe, um demorado planejamento e noção dos acontecimentos relacionados à abolição da escravidão no império e no mundo. Essa insurreição supostamente envolveu cerca de quatrocentos escravos dispersos por minas, fazendas e centros urbanos, que chegaram inclusive a aliar-se a quilombos da região. No final, a conspiração foi denunciada antes de amadurecer, e aproximadamente quarenta líderes rebeldes foram presos e punidos com severidade[74]. Típica dessas revoltas foi a rebelião de Queimado, no Espírito Santo em 1849, com participação de cinquenta escravos armados. Eles marcaram sua revolta para o momento da conclusão da nova igreja, e alegaram que com a dedicação da nova igreja poderiam obter sua liberdade. Cinco lideres foram executados e outros oito mortos em combate. No todo, 36 escravos foram presos, mas inúmeros escravos participantes nunca foram capturados[75]. Revoltas, rebeliões, conspirações e movimentos de protesto foram apenas uma fração das manifestações de hostilidade dos escravos contra sua condição. Houve também elevada incidência de crimes de agressão e contra a propriedade, nos quais cativos foram vítimas ou perpetradores. Roubo, vandalismo, incêndio e destruição de propriedade por escravos foram uma constante, e claramente constituíram atos de protesto contra os senhores e a condição de escravo. Ocorreram, ainda, muitas mortes de senhores e feitores por cativos enraivecidos cuja capacidade de suportar atrocidades foi excedida. Mas a pobreza e a opressão sofridas às vezes os fizeram voltar-se uns contra os outros. Muitos desses crimes foram causados por conflitos interpessoais normais, mas numerosos outros resultaram de uma hostilidade irrefreada contra o sistema no qual eram forçados a viver. Alcoolismo, desordem social e crime foram, em grande medida, fenômenos urbanos, mas nenhuma comunidade escrava, nem mesmo a mais isolada das fazendas, esteve livre deles. Em um mundo no qual violência e desamparo eram ocorrências cotidianas, um correspondente nível de protesto, coerente e aleatório, não poderia deixar de fazer parte do sistema. Como muitos observaram, a violência em todas as formas foi inerente ao sistema escravista. Essa violência não ocorreu apenas contra os escravos, mas também foi um elemento permanente da mentalidade dos senhores, com seus medos constantemente expressos de rebeliões escravas, especialmente em comunidades com grande proporção de cativos na população. Portanto, uma característica básica do sistema escravista foi a permanente sensação de violência que pairou sobre todos os membros da sociedade.

NOTAS

1. *Las Siete Partidas del rey Alfonso el sabio, cotejadas con varios codices antiguos, por la Real Academia de la Historia*, v. III, p. 117.
2. *Idem*, p. 30.
3. *Idem*, p. 570, Partida VII, Titulo VIII, Ley IX; Agostinho Marques Perdigão Malheiro, *A Escravidão no Brasil. Ensaio Histórico-jurídico-social*, v. I, p. 23.
4. Aparentemente, houve dois casos desse tipo no Brasil, um no século XVIII e outro em meados do século XIX. Ver Luís Francisco Carvalho Filho, "Impunidade no Brasil-Colônia e Império", pp. 187-188.
5. Ver a ponderada análise de Sílvia Hunold Lara, *Campos da Violência. Escravos e Senhores na Capitania do Rio de Janeiro, 1750-1808*, cap. 2.
6. "[...] no campo, ver entre nós cultivarem escravos para si terras nas fazendas dos senhores, de consentimento destes; fazem seus todos os frutos, que são seu pecúlio. — Mesmo nas cidades e povoados alguns permitem que seus escravos trabalhem como livres, dando-lhes porém um certo jornal; o excesso é seu pecúlio." Perdigão Malheiro, *A Escravidão no Brasil*, v. I, pp. 60-61.
7. Sílvia Hunold Lara (org.), *Ordenações Filipinas*, Livro V, título 99, pp. 308-309.

8. Ver, por exemplo, Patrícia Porto de Oliveira, "Desfazendo a Maldição de Cam por Meio dos Assentos de Batismo de Escravos Adultos na Matriz do Pilar de Ouro Preto (1712-1750)", que contém também uma boa análise de todo o contexto religioso do processo.
9. Perdigão Malheiro, *A Escravidão no Brasil*, v. I, pp. 56-57.
10. *Idem*, pp. 33-36.
11. Citado em Ilton César Martins, *Veredicto Culpado: a Pena de Morte enquanto Instrumento de Regulação Social em Castro - PR (1853-1888)*, pp. 106-107.
12. Ver, por exemplo, Eugene D. Genovese, *Roll Jordan Roll: The World the Slaves Made*.
13. O clássico estudo sobre o tema no Brasil é Gilberto Freyre, *O Escravo nos Anúncios de Jornais Brasileiros do Século XIX*.
14. O clássico estudo sobre esse evento é Stuart B. Schwartz, "Resistance and Accomodation in Eighteenth-Century Brazil: the Slaves' View of Slavery", que contém a tradução do documento original do "tratado" dos escravos fugidos; uma análise desse mesmo movimento encontra-se em Lara, *Campos da Violência*, p. 71.
15. Ricardo Salles, *E o Vale Era o Escravo: Vassouras, Século XIX, Senhores e Escravos no Coração do Império*, p. 291, quadro 15. Infelizmente, o autor não divulgou o número total de escravos nos plantéis; portanto, a proporção de fugas no total da população não pode ser calculada. Mas se essa proporção de alforrias e fugas ocorreu em outras partes do Brasil, esse movimento dos escravos pode ter elevado significado na população escrava.
16. Pedro Paulo de Abreu Funari, "A Arqueologia de Palmares, Sua Contribuição para o Conhecimento da História da Cultura Afro-americana", p. 31.
17. Sílvia Hunold Lara, "Do Singular ao Plural: Palmares, Capitães-do-mato e o Governo dos Escravos", p. 86. A história clássica da rebelião é Décio Freitas, *Palmares, a Guerra dos Escravos*; ver também a coletânea de documentos em Décio Freitas (org.), *República de Palmares: Pesquisa e Comentários em Documentos Históricos do Século XVII*. Ver também as interessantes comparações entre Palmares e a sociedade angolana em Schwartz, *Slaves, Peasants and Rebels*, pp. 122-128.
18. Flávio dos Santos Gomes, *A Hidra e os Pântanos, Mocambos, Quilombos e Comunidades de Fugitivos no Brasil (Séculos XVII-XIX)*, p. 56.
19. Carlos Magno Guimarães, "Mineração, Quilombos e Palmares: Minas Gerais no Século XVIII", p. 141.
20. Guimarães, "Mineração, Quilombos e Palmares", p. 147; e Ramos, p. 184.
21. Guimarães, "Mineração, Quilombos e Palmares", p. 147.
22. Luiza Rios Ricci Volpato, "Quilombos em Mato Grosso: Resistência Negra em Área de Fronteira", pp. 222-225.
23. *Idem*, pp. 229-231.
24. Eurípedes A. Funes, "Nasci nas Matas, Nunca Tive Senhor — História e Memória dos Mocambos do Baixo Amazonas", pp. 467 segs.
25. Maria Januária Vilela Santos, *A Balaiada e a Insurreição de Escravos no Maranhão*, pp. 96 segs.
26. Mattias Röhrig Assunção, "Quilombos Maranhenses", pp. 442 segs.
27. Volpato, "Quilombos em Mato Grosso", p. 233.
28. Schwartz, *Slaves, Peasants and Rebels*, pp. 112-118.
29. Laura Mello e Souza, "Violência e Práticas Culturais no Cotidiano de uma Expedição contra Quilombolas, Minas Gerais, 1769", pp. 189-200.
30. Flávio dos Santos Gomes, *Experiências Negras e Brasil Escravista: Questões e Debates*.
31. Luiz Carlos Soares, *O "Povo de Cam" na Capital do Brasil*, pp. 238-246.
32. Sidney Chalhoub, "*Visões da Liberdade: uma História das Últimas Décadas da Escravidão na Corte*", pp. 54-56.

33. *Jornal do Commercio,* 5 de janeiro de 1846, p. 3.

34. Hendrick Kraay, "The Shelter of the Uniform: The Brazilian Army and Runaway Slaves, 1800-1888".

35. Mary C. Karasch, *Slave Life in Rio de Janeiro, 1808-1850,* p. 309, tabela 10.4.

36. Santos Gomes, *Experiências Atlânticas,* pp. 51-52.

37. Soares, *O "Povo de Cam" na Capital do Brasil,* pp. 443-444, tabelas LXXX-LXXXI.

38. Flávio dos Santos Gomes, *Experiências Atlânticas: Ensaios e Pesquisas sobre a Escravidão e o Pós-emancipação no Brasil,* pp. 45-51.

39. Juliana Barreto Farias *et al., Cidades Negras: Africanos, Crioulos e Espaços Urbanos no Brasil Escravista do Século XIX,* p. 27, tabela 2.

40. Santos Gomes, *Experiências Atlânticas,* pp. 73-74.

41. No século XIX suicidaram-se 48 escravos no município de Juiz de Fora e 46 na comarca mineira de Paraibuna. Ana Maria Faria Amoglia, "Um Suspiro de Liberdade: Suicídio de Escravos no Município de Juiz de Fora (1830-1888)", p. 8, tabelas 1 e 2.

42. Como observou Wisenbauch: "Em linhas gerais, os crimes cometidos pelos escravos, analisados neste trabalho, incidiram em direções opostas: crimes imbricados diretamente nas questões de dominação escravista e de sua violência, e crimes plenamente integrados em vivências específicas. Tal configuração atesta que, para além da relação básica que vincava suas vidas como escravizados, uma outra dimensão se fazia tão ou mais importante: as relações intragrupos negros ou entre eles e as demais camadas socialmente desclassificadas". Maria Cristina Cortez Wissenbauch, *Sonhos Africanos, Vivências Ladinas. Escravos e Forros no Município de São Paulo (1850-1880),* p. 19.

43. Maria Helena P. T. Machado, *Crime e Escravidão: Trabalho, Luta e Resistência nas Lavouras Paulistas, 1830-1888,* p. 49.

44. Machado, *Crime e Escravidão,* pp. 39-40, quadros 2 e 3.

45. Solimar Oliveira Lima, *Triste Pampa: Resistência e Punição de Escravos em Fontes Judiciárias no Rio Grande do Sul, 1818-1833,* p. 99, quadro 2.

46. Maria Cristina Cortez Wissenbach, *Sonhos Africanos, Vivências Ladinas. Escravos e Forros em São Paulo, 1850-1880,* p. 49. Um caso típico foi o de um cativo de Moçambique chamado José Antônio, que matou seu feitor. Ver Diego Emílio Alves Arêdes e Maria Aparecida Chaves Ribeiro Papali, "Crime de Escravo em Taubaté: Assassinato de um Feitor em 1852", em <www.inicepg.univap.br/INIC_2005/inic/IC7%20anais/IC7-10.pdf->.

47. Elione Silva Guimarães, *Violência entre Parceiros de Cativeiro: Juiz de Fora, Segunda Metade do Século XIX,* p. 98, tabela 3. Curiosamente, há apenas 21 casos de crimes contra a propriedade nos quais escravos estavam envolvidos.

48. Elione Silva Guimarães, "Criminalidade entre Mancípios: a Comunidade Escrava no Contexto de Grandes Fazendas Cafeeiras da Zona da Mata Mineira 1850-1881", tabela 1.

49. Elione Silva Guimarães, *Criminalidade e Escravidão em um Município Cafeeiro de Minas Gerais – Juiz de Fora, Século XIX,* p. 8.

50. Maria de Fátima Novaes Pires, *O Crime na Cor: Escravos e Forros no Alto Sertão da Bahia (1830-1888),* pp. 219-220, quadros 3 e 4.

51. Alysson Luiz Freitas de Jesus, *No Sertão das Minas: Escravidão, Violência e Liberdade (1830-1888),* p. 97, quadro 3.

52. Leila Mezan Algranti, *O Feitor Ausente. Estudos sobre a Escravidão Urbana no Rio de Janeiro, 1808-1822,* p. 167, tabela 4.1. De 3.374 prisioneiros escravos cuja origem era conhecida, a extraordinária parcela de 85% era nascida na África. *O Feitor ausente,* pp. 190-191, tabela 4.8.

53. *Idem,* p. 173.

54. Duas mortes de escravo por outro escravo em Minas no século XIX exemplificam os conflitos que ocorriam em locais de trabalho. Um cativo recém-comprado matou outro que dormia no alojamento que os dois ocupavam; a causa, aparentemente, fora a recente transferência do primeiro e sua hostilidade contra o novo ambiente, que ele extravasou sobre um companheiro de cativeiro. O segundo caso teve por base conflitos de longa data entre dois escravos, um dos quais matou o outro no caminho para a plantação quando os dois se encontraram na mesma turma de trabalho. Ver Elione Silva Guimarães, "Rixas e Brigas entre Companheiros de Cativeiro (Juiz de Fora, 1850-88)", pp. 95-96.

55. De um total de 36 casos nos quais escravos foram agressores ou vítimas. *Idem*, pp. 89-90.

56. Alan Nardi de Souza, *Crime e Castigo: a Criminalidade em Mariana na Primeira Metade do Século XIX*, pp. 80, 84. Eis um raro caso em que uma escrava matou alguém em vez de suicidar-se: "Thereza, preta escrava, foi presa em Mariana no dia 12 de janeiro de 1808 por ter matado um tal Simão, escravo de propriedade de seu senhor Antônio José da Cunha [...]". Souza, *Crime e Castigo*, p. 80.

57. Quando lhe perguntaram como ocorrera o crime, a vítima "respondeu que principiou por uma brincadeira de que não recorda as minudências por estar muito embriagado". Ele se desculpou prontamente, mas seu amigo, também bêbado, atacou-o. Citado em Jesus, *No Sertão das Minas*, pp. 98-99.

58. César Mucio Silva, *Processos-crime. Escravidão e Violência em Botucatu*, pp. 76 segs.

59. Conflitos nos quais senhores obrigavam seus escravos a atacar outros escravos ou pessoas livres não eram raros. Ver, por exemplo, uma análise sobre esse tema em Maria Lúcia Resende Chaves Teixeira, "Lei, Matriz Doutrinária e Escravidão: Minas Gerais, Comarca do Rio das Mortes (1800-1831), pp. 6-9.

60. Ela alegou que, "alucinada pelos tormentos das surras procurou livrar-se por meio da morte assim como seus filhos". Pires, *O Crime na Cor*, p. 178.

61. Por exemplo, em 1769, em Minas Gerais, o preto forro André Alves foi acusado de roubar três escravos e fugir com eles. Núbia Braga Ribeiro, "*Cotidiano e Liberdade: um Estudo sobre os Alforriados em Minas no Século XVIII*, p. 176.

62. Gomes, "Experiências Negras e Brasil Escravista: Questões e Debates".

63. Souza, *Crime e Castigo*, p. 84. Claramente as antigas galés da Europa já não eram usadas para prisioneiros, e segundo o Código Criminal de 1830, artigo 44, significavam confinamento em prisão e trabalhos públicos: "A pena de galés sujeitará os réus a andarem com calceta no pé e corrente de ferro, juntos ou separados, e a empregar-se nos trabalhos públicos onde tiver sido cometido o delito, à disposição do governo [...]". A sentença podia ser perpétua ou por um tempo determinado, e substituiu cada vez mais a execução de cativos após 1857, quando a pena de morte foi abolida para pessoas livres mas não para escravos. Caiuá Cardoso Al-Alam, "Questões acerca dos Enforcamentos de Escravos em Pelotas – RS", pp. 10-11.

64. Nilo Batista, "Pena Pública e Escravismo".

65. Marcos Ferreira de Andrade, "Negros Rebeldes nas Minas Gerais: a Revolta dos Escravos de Carrancas".

66. Sobre a rebelião hausá de 1814, ver Stuart B. Schwartz, "Cantos e Quilombos numa Conspiração de Escravos Hausás". Sobre as outras revoltas, ver João José Reis, *Rebelião Escrava no Brasil, a História do Levante dos Malês (1835)*, pp. 66 segs. Para uma rápida síntese dessas rebeliões, ver Howard M. Prince, *Slave Rebellions in Bahia, 1807-1835*. Ver também João José Reis e Eduardo Silva, *Negociação e Conflito. A Resistência Negra no Brasil Escravista*.

67. Sobre o pânico gerado na cidade do Rio de Janeiro, ver Carlos Eugênio Líbano Soares e Flávio Gomes, "'Com o Pé sobre um Vulcão': Africanos, Minas, Identidades e a Repressão Antiafricana no Rio de Janeiro (1830-1840).

68. O estudo clássico sobre a rebelião é Reis, *Rebelião Escrava no Brasil, História do Levante dos Malês (1835)*.

69. Hendrik Kraay, "As Terrifying as Unexpected: The Bahian Sabinada, 1837-1838", p. 502.

70. Ricardo Figueiredo Pirola, "*A Conspiração Escrava de Campinas, 1832: Rebelião, Etnicidade e Família*.

71. Flávio dos Santos Gomes, *Histórias de Quilombolas: Mocambos e Comunidades de Senzalas no Rio de Janeiro, Século XIX*, cap. 2.

72. Santos, *A Balaiada e a Insurreição de Escravos no Maranhão*.

73. Foi o caso da Cabanagem, rebelião ocorrida na década de 1830. Ver Mark Harris, *Rebellion on the Amazon: the Cabanagem, Race and Popular Culture in the North of Brazil, 1798-1840*, cap. 5.

74. Isidora Moura Motta, *O "Vulcão Negro" da Chapada: Rebelião Escrava nos Sertões Diamantinos (Minas Gerais, 1864)*.

75. Lavínia Coutinho Cardoso, *Revolta Negra na Freguesia de São José do Queimado: Escravidão, Resistência e Liberdade no Século XIX na Província do Espírito Santo (1845-1850)*, pp. 91-98.

Família, parentesco e comunidade

Fuga, rebelião, resistência e violência não poderiam ser as únicas respostas possíveis à escravidão no Brasil. A maioria dos africanos e seus descendentes tentou sobreviver à experiência do cativeiro e levar uma vida o mais normal possível no contexto desse impiedoso sistema. Por isso, a família e a vida comunitária foram parte fundamental da experiência afro-brasileira e, de modo mais amplo, contribuíram para moldar e definir a sociedade na qual os escravos se inseriam. Forçados a trabalhar para outros e com escasso controle sobre a própria vida, os cativos trataram de aprender ofícios, formar família e criar redes de parentesco e amizade que sobreviveriam à instituição escravista. Na religião e em suas irmandades, encontraram outra fonte de conforto e vida comunitária.

Embora os escravos africanos trazidos para o Brasil falassem muitas línguas diferentes e proviessem de sistemas culturais e nacionalidades distintos, ocasionalmente encontraram características em comum que puderam ajudá-los na formação de laços no Novo Mundo. A abertura do tráfico atlântico, por exemplo, contribuiu para o desenvolvimento de contatos inter-regionais com a África, criando áreas de mercado cada vez maiores. Ao mesmo tempo, a expansão e reorganização constantes dos Estados e sociedades africanas no decorrer dos anos puseram em contato muitos grupos diferentes. Embora não devamos dar excessiva importância ao processo de integração cultural no continente africano, também não devemos exagerar a diversidade da África. Nem todo grupo etnolinguístico possuía uma cultura distinta que divergisse completamente das demais. Além disso, muitos africanos da era do tráfico de escravos eram multilíngues e capazes, ao menos em um grau rudimentar, de conversar em dialetos e entender os costumes de seus vizinhos. Significativamente, as circunstâncias do tráfico atlântico não dissiparam totalmente essas tendências. Muitos navios negreiros extraíam cativos de regiões onde havia ocorrido um intenso contato multinacional, e muitos dos escravos que os traficantes compravam também haviam migrado lentamente para a costa onde foram vendidos, passando assim por numerosos territórios e interagindo com várias populações. Tudo isso pode ajudar a explicar por que alguns africanos recém-chegados na América foram capazes de criar laços de amizade e comunidade com cativos de outras nações. Finalmente, a longa duração e a intensidade do tráfico de escravos africanos para o Brasil garantiram a reunião de grandes grupos de cativos das mesmas regiões e até dos mesmos grupos etnolinguísticos em uma mesma área do Brasil, e podemos encontrar em documentos brasileiros numerosos casos de escravos do mesmo grupo etnolinguístico que viveram e trabalharam juntos, ou mesmo que foram seletivamente comprados por forros da mesma origem africana[1].

Certamente alguns senhores do Novo Mundo demonstraram preferência pela aquisição de um ou outro grupo de africanos para suas propriedades, julgando vantajoso cultivar um ambiente de trabalho produtivo. Outros procuraram diversificar seus plantéis, acreditando que a concentração excessiva de um grupo específico poderia fomentar resistência e rebelião. No entanto, entre os traficantes não houve tentativas sistemáticas de diversificar suas fontes, e a demanda no Novo Mundo não afetou a seleção dos africanos trazidos para a América. Os traficantes compravam escravos onde pudessem encontrá-los, e a disponibilidade de cativos para venda dependia exclusivamente das condições de oferta na África e das forças da concorrência europeia. É possível que alguns senhores tenham sido capazes de escolher as etnias dos escravos que desejavam nos limites do tráfico interno americano, quando os cativos enviados diretamente da África para uma colônia ou região eram reenviados para outras. Ademais, muitos fazendeiros e outros proprietários descobriam que os cativos que haviam comprado possuíam inesperadas habilidades especiais como mineiros ou agricultores e, a partir de então, tentavam adquirir mais cativos com as mesmas qualificações. De modo geral, porém, os fazendeiros não tinham realmente a possibilidade de determinar a fonte africana de seus escravos; assim, por exemplo, se quisessem aumentar o número de seus cativos iorubás, só podiam comprá-los no mercado interno.

Eventos específicos na África podem ter ocasionado concentrações de grupos étnicos nas Américas. Por exemplo, uma série de guerras em meados do século XVI acarretou o declínio do império Wolof, na Alta Guiné, o que, por sua vez, aumentou a disponibilidade de membros desse povo nos mercados de escravos desse período. Outro caso muito especial é o colapso do império Oyo, que impeliu um sem-número de iorubás para o cativeiro em fins do século XVIII. Analisando os cativos desembarcados cuja identidade étnica foi claramente indicada e registrada em documentos históricos, podemos começar a refletir sobre as possibilidades da construção de comunidades escravas culturalmente coerentes baseadas em etnicidades compartilhadas. Mas esse tipo de análise requer grande cuidado e, em certo grau, tem de permanecer apenas na esfera especulativa. Muitos cativos simplesmente foram arrolados como originários do porto onde foram vendidos, em vez de ter sido mencionados com uma identidade étnica específica baseada na linhagem de clã e no local de nascimento. O uso dessas designações genéricas de portos de embarque costuma dificultar ao pesquisador determinar se certos grupos de escravos tiveram linguagem e cultura em comum, e assim, como afirmam alguns, formado um "conglomerado" étnico coerente.

Embora muitos escravos mencionassem sua identidade étnica com bastante clareza em testamentos e, por vezes, em outros documentos oficiais, nem todos os africanos foram corretamente arrolados por origem nos registros americanos, e relativamente poucos deixaram testamento[2]. É difícil determinar em que medida as etnicidades declaradas pelas autoridades e proprietários para seus escravos constituíram uma parte consciente da identidade dos cativos no cotidiano. Ainda menos claro é o grau em que escravos analfabetos realmente mencionaram a identidade étnica que foi registrada em nome deles por seus senhores ou por autoridades. Vários cativos não sabiam dizer prontamente a que etnia africana pertenciam, ou, trazidos ainda crianças para o Novo Mundo, nunca chegavam a entender o significado de suas origens africanas.

Resta, por fim, a questão, muito debatida por historiadores brasileiros, de se houve ou não hostilidade nas relações entre os escravos nascidos no Brasil e os africanos, e mesmo entre grupos africanos que, em alguns casos, teriam refletido contatos hostis prévios na própria África. O casamento endogâmico tanto entre os escravos nascidos no Brasil como entre os africanos sugere a preferência por associar-se a pessoas do próprio grupo; o frequente papel hostil que escravos nascidos no Brasil tiveram em revoltas lideradas por africanos e, finalmente, as práticas discriminativas de admissão nas irmandades de africanos são, todos, indícios de que não houve uma cultura escrava unificada e de que existiram tensões alicerçadas nas origens dos cativos. Ao mesmo tempo, historiadores demonstraram que houve cooperação, casamentos fora das fronteiras grupais e declínio da hostilidade ao longo do tempo conforme escravos nascidos no Brasil passaram a predominar numericamente na população cativa. Também parece ter havido amplas variações conforme o local, a economia e a época nesses padrões de conflito ou cooperação e identidade[3].

A relevância cultural das etnicidades africanas nas Américas nem sempre se relacionou à intensidade demográfica. Em uma dada colônia ou província, alguns escravos que podem ter sido numericamente pouco representativos originavam-se de grupos étnicos que desfrutavam primazia sobre outros na esfera cultural, na política ou em ambas, ou então haviam sido os primeiros a chegar e definir as regras de aculturação. Igualmente importante foi o fato de que alguns aspectos da cultura africana simplesmente eram mais transferíveis para o outro lado do Atlântico do que outros, ou foram mais bem aceitos pela população mais diversificada. Os africanos nas Américas não contavam com um aparelho de Estado, nem com representação política, e suas organizações de clã foram drasticamente rompidas; por isso, as crenças africanas associadas a todas essas atividades tiveram dificuldade para cruzar o Atlântico. Em contraste, as crenças nas esferas da saúde, bem-estar, relacionamentos interpessoais e relação do indivíduo com o cosmo tiveram maior probabilidade de conservar seu poder no Novo Mundo.

Também está claro que elementos da cultura afro-brasileira emergente foram influenciados por crenças europeias. Variantes do cristianismo europeu tornaram-se a religião dominante entre os escravos, ainda que sincretizadas com elementos destacados de crenças e deidades africanas; constatou-se, inclusive, a penetração de crenças indígenas em rituais afro-brasileiros[4]. Segundas e terceiras gerações de escravos cresceram falando a língua de seus senhores. Em sua adaptação a práticas agrícolas camponesas, muitos africanos e seus descendentes adotaram ferramentas, tecnologias e modo de vida europeus, embora às vezes usando tecnologias africanas. As estruturas de estratificação social na comunidade afro-americana emergente também podem ter representado um amálgama de dois mundos diferentes ou mesmo uma resposta às condições especiais que os escravos encontraram no cativeiro do Novo Mundo. Em alguns casos, a diferenciação no *status* social africano original conseguiu transpor o Atlântico. Em outros, diferenças de *status* entre os cativos derivaram de lutas contra as várias posições sociais designadas aos escravos por seus senhores, posições que frequentemente não correspondiam às noções de estratificação emanadas das próprias comunidades cativas. Consequentemente, embora uma hierarquia de *status* baseada na ocupação e cor da pele fosse imposta à população escrava, as divisões internas na escravaria não necessariamente imitaram os padrões dos brancos.

Certas características dessa cultura escrava foram comuns a todas as sociedades escravistas da América, enquanto outras surgiram mais especialmente no contexto latino-americano. Hoje é consenso que, na época escravista em Cuba, Haiti e Brasil, desenvolveram-se poderosos movimentos de práticas religiosas proscritas que foram intensamente influenciados por um sincretismo de deidades religiosas africanas. A santeria em Cuba, o vodu no Haiti e o candomblé no Brasil foram as principais manifestações dessas novas religiões[5]. Tais movimentos vieram plenamente à luz nesses países católicos no período pós-abolição, mas em sociedades protestantes nunca adquiriram vulto. Essas religiões essencialmente não cristãs estão entre as mais significativas características que distinguiram a cultura afro-americana no Brasil.

Embora os brancos considerassem todos os escravos iguais perante a lei, os preços diferenciados pagos por cativos com ofícios especializados em comparação com os pagos pelos trabalhadores braçais da lavoura claramente sugerem que os brancos reconheciam importantes variações nas aptidões, habilidades e outros predicados individuais. Quanto aos próprios escravos, obviamente houve níveis de estratificação no cativeiro comum a todos. As tradicionais definições de *status* social entre as pessoas livres contemporâneas, porém, não se aplicam totalmente quando examinamos a sociedade escrava. As posições de controle sobre recursos ou sobre outras pessoas — altamente valorizadas na comunidade livre — não eram necessariamente as que garantiam *status* superior na comunidade escrava, e nem mesmo eram aquelas reconhecidas pelos diferenciais de preço estabelecidos pelos brancos. Autonomia e conhecimento geralmente tinham um papel de igual importância. A autonomia estava claramente ligada à independência em relação ao controle e supervisão dos brancos, qualquer que fosse a ocupação, e o conhecimento podia ser sobre a cultura africana do passado ou sobre a cultura branca do presente.

A vida dos cativos na América Latina definia-se primariamente pelo trabalho. Com exceção apenas dos muito jovens e dos muito velhos, todos passavam a maior parte do tempo ocupados em trabalho braçal. Mais do que qualquer outro segmento da sociedade, os escravos eram os que menos se diferenciavam sexualmente pelo trabalho e os que tinham as mais elevadas porcentagens de ocupação economicamente ativa de todas as classes ou grupos. Por essa razão, o trabalho dominava a vida dos escravos mais que a de outros membros da sociedade, e as questões ligadas à autonomia e à independência eram de interesse vital para os cativos. Nas sociedades de grande lavoura, uma supervisão rigorosa regia a vida da maioria dos escravos, porém mesmo nessas fazendas o controle relativo sobre o próprio tempo esteve disponível a um número surpreendente de cativos. Em média, em uma fazenda de café ou açúcar, o trabalho em turmas era feito por apenas metade da escravaria. Outro terço, mais ou menos, trabalhava em ofícios artesanais ou em ocupações que deixavam o cativo livre da supervisão direta dos brancos ou do feitor. Nas populações escravas rurais que não viviam em fazenda, existia igualmente uma distribuição das ocupações sob rigorosa supervisão nas unidades agrícolas familiares, mas também havia famílias relativamente independentes de cativos que cultivavam a terra por conta própria, artesãos qualificados ou tropeiros que podiam escapar do controle direto de brancos. Na zona urbana, os escravos domésticos compunham grande parcela da força de trabalho, viviam em contato próximo com brancos e eram controlados mais de perto. Mas todo aquele que trabalhasse como escravo de ganho ou como artesão independente tendia a ter mais tempo livre para si fora do ambiente de trabalho normalmente controlado.

O controle sobre seu tempo e seu trabalho permitiu a alguns escravos desenvolver mais plenamente seus talentos e habilidades. Essa, depois da liberdade total, era considerada uma situação altamente desejável, e os cativos que exerciam tais ocupações tinham *status* mais elevado na comunidade escrava. Não foi por acaso que muitos dos líderes de rebeliões escravas e outros movimentos políticos e sociais provieram dessas categorias de cativos com mais autonomia. É interessante notar que algumas dessas ocupações eram tidas em grande conta pelos brancos e se refletiam no preço do escravo, e outras não. Estudiosos ressaltaram que essas ocupações proporcionavam uma independência não encontrada entre os trabalhadores da lavoura e nem mesmo entre os escravos domésticos. Nas fazendas de café brasileiras do começo do século XIX, por exemplo, os tropeiros que transportavam a produção para o mercado eram considerados um grupo particularmente vivaz e vistos como a elite da força de trabalho escrava. O mesmo se poderia dizer sobre os mineiros itinerantes, ou mesmo sobre os pescadores e os escravos que cultivavam hortas e abasteciam os mercados de alimento nas cidades, muitos dos quais trabalhavam sob mínima supervisão.

O conhecimento era outro fator importante para se ter *status* elevado na comunidade escrava. Podia ser em forma de capacidade para ler e escrever na língua europeia local, ou mesmo em árabe, com conhecimento escrito do Alcorão, ou podia ser uma compreensão da dinâmica da classe dos senhores e das realidades socioeconômicas do mundo livre. Esses tipos de conhecimento frequentemente eram associados às ocupações qualificadas, às que davam autonomia ao cativo ou àquelas nas quais se tinha contato frequente com a classe dos senhores e com outros grupos escravos, como no serviço doméstico, por exemplo. Também eram mais comumente encontrados na zona urbana e podiam ser vistos até no mais baixo nível da escala ocupacional. Mas o conhecimento dos hábitos e costumes africanos, ou mesmo, em raros casos, um *status* nobre ou de elite transferido diretamente da

África, davam a alguns cativos uma influência em sua comunidade que contrastava com seu *status* ocupacional na economia da América. Por exemplo, os líderes da Revolta dos Malês de 1835 na Bahia eram todos alufás, ou líderes religiosos muçulmanos, mas seu *status* no mundo não escravo variava de aguadeiro a artesão especializado livre[6]. O mesmo se aplica a muitos dos homens e mulheres africanos que em tempo parcial empregavam suas especialidades nas áreas de religião, saúde e magia; a maioria destes tinha na comunidade um *status* não reconhecido pela classe dos senhores. Finalmente, há casos, inclusive, de escravas de *status* inferior que foram beatas católicas e conquistaram seguidores não escravos e até brancos.

Às vezes esses conhecimentos proporcionavam liderança e prestígio; em alguns casos, podiam conferir poder como intermediário cultural. Muitos trabalhadores domésticos, por exemplo, podiam não ser considerados da elite na comunidade, mas tinham condição de fornecer o tipo de conhecimentos de intermediação ou contatos que ajudavam os cativos mais isolados. Assim, muitos desses escravos domésticos tinham uma capacidade especial para mediar as demandas entre a escravaria e o senhor. No entanto, muitas vezes esse papel tirava-lhes a possibilidade de liderança em ambos os lados. Na verdade, alguns líderes escravos provieram das ocupações domésticas, mas em geral trabalhavam longe do controle em tempo integral de seu senhor.

Não admira, pois, encontrar escravos urbanos e cativos ocupados em ofícios artesanais ou em transportes encabeçando rebeliões ou entre os indivíduos com maior probabilidade de comprar a própria liberdade. Contudo, esses líderes, isoladamente, não definiram a cultura do mundo escravo. A cultura afro-brasileira geralmente emergiu nas pequenas povoações de negros que compunham o mundo das grandes fazendas e nos espaços sociais comuns que os cativos compartilhavam nas cidades. Os mercados, as tavernas, as fontes de água nas cidades, as margens de rios onde se lavava a roupa e até as igrejas foram locais de encontro e fortalecimento de laços. Ademais, para uma minoria, associações religiosas formais também foram um importante componente da vida, e para muitos o catolicismo foi uma religião aceita.

Qualquer que possa ter sido a eficácia na Igreja em proteger os escravos e seu direito de celebrar os sacramentos, não há dúvida de que todo cativo era batizado. Embora a Igreja pressionasse a Coroa para batizar todos os escravos na África ou a bordo dos navios negreiros portugueses, e mesmo havendo leis que determinavam essa medida, ela era apenas moderadamente observada[7]. Por isso, uma ocorrência comum em todas as paróquias brasileiras foi o batismo de adultos. Por exemplo, do total de 4.775 batismos de escravos para os quais se conhece a idade e o tipo, realizados nas paróquias urbanas da Candelária, São José e Santa Rita, no Rio, entre 1751 e 1760, 26% foram de adultos[8]. Na igreja matriz da cidade mineira de Mariana, entre 1700 e 1750 foram batizados 2.756 cativos, dos quais 59% eram adultos[9]. Dos 7.217 escravos batizados em quatro paróquias rurais na fronteira da província do Rio Grande do Sul de meados do século XVIII até 1835, 11% eram escravos adultos[10]. Na paróquia de Antonio Dias em Vila Rica, dos 2.494 batismos de escravos entre 1759 e 1818, um terço, ou 818, foram de adultos. Além disso, adultos compuseram mais de metade dos escravos batizados nos anos iniciais, quando o afluxo de africanos para Minas Gerais era mais intenso. Dos 960 cativos batizados entre 1759 e 1773, 62% eram adultos[11]. De fato, no tráfico interno, as autoridades definiam como escravos "novos" aqueles que não tinham um nome cristão e não falavam português (boçais, na literatura tradicional)[12]. Todos esses africanos eram batizados assim que chegavam a seu local de residência permanente, e não existe no Brasil nenhum registro de prenomes africanos dados a cativos — uma indicação básica da universalidade do batismo.

No cerne da nova cultura negra estava a unidade familiar. Embora os senhores experimentassem todos os tipos de organização comunitária para os escravos de suas fazendas, a maioria dos cativos viveu em unidades familiares. Esses domicílios definiram a cultura afro-brasileira que emergiu no Brasil e socializaram as crianças segundo essas crenças e comportamentos. A cultura negra englobava os mais variados aspectos, como os costumes sexuais e sistemas de parentesco, a língua, a religião e as artes. Era uma cultura cuja tarefa primordial consistia em criar uma comunidade coerente e reproduzível capaz de fornecer uma rede social de recursos e apoio para o indivíduo escravo. Sem essa cultura, os cativos não poderiam ter vivido normalmente, e até os senhores brancos reconheciam essa qualidade essencial de proporcionar estabilidade social em um mundo caótico e hostil.

No coração dessa cultura estava a família. Embora a Igreja tivesse papel importante nos casamentos legais, especialmente na região Sudeste do Brasil, a maioria dos escravos viveu em unidades familiares não sancionadas formalmente pelo sacramento do matrimônio. Não obstante, tanto os casamentos legalmente sancionados como as uniões livres tiveram importância fundamental na sociedade, cultura e identidade escravas. Os melhores dados atualmente disponíveis sobre a composição da família escrava segundo suas origens provêm dos registros de casamentos legais. A elevada razão de sexo entre os africanos impedia que uma parcela dos homens encontrasse mulheres de origem igual à deles; por esse motivo eles se casavam mais fora de seu grupo do que as mulheres africanas. Na cidade do Rio de Janeiro no começo do século XIX, registraram-se taxas mais elevadas de endogamia para as mulheres africanas do que para os homens africanos. Em três paróquias urbanas, de 1790 a 1837, escravas africanas casaram-se legalmente com cativos africanos em 96% de todos os 444 matrimônios legais, enquanto homens escravos nascidos na África casaram-se com africanas em apenas 85% dos 501 matrimônios celebrados nesse grupo masculino[13]. No distrito mineiro de Barbacena, entre 1721 e 1781, eram casados 717 africanos, dos quais apenas 68% tinham cônjuge também africano, e também nesse caso a proporção de homens africanos casados com escravas crioulas era bem maior que a de africanas casadas com crioulos. No entanto, vale a pena notar que em todos esses casamentos de africanos o grau de endogamia foi elevadíssimo. No trabalho sobre Barbacena, um dos poucos estudos detalhados e amplos sobre etnicidade atualmente disponíveis, constatou-se que entre os 448 africanos casados com pessoa nascida na África houve uma altíssima taxa de endogamia: 96% casaram-se com pessoa da mesma nação, região ou grupo linguístico[14]. Nos casamentos legais de nascidos na África celebrados na Bahia e no Rio de Janeiro, também foram encontrados evidentes padrões de endogamia baseada na origem étnica. Por exemplo, em 253 casamentos legais de escravos africanos registrados no Rio de Janeiro na primeira metade do século XVIII, foi extraordinariamente alta a porcentagem de homens e mulheres casados com pessoa de seu grupo étnico[15]. Curiosamente, os elevados índices de endogamia nos grupos africanos foram inversos na Bahia e no Rio de Janeiro, sugerindo que, quando qualquer grupo regional era menos representado entre os cativos, a endogamia era menor. Por isso, a maioria dos angolanos era acentuadamente endógama no Rio de Janeiro e muito menos na Bahia, onde formavam uma distinta minoria entre os africanos[16]. No distrito costeiro de Angra dos Reis, no Rio de Janeiro, 76% dos casamentos de escravos eram endógamos segundo a origem africana, e apenas um quarto era de nascidos no Brasil com africanos[17]. Em outro estudo de 160 casamentos na região do Recôncavo Baiano no século XVIII, apenas 41% das uniões eram endógamas segundo a origem, mas uma análise mais atenta das origens dos africanos mostrou que, em todos os casos, o maior grupo compunha-se dos casados com pessoa do mesmo grupo etnolinguístico[18].

No decorrer do tempo, conforme os escravos nascidos no Brasil passaram a predominar na população residente, a razão entre homens e mulheres tornou-se mais equilibrada, e provavelmente a proporção de adultos solteiros tenha declinado e a união livre e legal de dois cativos com filhos se tornasse a mais comum. Quase todos os estudos sugerem que a maioria dos escravos viveu em unidades familiares. No Brasil existiu uma grande variedade de tipos de família. Como a maioria dos países da América Latina católica, o Brasil foi extraordinário, pelos padrões europeus contemporâneos, em sua incidência de uniões livres e nascimentos ilegítimos entre os brancos e a população livre em geral. Em poucas sociedades europeias antes do século XIX os nascimentos na população livre se aproximaram das altas taxas de ilegitimidade comumente encontradas no Brasil e em toda a América Latina. E em nenhuma os níveis de uniões livres foram tão elevados. Mesmo entre os brancos da elite, um grupo no qual o casamento formal tinha um papel econômico e político crucial, as taxas de ilegitimidade e uniões livres foram maiores que as encontradas em qualquer grupo de elite correspondente na Europa, incluindo Portugal. Por exemplo, um censo de 1855 da cidade de Salvador da Bahia revela que a taxa de uniões livres entre as pessoas livres da cidade foi menor que a de uniões legais, e que, dos casais com filhos, 59% não eram legalmente casados[19]. Na paróquia da Sé da cidade de Salvador entre 1830 e 1874, apenas 38% dos mais de 9 mil filhos nascidos de pais livres foram arrolados como legítimos[20]. Essas baixas taxas de casamentos e nascimentos legítimos parecem ser acentuadamente específicas do meio urbano, principalmente quando comparadas às áreas mais rurais do Império nos séculos XVIII e XIX. Nestas, as taxas de casamento parecem ter sido muito mais elevadas para a população livre que não era de cor[21].

Considerando essas variações nos padrões do casamento legal na população livre, é surpreendente encontrar escravos legalmente casados desde os primeiros tempos do escravismo brasileiro. De fato, o Brasil destacou-se entre as sociedades escravistas por possuir um grupo relativamente numeroso de casais desse tipo. Além disso, tais casamentos eram compromissos legais, e não só escravos casados aparecem em outros documentos como casados ou viúvos, mas também há numerosos casos que mostram a Igreja e o Estado interferindo para impedir que casais legalmente casados fossem postos em residências separadas. Entretanto, as taxas de casamento de escravos não foram uniformes no tempo e no espaço. Embora fosse possível encontrar cativos casados em toda parte, as zonas do Sudeste mostram maior porcentagem dessas uniões legalmente sancionadas do que outras regiões do Brasil, e algumas áreas, como o Rio de Janeiro, apresentaram drástico declínio nas porcentagens desse tipo de união durante o século XIX. Outras regiões, porém, parecem ter aumentado ou pelo menos mantido elevadas suas taxas de casamento até os últimos anos do sistema escravista. Adicionalmente, um aspecto inesperado é o fato de que, aparentemente, houve mais escravos casados nas áreas rurais do que em centros urbanos.

A porcentagem de cativos que eram legalmente casados nas fazendas cafeeiras de São Paulo era mais elevada do que em qualquer outra região do país, quer se tratasse de área de grande lavoura ou não. Enquanto no primeiro censo brasileiro de 1872 cerca de 12% dos escravos foram registrados como casados ou viúvos, nos municípios cafeicultores paulistas aproximadamente 29% dos escravos adultos enquadraram-se nessa designação. Como seria de esperar dada a predominância masculina na escravaria, a proporção de escravas com quinze anos ou mais de idade que eram casadas ou viúvas em São Paulo em 1829 foi 39%, em comparação com 23% para os escravos adultos[22]. Essa diferença entre os sexos na porcentagem de casados também foi encontrada no distrito mineiro de Santa Luzia em 1831 — uma zona onde a porcentagem escravos casados era relativamente baixa. Ali, 17% dos homens com mais de quinze anos eram casados, em comparação com 22% das mulheres[23]. Um estudo completo dos registros censitários disponíveis para a província de São Paulo em fins do século XVIII e início do XIX mostra uma taxa global de 28% a 30% de todos os escravos adultos na categoria dos legalmente casados, uma proporção que pode ser considerada a mais comum para essa instituição (ver Tabela 8.1).

Tabela 8.1: Porcentagem dos escravos com quinze anos ou mais casados ou viúvos.

Localidades	1776	1804	1829
Areias			22,9
Cunha		33,7	27,1
Curitiba		25,5	22,7
Guaratinguetá	28,8	36,4	33,8
Iguape		25,8	25,7
Itu		36,0	34,1
Jacareí		28,7	28,1
Jundiaí	30,0	22,2	33,7
Lorena		33,4	27,5
Mogi das Cruzes		28,7	27,0
São Paulo		22,2	16,3
São Sebastião		25,0	22,8
Sorocaba		42,8	37,9
Total		30,2	27,5

Fonte: Francisco Vidal Luna (1989), tabela 3.

Como se poderia esperar, dados os problemas para conseguir a coabitação dos escravos casados e a necessidade da aprovação do senhor, a esmagadora maioria dos casamentos entre escravos ocorria nos limites do mesmo plantel. Por exemplo, no distrito mineiro de Catas Altas do Mato Dentro, em anos selecionados entre 1742 e 1834, 98% dos casamentos foram entre cativos pertencentes a um mesmo proprietário, e apenas 2% envolveram cativos que desposaram não escravos[24]. Esse foi o padrão encontrado para as uniões na área litorânea do Rio de Janeiro no século XIX[25], e também para uma cidade paulista de fronteira[26]. Essa prática foi também comum à maioria dos casamentos de escravos no Rio de Janeiro nos séculos XVII e XVIII[27]. Todos os casos indicam que mais de 90% dos escravos com cônjuge também cativo selecionavam o parceiro no próprio plantel. Numerosos estudos de fazendas com escravos em Minas Gerais, Rio de Janeiro, São Paulo e Espírito Santo nos séculos XVIII e XIX também mostram que as mulheres de fazendas com mais escravos tinham maior probabilidade de viver com um parceiro do que as de unidades menores. Vejamos apenas alguns exemplos: na região açucareira e cafeeira de Campinas, São Paulo, segundo os censos provinciais de 1829 e o censo nacional de 1872, as escravas pertencentes a plantéis com dez ou mais cativos tinham o dobro da probabilidade de viver em uma unidade familiar do que as pertencentes a plantéis menores[28]. Na capitania e província de São Paulo, uma análise de aproximadamente 200 mil cativos baseada em censos provinciais de 1775 a 1850 mostra invariavelmente que, quanto maior o tamanho do plantel, maior a porcentagem de escravos casados. Essa característica foi mais pronunciada para as mulheres, havendo uma correlação sistemática entre o aumento na proporção de mulheres casadas e o tamanho do plantel; para os homens tal correlação também existiu, embora houvesse um teto a partir dos plantéis com mais de dez escravos. Cativos pertencentes a senhores que possuíam apenas um escravo eram legalmente casados em apenas 6% dos casos para os homens e 4% para as mulheres. Por sua vez, nos plantéis com mais de quarenta escravos, a porcentagem de casados era 21% para os homens e 39% para as mulheres[29]. Em Vitória, aproximadamente três quartos dos escravos viviam em famílias nucleares nas grandes fazendas, proporção muito superior à encontrada em pequenos plantéis, e mais da metade dessas famílias havia sido estabelecida há mais de dez anos[30]. Diante desses números, não foi surpresa descobrir que em Campinas em 1872 apenas 29% das crianças escravas com menos de nove anos foram declaradas filhos legítimos nas fazendas com menos de nove escravos, em comparação com 80% de legitimidade para as crianças de plantéis com mais de dez escravos[31].

Entretanto, em todas as zonas registraram-se casamentos exógenos ao plantel, muitos deles envolvendo parceiros de condições sociais diferentes. Na cidade mineira de Vila Rica, no século XVIII e início do XIX, por exemplo, cerca de 20% dos casamentos de escravos foram com não escravos, todos forros[32]. Em Santana de Parnaíba, uma cidade paulista de fronteira, ocorreram 569 casamentos de escravos de 1726 a 1820, mas em apenas 70% dessas uniões os dois cônjuges eram cativos. Houve 52 casamentos de escravo com índio e 117 de escravo e pessoa livre de cor[33]. Um dos poucos estudos sistemáticos desses casamentos mistos foi feito para o distrito paranaense de São José dos Pinhais para o período 1759-1888. Do total de 179 casamentos legais, nada menos que 79 deles envolvia um indivíduo escravo que desposou uma pessoa livre ou um forro. E novamente a surpreendente porcentagem de 56% de todos esses casamentos consistiu em escravos homens que se uniram a mulheres livres. Entre os poucos casamentos de forro com escravo, em geral a parcela de homens e mulheres que se casaram com forro foi a mesma[34]. Na zona açucareira de Campos dos Goitacases, no Rio de Janeiro, 96% dos 4.507 casamentos de escravos cuja condição social do parceiro é conhecida foi com outro escravo, mas houve sessenta casamentos de cativos com livres e 102 com forros. As escravas tinham muito mais probabilidade de desposar homens livres (72% desses casamentos mistos), enquanto os homens escravos tinham maior probabilidade de se casar com forras (61% desses casos)[35]. Os dados do Paraná e Minas no século XVIII parecem bastante incomuns, e a regra, neste caso, parece ter sido mais semelhante à encontrada para Campos, com cerca de 10% dos casamentos de escravos ocorrendo entre cativos e não cativos, embora mesmo essa porcentagem seja significativa, considerando a condição social dos escravos[36].

As pessoas livres que desposavam escravos eram, quase sempre, os elementos mais pobres da população livre, e entre elas predominavam pardos, pretos e índios; os brancos eram raríssimos. Para uma mulher livre, o casamento com um escravo podia significar que ela teria apoio econômico do dono do cativo, e em todos os casos o senhor tinha de aprovar a união; ou então o cativo era o único parceiro disponível para casamento se a mulher livre tivesse vivido em uma união livre ou tivesse mantido relações sexuais com ele. Esse foi o caso de Antônia de Escobar, mulher de cor nascida livre, que em 1749 apelou às autoridades eclesiásticas afirmando que perdera a virgindade nas mãos de um escravo — o que este admitiu —, e que por isso precisava casar com ele, já que o caso era conhecido na comunidade e nenhum homem livre queria desposá-la[37]. Para os homens, a questão principal era a pobreza. Muitos deles já viviam e trabalhavam como agregados no mesmo domicílio de sua esposa escrava, ou então eram tão pobres que desposar uma escrava permitia-lhe ter o sustento da esposa pago também pelo proprietário da mulher. Ao que parece, o casamento de homens livres com mulheres escravas foi mais comum do que o de mulheres livres com cativos. Dos 125 casamentos realizados entre escravos e livres que chegaram aos tribunais eclesiásticos no século XVIII em São Paulo, 60% foram de homens livres que se casaram com escravas[38]. O mais comum entre escravos casados, mesmo nos casos em que um dos parceiros era livre, foi o cônjuge trabalhar para o mesmo senhor[39].

Como era necessária a aprovação do proprietário em todos os casos de casamento de escravo, não é de surpreender que a maioria dos cativos fosse forçada a escolher o cônjuge no mesmo plantel, em grande medida por conveniência do proprietário, que exigia estabilidade e controle sobre seus trabalhadores. Em razão dessa tendência, havia claras restrições demográficas à disponibilidade de parceiros, e por isso os índices de casamento e a seleção de parceiro foram acentuadamente influenciados pelo tamanho do plantel e pelo existência de pessoas em idade de casar[40]. Essa parece ter sido a regra em plantéis maiores, e foi obviamente menos comum nos casos de plantéis com poucos cativos. Em plantéis rurais, por exemplo, a disponibilidade de parceiros prováveis foi muito influenciado pelo tamanho do plantel — uma conclusão que figura em todos os estudos sobre tamanho de plantel e incidência de casamentos legais. Em pequenos plantéis rurais e na zona urbana, onde o número médio de escravos por plantel era muito menor do que nas áreas rurais, o estoque de potenciais parceiros evidentemente era muito menor. Isso significa que, nessas unidades menores, a união e o casamento de cativos ocorria com pessoas de outros plantéis, ou mesmo entre escravos e não escravos residentes no mesmo ou em outros domicílios[41]. Isso se aplica não apenas aos casamentos legais, mas também às uniões livres. Um estudo de famílias escravas em Angra dos Reis mostrou que quanto maior a unidade, maior a probabilidade de as famílias serem biparentais e menor a de serem matrifocais[42]. Além dessas características dos casamentos dos escravos nas menores unidades, a falta de parceiro compatível reduzia também a proporção de casados ou viúvos no plantel[43].

Finalmente, temos a questão da mudança dos padrões de casamento ao longo do tempo. Muitos estudos parecem sugerir que no decorrer do século XIX a porcentagem de domicílios uniparentais matrifocais aumentou em relação à de domicílios biparentais originados de uniões tanto legais como livres. Esse parece ter sido o caso em Lorena, São Paulo[44], e foi o que se verificou para Angra dos Reis, no litoral do Rio de Janeiro, onde a participação dos domicílios biparentais, que já no começo do século XIX era minoritária, caiu pela metade na segunda parte do século, representando apenas 17% do total de famílias[45]. As zonas rurais do Rio de Janeiro também parecem ter sofrido esse declínio, com as famílias nucleares predominando na primeira metade do século e os domicílios uniparentais matrifocais prevalecendo em meados e fins do século, embora as tendências não tenham sido totalmente regulares ao longo do tempo[46]. Alguns estudos supõem que o momento dessas mudanças esteve relacionado ao fim do tráfico atlântico em 1850[47]. Outros aventam que a Guerra de Secessão americana, nos anos 1860, teria alertado os fazendeiros de que o sistema escravista brasileiro já não era viável; essa percepção teria tido um reflexo nos preços das escravas jovens, que não embutiriam mais seu potencial reprodutivo, e levado os senhores a perder o interesse em promover o casamento legal dos cativos[48]. Ainda não sabemos se é possível afirmar que tais fatores aplicam-se a determinadas regiões, devido à falta de dados longitudinais para um número de regiões suficiente que nos permitisse verificar se as evidências encontradas em algumas áreas específicas reproduziram-se em todas as áreas escravistas do Brasil. Além disso, seria útil investigar se esses padrões existiram também em casamentos de não escravos. Estes podem ter declinado também — como vemos nos dados sobre nascimentos legítimos na localidade mineira de São João del Rei. Nessa cidade, as taxas de nascimentos legítimos tanto na população livre como na escrava declinaram ao longo do século XIX[49].

Estudos recentes deixaram claro que os escravos, casados ou não, viviam em unidades familiares. Embora no Rio de Janeiro o casamento formal só fosse significativo no século XVIII e início do XIX, na província de São Paulo ele sempre constituiu um aspecto importante da vida escrava. Mas essas duas províncias foram exceções. Na maioria das regiões, os cativos viviam em uniões consensuais não protegidas pela lei ou pela Igreja. Parece, de fato, que em muitas regiões até mesmo a maioria das pessoas livres vivia em uniões consensuais não reconhecidas pela Igreja[50]. Quase todos os registros de fazendas mostram que a maioria dos escravos nas áreas rurais vivia em grupos familiares, e o mesmo parece aplicar-se aos cativos urbanos. Registros paroquiais — muitos deles estudados em combinação com mapas censitários locais e inventários *post-mortem* nos quais foram arrolados todos os escravos de um proprietário, e também em combinação com algumas listas de engenhos que foram preservadas — foram usados para analisar a estrutura da família escrava, os padrões de residência, o tamanho das famílias e os padrões de nomeação dos filhos ao longo das gerações. Foram encontradas amplas variações em muitos desses estudos regionais, mas evidenciou-se que o padrão dominante é o da família biparental com filhos residentes no mesmo fogo. Em algumas regiões, porém, predominaram os domicílios chefiados por mulher e/ou domicílios de um só residente, que obviamente não constituía uma família. Como observou Slenes, muitos dos estudos locais sobre a estrutura familiar e os casamentos de escravos indicam que houve grande variação regional, e isso, enquanto não houver mais estudos, dificulta a generalização[51].

É difícil estimar a fecundidade da população escrava, e também não é muito relevante estimar taxas de fecundidade conjugal, já que apenas uma minoria de cativos era casada. Mas os registros de batismo são documentos legais que trazem informações cruciais sobre nascimentos, casamentos e óbitos não só da população livre, como também da escrava. Esses documentos eram o único modo que os senhores tinham de registrar legalmente a posse dos filhos de seus cativos. Além disso, todas as questões de herança para os filhos dependiam de eles serem registrados como legítimos ou ilegítimos. O surpreendente nos números brasileiros é o nível relativamente alto de nascimentos legítimos entre os escravos, pelo menos quando comparados aos das pessoas livres. Considerando os baixos níveis de nascimentos legítimos em geral na população livre, as populações escravas não parecem diferir muito. Embora os cativos sempre apresentassem as taxas mais elevadas de nascimentos ilegítimos, em muitas regiões eles não diferiram tanto da população branca, cujas taxas frequentemente eram bem altas[52]. Como as taxas de casamento eram mais altas nos plantéis maiores, não surpreende que, em 1872, pelo menos em uma importante zona cafeeira, Juiz de Fora, em Minas Gerais, tenha havido alta correlação entre legitimidade dos nascimentos escravos e tamanho de plantel, e que mais de metade dos nascimentos de escravos — uma parcela elevadíssima — tenha sido registrada como legítima[53]. No entanto, claramente o padrão dominante para os escravos foi a maioria dos nascimentos ocorrer fora do matrimônio. Provavelmente mais próxima do padrão do império foi a parcela de um terço de nascimentos legítimos no total dos escravos nascidos encontrada em um estudo de mais de 9 mil nascimentos de escravos de 1736 a 1854 registrados na paróquia mineira de Nossa Senhora do Pilar de São João del Rei. Em contraste, a taxa de nascimentos legítimos para as pessoas livres foi 71% (em mais de 13 mil nascimentos), e 40% nos cerca de 2.400 filhos de mãe forra[54]. As taxas de legitimidade em paróquias rurais do Rio de Janeiro no século XVIII foram muito elevadas — aproximadamente 48% dos 11.580 nascimentos de cativos nessa categoria[55]. Esse padrão de porcentagem relativamente alta de nascimentos legítimos não foi encontrado nas paróquias rurais baianas e nem mesmo nas zonas urbanas do Rio de Janeiro no século XIX — onde as taxas variaram de 10% a 33%[56]. Mas as taxas da zona rural carioca do século XVIII são bem parecidas com as encontradas para Minas Gerais no século XIX. Na cidade mineira de Santa Luzia em princípios do século XIX, a impressionante parcela de 45% dos 1.006 nascimentos de escravos foi registrada como legítima, apesar de uma parte relativamente pequena da população adulta (19%) ser casada[57]; e em Juiz de Fora e Muriaé em 1851-1888, essas taxas foram, respectivamente, 47% e 21% dos nascimentos de escravos (para uma taxa global de 37%). Em comparação, na população livre não índia a taxa de legitimidade foi 89%[58]. Na localidade paulista de Franca, 45% dos 2.270 nascimentos de escravos na primeira metade do século XIX foram legítimos[59]. Esses padrões mineiros e paulistas de altas taxas e nascimentos legítimos aparentemente não se aplicam à região Nordeste do Império. Na Paraíba os nascimentos de escravos que foram considerados legítimos em três localidades na primeira metade do século XIX variaram de 9% a 29% do total de nascimentos de cativos. Também é interessante mencionar que a população livre não forra apresentou taxas relativamente significativas de nascimentos legítimos, variando de 64% a 79% em regiões selecionadas[60]. Como podemos notar nos dados resumidos da Tabela 8.2, não há dúvida de que a porcentagem de nascimentos legítimos entre os escravos foi consistentemente mais baixa que a encontrada para a população total, e que houve considerável variação na taxas de legitimidade mesmo entre a população livre e forra.

Tabela 8.2: Nascimentos legítimos da população total e de escravos, diversas localidades.		
Localidades	Total	Escravos
Paróquia de Sabará (MG) – 1776-1782	53,0%	40,0%
Paróquia de Raposos (MG) – 1770-1806	59,0%	49,0%
Vila Rica (MG) 1763-1773*	43,0%	16,1%
Vila Rica (MG), 1804	53,7%	
Paróquia Senhor Bom Jesus de Cuiabá (1853-1890)	56,5%	
São Cristóvão (RJ), 1858-1867	66,1%	
Paróquia da Sé, (SP)	67,3%	
Curitiba (PR), 1801-1850	72,6%	
S. J. Pinhais (PR), 1776-1852	74,8%	
São Paulo (SP), 1741-1845	76,8%	
Lapa (PR), 1770-1829	77,6%	
Jacarepaguá (RJ), 2ª metade séc. XVIII	81,5%	
Ubatuba (SP), 1800-1830	83,6%	

Fontes: Vanda Lúcia Praxedes (2004), quadros 5, 6 e 7, pp. 10-12; * para Vila Rica 1763-1773, Kátia Maria Nunes Campos (2008), Tabela 3, p. 14.

Analisando mais detalhadamente esses nascimentos em uma mesma região (ver Tabela 8.3), constatamos que, como seria de esperar, a população forra ficou em posição intermediária no número de filhos batizados como ilegítimos.

Tabela 8.3: Taxa de nascimentos de ilegítimos em Sabará 1776-1782 e Raposos 1770-1806.		
	Sabará	Raposos
Livres	13,0	13,7
Forros	66,0	63,2
Escravos	77,7	82,7
Total	49,5	49,4
(n. de Nascimentos	(1398)	(1159)

Fonte: Vanda Lúcia Praxedes (2004), quadros 6 e 7, pp. 10-12.

Além disso, como também se esperaria, nem escravos nem forros tiveram filhos abandonados (expostos) arrolados em um levantamento bem mais completo de nascimentos nessa mesma comunidade de Sabará. No primeiro caso, nenhum senhor permitiria que um cativo seu fosse arrolado como exposto, pois isso significaria que a criança era livre, e ele assim perderia um escravo; por sua vez, a população forra podia facilmente absorver todas as crianças na força de trabalho do domicílio e, assim, não abandonaria seus filhos ilegítimos (ver Tabela 8.4). É interessante notar que, quando um filho ilegítimo era arrolado como "natural", isso significava que seus pais, embora não fossem casados, não tinham impedimentos para casar-se, em contraste com as crianças bastardas, que eram filhos adulterinos.

Tabela 8.4: Nascimentos legitimos e situação social dos pais, Sabará, 1723-1757.				
	Escravos	Livres	Forros	Total
Legítimo	8%	86%	19%	35%
Natural	92%	13%	81%	64%
Exposto		2%		1%
Casos Conhecidos	100%	100%	100%	100%
(n)	1627	1044	437	3108

Fonte: Ana Luiza de Castro Pereira (2004), tabela 1.

Dada a grande variação no casamento legal entre os escravos, não admira que outras regiões ou períodos mostrassem taxas de legitimidade de muito mais baixas para os filhos de cativos. Em contraste, na cidade mineira de Sabará, as taxas foram muito baixas em dois períodos — foram declaradas legítimas apenas 8% das 1.627 crianças escravas nascidas entre 1723 e 1757[61], e 22% das 529 nascidas em 1776-1782[62]. Esta última porcentagem é aproximadamente a mesma encontrada para 1.118 crianças escravas nascidas na paróquia de Inhaúma, Rio de Janeiro, entre 1817 e 1842: apenas 21% eram legítimas[63].

Entretanto, taxas de ilegitimidade elevadas não significavam instabilidade ou ausência de relações familiares entre os escravos. A maioria dos estudos sobre família escrava aventou a existência do "casamento experimental" entre os cativos: uma união na qual os parceiros acabavam por acomodar-se em um padrão familiar depois de nascer-lhes o primeiro ou segundo filho. Ademais, as complexas regras da Igreja para os nascimentos ilegítimos dificultam descobrir as ligações familiares dos cativos que não eram formalmente casados. Mas todos os estudos de registros de fazendas concluem que a maioria dos cativos viveu em unidades familiares[64]. Ainda mais surpreendente é que esses estudos indicam um alto índice de estabilidade nessas famílias mesmo após a morte dos proprietários. Concluiu-se que, quanto maior o plantel, maior a probabilidade de as famílias não serem apartadas pela venda. Os senhores mais pobres, que possuíam menos cativos, tinham maior probabilidade de possuir escravos que fossem casados ou vivessem com alguém não pertencente ao mesmo plantel, e também maior probabilidade de separar famílias por venda[65].

Uma grande parte dos escravos vivia com um parceiro em uma união livre que, para todos os efeitos, constituía uma unidade familiar formalmente sancionada e reconhecida, embora sem a poderosa confirmação da Igreja. Esse procedimento não diferia do que ocorria entre a população livre, na qual uma grande parcela das pessoas viviam em unidades familiares não sancionadas por um casamento formal. É importante salientar que os próprios escravos reconheciam essas unidades e, quando uma família nesses moldes se estabelecia, as comunidades escravas desdobravam-se para assegurar sua estabilidade interna recorrendo aos mecanismos usuais de controle comunitário. Cônjuges infiéis ou pais irresponsáveis eram condenados pela comunidade e forçados a seguir as regras. Para garantir a paz e o bem-estar da comunidade, procurava-se conseguir essa conformidade por meio de pressão social, feitiçaria ou até violência. Isso não significa que os escravos observavam uma moralidade vitoriana, mas sim que, uma vez firmemente estabelecida uma família escrava, a comunidade a legitimava e sancionava.

A predominância da família organizada pode ser vista, por exemplo, em minuciosos estudos da zona cafeeira paulista de Bananal no começo do século XIX. Constatou-se que, em 1829, 83% dos 2.282 cativos dessa localidade viviam em unidades familiares[66]. Igualmente, um estudo do período 1850-1888 para a pequena cidade de Batatais, no Nordeste de São Paulo, mostrou que mais de três quartos de todos os escravos cuja residência e situação familiar eram conhecidas viveu em unidades familiares, com pouquíssimas crianças vivendo sozinhas[67]. Um estudo semelhante de 2.245 cativos de Lorena e Cruzeiro, cidades de grande lavoura em São Paulo, mostrou que, em 1874, 55% dos escravos viviam em unidades familiares[68].

No entanto, obviamente às vezes as altas taxas de mortalidade e o impacto das vendas e separações forçadas sobre as uniões livres levavam a casamentos sucessivos. Esses processos também ensejavam o surgimento de famílias adotivas que se somavam às famílias com filhos legítimos e ilegítimos. Contudo, mesmo em regiões de mortalidade elevada, a maioria dos casamentos de escravos, legais ou não, durava em média muito tempo. Um dos poucos estudos sobre a longevidade do matrimônio de escravos brasileiros concentrou-se na região açucareira e cafeeira de Campinas. Em 1872, a duração média do casamento era de dezesseis anos e oito meses para as escravas entre 35 e 44 anos de idade que viviam em plantéis com dez ou mais cativos. Além disso, constatou-se uma surpreendente estabilidade de residência para essas mulheres casadas, com quase todas as separações de famílias resultando da morte de um dos parceiros e não da venda para fora da fazenda[69]. Com base no mesmo censo de Campinas, estimou-se que seis em cada dez casamentos de escravos jovens (na faixa de 25 a 35 anos) em 1872 duravam em média onze anos[70]. A duração média do casamento em Batatais era dez anos[69]. Constatou-se que, mesmo após a divisão dos bens de um proprietário falecido, a esmagadora maioria das famílias escravas permanecia intacta. Entre 1850 e 1888, no mesmo distrito de Batatais no oeste paulista, apenas cinco de 112 famílias cuja sorte é conhecida foram separadas após a divisão dos bens do senhor[72]. Igualmente, um estudo de várias centenas de inventários *post-mortem* de proprietários de escravos no Rio de Janeiro entre 1790 e 1835 mostrou que apenas 19% das famílias cativas cuja sorte é conhecida foram separadas ao morrer o proprietário[73]. Existem também numerosos casos de filhos mais velhos vivendo com seus pais escravos, o que sugere famílias muito estáveis. Esse foi o caso de duas famílias pertencentes ao mais rico proprietário da comunidade paulista de Cotia em 1798. O padre Rafael Antônio de Barros possuía 84 cativos que se distribuíam em seis famílias nucleares, quatro matrifocais e duas chefiadas por viúvas. A escrava Agostinha, viúva de 55 anos, vivia com seus três filhos de dezesseis a trinta anos de idade, enquanto Eugênia, viúva de 64 anos, vivia com os seis filhos de dezessete a 26 anos[74].

Embora tenha sido encontrada uma moderada relação inversa entre o tamanho do plantel e a porcentagem de famílias separadas por venda, de modo geral os dados de Campinas e o estudo das famílias escravas de Batatais mostram que a morte do proprietário tinha bem menos impacto sobre a divisão das famílias do que a morte dos próprios cativos, inclusive nos plantéis menores. Obviamente esses estudos analisaram prósperas zonas de grande lavoura com grandes concentrações de escravos e contínua entrada de cativos mesmo após o fim do tráfico atlântico em 1850. Essas eram zonas de emigração limitada e consequentes baixos níveis de separação de famílias. Poderíamos esperar que estudos de províncias do Nordeste ou do Sul, onde houve importante emigração de cativos pelo tráfico interno após 1850, mostrassem mais separações de unidades familiares por venda, mesmo antes da morte dos proprietários. Porém, de modo geral todos os estudos atuais indicam uma surpreendente longevidade dos casamentos de escravos e uma incidência relativamente baixa de separações de famílias por morte do senhor ou por venda. Na grande maioria dos casos a separação das famílias escravas ocorreu pela morte de um dos parceiros.

Dispomos atualmente de poucos estudos viáveis sobre o aspecto da estabilidade conjugal interna, dada a escassez de importantes registros de fazendas mantidos ao longo de várias gerações nos quais sejam mencionados os nomes de ambos os pais. Estudos de nascimentos de escravos nos Estados Unidos concluíram que as mães cativas começavam bem jovens a ter filhos, e que era comum terem bastante liberdade para manter relações sexuais pré-maritais. Isso continuava até nascer o primeiro filho. A partir de então, normalmente as mulheres passavam a ter um relacionamento fixo, que podia ou não ser com o pai da criança. Em geral, com exceção de casos de viuvez, o pai do segundo filho era o pai de todos os filhos posteriores[75]. Infelizmente, a reconstituição pormenorizada dos nascimentos necessária para avaliarmos essa questão da estabilidade familiar só foi parcialmente realizada no caso do Brasil[76]. Enquanto não surgirem dados melhores, esse é um tema que não poderá ser aprofundado.

Entretanto, surgiu recentemente na literatura um debate em torno do impacto do fim do tráfico atlântico sobre os casamentos de cativos residentes, os nascimentos legítimos até mesmo a fecundidade na população escrava. Os atuais estudos sobre casamentos legais e nascimentos legítimos mostram amplas variações regionais e grandes mudanças ao longo do tempo, sem tendências seculares evidentes nos dados — embora deva ser esclarecido que foram feitos poucos estudos, limitados regionalmente, e infelizmente ainda não dispomos de dados diacrônicos. Face a incerteza de tais resultados, há contradições na análise do tema; afirmou-se que o fim do tráfico teria impelido os fazendeiros a incentivar os nascimentos e os casamentos, enquanto outros autores supõem exatamente o contrário[77]. Até o presente, parece haver poucos indícios de que os fazendeiros tenham sido mais ou menos inclinados a fomentar as famílias ou os nascimentos antes e depois de 1850. Estudos sobre taxas de crescimento natural positivas no Paraná e Minas Gerais sugerem que, mesmo antes do fim do tráfico e do contínuo crescimento das populações cativas residentes nessas localidades até as últimas décadas da escravidão, não houve uma predisposição inerente dos senhores a promover o nascimento de filhos e o casamento de seus escravos.

Com os filhos e a coabitação, vinha a organização familiar. Famílias escravas com membros pertencentes a várias gerações viviam em famílias estendidas. Essas famílias estendidas, quer coabitassem, quer não, criavam regras claras acerca de parceiros aceitáveis para o casamento. Tais regras incluíam tabus humanos universais como o incesto entre irmãos e até mesmo a discriminação contra parceiros pertencentes a linhas colaterais de primos. Famílias escravas talvez tenham observado regras internas relacionadas a padrões de nomeação, herança de bens e até local de residência, quando casais recém-formados decidiam se viveriam sozinhos, com os pais da "noiva" ou do "noivo". Entretanto, no Brasil o estudo da família escrava ainda é incipiente, e temos apenas uns poucos trabalhos recentes que indicam pormenorizadamente redes de parentesco, padrões de nomeação e organização matrimonial. Na fazenda cafeeira Resgate, em Bananal, São Paulo, documentos bem preservados com dados sobre 436 cativos fornecem, juntamente com seus registros de batismo de anos anteriores, informações detalhadas sobre parentesco nessa fazenda longeva. Mostram que quase 90% dos escravos eram parentes de outros cativos ou de pessoas livres de cor. A maioria dos que não tinham laços de parentesco compunha-se de homens que eram africanos mais velhos ou escravos recém-comprados nascidos em outra província. Com exceção de duas, todas as mães eram legalmente casadas na fazenda. A forma predominante de organização da família era a nuclear, e a parcela das famílias estendidas era de apenas um quarto. Dos 116 pares casados, os casais com um cônjuge africano e o nascido no Brasil eram apenas um terço. Os demais, em ambos os grupos, eram endógamos. Nas uniões mistas, homens africanos desposavam escravas nascidas no Brasil. Quando africanos se casavam dentro de seu grupo (29 casais), a diferença de idade entre os parceiros era de apenas quatro anos; para os casais nos quais os dois cônjuges eram nascidos no Brasil (46), a diferença era de sete anos, e para os casais mistos de africano/nascidos no Brasil, a diferença era de quinze anos. Esses números sugerem que as mulheres africanas — sempre em minoria em relação aos homens africanos —

podiam casar-se sem demora com homens de idade próxima da sua, mas quando homens africanos não conseguiam uma esposa africana, tinham de ser mais velhos e ter *status* mais elevado para desposar escravas nascidas no Brasil. Segundo os registros de batismo de 568 crianças nascidas nessa fazenda de 1860 a 1872, apenas 67 receberam o mesmo nome de algum parente vivo ou morto[78]. Essa mesma participação reduzida de nomes de parentes vivos ou mortos foi encontrada em um estudo de 130 famílias escravas e seus filhos nos registros de batismo de várias paróquias do Rio de Janeiro de 1790 a 1830. Nesse caso, apenas 5% das crianças receberam o mesmo nome do pai ou da mãe[79]. Nos dois casos brasileiros, não se evidenciaram as práticas patronímicas patrilineares que parecem ter sido a regra nos Estados Unidos. Na fazenda Resgate, assim como na região de Campinas, esses casamentos de escravos foram muito estáveis e longevos.

Se, por um lado, ainda não conhecemos os padrões de residência das famílias, nem dispomos de estudos mais detalhados sobre parentesco para a maioria das regiões brasileiras, por outro temos excelentes estudos recentes sobre um sistema de parentesco secundário adotado pelos escravos no Brasil. O compadrio foi um importante sistema de parentesco ritual usado por todas as classes, inclusive pelos cativos. Embora poucos casamentos fossem legalmente sancionados, todos os nascimentos eram registrados pela Igreja. Nesses registros paroquiais estabelecia-se o padrão de parentesco ritual do compadrio, uma relação formal entre adultos que os ligava por intermédio de seus filhos. A madrinha ou padrinho tinha sólida amizade com os pais da criança e era a pessoa a quem o afilhado poderia recorrer caso os pais morressem, ou mesmo estando vivos. O padrinho ou madrinha assumia a obrigação de ajudar o afilhado em todas as ocasiões especiais e incorporá-lo à sua família em caso de falta dos familiares da criança. A relação de amizade entre os pais rituais e os reais fortalecia-se ainda mais com esses laços, permitindo-lhes contar com apoio e serviços mútuos[80]. Tanto na elite como entre os índios e escravos brasileiros, essa instituição alicerçava-se acentuadamente na amizade e respeito, e os candidatos mais prováveis ao papel de padrinho/madrinha eram amigos íntimos ou pessoas mais velhas e moralmente respeitadas na comunidade. Assim, os fazendeiros brancos escolhiam compadres entre fazendeiros brancos, e os índios e escravos escolhiam outros índios, escravos ou forros de sua comunidade. Sabe-se que as pessoas livres de cor, os mestiços e outros grupos intermediários costumavam procurar padrinhos entre indivíduos de *status* superior, usando o compadrio como um meio de estabelecer relações mais formais padrinho/afilhado, que representava um desdobramento importante do sistema de compadrio. Também os escravos não se esquivavam de usar o compadrio como tática para consolidar esses laços verticais, especialmente com o grupo das pessoas livres de cor. Por exemplo, em Senhor Bom Jesus do Rio Pardo, na zona da mata de Minas Gerais, 1.970 escravos foram batizados entre 1838 e 1887. Desse total, nos registros de batismo só não foram mencionados padrinhos em 11% dos batizados, e madrinhas em 19%. Surpreendentemente, apenas 31% dos padrinhos eram também cativos, e 69% eram homens livres de cor[81]. O caso das madrinhas foi semelhante: apenas 38% eram escravas, e as demais, livres. Apesar de sua condição minoritária na população escrava, os africanos predominavam sobre os nascidos no Brasil como padrinhos, enquanto as nascidas no Brasil eram numericamente mais representativas como madrinhas. Além disso, mesmo nos casos em que escravos foram padrinhos ou madrinhas de crianças escravas, apenas dois terços provinham do mesmo plantel[82]. Na paróquia curitibana de Nossa Senhora da Luz dos Pinhais, no século XIX, assim como na zona açucareira baiana de Iguape em 1835 e em paróquias baianas selecionadas no século XVIII, também se verificaram altas porcentagens de pessoas livres como padrinhos de escravos, poucas delas sendo proprietárias do cativo[83]. Essa notável parcela de 60-70% de pessoas livres no total de padrinhos de crianças escravas, com a esmagadora maioria não sendo o proprietário do cativo, foi encontrada igualmente nas paróquias açucareiras baianas de Monte e Rio Fundo no período 1780-1789 e nos pequenos plantéis de Cabo Frio, Rio de Janeiro, no século XVIII[84]. Mas esse padrão não foi uniformemente encontrado em todas as localidades brasileiras. No Rio de Janeiro, por exemplo, na paróquia de Inhaúma entre 1817 e 1842, apenas um terço dos 1.557 padrinhos eram pessoas livres, enquanto 64% dos padrinhos escravos pertenciam ao mesmo plantel ou ao mesmo domicílio da criança batizada. Além disso, em contraste com outras regiões, a maioria das pessoas livres que apadrinharam (quase três quartos delas) eram forras. No caso das madrinhas, a porcentagem de escravas era ainda maior: 78% das 656 madrinhas eram cativas, e 72% delas pertenciam ao mesmo proprietário da criança batizada[85].

Independentemente da variação entre paróquias, a qual neste momento é difícil de explicar, devemos ressaltar que poucos senhores apadrinhavam escravos que lhes pertenciam, e que na grande maioria dos casos mesmo os padrinhos livres eram de cor, pobres e, como sugere o caso de Inhaúma, eles próprios haviam sido alforriados recentemente e talvez houvessem conhecido os pais da criança quando ainda eram cativos. O Brasil também teve escravos que apadrinharam crianças nascidas livres. Na já mencionada paróquia do Senhor Bom Jesus do Rio Pardo, aproximadamente 35% de 979 crianças nascidas livres tiveram um padrinho escravo, e entre as 904 crianças livres que tiveram madrinha, 43% foram cativas[86]. Claramente não havia uma barreira rígida entre as pessoas livres de cor pobres e os escravos, e a amizade rotineiramente transpunha essa fronteira.

Apesar da importância do compadrio como elemento estruturante nas redes de família estendida no Brasil, nem sempre os elementos mais pobres da sociedade de onde provinham os padrinhos tinham condições de honrar plenamente as obrigações do apadrinhamento; por isso, alguns escravos eram batizados com apenas um padrinho presente. Isso contrariava a prática e o costume da Igreja, mas era um reflexo dos laços mais fracos da instituição do compadrio na camada inferior da sociedade. Ainda assim, todos os estudos parecem indicar que esse foi um sistema de apoio eficaz que se tornou uma parte essencial da cultura afro-brasileira, tanto quanto o era da sociedade livre. Esse sistema de parentesco ritual intensificou os crescentes laços de amizade e comunidade entre os escravos e, dado o apreço da elite governante pelo compadrio, o sistema inclusive conferiu, entre os brancos, a legitimidade aos esforços dos negros para construir sua comunidade.

Igualmente importante para o desenvolvimento da comunidade foi a criação de um sistema de crenças coerente que deu aos cativos um sentimento de individualidade, de comunidade e de lugar na ordem cosmológica mais ampla. A ampliação do sistema de crenças foi uma tarefa árdua e lenta. Uma das primeiras áreas nas quais ele se desenvolveu além do âmbito da família foram as práticas que uniam a comunidade. Como em qualquer aldeia camponesa, existiam entre os escravos inevitáveis conflitos interpessoais em torno dos mais variados assuntos. Algumas disputas envolviam terrenos para hortas, bens pessoais, conflitos sobre potenciais cônjuges, fidelidade sexual ou apenas choque de personalidades. Essas desavenças e os problemas comuns de cura e adivinhação levaram ao surgimento de curandeiros e feiticeiros ocupados em tempo parcial nesses misteres. Dada a importância que tais artes tinham na África, era inevitável que no hemisfério ocidental sua evolução sofresse influência africana. Geralmente eram homens e mulheres africanos mais velhos os responsáveis pela magia branca ou negra que constituía parte indispensável da estrutura de toda a comunidade. Eles preparavam as ervas destinadas a curar ou influenciar os estados emocionais ou físicos desejados nas pessoas que os procuravam. Também forneciam acesso a um sistema rudimentar de justiça que garantia um limite ao grau de violência pessoal que a comunidade podia aplicar na luta por recursos materiais. Adultos ultrajados que não podiam confrontar diretamente seus oponentes podiam, em geral, recorrer à feitiçaria para fazer mal aos rivais. Esse uso da feitiçaria e a noção de que ela era eficaz mantinha os conflitos dentro de limites aceitáveis nas comunidades que dispunham de pouco poder de policiamento próprio ou de qualquer forma de autogoverno comunitário.

Ao mesmo tempo em que o conteúdo espiritual embutido nas práticas desses especialistas em rituais no Novo Mundo integraram numerosos elementos não africanos, as crenças dos escravos passaram a evoluir para cosmologias cada vez mais elaboradas, e religiões completas com influências africanas começaram a emergir em fins do século XVIII e começo do século XIX. Os senhores opunham-se a esses sistemas formalizados de crença religiosa, considerando-os em conflito com as suas convicções cristãs. Todos os cultos formais desse tipo eram combatidos implacavelmente, ao passo que as formas mais simples e menos ameaçadoras de feitiçaria eram deixadas em paz. Mas esses sistemas religiosos tornaram-se tão poderosos que conseguiram sobreviver disfarçados de formas alternativas de catolicismo popular desenvolvidas sob a escravidão. Ocasionalmente, influenciaram inclusive as práticas da sociedade branca dominante, quando seus praticantes eram procurados por brancos que buscavam orientação e assistência. Embora em muitos casos várias gerações se passassem após a abolição até que a sociedade cristã aceitasse sua legitimidade, os cultos finalmente conseguiram estabelecer-se como religiões independentes no século XX.

O mais importante desses cultos na era escravista brasileira foi o candomblé (que alguns chamavam de calundu, no período colonial). Ele assumiu várias formas em todo o Brasil. Em geral, inicialmente um pequeno grupo estabelecia os cultos básicos que, mais tarde, eram adotados em seu novo ambiente por grande número de migrantes provenientes de variadas regiões africanas. Mesmo existindo muitos candomblés nacionais — como na Bahia, por exemplo — foi o candomblé nagô (iorubá) que forneceu a base para a teologia, o ritual e as atividades festivas de todos os outros candomblés, inclusive os que receberam o nome de tribos ou nações daomeanas, angolanas ou congolesas. Desse modo, um processo de aculturação ocorreu entre os próprios cativos, também com base nos cultos e práticas africanos proscritos.

Esse processo de sincretização e aculturação de religiões africanas contribui para explicar a relativa facilidade com que esses cultos aceitaram e integraram partes da crença religiosa cristã às suas atividades locais. De início essa integração foi puramente funcional, proporcionando uma cobertura de legitimidade para religiões que eram severamente proibidas pelos senhores brancos. Porém, após algumas gerações, um verdadeiro sincretismo tornou-se parte da dualidade de crença dos próprios escravos, que não demoraram a constatar a impossibilidade de acomodar ambos os sistemas religiosos. Nas sociedades católicas o dogma da Igreja da elite não foi afetado, mas uma rica tradição de catolicismo popular com seus santos e cultos locais forneceu o meio perfeito para a sincretização de deidades africanas. Além disso, as autoridades brancas estenderam aos cativos e às pessoas livres de cor a elaborada estrutura de sociedades religiosas leigas e dias santos nas suas respectivas comunidades, com a intenção de integrar e controlar as crenças dos cativos. Os brancos esperavam, também, que essas associações, muitas das quais inicialmente se haviam baseado em origens tribais africanas, garantissem divisões internas na escravaria e impedissem o desenvolvimento de uma identidade coerente de raça ou classe. Embora moderadamente bem-sucedidas nesse objetivo, essas associações e as atividades festivas nas comunidades revelaram-se vitais para legitimar e difundir práticas religiosas africanas e dar a negros e mulatos importantes organizações comunitárias.

A Igreja Católica já era bem organizada para os objetivos de conquista e conversão religiosa por meio de abordagem sincrética mesmo antes do desenvolvimento em grande escala da escravidão na América. A Igreja latino-americana criara a maioria das normas dessa atividade quando se empenhara em evangelizar os índios americanos. Os deuses locais deviam ser destruídos, mas os lugares sagrados deviam ser incorporados à cosmologia cristã por meio da construção de igrejas e santuários e da milagrosa aparição da Virgem. Uma Virgem de pele escura apareceu em todos os centros religiosos tradicionais pré-colombianos, e a devoção a ela assumiu muitos aspectos de seus ritos e crenças. Embora os católicos intelectuais e os da classe superior combatessem a redução de sua religião monoteísta a um panteão de virgens e santos que assumiam o papel de deidades locais, nunca foram capazes de expurgar a Igreja de seus aspectos populares, tanto na Europa como na América. Ademais, na fase inicial da colonização da América Latina, a Igreja foi estranhamente receptiva à ascensão de figuras religiosas populares não clericais, as beatas, que ganharam seguidores e chegaram a fundar instituições religiosas. Muitas beatas foram oriundas das classes e castas inferiores. Uma das de maior destaque foi uma escrava, a mística Rosa Maria Egipcíaca da Vera Cruz. Nascida na África ocidental, ela veio para o Brasil em 1725, trazida da Costa do Ouro aos seis anos de idade, e foi depois introduzida na prostituição por seu senhor no Rio de Janeiro. Alfabetizada, escritora e mística de relevo, ela conquistou tanto apoio e um número tão extraordinário de seguidores, incluindo o provincial da Ordem dos Franciscanos no Rio de Janeiro, que em 1762 acabou sendo presa pela Inquisição junto com seu proprietário final e confessor, padre Lopes, e mandada para Lisboa depois que a Igreja censurou seus ensinamentos[87]. Embora as beatas tenham sido abertamente toleradas nos séculos XVI e XVII, com o passar do tempo a Igreja tornou-se mais resistente e hostil às suas atividades, e Rosa, assim como outras que no século XVIII conquistaram um número significativo de seguidores, foram tipicamente encarceradas e condenadas.

Nesse sistema de absorção sincrética foram implantados os sistemas africanos de crença. Muito rapidamente, cada uma das principais deidades africanas assumiu uma identificação alternativa com um santo. No Brasil, por exemplo, santos brasileiros locais tinham dupla identidade para os cativos e até para alguns brancos. Líderes da Igreja na colônia incentivaram os escravos a privilegiar o culto a Nossa Senhora do Rosário, que era reservado exclusivamente aos negros. Embora todos os cativos fossem ensinados a aceitar as festas, feriados e dias santos dos brancos, também deviam celebrar com exclusividade seus próprios dias santificados e feriados. Nos centros urbanos, isso levou os escravos a agrupar-se em irmandades religiosas, cujo principal objetivo era funcionar como uma associação de apoio mútuo e preparar uma celebração anual dedicada a figuras religiosas relacionadas aos negros. Havia também sociedades beneficentes especiais, as Santas Casas, algumas delas com alas para negros e mulatos. Em algumas cidades nordestinas do Brasil, até os grupos de dança conhecidos como batuques agrupavam-se com base em nacionalidades africanas.

É difícil estimar a importância dessas irmandades na vida dos escravos urbanos e rurais. Não há dúvida de que em toda parte elas tiveram a participação de cativos. As irmandades do Rosário foram o principal grupo para novos ou antigos membros escravos, e sua porcentagem de membros cativos foi maior que a de forros e livres, chegando a superar acentuadamente a metade da congregação em alguns casos (ver Tabela 8.5).

Tabela 8.5: Membros de diversas irmandades do Rosário e situação social, séculos XVIII e XIX.

Localidades	Anos	Porcentagem				Número
		Escravos	Forros	Livres	Total	
Cachoeira do Campo	1720-1789	43,1	10,5	46,4	100,0	717
Ouro Preto/Pilar	1724-1760	83,1	6,9	10,0	100,0	1.154
Mariana	1750-1886	48,1	12,7	39,2	100,0	1.895
Barbacena	1812-1840	40,7	12,5	46,8	100,0	513
São João del Rei	1750-1808	57,9	14,5	27,7	100,0	1.557
Mariana (2)	1750-1804	68,9	20,9	10,2	100,0	684
Alta da Cruz/Vila Rica	1770-1808	45,9	4,1	50,0	100,0	2.484
Cuiabá	1767-1819	35,6	57,5	6,9	100,0	348
Cachoeira, Bahia*	1719-1826	84,9	15,1		100,0	2.218

Nota: * Os Livres não foram listados separadamente, provavelmente incluídos entre os forros.
Fontes: Cachoeira do Campo de Barbacena, Kiddy (2005), tabelas 6-9, pp. 256-257; São João del Rei até Vila Rica, Borges (2005) tabelas 6, 7 e 8, pp. 230-231; Cuiabá, Silva (2001), p.115; Bahia, Requinaldo (2005), p. 202.

Nas listas atualmente disponíveis de membros das irmandades onde são mencionados a condição social e o sexo, a variação é grande. Mulheres compunham dois terços do total de escravos em Cachoeira, Bahia, 51% em Vila Rica e 42% em São João del Rei[88]. Mas na irmandade do Rosário de Cuiabá, elas eram apenas 23% dos membros escravos[89]. Em um estudo sobre os sepultamentos na paróquia de Antonio Dias em Vila Rica, dos 524 escravos enterrados como membros de irmandades, mais de três quartos eram mulheres[90]. Diante dessas disparidades e da aleatoriedade das porcentagens de mulheres em outras irmandades[91], é difícil, neste momento, determinar se a predominância feminina foi a regra em todo o Brasil.

Embora se pudesse supor que os escravos tivessem um papel subalterno na administração dessas irmandades, na verdade participaram delas como líderes ativos. A mesa diretora da Irmandade do Rosário de Mariana, por exemplo, teve 303 escravos servindo como oficiais em um total de 984 que trabalharam na administração no período 1748-1819[92]. Obviamente eles estavam sub-representados, pois eram 71% dos membros da irmandade nesse período e apenas 31% dos mesários; contudo, não só os cativos eram uma minoria expressiva, mas também os oficiais eram principalmente africanos livres ou cativos. De todos os forros e escravos que serviram como oficiais nessa associação, os nascidos na África compuseram uma expressiva maioria: de 273 cuja origem é conhecida, 88% eram africanos[93]. Havia também o caso de nove negros responsáveis pela administração dos bens da irmandade de Nossa Senhora do Rosário dos Homens Pretos, da freguesia da Conceição em São Paulo em 1803. Dos nove membros, quatro eram escravos e alfabetizados; dos demais cinco membros, todos livres, três sabiam ler e escrever[94].

Claramente, mesmo nos casos em que apenas uma minoria de escravos em uma dada localidade pertenceu a irmandades, essas organizações tiveram papel fundamental em toda parte. Não houve região escravista sem uma irmandade do Rosário, e elas existiram durante todo o período da escravidão no Brasil. Funerais e festividades eram suas atividades principais, mas elas também sustentavam elementos da identidade africana tanto quanto possível nesse ambiente hostil. Muitas das irmandades tinham por base predominantemente a origem étnica, a condição social ou a cor e eram exclusivas[95].

Algumas inclusive negavam acesso a pessoas de cor nascidas no Brasil[96]. Assim, de certo modo, refletiam os conflitos existentes entre grupos de cativos, como entre africanos e escravos nascidos no Brasil e entre escravos e pessoas livres de cor. Entretanto, com sua crescente admissão de pessoas nascidas no Brasil e o fato de todas conterem números cada vez maiores de forros e livres, essas instituições talvez tenham funcionado também como associações integradoras e contribuído para a aculturação dos africanos a seu novo meio[97]. Além disso, elas estiveram entre as poucas instituições legalmente disponíveis aos africanos. Como muitas irmandades se baseassem em ocupações, a maioria delas, especialmente as de ofícios mecânicos, não aceitavam cativos como membros[98]. De qualquer forma, as irmandades baseadas na identidade ou na condição social tiveram importância fundamental para os escravos, maior do que para as pessoas livres, que contavam com outras opções de associação.

No Brasil essas associações reconhecidas pela Igreja e pelo Estado foram famosas desde o período colonial até o fim do Império por suas festas anuais, e também pelo constante conflito com as autoridades brancas. As reivindicações dos escravos e pessoas livres de cor para governarem eles próprios suas irmandades e controlarem suas igrejas e cemitérios sofriam constante oposição das irmandades de brancos. Tensões frequentes em torno do orçamento caracterizavam suas relações com as autoridades eclesiásticas, pois as irmandades custeavam as missas pelos mortos e as despesas funerais de seus membros, além de arcar com os custos das festas religiosas, sendo em geral criticadas por privilegiar estes últimos encargos em detrimento dos primeiros (suas verbas sustentavam a Igreja)[99]. Apesar de os brancos temerem a autonomia das irmandades de negros e mulatos, estas, na maioria dos casos, aceitaram a cultura dominante e tiveram uma natureza principalmente integradora. Cultivaram o sentimento de dignidade e legitimaram a atividade religiosa africana. Em contraste, os cultos africanos foram forçados a criar organizações independentes para sobreviver. Com isso, essencialmente rejeitaram e combateram os valores da classe dos senhores. Foram esses cultos que competiram com o cristianismo e o reinterpretaram para um público escravo, e a maioria deles contribuiu para o desenvolvimento de um aspecto autônomo da cultura afro-brasileira.

Dos povoados nas zonas de grande lavoura e das cidades coloniais surgiu uma cultura afro-americana distinta que deu aos escravos uma identidade própria e uma comunidade, permitindo-lhes sobreviver aos rigores de sua integração forçada à sociedade branca. Essa cultura afro-americana não foi homogênea. Alguns de seus elementos foram integradores e meramente expressaram uma subcultura dentro das normas ocidentais estabelecidas pela sociedade branca. Outros, porém, foram exclusivos dos negros e constituíram um sistema de valores alternativo ao da sociedade branca. Esse padrão foi quase inevitável, considerando a hostilidade e a ambiguidade que a cultura branca expressava em relação aos negros. Por um lado, a sociedade branca incorporou os africanos ao cristianismo como membros co-iguais em uma igreja universalista. Nos códigos legais latino-americanos havia também a suposição básica de que os africanos por fim se tornariam pessoas livres nessas mesmas sociedades escravistas. Porém, ao mesmo tempo, essas sociedades foram inevitavelmente racistas e rejeitaram a identidade e a dignidade negras, além de, em muitos casos, criarem uma cidadania de segunda classe para os que alcançavam a liberdade. A ascensão e a mobilidade social foram possíveis a um número de negros suficiente para incutir na maioria o sentimento de esperança, mas as condições para isso foram sempre a rejeição da sua negritude e da sua identidade cultural afro-americana. Diante dessa situação, era inevitável que as culturas estabelecidas pelos escravos na América servissem a dois propósitos conflitantes: integrar os cativos à sociedade mais ampla dominada pelos brancos e dar-lhes uma identidade e um sentido que os protegessem da opressão e hostilidade dessa sociedade.

NOTAS

1. Essa ideia do desenvolvimento de comunidades linguísticas e culturais interétnicas nas Américas encontra-se em John Norton, *Africa and Africans in the Making of the Atlantic World, 1400-1800*. Também não há dúvida quanto ao longo e íntimo contato entre Brasil e África, mesmo em ambas as direções. Houve, inclusive, o caso de um escravo brasileiro nascido na África, João de Oliveira, que voltou para sua terra natal na baía de Benin em 1773 e passou a enviar dinheiro ao Brasil para pagar por sua liberdade. Ele depois se tornou um importante traficante de escravos na Costa dos Escravos. Robin Law e Kristin Mann, "West Africa in the Atlantic Community: the Case of the Slave Coast", p. 317.

2. Somente africanos que eram livres e possuíam bens deixavam testamento, e muitos deles eram alfabetizados. Constituíam, portanto, uma pequena minoria dos africanos desembarcados na América.

3. Entre as posições influentes a respeito dessa questão, temos: Robert Slenes, *Na Senzala, uma Flor: as Esperanças e as Recordações na Formação da Família Escrava — Brasil, Sudeste, século XIX*, onde se ressalta a unidade e a cooperação; Manolo Garcia Florentino e José Roberto Góes, *A Paz das Senzalas. Famílias Escravas e Tráfico Atlântico, Rio de Janeiro, c. 1790-c. 1850*, e Hebe Maria Mattos, *A Cor Inexistente. Os Significados da Liberdade no Sudeste Escravista*, que ressaltam o constante conflito entre africanos vindos para o Brasil e disputas básicas por recursos entre africanos e escravos nascidos no Brasil. Uma ponderada reflexão sobre essas questões e sua complexidade no contexto brasileiro encontra-se em Sheila de Castro Faria, "Identidade e Comunidade Escrava: um Ensaio".

4. Ver, por exemplo, Seth e Ruth Leacock, *Spirits of the Deep: a Study of an Afro-Brazilian Cult*. Para um útil apanhado do debate entre estudiosos anglo-saxões sobre "crioulização" *versus* "afrocentrismo", e as possíveis aplicações de algumas dessas ideias ao contexto brasileiro, ver Luis Nicolau Parés, "O Processo de Crioulização no Recôncavo Baiano (1750-1800)", pp. 87-88.

5. O estudo clássico dessas religiões é Roger Bastide, *Les religions africaines au Brésil*, que foi traduzido para o português e o inglês.

6. João José Reis, *Rebelião Escrava no Brasil, a História do Levante dos Malês (1835)*, pp. 115, 156 segs.

7. A. J. R. Russell-Wood, *The Black Man in Slavery and Freedom in Colonial Brazil*, pp. 130-131.

8. Mariza de Carvalho Soares, *Devotos da Cor, Identidade Étnica, Religiosidade e Escravidão no Rio de Janeiro, Século XVIII*, pp. 302-303, tabelas 19-21.

9. Moacir Rodrigo de Castro Maia, "Por uma Nova Abordagem da Solidariedade entre Escravos Africanos Recém-chegados à América ", p. 4.

10. Silmei de Sant'Ana Petizl, "Considerações sobre a Família Escrava da Fronteira Oeste do Rio Grande de São Pedro (1750-1835), tabela 4.

11. Iraci del Nero da Costa, *Vila Rica: População (1719-1826)*, pp. 220, 226, tabelas II.2 e III.2.

12. Fábio W. A. Pinheiro, *Tráfico Atlântico de Escravos na Formação dos Plantéis Mineiros, Zona da Mata, c. 1809-1830*, p. 73.

13. Baseado na análise do Apêndice, tabelas 1, 1.1 e 1.2, em Janaina Christina Perrayon Lopes, *Casamentos de Escravos nas Freguesias da Candelária, São Francisco Xavier e Jacarepaguá: uma Contribuição aos Padrões de Sociabilidade Matrimonial no Rio de Janeiro (c. 1800-c. 1850)*, pp. 85-87.

14. Ana Paula dos Santos Rangel, "A Escolha do Cônjuge: o Casamento Escravo no Termo de Barbacena (1781-1821)", tabela 7.

15. Mariza de Carvalho Soares, *Devotos da Cor, Identidade Étnica, Religiosidade e Escravidão no Rio de Janeiro, século XVIII*, p. 125, tabela 8.

16. *Idem*, pp. 123-124. O significado dessa constatação também é examinado em Faria, "Identidade e Comunidade Escrava", p. 143.

17. Vasconcellos, *Famílias Escravas em Angra dos Reis*, 1801-1888, p. 127, tabela 40.

18. Luis Nicolau Parés, "O Processo de Crioulização no Recôncavo Baiano (1750-1800)", p. 114, tabela 3.

19. Kátia de Queirós Mattoso, *Família e Sociedade na Bahia do Século XIX*, p. 82, quadro IX.

20. Mattoso, *Família e sociedade na Bahia*, p. 90, quadro XIII. A porcentagem de nascimentos de filhos legítimos de escravos nessa paróquia é menor do que as registradas em todas as outras: apenas dezenove entre 3.747 nascimentos. Um segundo estudo

de nascimentos dos quais se conhecem as origens dos pais nessa paróquia para o período 1801-1888 concluiu que eram legítimos 19% dos filhos de libertos e apenas 33% dos filhos de pessoas livres. Isabel Cristina Ferreira dos Reis, *A Família Negra no Tempo da Escravidão: Bahia, 1850-1888*, p. 105, quadro 1 (tabela 12).

21. Para dados comparativos de nascimentos legítimos na população livre de paróquias rurais e urbanas nos séculos XVIII e XIX — que indicam porcentagens invariavelmente mais elevadas entre as pessoas livres nas áreas rurais —, ver Sheila Siqueira de Castro Faria, "Legitimidade, Estratégias Familiares e Condição Feminina no Brasil Escravista", p. 312, quadro 6. Em um arrolamento das crianças classificadas por cor, evidencia-se que, entre as brancas, a taxa de legitimidade, em uma série de paróquias selecionadas do Sudeste, foi de 90%, comparada a taxas ligeiramente mais baixas para as pardas livres (entre 80-90%) e para as forras (normalmente metade dos nascimentos). Sheila de Castro Faria, *A Colônia em Movimento: Fortuna e Família no Cotidiano Colonial*, p. 157, quadro II.14.

22. Francisco Vidal Luna e Herbert S. Klein, *Slavery and the Economy of São Paulo, 1750-1850*, p. 142, tabela 6.2; e cálculos recentes publicados em nossos bancos de dados.

23. Carolina Perpétuo Corrêa, "Aspectos da Demografia e Vida Familiar dos Escravos de Santa Luzia, Minas Gerais, 1818-1833, p. 18, tabela 8.

24. Tarcísio R. Botelho, "Família Escrava em Catas Altas do Mato Dentro (MG) no Século XVIII", p. 16, tabelas 4 e 5.

25. Marcia Cristina Roma de Vasconcellos, *Famílias Escravas em Angra dos Reis, 1801-1888*, p. 116.

26. Alida C. Metcalf, *Family and Frontier in Colonial Brazil. Santana de Parnaíba, 1580-1822*, p. 165.

27. Faria, *A Colônia em Movimento: Fortuna e Família no Cotidiano Colonial*, quadro V.9, p. 316.

28. Slenes, *Na Senzala, uma Flor*, tabela 6, p. 104.

29. Luna e Klein, *Slavery and the Economy of São Paulo, 1750-1850*, tabela 6.3, p. 148.

30. Patrícia Maria Silva Merlo, *O Nó e o Ninho: Estudo sobre a Família Escrava em Vitória, Espírito Santo, 1800-1871*, p. 133.

31. Slenes, *Na Senzala, uma Flor*, tabela 5, p. 102.

32. De 188 casamentos de escravos cuja condição social do cônjuge é conhecida no período 1727-1826, 38 foram de escravos com forros. Iraci del Nero da Costa, *Vila Rica: População (1719-1826)*, tabela 1, p. 35.

33. Metcalf, *Family and Frontier in Colonial Brazil*, tabela 19, p. 167.

34. Cacilda Machado, "Casamento e Desigualdade Jurídica. Primeiras Notas de um Estudo em uma Área da Região Paulista no Período Colonial", tabela 5, p. 10. Há, inclusive, um caso bem conhecido: um dos líderes da Revolta dos Malês na Bahia, o liberto Elesbão do Carmo (dandará), de origem hausá, dono de loja e líder religioso muçulmano, casou-se com uma escrava pertencente a outro senhor. Reis, *Rebelião Escrava no Brasil, a História do Levante dos Malês (1835)*, p. 163.

35. Faria, *A Colônia em Movimento: Fortuna e Família no Cotidiano Colonial*, quadros II.9-II.10, pp. 143-144.

36. Esses casamentos geralmente compunham 10% do total de casamentos escravos. Ver, por exemplo, Sílvia M. J. Brügger, *Minas Patriarcal — Família e Sociedade (São João Del Rei — Séculos XVIII e XIX)*, tabela 4.1, p. 224 (onde se mostra que, entre os escravos que se casavam com alguém de condição social diferente da sua, a parcela dos homens era maior que a das mulheres); e Janaina Christina Perrayon Lopes, "Casamentos de Escravos e Forros nas Freguesias da Candelária, São Francisco Xavier e Jacarepaguá: uma Contribuição aos Padrões de Sociabilidade Marital no Rio de Janeiro (c. 1800-c. 1850)", tabelas 1-4.

37. "[...] ficava perdida e não haverá quem com ela queira casar por ter tido muita fama

naquela vila [...]". Elena Maria Réa Goldschmidt, *Casamentos Mistos de Escravos em São Paulo Colonial*, p. 115.

38. Eliana Maria Réa Goldschmidt, *Casamentos Mistos de Escravos em São Paulo Colonial*, tabela 6, p. 248.

39. Um importante estudo de casamentos escravos em paróquias do Rio de Janeiro no século XVIII concluiu que 97% dessas uniões eram entre escravos do mesmo plantel. Ver Sheila Siqueira de Castro Faria, "Legitimidade, Estratégias Familiares e Condição Feminina no Brasil Escravista", quadro 2, p. 300; ver também Faria, *A Colônia em Movimento*, quadro V.9, p. 316.

40. Ver, por exemplo, Cacilda Machado, "Casamento e Desigualdade Jurídica".

41. Ver, por exemplo, Renato Leite Marcondes e José Flávio Motta, "A família escrava em Lorena e Cruzeiro (1874), tabela 6, pp. 10-11; e Francisco Vidal Luna, "Observações sobre Casamento de Escravos em Treze Localidades de São Paulo (1776, 1804 e 1829), tabela 13, p. 14. Essa também foi a conclusão de Robert Slenes após analisar numerosos estudos; *Na senzala, uma Flor*, pp. 78-79.

42. Vasconcellos, *Famílias Escravas em Angra dos Reis, 1801-1888*, tabela 33, p. 109.

43. Francisco Vidal Luna, "Observações sobre Casamento de Escravos em Treze Localidades de São Paulo (1776, 1804 e 1829)".

44. Marcondes e Motta, "A Família Escrava em Lorena e Cruzeiro (1874)", tabela 7, p. 13.

45. Vasconcellos, *Famílias escravas em Angra dos Reis*, p.107.

46. Manolo Florentino e José Roberto Góes, *A Paz das Senzalas*, pp. 141-145.

47. *Idem*, pp. 141-145. Essa também é a opinião de Sheila Faria, que ressalta, adicionalmente, o impacto da primeira proibição fracassada do tráfico de escravos em 1831. Ver Faria, *A Colônia em Movimento*, p. 339.

48. Slenes, *Na Senzala, uma Flor*, pp. 90-93.

49. Silvia Maria Jardim Brügger, *Minas Patriarcal, Família e Sociedade (São João del Rei — séculos XVIII e XIX*, tabelas 2.24 e 2.25, pp. 109, 116.

50. No censo da Bahia em 1885, 52% das famílias registradas viviam em união consensual. Kátia de Queirós Mattoso, *Família e Sociedade na Bahia do Século XIX*, p. 82.

51. Slenes, *Na Senzala, uma Flor*, p. 45. Além do importante estudo de Slenes sobre famílias escravas em Campinas, ver também o trabalho sobre famílias do Rio de Janeiro de Manolo Florentino e José Roberto Góes, *A Paz das Senzalas*. Outros importantes estudos originais nessa nova área de família escrava e estrutura familiar dos escravos incluem: José Flávio Motta, *Corpos Escravos, Vontades Livres: Posse de Cativos e Família Escrava em Bananal, 1801-1829*; Eliana Maria Réa Goldschmidt, *Casamentos Mistos —Liberdade e Escravidão em São Paulo Colonial*; Heloísa Maria Teixeira, *Reprodução e Famílias Escravas em Mariana, 1850-1888*; e o já citado trabalho de Andrade, "Casamentos entre Escravos na Região Cafeeira de Minas Gerais. A idade de casamento dos escravos é estudada em Alida C. Metcalf, "Searching for the Slave Family in Colonial Brazil: A Reconstruction from São Paulo". Uma tentativa recente de estudar o casamento de escravos com base na origem, entre africanos e nascidos no Brasil, encontra-se em Luis Nicolau Parés, "O Processo de Crioulização no Recôncavo Baiano (1750-1800).

52. Ver, por exemplo, Rafael Ribas Galvão, "Bastardia e Legitimidade na Curitiba dos Séculos XVIII e XIX"; Vanda Lúcia Praxedes, "A Teia e a Trama da 'Fragilidade Humana': os Filhos Ilegítimos em Minas Gerais (1770-1840)". Uma boa análise global das taxas de ilegitimidade entre pessoas livres encontra-se em Maria Adenir Peraro, "O Princípio da Fronteira e a Fronteira de Princípios: Filhos Ilegítimos em Cuiabá no Século XIX"; Donald Ramos, "Single and Married Women in Vila Rica, Brazil, 1754-1838". Vale a pena conferir a tentativa de medir o número de filhos ilegítimos de uma mesma mãe no estudo de Maria Adenir Peraro, "Mulheres de Jesus no Universo dos Ilegítimos"; e o estudo de pais que mencionaram filhos ilegítimos em testamento, em Sonia Troitiño, "Números da Bastardia: os Ilegítimos nos Testamentos Paulistas

Oitocentistas". Um conjunto básico de índices sobre estrutura familiar e idade dos cônjuges nesse período encontra-se em Donald Ramos, "City and Country: the Family in Minas Gerais, 1804-1838".

53. Rômulo Andrade, "Ampliando Estudos sobre Famílias Escravas no Século XIX (Crianças Cativas em Minas Gerais: legitimidade, Alforria e Estabilidade Familiar", p. 103, tabela 2. As taxas de nascimentos legítimos de escravos para Campinas, São Paulo, em 1872 foram ainda mais altas, e também se correlacionam ao tamanho dos plantéis, enquanto a zona de Muriaé apresentou taxas menores e não correlacionadas ao tamanho dos plantéis. *Andrade*, p. 104, tabela 3.

54. Sílvia Maria Jardim Brügger, "Legitimidade, Casamento e Relações Ditas Ilícitas em São João del Rei (1730-1850), p. 45, tabela 3.Essas porcentagens não destoaram das taxas do século XIX calculadas para amostras de nascimento maiores. Aproximadamente 45% dos 4.760 nascimentos de escravos registrados na localidade paulista de Franca no século XIX (1805-1888) foram legítimos. Maísa Faleiros da Cunha, "A Legitimidade entre os Cativos da Paróquia Nossa Senhora da Conceição de Franca - Século XIX", p. 7, tabela 4.

55. Calculado a partir de dados encontrados em Faria, *A Colônia em Movimento*, quadro V.14, p. 325.

56. *Idem*, Quadro V.13, p. 324.

57. Corrêa, "Aspectos da Demografia e Vida Familiar dos Escravos de Santa Luzia", tabela 9, p. 19.

58. Rômulo Andrade, "Casamento entre Escravos na Região Cafeeira de Minas Gerais", tabela 1, p. 102.

59. Maísa Faleiros da Cunha, "A Legitimidade entre os Cativos da Paróquia Nossa Senhora da Conceição de Franca - Século XIX", tabela 4, p. 7.

60. Solange Pereira da Rocha, *Gente Negra na Paraíba Oitocentista: População, Família e Parentesco Espiritual*, tabela 3.2, p. 205. As localidades são: Nossa Senhora das Neves (9% de 458 batismos de escravos), Livramento (28% de 303 batismos) e Santa Rita (29% legítimos em 294 batismos).

61. Ana Luiza de Castro Pereira, "A Ilegitimidade Nomeada e Ocultada na Vila de Nossa Senhora da Conceição do Sabará", tabela 1, p. 14.

62. Vanda Lúcia Praxedes, "A Teia e a Trama da 'Fragilidade Humana': os Filhos Ilegítimos em Minas Gerais (1770-1840)", tabela 6, p. 11.

63. José Roberto Góes, *O Cativeiro Imperfeito. Um Estudo sobre a Escravidão no Rio de Janeiro da Primeira Metade do Século XIX*, tabela V, p. 59.

64. Em um estudo de São Paulo no século XIX baseado em inventários *post-mortem*, apenas 39% dos escravos cujas relações familiares puderam ser identificadas foram arrolados sem nenhum laço de família. Ver Juliana Garavazo, "Relações Familiares e Estabilidade da Família Escrava: Batatais (1850-88)", tabela 1, p. 6.

65. Em uma grande amostra de plantéis rurais no Rio de Janeiro no período 1790-1835, constatou-se que três em cada quatro famílias escravas permaneciam unidas após a divisão da herança do proprietário original. Florentino e Góes, *A Paz das Senzalas*, cap. 6. Em seu estudo da localidade paulista de Batatais na segunda metade do século XIX, Garavazo concluiu que 86% das famílias escravas ficavam juntas por quinze anos ou mais. Ver Garavazo, "Relações Familiares e Estabilidade da Família Escrava", p. 13. De 288 famílias que existiam por ocasião da morte de seus senhores na localidade mineira de Mariana entre 1850-1888 e cujo destino foi registrado quando houve a divisão dos bens, 64% permaneceram juntas, um terço foi total ou parcialmente dividido entre os herdeiros e 4% foram libertadas. Heloísa Maria Teixeira, *Reprodução e Famílias Escravas em Mariana, 1850-1888*, tabela 50, p. 133 - baseado em nossos cálculos, que eliminaram os desconhecidos.

66. José Flávio Motta, *Corpos Escravos, Vontades Livres: Posse de Cativos e Família Escrava em Bananal, 1801-1828*, tabela 3.15, p. 137.

67. Juliana Garavazo, "Relações Familiares e Estabilidade da Família Escrava: Batatais (1850-88), tabela 2, p. 7.

68. Marcondes e Motta, "Família Escrava em Lorena e Cruzeiro (1874)", tabela 8, p. 14.

69. Slenes, *Na Senzala, uma Flor,* tabela 3, p. 98.

70. *Idem,* pp. 98-99.

71. Garavazo, "Relações Familiares e Estabilidade da família escrava: Batatais", p. 13.

72. *Idem,* tabela 9, p. 14.

73. Florentino e Góes, *A Paz das Senzalas,* apêndice 6, p. 237. Havia no total 128 famílias, dentre as quais não se conhece o destino de apenas doze.

74. Fabiana Schleumer, *Além de Açoites e Correntes: Cativos e Libertos em Cotia Colonial (1790-1810),* p. 157. Das quatro famílias nucleares, duas envolviam uma união entre homem escravo e mulher livre — uma delas livre e a outra, liberta.

75. Herbert G. Gutman, *The Black Family in Slavery and Freedom, 1750-1925.*

76. Um dos poucos estudos nessa linha, porém carecendo ainda de elementos cruciais para responder a questões de espaço e paternidade, encontra-se em Vasconcellos, *Famílias Escravas em Angra dos Reis,* 1801-1888, cap. 6.

77. Para a primeira posição, ver Manolo Florentino e Cacilda Machado, "Sobre a Família Escrava em Plantéis Ausentes do Mercado de Cativos: Três Estudos de Caso (Século 19), esp. p. 1381. Slenes tem opinião oposta, sugerindo que houve muito menos interesse pela fecundidade e casamento escravos em todas as áreas de grande lavoura do Sudeste após 1850; ver *Na Senzala, uma Flor,* p. 92. Para uma análise que indica a existência de fortes laços matrimoniais desde a fase inicial, ver Tarcísio Rodrigues Botelho, "Família e Escravidão em uma Perspectiva Demográfica; Minas Gerais (Brasil), Século XVIII".

78. Manolo Florentino e José Roberto Góes, "Parentesco e Família entre os Escravos de Vallin".

79. Florentino e Góes, *A Paz das Senzalas,* p. 88.

80. Um bom exame das regras de compadrio encontra-se em Stephen Gudeman e Stuart B. Schwartz, "Purgando o Pecado Original: o Compadrio e Batismo de Escravos na Bahia no Século XVIII"; Stuart B. Schwartz, *Slaves, Peasants and Rebels: Reconsidering Brazilian Slavery,* cap. 5.

81. Esse mesmo padrão de maior porcentagem de padrinhos do que de madrinhas também é encontrado em batismos de crianças escravas e livres de cor em várias paróquias nordestinas do século XIX, e se aplica a filhos legítimos e naturais. Rocha, "Gente Negra na Paraíba Oitocentista", cap. 4.

82. Jonis Freire, "Compadrio em uma Freguesia Escravista: Senhor Bom Jesus do Rio Pardo (MG) (1838-1888), tabelas 1, 5, 6 e 7, pp. 11, 17, 19.

83. Schwartz, *Slaves, Peasants and Rebels,* tabelas 4 e 5, pp. 148, 151. Somente em uma amostra da Paraíba em fins do século XIX, Schwartz encontrou uma maioria de padrinhos escravos.

84. Para os dados baianos, ver Stuart B. Schwartz, *Sugar Plantations in the Formation of Brazilian Society (Bahia, 1550-1835),* p. 409; e para os dados de Cabo Frio, ver Ana Maria Lugão Rios, "The Politics of Kinship: Compadrio among Slaves in Nineteenth-Century Brazil", p. 289. Em uma amostra do mesmo distrito de fins do século XIX, a autora encontrou um aumento da porcentagem de padrinhos escravos, devido, segundo ela, a uma maior concentração de cativos em plantéis maiores.

85. Góes, *O Cativeiro Imperfeito,* tabela III, p. 57.

86. Freire, "Compadrio em uma Freguesia Escravista", tabelas 8 e 9, pp. 20, 21.

87. Luiz Motta, *Rosa Egipcíaca: uma Santa Africana no Brasil.*

88. Lucilene Reginaldo, *Os Rosários dos Angolas: Irmandades Negras, Experiências Escravas e Identidades Africanas na Bahia Setecentista,* p. 202; e Célia Maria Borges,

Escravos e Libertos nas Irmandades do Rosário, Devoção de Solidariedade em Minas Gerais, Séculos XVIII e XIX, tabelas 6 e 8, pp. 230-31.

89. Cristiane dos Santos Silva, *Irmãos de Fé, Irmãos no Poder: a Irmandade de Nossa Senhora do Rosário dos Pretos na Vila Real do Senhor Bom Jesus de Cuiabá (1751-1819)*, p. 115.

90. Iraci del Nero da Costa, *Vila Rica: População (1719-1826)*, tabela 6, p. 235.

91. Por exemplo, as mulheres representavam apenas 46% dos membros da irmandade de Cachoeira do Campo Rosário, e apenas 36% de todos os membros independentemente da condição social na Paróquia de Pilar do Rosário de Ouro Preto. Elizabeth W. Kiddy, *Blacks of the Rosary, Memory and History in Minas Gerais, Brazil*, tabelas 4-5, p. 255.

92. Fernanda Aparecida Domingos Pinheiro, *Confrades do Rosário: Sociabilidade e Identidade Étnica em Mariana - Minas Gerais (1745-1820)*, tabela XI.

93. *Idem*, tabela XIII.

94. Michelle Comar, *Imagens de Ébano em Altares Barrocos: As Irmandades Leigas de Negros em São Paulo (séculos XVIII-XIX)*, capítulo 3.2, na mesma página da nota 238.

95. Na cidade de Salvador da Bahia, por exemplo, "Os mulatos se reuniam nas Irmandades de Nosso Senhor da Cruz, na igreja da Palma, na de Nosso Senhor Bom Jesus da Paciência, na igreja de São Pedro, na Irmandade de Nossa Senhora da Conceição do Boqueirão e na igreja do mesmo nome. Os negros africanos agrupavam-se por nações de origem: os angolanos e os congoleses formavam a Irmandade de Nossa Senhora do Rosário, na praça do Pelourinho; os daomeanos, a de Nosso Senhor das Necessidades e da Redenção, na capela do Corpo Santo, e os nagôs-iorubás, formada por mulheres e consagrada a Nossa Senhora da Boa Morte, na pequena igreja da Barroquinha. Os negros nascidos no Brasil se reuniam na Irmandade do Senhor Bom Jesus dos Martírios e em torno da devoção a São Benedito, seja na igreja de Nossa Senhora da Conceição da Praia, seja na de São Francisco, ou ainda na de Nossa Senhora do Rosário, como também em quase todas as igrejas da Bahia". Humberto José Fonseca, *Vida e Morte na Bahia Colonial: Sociabilidades Festivas e Rituais Fúnebres (1640-1760)*, p. 114.

96. Na cidade do Rio de Janeiro, a Irmandade de Santo Elesbão e Santa Efigênia era reservada aos minas (da África ocidental), e pessoas do centro-oeste africano; crioulos não podiam participar. Aparentemente, esses angolanos e pardos concentravam-se nas irmandades do Rosário. Soares, *Devotos da Cor*, pp. 188-189.

97. 90% dos membros da Irmandade do Rosário em Mariana nos anos 1870 e 1860 eram livres, assim como metade dos novos membros da Irmandade do Rosário de Barbacena nos anos 1850 e 1850. Evidentemente, foi cada vez maior a participação dos nascidos no país após 1850. Kiddy, *Blacks of the Rosary*, pp. 152-153.

98. Esse foi o caso da irmandade de sapateiros do Rio de Janeiro. Mônica de Souza Nunes Martins, *Entre a Cruz e o Capital: Mestres, Aprendizes e Corporações de Ofícios no Rio de Janeiro (1808-1824)*, p. 50.

99. Alisson Eugênio, "Tensões entre os Visitadores Eclesiásticos e as Irmandades Negras no Século XVIII Mineiro"; *Solidariedade e Tensões no Simbólico das Festas das Irmandades de Escravos e Libertos em Minas Gerais no Século XVIII*.

Pessoas livres de cor em uma sociedade escravista

Todas as sociedades escravistas das Américas permitiram desde o início a alforria de escravos. Aceitaram a legitimidade da manumissão, pois essa era a regra no direito romano, além de estar profundamente arraigada na prática e devoção cristãs. Com isso, praticamente desde os primeiros tempos da colonização desenvolveu-se uma classe de pessoas livres de cor em todas as sociedades americanas. Essas populações cresceram lentamente nos séculos XVI e XVII, e todas enfrentaram algum tipo de restrição à sua liberdade. Tais restrições aplicavam-se exclusivamente a elas em razão de sua origem e da cor da pele. Mas, a partir do século XVIII, o Brasil começou a distinguir-se dos outros regimes escravistas exibindo uma mudança de atitude em relação ao processo da manumissão, e isso, por sua vez, causou grandes mudanças no número e porcentagem de pessoas alforriadas em suas respectivas sociedades.

As diferenças nos números e na aceitação da população livre de cor em cada sociedade americana foi determinada por um amplo conjunto de considerações em esferas tão variadas como a religiosa, a cultural, a econômica e a social. Em todos os casos, porém, a minoria liberta nas sociedades predominantemente escravistas enfrentou hostilidade de seus vizinhos e ex-senhores brancos, e em nenhuma sociedade houve a possibilidade de existirem simultaneamente a liberdade e a aceitação. O racismo foi parte de todos os sistemas americanos onde viveram escravos africanos, e não desapareceu quando negros e mulatos tornaram-se cidadãos livres e competidores econômicos e sociais.

Há tempos debate-se a natureza do racismo e se discute se ele teria precedido a escravidão, coincidido com a instituição ou seria sua consequência[1]. Mas a experiência europeia com a escravidão foi muito anterior a chegada dos escravos africanos na América e mesmo na Europa. Por isso, o preconceito racial seguiu-se à escravidão, embora políticas oficiais de discriminação baseadas na origem, credo religioso e, em menor grau, na cor estivessem sendo aplicadas nas novas monarquias centralizadoras ibéricas do século XV, justamente quando os africanos estavam chegando em números significativos. Mas assim que os africanos predominaram e os sistemas escravistas de grande lavoura se estabeleceram na América, o racismo passou a ser uma das suposições básicas da estratificação na população livre. No contexto ibérico, esse racismo fundiu-se a ideologias racistas que tinham origem na conquista de judeus e mouros pelos castelhanos e portugueses no Velho Mundo e na conquista dos índios no continente recém-descoberto. O longo conflito entre cristãos, judeus e mouros levou, na Europa e na América, a uma política discriminatória de "limpeza do sangue". Desde o tempo da expulsão dos judeus e mouros de Espanha e Portugal em fins do século XV e início do XVI, a Igreja e as instituições de ensino, seguidas pela Coroa, começaram a distinguir entre cristãos velhos, cujas famílias eram cristãs desde a Idade Média, e cristãos-novos, recém-convertidos do judaísmo ou islamismo. Os cristãos-novos não tinham direito de exercer determinadas ocupações nem de ser admitido em muitos cargos civis e eclesiásticos, e eram, em muitos aspectos, tratados como cidadãos de segunda classe. Os índios americanos também sofriam discriminação e não podiam dedicar-se a muitas das ocupações e cargos públicos proibidos aos cristãos-novos. Com tal sistema de estratificação já em vigor, era inevitável que a distinção racial também fosse aplicada com hostilidade às pessoas livres de cor.

Desde o princípio, leis locais e metropolitanas investiram contra os direitos das pessoas livres de cor e puseram-nas em pé de igualdade com os cristãos-novos[2]. Era-lhes negado o direito de exercer cargos públicos até mesmo na administração municipal, embora nas áreas de mineração essa regra não fosse aplicada com rigor[3]. Leis suntuárias proibiam às mulheres de cor usar roupas e joias como as ostentadas pelas mulheres brancas[4]. Por muitos anos, a punição a criminosos diferiu para os brancos e forros. Até mesmo algumas das profissões especializadas eram oficialmente proibidas a pessoas livres de cor, apesar de elas as exercerem[5]. Embora a partir do século XVI todos os forros de cor fossem organizadas em suas próprias unidades milicianas definidas segundo a cor, a possibilidade de homens livres de cor serem oficiais dessas companhias separadas de negros e mulatos foi motivo de constantes batalhas[6].

As leis e práticas das sociedades ibero-americanas eram características de uma sociedade essencialmente racista na qual negros e mulatos livres participavam como uma "casta" inferior em um sistema fortemente estratificado. A vigência efetiva desse sistema de castas dependia da disposição das autoridades coloniais para impedir o mercado de distribuir recompensas com base em qualificações e habilidades individuais. Para implementar esse rígido sistema de estratificação, seria preciso negar às pessoas livres de cor o acesso à riqueza, limitar-lhes drasticamente a mobilidade ocupacional e restringir até mesmo sua mobilidade geográfica. Embora proclamada como ideal, a prática acabaria por afastar-se desse plano inflexível, conforme a importância econômica das pessoas livres de cor passasse a se fazer sentir.

Embora todas as colônias americanas fossem racistas e impusessem restrições à liberdade de ex-escravos, as sociedades que de fato se desenvolveram nos vários regimes escravistas diferiram acentuadamente. As diferenças relacionaram-se ao próprio processo de manumissão e à aceitação da legitimidade das pessoas livres de cor na ordem social e econômica mais ampla. Todas as sociedades começaram com um nível razoavelmente ativo de manumissões, com senhores devotos que libertavam seus cativos (ou pais que alforriavam os filhos) ou com concessão da liberdade como recompensa pela fidelidade do serviço. Em todas as sociedades desenvolveram-se desde cedo sistemas de autocompra para os escravos. As principais diferenças começaram a aparecer apenas depois de passadas várias gerações, quando os ibéricos não só continuaram a aceitar e apoiar os tradicionais padrões de manumissão, mas também a aceitar e codificar ativamente os procedimentos da autocompra. Isso funcionou como um incentivo ainda maior para o aumento do número de libertos, e estes, por sua vez, deram seu apoio aos níveis crescentes de alforrias[7].

Outras sociedades principiaram dessa maneira, mas as pessoas livres de cor, conforme foram-se tornando mais numerosas, também passaram a despertar mais medo. Os brancos das colônias anglo-saxãs, embora possuíssem a mesma legislação restritiva que as sociedades ibéricas, cada vez mais foram perdendo a confiança na possibilidade de tais proibições resguardarem seus privilégios. Assim, passaram a investir contra todo o processo de manumissão, de modo a torná-lo mais custoso tanto para o senhor como para o cativo. Enquanto os regimes ibéricos estavam legitimando a autocompra, os norte-americanos a estavam restringindo, quando não proibindo-a por completo. Essa oposição fundamental à manumissão começou de fato a reduzir o número de libertos nessas sociedades, e tal população permaneceria relativamente limitada até os derradeiros anos da escravidão.

No Brasil, a população livre de cor aumentou a um ritmo ainda mais rápido ao longo dos quatro séculos de escravidão. Em estimativas para o século XVIII, as pessoas livres de cor eram um elemento importante da população em todas as partes, mas não excediam numericamente a população escrava. A crescente entrada de cativos africanos no século XIX não desacelerou o crescimento da população livre de cor. Na verdade, esse grupo aumentou ainda mais rapidamente na primeira metade do século XIX, até que, em 1850, quando finalmente se encerrou o tráfico atlântico, já ultrapassara numericamente a população escrava. A predominância das pessoas livres de cor no total da população negra aumentou a cada ano. Na época do primeiro censo nacional, em 1872, havia 4,2 milhões de pessoas livres de cor em comparação com 1,5 milhão de cativos. As pessoas livres de cor eram mais numerosas que os 3,8 milhões de brancos e representavam 42% dos 10 milhões de brasileiros[8]. Tudo isso já estava ocorrendo mais de uma década antes da abolição da escravidão e pouco antes das leis de emancipação parcial.

Obviamente, existiram variações nos padrões regionais. No Nordeste, as pessoas livres de cor já eram maioria na primeira parte do século XIX. Pernambuco tinha 127 mil pessoas livres de cor em 1839, e uma população cativa com metade desse número. Essa proporção parece ter existido também na Bahia e no Maranhão[9]. Em contraste, a província do Rio de Janeiro destacava-se por ainda possuir mais escravos do que pessoas livres de cor em 1872, enquanto Minas Gerais e São Paulo tinham muito mais pessoas livres de cor do que cativos nessa época. São Paulo só passara a apresentar essas proporções pouco tempo antes, mas Minas Gerais provavelmente já continha uma maioria de pessoas livres de cor na década de 1820[10]. Embora provavelmente as pessoas livres de cor tenham sido mais numerosas no Nordeste, em todas as partes foram bem representadas. As duas províncias com maior representatividade dessa população em 1872 foram a Bahia, com 830 mil pessoas livres de cor, e Minas Gerais (também a maior província em número de escravos), com 806 mil.

Em contraste com os Estados Unidos, a rígida estrutura de classes e as complexas distinções de casta e cor talvez tenham dado aos brancos brasileiros uma relativa impressão de segurança com respeito à competição da população livre de cor, e isso talvez os tenha tornado mais inclinados a aceitar o processo da manumissão. Essa relativa aquiescência das elites brancas levou a um comprometimento público e privado com a manumissão desde o princípio até o fim da escravidão. Estudos recentes mostram que a manumissão era um processo complexo que envolvia a alforria voluntária e involuntária por parte da classe dos senhores e a intervenção passiva e ativa por parte dos próprios escravos.

Supôs-se de início que os ibéricos, mais preocupados com questões de economia, simplesmente libertassem seus escravos velhos e doentes. Entretanto, isso não é verdade. Todos os estudos de grandes amostras de registros de alforrias do Brasil — e nesse tema ele é o país mais bem estudado — mostram que, de modo geral, as pessoas alforriadas eram sobretudo jovens, crioulas e majoritariamente do sexo feminino; o subconjunto dos que compraram a própria liberdade continha maior parcela de homens e africanos do que o dos que foram alforriados gratuitamente.

Os dados disponíveis para a maioria das regiões brasileiras mostram alta incidência de crianças e adultos jovens e uma incidência baixa de velhos. Embora haja grande variação por região e período, de modo geral as crianças menores de 15 anos representavam entre um quinto e dois quintos do total de alforriados. Entre os poucos estudos que mencionam a média de idade, o de Porto Alegre no período 1858-1872 indica uma média de idade de 21 anos para os escravos alforriados[11]. A média dos alforriados na cidade portuária de Santos entre 1811 e 1877 foi estimada em vinte anos para os homens e 22 para as mulheres[12]. Todos esses resultados relacionados às idades dos cativos alforriados parecem condizer com os estudos sobre a maioria das regiões, inclusive na América espanhola (ver Tabela 9.1)[13].

Tabela 9.1: Proporção de crianças nas alforrias, localidades selecionadas, séculos XVII a XIX.

Localidades e datas	% crianças	Definição de idade	Número de casos com idade conhecida
Paraty, RJ, 1789-1822	45,9	<14	268
Rio de Janeiro (cidade), 1749-1754	28,9	SI	605
Rio de Janeiro (cidade), 1807-1831 (****)	24,0	SI	732
Porto Feliz, SP, 1798-1850	40,1	SI	217
Curitiba, SP, 1790-1825	27,1	SI	107
Rio de Janeiro, 1840-1850	48,5	< 16	668
Porto Alegre, RS, 1858-1872	22,0	< 15	1.666
Sabará, MG, 1710-1819?	32,9	< 14	1.005
Juiz de Fora, MG, 1840-1888*	22,7	<15	207
Salvador, Bahia, 1684-1745	44,8	< 14	763
Salvador, Bahia, 1779-1850**	12,0	< 13	6.305
Salvador, Bahia, 1808-1888***	32,7	<15	2.138
Campinas, SP, 1789-1874	33,7	< 10	287
Santos, SP, 1811-1872	53,4	SI	262
Jacobina, Bahia, 1807-1888	27,0	<11	503
Rio de Contas, Bahia, 1870-1888	22,4	SI	407
Montes Claros, MG, 1830-1888	28,1	< 16	210
Buenos Aires, 1776-1810	21,7	< 14	937
Lima, 1580-1650	51,9	< 14	214
Cidade do México, 1580-1650	53,8	< 14	107

Notas: Porcentagens calculadas para Sabará 1710-1819 nesta e nas demais tabelas foram recalculadas, pois diferem dos valores calculados pela autora.
* Somente mulheres, e a idade estava disponível apenas para 207 das 329 mulheres.
** Somente quinze anos selecionados no período.
*** Utilizado o total de dados por Nishida (1993), Tabela 8.
**** Somente escravos nascidos no Brasil.
SI: Sem informação.
Fontes: Veja nota 13 neste capítulo.

Por outro lado, os idosos alforriadas no Brasil foram relativamente poucos. Apesar de alguns historiadores suporem que os senhores abandonassem os cativos velhos e enfermos[14], todos os estudos que fornecem dados sobre as idades mostram que em geral houve muito menos idosos do que crianças entre os alforriados, e que a maioria dos escravos inseria-se nas faixas etárias economicamente ativas. Os idosos, geralmente definidos como pessoas acima de quarenta anos, tenderam a representar um décimo do total dos alforriados (ver Tabela 9.2).

Tabela 9.2: Proporção de velhos nas alforrias em localidades selecionadas, séculos XVII a XIX.

Localidades e datas	% velhos	Definição de idade	Número de casos com idade conhecida
Paraty, RJ, 1789-1822	14,9	45+	268
Porto Feliz, SP, 1798-1850	15,7	idosos	217
Curitiba, SP, 1790-1825	9,3	45+	150
Rio de Janeiro, 1840-1850	19,8	40+	668
Porto Alegre, RS, 1858-1872	14,5	40+	1.666
Sabará, MG, 1710-1819*	0,8	46+	1.005
Salvador, Bahia, 1684-1745	2,9	40+	763
Juiz de Fora, MG, 1840-1888*	9,2	51+	207
Santos, SP, 1811-1872	14,5	n.g.	262
Campinas, SP, 1789-1874	18,4	50+	267
Jacobina, Bahia, 1807-1888	7,8	50+	503
Rio de Contas, Bahia, 1870-1888	14,7	idosos	407
Montes Claros, MG, 1830-1888	17,1	46+	210
Buenos Aires, 1776-1810	11,3	46+	937
Lima, 1580-1650	12,6	46+	214
Cidade do México, 1580-1650	12,3	46+	107

Notas: * Apenas para mulheres com idade especificada, somente 207 das 329 mulheres registradas.
Fontes: Veja nota 13 neste capítulo.

Quase todos os estudos sobre alforrias mostram também uma porcentagem muito maior de mulheres entre os libertos (ver Tabela 9.3). Das duas exceções, uma baseia-se em inventários *post-mortem* e não em cartas de alforria formais, não sendo, por isso, totalmente comparável, e a outra, de Sabará, pode dever-se a algum tipo de erro de registro, já que todos os demais estudos apresentam resultados semelhantes. A predominância de mulheres nos registros de cartas de alforria também se reflete em relatórios de censos da população livre de cor. Na paróquia mineira de São João del Rei em 1795, por exemplo, a proporção para os 1.411 alforriados residentes foi de 84 homens para cem mulheres[15].

Tabela 9.3: Razão de masculinidade nas alforrias em localidades selecionadas, séculos XVII a XIX.

Localidades e Datas	Razão de Masculinidade (Homens por 100 mulheres)	Número de casos com sexo conhecido
Paraty, RJ, 1789-1822	53	320
Rio de Janeiro (cidade), 1749-54	50	425
Rio de Janeiro (cidade), 1807-1831	57	1.319
Rio de Janeiro, 1840-1850	73	4.609
Rio de Janeiro, 1600s-1850	65	7.739
Porto Feliz, SP, 1798-1850 (T)	113	493
Curitiba, SP, 1790-1825	109	222
Porto Alegre, RS, 1800-1835	69	662
Porto Alegre, RS, 1858-1872	88	3.427
Sabará, MG, 1710-1819***	58	1.005
São João Del Rey, MG, 1774-1848	79	1.437
Juiz de Fora, MG, 1840-1888	87	615
Salvador, Bahia, 1684-1745	50	1.160
Salvador, Bahia, 1779/1850*	74	6.305
Salvador, Bahia e Santo Amaro, 1813-1853	49	686
Salvador, Bahia, 1808-1888**	76	3.783
Rio de Contas, Bahia, 1870-1879	81	407
São Paulo, 1800-1888	72	1.338
Santos, SP, 1811-1872	104	379
Campinas, SP, 1789-1884	72	1.264
Jacobina, Bahia, 1807-1888	68	503
Franca, SP, 1825-1888	82	211
Uberaba, MG, 1830-1888	93	118
Rio de Contas, Bahia, 1870-1888	81	407
Montes Claros, MG, 1830-1888	73	210
Buenos Aires, 1776-1810	70	1.482
Lima, 1580-1650	48	294
Cidade do México, 1580-1650	63	104

Notas: * Somente quinze anos selecionados no período. ** Utilizado o total dado por Nishida, tabelas 7 e 8.
(T) Baseados nos testamentos post-mortem e não nas cartas de alforria.
Fontes: As mesmas da Tabela 9.1, exceto Schwartz (2004), Tabela III; Juiz de Fora: Lacerda, (2006), Tabela 23; Porto Alegre, 1800-1825: Aladrén (2008), Tabela 1.1; Porto Alegre, 1858-1872, Moreira (2003), p. 194; Salvador: Mattoso (1992), Tabela IV; Nishida (1993), Tabela 4; São Paulo: Bertin (2004), Tabela 17; Reed (2006), Tabela 8.3; para Santos: Eisenberg (1974), Tabela 3, com pós 1884 eliminado; Kessler (1973), Tabela II, p. 17; Rio de Janeiro 1600s-1850, e São João del Rey: Faria (2008), quadros 1 e 2, pp. 2 e 3; para Franca e Uberaba: Gomes (2008), tabelas 13 e 14, p. 124.

Esse padrão de destaque para as mulheres no processo de emancipação explica por que, na província de São Paulo no censo de 1872, por exemplo, a razão de sexo para as 355.745 pessoas livres de cor foi 79 homens para cem mulheres. Essa proporção contrasta com a de 125 homens para cada cem mulheres entre os escravos e de 99 homens para cada cem mulheres entre os brancos. No Império como um todo, a razão de sexo para os 4,2 milhões de pessoas livres de cor foi mais equilibrada, mas ainda assim esse grupo apresentou a menor parcela de homens de todos os grupos da sociedade: 102 para cada cem mulheres, em comparação com 109 para os brancos e 115 para os cativos[16].

Como seria de esperar, os cativos nascidos no Brasil tinham maior probabilidade de obter a liberdade do que os africanos, apesar de haver grande variação por época e região, como podemos ver na Tabela 9.4. É claro que muitos desses números eram influenciados pela origem da população escrava residente, que diferia consideravelmente nas diversas áreas brasileiras, e pela época selecionada, já que os africanos declinaram em número com o passar do tempo. Aparentemente, com algumas exceções, cerca de um terço a 40% dos escravos alforriados tinham origem africana. Não só a participação dos africanos diferiu por época e lugar, mas também foram constatadas importantes diferenças por tipo de alforria.

Tabela 9.4: Porcentagem de africanos nas alforrias em várias localidades, séculos XVII e XIX.

Localidades e datas	% de africanos entre alforriados	Número de casos cuja origem é conhecida
Paraty, RJ, 1789-1822	15	469
Rio de Janeiro (cidade), 1749-54	30	605
Rio de Janeiro (cidade), 1807-1831	41	1.236
Rio de Janeiro, 1840-1850	57	4.609
Rio de Janeiro, 1600s-1850	46	7.739
Rio das Velhas e Rio das Mortes, MG, 1716-1789 (T)	39	868
Campos, (RJ), 1704-1830 (T)	29	440
Porto Feliz, SP, 1798-1850 (T)	20	280
Curitiba, SP, 1790-1825	8	155
Porto Alegre, RS, 1800-1835	34	662
Porto Alegre, RS, 1858-1872	43	2.228
Sabará, MG, 1710-1819***	39	1.005
São João Del Rey, MG, 1774-1848	33	1.437
Juiz de Fora, MG, 1840-1888	20	615
Salvador, Bahia, 1684-1745	31	950
Salvador, Bahia, 1808-1888	47	3.283
Salvador, Bahia e Santo Amaro, 1813-1853	48	657
São Paulo, 1800-1888	31	550
Santos, SP, 1811-1872	28	262
Montes Claros, MG, 1830-1888	19	357

Nota: (T) Baseado em testamentos.
***Valores de Sabará 1710-1819 nesta e nas demais tabelas estão baseados em nossos próprios cálculos, que diferem dos resultados da autora pelo seu registro de erros.
Fontes: A mesma da Tabela 9.1 e 9.3, mais Soares (2006), quadro IV.12, p. 173.

A alforria era obtida normalmente de três modos: voluntariamente e sem imposição de condições (grátis), quando o cativo era libertado de imediato e sem nenhum tipo de obrigação para com o senhor; voluntária com condições (que poderiam ser a continuidade do serviço, trabalho especial ou até mesmo atos formais de respeito e devoção), designada pelo termo geral "onerosa"; e a autocompra, que frequentemente aparece nos documentos também sob o termo "onerosa", já que o escravo tinha de pagar por sua liberdade. Essa característica levou alguns historiadores a supor que os dois últimos tipos eram idênticos[17]. Na verdade, porém, a autocompra era o único dos três tipos de alforria que dependia da iniciativa do escravo e, depois da concordância dos senhores e dos tribunais, envolvia uma mudança fundamental da condição social do alforriado. Os escravos coartados, como eram chamados, pagavam sua liberdade em prestações que podiam ser quitadas ao longo de meses ou anos. Esses cativos podiam guardar dinheiro e fazer contratos, e não era permitido vendê-los sem autorização. Todos os documentos legais reconheciam sua condição especial e registravam pormenorizadamente todos os escravos nessa situação.

Embora haja uma surpreendente regularidade nas proporções de idade e sexo dos cativos alforriados em todas as regiões e nas áreas urbanas e rurais, o mesmo não se aplica aos tipos de alforria, que variaram consideravelmente (ver tabela 9.5). Em algumas regiões predominou a autocompra, em outras, as alforrias voluntárias e incondicionais, e em outras ainda, as voluntárias e condicionais. De modo geral, as alforrias voluntárias predominaram na maioria das regiões, e só em algumas áreas a autocompra foi majoritária.

Tabela 9.5: Tipo de manumissão nas alforrias em localidades selecionadas, séculos XVII a XIX.

Localidade e datas	% voluntária e incondicional	% voluntária e condicionada	Subtotal de manumissões voluntárias	% de aquisição da propria alforria	Número de casos com informações
Paraty, RJ, 1789-1822	n.g.	n.g.	67,6	32,4	448
Campos, RJ, 1735-1832*	29,6	42,7	72,3	27,8	389
Rio de Janeiro (cidade), 1807-1831	20,3	39,9	60,2	39,8	895
Rio de Janeiro, 1840-1869	52,9	19,4	72,3	27,7	16.729
Rio de Janeiro, 1600s-1850	n.g.	n.g.	61,4	38,6	6.439
São João Del Rey, MG, 1774-1848	n.g.	n.g.	53,4	46,6	1.306
Juiz de Fora, MG, 1844-1880 (T)	51,6	34,7	86,3	13,7	562
Porto Feliz, SP, 1798-1850 (T)	17,9	72,1	90,0	10,0	341
Porto Alegre, RS, 1800-1835	31,4	24,1	55,5	44,5	771
Porto Alegre, RS, 1858-1872	20,9	33,6	54,5	45,5	3.101
Rio das Velhas, MG, 1720-1784 (T)	n.g.	n.g.	61,5	38,5	723
Rio das Mortes, MG, 1716-1789 (T)	n.g.	n.g.	70,3	29,7	209
Sabará, MG, 1750-1810	28,3	15,4	43,7	56,3	513
Juiz de Fora, MG, 1840-1880	43,0	45,4	88,4	11,6	991
Salvador, Bahia, 1684-1745	n.g.	n.g.	42,1	57,9	1.160
Salvador, Bahia, 1808-1888**	45,5	14,8	60,3	39,6	3.783
Salvador e Santo Amaro, 1813-1853	30,7	23,1	53,8	46,2	648
Rio de Contas, Bahia, 1870-1879	28,0	39,1	67,1	32,9	410
Campinas, SP, 1879-1888	49,8	32,8	82,6	17,4	2.277
Santos, SP, 1811-1872	38,3	20,6	58,9	41,2	379
Franca, SP, 1825-1888	25,1	51,7	76,8	23,2	522
Uberaba, MG, 1830-1888	35,4	39,8	75,2	24,9	543
São Paulo, 1800-1888	28,1	41,0	69,1	30,9	1.338
Buenos Aires, 1776-1810	29,3	10,9	40,2	59,8	1.356
Lima, 1580-1650	33,8	18,4	52,2	47,8	299
Cidade do México, 1580-1650	39,3	24,3	63,6	36,4	107

Nota: * Somente cartas de alforria consideradas para esta análise.
* Somente 15 anos selecionados nesse período.
** Utilizado os totais fornecidos por Nishida Tabela 8
**** A soma da tabela 2 original difere da Tabela 3
(T) Baseado em Testamentos e não em cartas de alforria
Fontes: As mesmas da Tabela 9.1, exceto Kiernan (1978), Tabela 4, Campos e Soares (2006), Paiva (2001), quadros 27 e 28; para Rio das Velhas e Rio das Mortes: Lacerda (2006), nossos cálculos das tabelas 8 e 9; Porto Alegre, 1800-1835: Aladrén (2008), Tabela 1.2; Porto Alegre 1858-1872: Moreira (2003), p. 194; Mattoso (1992), Tabela IV; Nishida (1993), Tabela 4; São Paulo: Bertin (2004), Tabela 7; para Sabará, 1750-1810: Dantas (2003) Tabela 4.3; Florentino (2005), Tabela 2; para Rio de Janeiro e seu interior 1840-1869: Reed (2006), Tabela 8.1, Eisenberg (1974), Tabela 8 (adicionamos os 1,9% escravos comprados para substituir outros escravos como parte da aquisição própria para Salvador e Santo Amaro); para o Rio 1660s-1848 e São João del Rey: Faria (2008), quadros 5 e 7, pp. 10, 12; para Franca e Uberaba: Gomes (2008), tabelas 9 e 10, p. 105.

Foram constatadas algumas variações conforme a origem dos escravos. Os nascidos no Brasil tendiam a ser maioria nas alforrias voluntárias de qualquer tipo, e os africanos, a predominar na categoria da autocompra[18]. Por serem maioria entre os alforriados por autocompra[19], os africanos estavam representados entre os livres e forros aproximadamente na mesma proporção em que figuravam no total da população escrava. Em uma numerosa amostra de 16.729 alforrias no Rio, os africanos compunham 47% dos emancipados, mas eram 50% dos coartados e apenas 36% dos alforriados voluntariamente sob alguma condição[20]. Finalmente, devemos ressaltar duas conclusões de um dos poucos estudos que mencionam ocupações dos forros: primeira, que os homens nessa condição apareciam entre os trabalhadores especializados em proporção bem maior do que a população cativa em geral; segunda, as mulheres alforriadas tinham probabilidade muito maior de trabalhar em serviços domésticos do que a população escrava feminina em geral[21].

Por fim, vale a pena salientar dois subconjuntos de contratos encontrados pelos historiadores entre as alforrias por autocompra. Uma minoria dessas transações envolvia a compra por terceiros. Na região de São Paulo, por exemplo, amostras do século XIX indicam que 31% dos 1.338 cativos alforriados compraram a própria liberdade, e destes uma minoria das compras foi paga por algum parente do cativo (chamado "pagante na família")[22] enquanto em Porto Alegre e seus arredores 44% das cartas de alforria registradas entre 1800 e 1834 referiam-se à autocompra, e, destas, 16% provinham de compra por terceiros. Do total dos contratos de autocompra disponíveis para o Rio de Janeiro em meados do século XIX, 22% foram pagas por terceiros[23]. Na localidade mineira de Juiz de Fora entre 1844 e 1888 houve apenas 992 manumissões, das quais só 12% foram por autocompra. Destas, 60% foram pagas pelo cativo alforriado, 10% por familiares e 30% por terceiros[24]. Em Porto Alegre, de 3.101 cativos cujo tipo de libertação é conhecido no período 1858-1887, 45% compraram a própria liberdade, e dessas autocompras 25% foram pagas por terceiros, uma porcentagem bem semelhante à encontrada na amostra do Rio de Janeiro. Desses terceiros que pagaram pela alforria, dois terços eram pais, 14% eram cônjuges em uniões livres ("amásios") e 10% eram padrinhos[25]. Uma observação interessante é que, quando separamos por origem a autocompra por terceiros, distinguimos uma mudança na participação de africanos e escravos nascidos no Brasil. Enquanto 54% dos forros africanos inseriram-se da categoria da autocompra, apenas um quarto dos nascidos no Brasil pagaram pela própria liberdade. Mas quando adicionamos a compra da alforria por terceiros, os nascidos no Brasil predominam, representando 92% desse total, pois 30% dos 164 acordos de compra dos escravos nascidos no Brasil envolveram terceiros, ao passo que apenas 3% dos 124 africanos alforriados envolveram o pagamento por terceiros[26].

Como já mencionado, os senhores dispunham-se a negociar a autocompra com seus cativos que trabalhavam em ocupações especializadas nas quais a força, isoladamente, não podia produzir retornos econômicos viáveis. Além disso, o processo da autocompra era normalmente interessante para o proprietário. O preço pago pelo cativo cuja liberdade era comprada por ele próprio ou por terceiros era, geralmente, o preço corrente de mercado, e não o preço de compra original. Isso incomodava especialmente os cativos especializados e aqueles cujo preço original era muito inferior ao exigido pelo proprietário para conceder-lhe a alforria. Forros e escravos constantemente demandavam nos tribunais que fosse estipulado um "preço justo", o que, para eles, significava o preço de compra original ou, se houvessem crescido no cativeiro, o preço médio de um escravo adulto. Em algumas épocas os tribunais deram ganho de causa aos cativos, mas na maioria dos casos a sentença estipulava o preço de mercado. Desse modo, os senhores recebiam o valor total para poderem substituir o cativo alforriado comprando outro no mercado.

Muitos acordos de autocompra envolviam pagamento em prestações, geralmente com um terço a metade de entrada e um número determinado de anos para a quitação. Durante esse período de coartação, o cativo coartado não podia ser vendido sem sua permissão a outro senhor, e outras restrições protegiam seus direitos. O coartado recebia um documento oficial, a Carta de Corte, que lhe permitia uma certa mobilidade física longe de seu senhor e o direito de firmar contratos com o objetivo de obter dinheiro para sua autocompra. O senhor, por sua vez, continuava a receber os pagamentos do cativo coartado e a prover o sustento deste até o pagamento da última prestação. Um exemplo comum de tal processo foi o do alfaiate Gonçalo, um escravo trazido para o Rio de Janeiro na década de 1750. Seu preço quando adulto foi estimado em

142$500 réis, e lhe foi autorizado comprar sua liberdade por 134$400 réis. O desconto no preço deu-se pela mudança no sistema de manutenção do cativo. Combinou-se que ele pagaria esse valor em parcelas diárias durante 840 dias (ou 2 anos, 5 meses e 11 dias), porém deveria prover o próprio sustento, que fora anteriormente pago por seu senhor[27].

Além de libertar seus escravos em atos públicos autenticados por notários, a classe dos senhores brasileiros também alforriava cativos por ocasião do batismo. Esse era o caminho usual para pais reconhecerem filhos bastardos, e a libertação da criança requeria apenas uma declaração dos pais e padrinhos. Todas as crianças enjeitadas eram declaradas livres, independentemente de sua cor. Uma análise de registros paroquiais de Parati, localidade produtora de açúcar e aguardente no litoral do Rio de Janeiro, concluiu que, no início do século XIX, 1% dos nascimentos na localidade foi de crianças escravas alforriadas. Essas crianças não foram mais tarde registradas com cartas de alforria formais, que eram os documentos usuais para todas as demais manumissões. Essa parcela aparentemente pequena do total de nascimentos acrescentou 16% ao total de alforriados no período de cinco anos estudado[28]. Curiosamente, em outro estudo recente de 14.949 nascimentos de escravos registrados na cidade mineira de São João del Rei entre 1770 e 1850, 318 (ou 2,1%) dos cativos recém-nascidos foram alforriados na pia batismal[29], e em nenhum havia a indicação de que o pai estava alforriando o filho, embora testamentos subsequentes mostrem que várias dessas crianças eram filhas de seu senhor[30]. Aproximadamente 55% dessas crianças eram meninas, o que aumentou ainda mais a predominância do sexo feminino entre os forros[31]. De 2.471 batismos de escravos nas localidades mineiras de Muriaé e Juiz de Fora de 1851 a 1888, cerca de 2% desses nascimentos foram acompanhados da alforria do cativo recém-nascido[32]. Na paróquia de Nossa Senhora do Pilar em Ouro Preto, entre 1808 e 1840, 34 (ou 3%) das 1.236 crianças escravas batizadas foram libertadas ao nascer[33]. Finalmente, entre 1753 e 1831, na freguesia de São Salvador em Campos dos Goitacases, Rio de Janeiro, 348 crianças foram alforriadas na bia batismal, ou 1,9% de todos os escravos nascidos no período[34]. Se essas porcentagens forem características do resto do Brasil, isso teria o efeito de reduzir ainda mais a idade dos novos ingressantes na classe das pessoas livres de cor e beneficiar ainda mais as taxas de crescimento positivas.

Não há dúvida de que as alforrias eram mais frequentes nas áreas urbanas do que nas rurais, e de que os cativos especializados tinham mais facilidade para comprar a própria liberdade do que os não especializados. Os cativos urbanos tinham mais oportunidades de ganhar dinheiro do que os rurais e estavam mais a par dos seus direitos do que os mais isolados escravos das fazendas. No entanto, mesmo em áreas rurais, a alforria era possível e foi encontrada com certa frequência. Até a possibilidade da autocompra existiu para os cativos rurais, graças ao dinheiro que acumulavam com a venda de gêneros alimentícios que eles produziam em suas próprias roças. Existem, inclusive, algumas referências a escravos rurais que receberam pagamento por trabalho extra feito aos domingos ou em dias de descanso. Um estudo tentou calcular a probabilidade de escravos essencialmente rurais de todo o Brasil serem alforriados na segunda metade do século XIX. Com base em dados da década de 1870, concluiu-se que a taxa bruta de alforrias anuais no total dos escravos era de 6%. Estimou-se, então, que de uma coorte de crianças cativas de dez anos que sobrevivessem até os quarenta, aproximadamente 16% seriam alforriadas nessa idade, e 26% alcançariam a liberdade dentre os que sobrevivessem até os sessenta anos. Esse modelo supôs uma taxa de mortalidade elevada e uma taxa de alforrias constante para todos os grupos etários[35].

Finalmente, os escravos podiam pedir sua liberdade aos tribunais, geralmente alegando que o senhor lhes prometera a alforria e os herdeiros estavam negando o cumprimento da promessa, ou que os processos de coartação não estavam sendo respeitados. Na Corte de Apelação do Rio de Janeiro, a mais alta do Império, foram ouvidos 382 casos de pedido de liberdade no século XIX. Nos 351 casos em que se chegou a uma decisão, 158 escravos obtiveram liberdade incondicional, e 28 a alforria condicional (com obrigações de compra e trabalho por tempo limitado), o que significa que 53% dos casos decididos apoiaram as reivindicações de libertação dos cativos[36]. Cabe ressaltar, ainda, que quando escravos venciam uma causa no tribunal, geralmente lhes eram cobradas as custas do processo[37].

A importância relativa dos escravos recém-alforriados na população livre de cor foi pouco estudada, e os poucos dados disponíveis sugerem amplas variações. Claramente, no início do período colonial a maioria das pessoas livres de cor compunha-se de forros. Mas, à medida que seus números foram aumentando ao longo das gerações, a porcentagem de forros diminuiu e o número de pessoas de cor nascidas livres cresceu. Nos poucos estudos que fornecem a porcentagem de forros em comparação com os nascidos livres na classe das pessoas livres de cor, os forros geralmente compunham em torno de 10% dessa classe. Na cidade mineira de São João del Rei em 1795, os forros representavam a extraordinária parcela de 57% da classe das pessoas livres de cor, e portanto ainda refletiam os padrões dos primeiros tempos da colônia. A razão de sexo tanto para os pardos como para os negros livres era de 97 homens para cada cem mulheres, mas na população forra, como seria de esperar, era apenas 87[38]. Provavelmente, considerando o extraordinário crescimento da população livre de cor no século XIX, a proporção de forros entre as residentes foi muito menor após 1800 do que a porcentagem encontrada para essa cidade mineira. Mas nas estimativas brutas de crescimento populacional das pessoas livres de cor no século XIX evidencia-se que os forros permaneceram como uma parte importante desse segmento populacional e foram um elemento fundamental do seu crescimento (ver Gráfico 9.1).

Gráfico 9.1: Média anual de crescimento da população livre de cor em províncias selecionadas no século XIX.

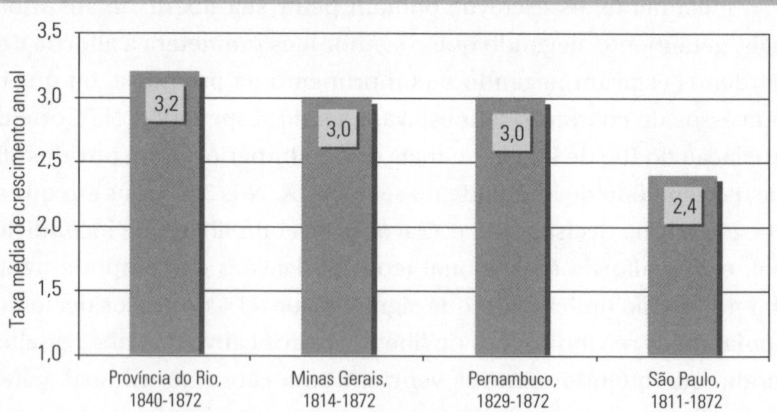

Fonte: Cebrap, 1872, quadros de província, quadros 4, 5 e 6.

Considerando a elevada mortalidade e a alta fecundidade da população livre, que diferiam apenas moderadamente das encontradas para a população escrava (ver Gráfico 9.2 e Tabela 6.2), seria surpreendente se a taxa de crescimento natural da população livre de cor fosse superior ao padrão de crescimento anual de 1% a 1,3% registrado na Europa ocidental no século XIX[39]. As taxas de crescimento anual de 2% a mais de 3% estimadas para as várias províncias brasileiras no século XIX teriam sido fortemente influenciadas pela contínua migração de ex-cativos recém-alforriados para essa categoria populacional, e pela constante miscigenação entre brancos e pessoas livres de cor.

Gráfico 9.2: Faixa superior da estimativa da expectativa de vida dos escravos e de toda a população brasileira em 1872 (para coorte de zero e cinco anos).

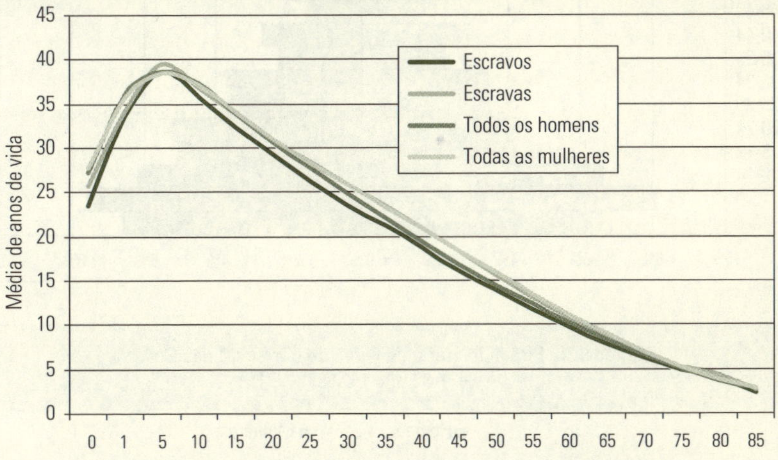

Fonte: Carvalho de Mello, "The Economics ", p. 123 e Arriage New Life, Tabelas, pp. 29-30.

Finalmente, examinando as coortes de idade da população livre por cor e sexo para dezesseis municípios de Minas Gerais nos censos dos anos 1831-1832, evidencia-se que houve entre as pessoas livres de cor uma constante sobrerrepresentação das mulheres em comparação com os brancos em todas as idades acima dos dez anos. Isso refletiu-se na razão de sexo global das pessoas livres de cor: 91 homens para cada cem mulheres, em comparação com a equilibrada razão de cem homens para cem mulheres entre os brancos. Supondo que na população branca houve relativamente pouca imigração ou uma imigração sem desequilíbrios etários, podemos imaginar que a população livre de cor teria apresentado esse mesmo padrão de distribuição de homens e mulheres se não fosse pela entrada razoavelmente constante de mulheres nascidas escravas na classe das pessoas livres de cor (ver gráficos 9.3a- 9.3c).

Gráfico 9.3a: Pirâmide etária de brancos em Minas Gerais, 1831-32 (n = 113.951).

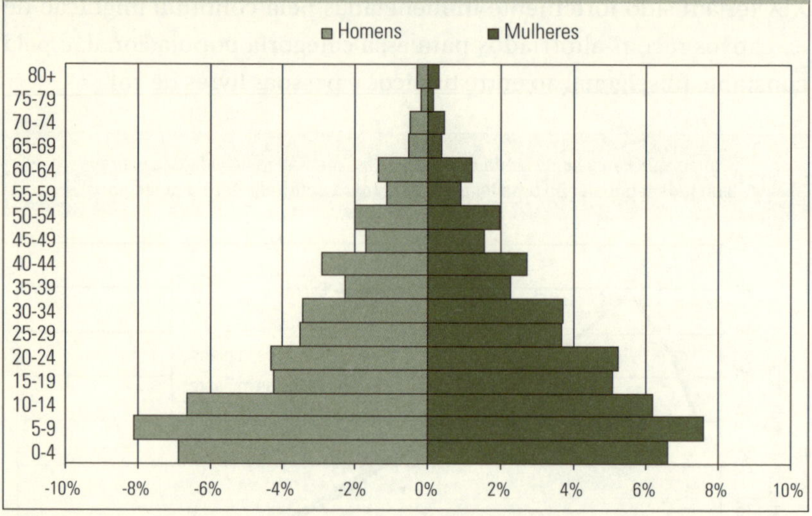

Gráfico 9.3b: Pirâmide etária de livres de cor em Minas Gerais, 1831-32 (n = 162.895).

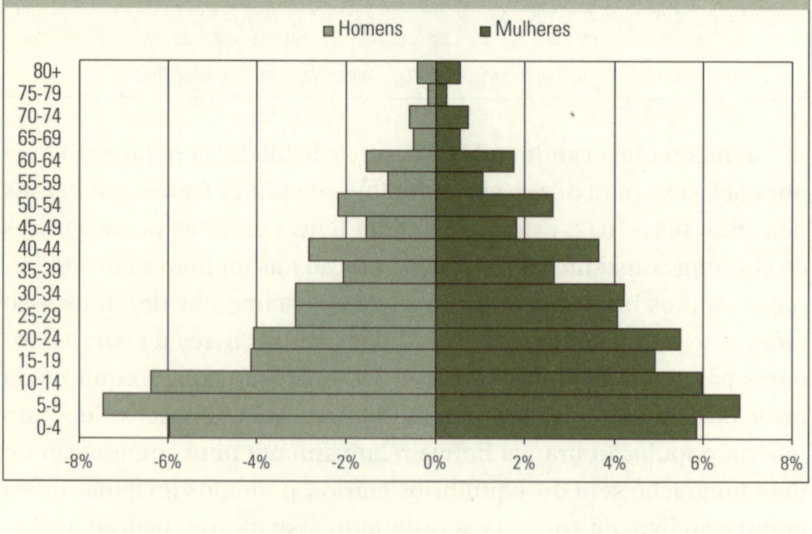

Gráfico 9.3c: Razão de masculinidade de brancos e livres de cor por coorte de idades em Minas Gerais, 1831-1832.

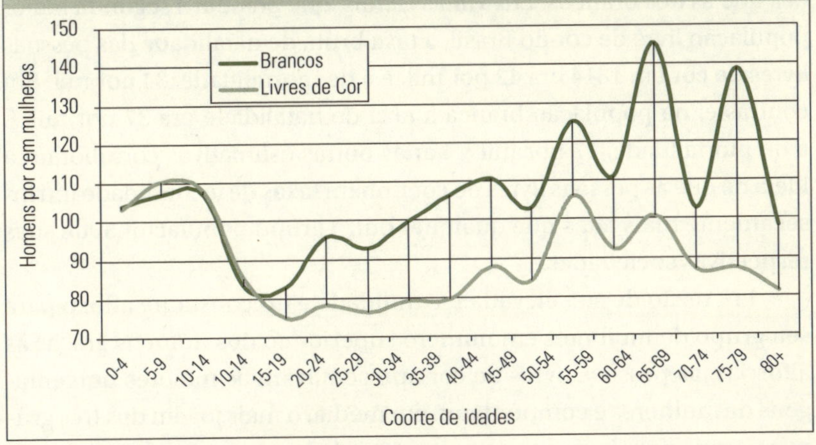

Esses desequilíbrios de idade e sexo entre os escravos alforriados significam que a classe das pessoas livres de cor estava recebendo em seu meio um elemento dinâmico com maior participação de mulheres e de indivíduos relativamente mais jovens. As taxas de crescimento populacional da população livre de cor foram, portanto, condizentemente mais elevadas que as dos cativos. Não só as pessoas livres de cor reproduziam-se a uma taxa de crescimento positiva, mas também recebiam da classe escrava um fluxo constante de novos membros — mulheres mais jovens e férteis — que também tinham propensão a apresentar altas taxas de reprodução, e isso contribui para explicar suas excepcionais taxas de crescimento.

Uma vez alforriados, os ex-escravos ingressavam no mais baixo estrato da sociedade. Até os cativos com ocupação especializada entravam na população livre com suas economias esgotadas pela transação da autocompra. Em geral eram essas mesmas pessoas que em seguida compravam a liberdade de seu cônjuge e filhos, e com isso hipotecavam economias futuras no processo da manumissão[40]. Apenas em raros casos o senhor garantia aos filhos de seu ex-cativo alguma renda e apoio na vida de liberto. Essa pobreza generalizada é a razão por que as pessoas livres de cor no Brasil, assim como em todas as sociedades americanas, tipicamente apresentaram as mais altas taxas de mortalidade e doença entre as populações livres.

No entanto, ao mesmo tempo os dados disponíveis indicam que as pessoas livres de cor tinham taxas de fecundidade muito mais elevadas que as dos brancos. Em Minas Gerais, que possuía a segunda maior população livre de cor do Brasil, a taxa bruta de natalidade das pessoas livres de cor em 1814 era 42 por mil, e a de mortalidade, 34 por mil. Em contraste, na população branca a taxa de natalidade era 37 por mil, e a de mortalidade, 27 por mil[41]. Várias outras estimativas corroboram a ideia de que as pessoas livres de cor tinham taxas de fecundidade intrinsecamente mais altas que qualquer outro grupo populacional de suas respectivas sociedades.

Em razão de sua elevada fecundidade e do constante afluxo para seu grupo de mulheres em número superior ao dos homens graças às alforrias, as pessoas livres de cor apresentavam as maiores porcentagens de mulheres e compunham, em média, o mais jovem dos três grupos populacionais na maioria das sociedades escravistas. Entretanto, no que respeita a casamento, família e parentesco, elas pouco diferiam da sociedade livre em que viviam. Em um censo da capitania de São Paulo em 1800, por exemplo, as pessoas casadas representavam 30% dos brancos, aproximadamente 25% das pessoas livres de cor e 18% dos cativos. Em um censo de 1829 de Campinas, região paulista de grande lavoura, era pequena a diferença entre brancos e pessoas livres de cor na porcentagem de domicílios chefiados por mulheres, domicílios com casais e viúvas com filhos[42], e na população total do Brasil no censo de 1827 os brancos casados eram 30% de seu respectivo grupo populacional, as pessoas livre de cor compunham 26% dessa categoria e apenas 8% dos escravos eram casados.

Apesar da forte tendência a taxas elevadíssimas de endogamia no casamento na classe das pessoas livres de cor, ocasionalmente transpunham-se os limites das fronteiras de condição social e até de cor. Algumas pessoas livres de cor desposavam escravos ou mesmo brancos. Na localidade baiana de Cachoeira no século XVIII, por exemplo, dos cem casamentos de forros registrados entre 1765 e 1785, 24 foram com cativos[43]. Na cidade mineira de Vila Rica no período de 1727 a 1826, foram registrados 832 casamentos nos quais pelo menos um dos cônjuges era forro. Desses forros, 50, ou 6%, desposaram escravos. Nesse caso, homens alforriados casaram-se com escravas em apenas 3% do total de uniões registradas para homens forros, enquanto mulheres livres de cor apresentaram maior tendência a casar-se com escravos: 9% dos casamentos das libertas foram com cativos[44]. Mas há exemplos de taxas ainda mais elevadas, inclusive no século XVIII. No Rio de Janeiro, na importante região açucareira de Campos dos Goitacases, na segunda metade do século XVIII, uma porcentagem ainda mais alta, 35% de trezentos casamentos de forros foram com escravos. Entre os 3.171 matrimônios de pessoas livres, por outro lado, os cônjuges cativos estiveram presentes em apenas 2% das uniões[45]. Embora seja compreensível a existência desse padrão no qual os forros se mostravam mais propensos do que as pessoas de cor já nascidas livres a desposar escravos, isso não se verificou nos 2.916 casamentos celebrados na cidade paulista de São José dos Pinhais entre 1759 e 1888, nos quais pelo menos um dos parceiros era livre. Apenas oitenta dessas uniões foram com escravos, mas 66 envolveram pessoas livres e apenas quatorze envolveram forros. Curiosamente, parece ter existido a tendência de as escravas se casarem com homens livres de cor mais frequentemente do que escravos desposarem mulheres livres de cor. Em São José dos Pinhais, 37 cativas desposaram homens livres, em comparação com apenas 29 homens livres que desposaram escravas; essa mesma proporção verificou-se no caso das escravas que desposaram forros em oito de quatorze dessas uniões[46]. Dos 1.501 casamentos registrados na cidade mineira de Barbacena entre 1721 e 1821 nos quais se conhece a condição social das pessoas, escravos figuram como cônjuge de pessoa livre em apenas onze casos[47]. Dos 184 casamentos envolvendo escravos realizados nas localidades mineiras de Muriaé e Juiz de Fora em 1872, 10% foram de escravos que desposaram pessoas livres[48]. Esses esparsos dados de casamentos no século XIX parecem sugerir que o casamento entre a população livre de cor e a escrava não foi um evento tão comum quando indicam as amostras disponíveis para o século XVIII. As pessoas livres que desposavam cativos eram, em geral, jornaleiros ou agregados na mesma propriedade de seu cônjuge escravo, e em geral concordavam em permanecer na propriedade enquanto fossem casadas e seu parceiro estivesse em cativeiro.

A transposição da barreira da cor mediante o casamento com pessoas livres aparentemente ocorria, porém com frequência ainda menor do que com pessoas de outra condição social. Em Catas Altas do Mato Dentro, cidade do interior mineiro, dos 115 casamentos registrados entre 1816 e 1850 nos quais é mencionada a cor dos parceiros, a porcentagem de casamentos intergrupos foi bem reduzida: apenas oito casamentos com pessoa branca e livre de cor. Homens brancos tendiam a desposar mulheres pardas com maior frequência do que mulheres brancas se casavam com pardos[49].

Mas havia uma área de contato muito próximo entre as pessoas livres de cor e os escravos, e isso se evidencia em todo o processo do compadrio. Pessoas livres de cor e forros aparecem com grande frequência como padrinhos e madrinhas em batismos de cativos. Em um estudo da cidade paraibana de Livramento no século XIX, dos 447 escravos nascidos entre 1814 e 1884, pessoas livres foram padrinhos em 95% dos nascimentos, e madrinhas em 54%. Surpreendentemente, em apenas 2% desses nascimentos não há menção a padrinhos, mas na extraordinária parcela de 43% não é mencionada madrinha no registro de batismo[50]. Esse mesmo padrão também pode ser discernido para a cidade mineira de Senhor Bom Jesus do Rio Pardo no século XIX, entre 1838 e 1888. Eram pessoas livres 76% dos padrinhos e 72% das madrinhas em 715 nascimentos de escravos nessa localidade[51]. Em um dos maiores estudos sobre compadrio e nascimento de cativos, que analisou a cidade mineira de São João del Rei em 1736-1850, das 13.473 crianças nascidas de mãe escrava, 72% dos padrinhos eram livres e 5% eram forros. Do total de padrinhos forros e livres (10.391), apenas 150, sem distinção entre forros ou livres, eram os proprietários das mães cativas[52]. Das madrinhas, 60% eram livres e 5% eram forras[53]. Portanto, parece ter havido contato relativamente próximo da população livre de cor com os escravos quando se tratava de apadrinhar crianças escravas, um papel no qual essas pessoas predominavam numericamente. Também era frequente padrinhos comprarem a liberdade de seus afilhados cativos, ou pessoas livres de cor fazerem o mesmo. Quando terceiros estavam envolvidos na compra de escravos, geralmente eram pessoas livres de cor que forneciam o dinheiro. Dos 74 pais e familiares que compraram a liberdade de escravos na Bahia do século XVIII, 57% eram pessoas livres de cor[54].

Por estar ainda incompleto no Brasil o estudo da classe das pessoas de livres de cor, é difícil avaliar como a cor influenciou a integração de ex-escravos na classe trabalhadora e na sociedade em geral. Em estudos detalhados de interações sociais de pessoas pobres na cidade do México, evidencia-se que a cor era um assunto gerador de grande confusão e que, em processos na justiça e em várias transações comerciais, pessoas de cor recebiam diferentes designações de raça a cada vez que testemunhas ou autoridades se referiam a elas[55]. Isso também pode ter ocorrido no Brasil, considerando o sistema de três cores e a tradicional sobreposição das definições de classe e cor que classificavam os indivíduos como "pardos" ou "pretos" na sociedade brasileira, prática essa que frequentemente resultava em desacordo quanto à designação de cor das pessoas. Outra área que ainda precisa ser analisada em detalhes é a habitação das pessoas livres de cor. Em Porto Rico no século XIX, negros e brancos viviam nas mesmas casas e era comum alugarem quartos uns para os outros[56]. A ausência de guetos raciais, as intensas e complexas relações econômicas e sociais entre pessoas livres de cor e até entre brancos pobres e escravos levaram alguns estudiosos a supor que as classes inferiores não tinham o costume nem a preocupação de usar a terminologia de cor, definindo os indivíduos mais por sua residência, sexo, idade, condição social e ocupação do que pela cor da pele. Obviamente, essa indefinição pode não ter existido em todas as regiões e em todas as épocas, e talvez tenha sido um fenômeno mais urbano do que rural. Enquanto o preconceito de cor foi claramente perceptível em todos os níveis da sociedade, para as pessoas livres de cor a discriminação provavelmente adquiriu importância crescente à medida que elas foram subindo na escala social, porém com menor impacto quando elas tratavam com seus conterrâneos mais pobres.

Como seria de esperar no caso de pessoas pobres e predominantemente da classe trabalhadora, as pessoas livres de cor apresentavam a maior porcentagem de domicílios chefiados por mulheres e taxas relativamente baixas de chefes de domicílio casados, em comparação com a população branca. No censo de Minas em princípios dos anos 1830, os domicílios chefiados por mulheres compunham apenas 7% dos aproximadamente 25 mil domicílios de brancos, mas representavam 19% dos 37 mil domicílios de pessoas livres de cor. Além disso, as pessoas livres de cor tinham porcentagens muito menores de casados, e a hierarquia de cores correlacionava-se com essas taxas. Além disso, o estudo demonstra que pardos tinham melhores índices que os negros (ver Tabela 9.6). Não só uma porcentagem maior de pessoas livres de cor que eram chefe de domicílio não eram casadas e provavelmente viviam em união consensual, mas também essa população apresentava maior porcentagem de nascimentos fora do matrimônio do que a população branca. Isso, em si, não implica um maior grau de instabilidade na vida familiar; no entanto, indica um nível de pobreza que tornava o casamento na igreja uma prática demasiado cara. Por outro lado, todas as pessoas livres de cor batizavam seus filhos e, em contraste com os escravos, geralmente a criança tinha padrinho e madrinha.

Tabela 9.6: Estado civil dos adultos livres chefes de domicílio por cor, Minas Gerais 1831-1832.

Cor	Solteiros	Casados e viúvos	Total	(n)
Brancos	16%	84%	100%	25.150
Pardos	25%	75%	100%	29.011
Africanos	36%	64%	100%	1.629
Pretos	42%	58%	100%	6.569
Total	23%	77%	100%	62.359

Quaisquer que possam ter sido a relativa estabilidade do casamento e a proporção de nascimentos ilegítimos na população livre de cor, seus membros construíram um poderoso conjunto de instituições coesivas que também fortaleceram sua coesão interna como afro-americanos. Esse desenvolvimento de uma identidade comunitária evidentemente foi auxiliado pelo contínuo preconceito dos brancos contra negros e mulatos, por impedimentos legais que constantemente os lembravam de seus direitos parciais e pela insistência do governo e da Igreja para que essas pessoas se organizassem estritamente em associações voluntárias baseadas na cor.

A mais importante dessas associações na esfera política foi a milícia. Nem a Espanha nem Portugal mantiveram um exército real permanente na América. Toda a defesa ficava essencialmente a cargo de um pequeno grupo de oficiais de carreira e de uma massa de milicianos civis. O serviço militar era obrigatório a todos os homens livres de cor fisicamente aptos, e quanto mais numerosas as pessoas livres de cor, maior o número de companhias milicianas de negros e mulatos organizadas em sua comunidade. Provavelmente não é exagero dizer que a grande maioria de homens livres de cor fisicamente aptos serviram na milícia colonial em algum momento da vida. Em tempos de paz, ou em regiões isoladas com poucos habitantes, essas milícias raramente interferiam no cotidiano da população. Eram sobretudo cerimoniais e tinham poucas obrigações. Mas com frequência essas unidades militares demandavam muito tempo e esforço. Para os homens livres de cor em suas fileiras, a recompensa pelo serviço militar geralmente era modesta. Entretanto, para os oficiais negros e mulatos havia o acesso a tribunais militares e outros privilégios. Por isso, geralmente os artesãos mais ricos ansiavam por obter essas patentes, pois assim poderiam valer-se da proteção da justiça militar mesmo em suas atividades comerciais; os que não eram oficiais, em contraste, tentavam escapar do serviço obrigatório. Ademais, em meados do século XIX, depois da substituição das milícias de cor pela Guarda Nacional, que não era dividida por cor, tornou-se mais raro homens livres de cor ascenderem aos escalões superiores. Embora homens livres de cor servissem na polícia, no Exército e na Marinha, poucos chegaram à classe dos oficiais[57].

O caso de Francisco Joaquim de Santana é um exemplo bem característico. Morador de Itu, localidade açucareira do oeste paulista, em 1820 ele solicitou a dispensa do serviço militar. Já servira em um corpo de ordenanças e ressaltou, em sua petição, que obtivera sua liberdade havia pouco tempo e ainda tinha dívidas que contraíra para comprar sua alforria. Trabalhava como mestre alfaiate e sustentava a família com seu trabalho; além disso, julgava que já se encontrava em idade demasiado avançada para servir na milícia[58]. Em outro grupo de casos, o chefe da milícia regional, capitão-mor da vila de Porto Feliz, escreveu ao governador de São Paulo solicitando a dispensa do serviço militar para três forros. Um deles era Antonio Pedroso de Campos, soldado miliciano do regimento de Sorocaba aquartelado na vila de Porto Feliz. Pedroso era carpinteiro especializado e mestre de engenho, e seu trabalho era necessário para reparar a maioria das máquinas da fazenda. O capitão pediu também a dispensa de dois músicos, Inácio Máximo de Faria e Jesuíno Francisco de Paula, que também eram carpinteiros e trabalhavam em uma oficina local. Todos haviam servido bem por longo tempo, e os músicos tocavam em todas as festas da igreja e outras celebrações, estavam endividados devido à compra da alforria e além do mais eram necessários em tempo integral à família e à sociedade em geral[59]. Aparentemente, Jesuíno Francisco de Paula, o músico-alfaiate, servira na milícia desde 1815, e em 1824, quando tinha trinta anos de idade, ainda era registrado nas listas nominativas da cidade como "miliciano soldado" e alfaiate[60].

A Igreja, por sua vez, também incentivava as pessoas livres de cor a fundar suas próprias irmandades, especialmente porque muitas irmandades de brancos não as admitiam como membros. Essas entidades fraternais e religiosas tornaram-se, assim, um importante recurso para manter cultos religiosos afro-americanos, atuar como associações de auxílio mútuo e cimentar amizades baseadas na classe e na cor por meio da atividade cerimonial ritual. Embora criadas por motivos racistas e apoiadas por uma sociedade branca empenhada em manter uma ordem social mais separada do que igualitária, essas organizações religiosas voluntárias tornaram-se pilares da comunidade e deram às pessoas livres de cor um sentimento de valor e identidade que, como suas unidades milicianas, serviu como um esteio crucial em sociedades fortemente racistas. Embora tais irmandades tenham sido importantes para os escravos, como vimos no capítulo anterior, parecem tê-lo sido ainda mais para as pessoas livres de cor. Irmandades de negros existiram em todas as cidades e vilas onde havia porcentagem substancial de negros e mulatos. Como a maioria das irmandades admitia escravos, essas organizações tenderam a manter importantes laços entre as duas classes, e a contrabalançar os antagonismos que inevitavelmente surgiam entre os que tinham firme interesse no *status quo* e os que inerentemente se opunham a ele. Mas em toda parte houve o predomínio das pessoas livres de cor. Elas elegiam a maioria dos oficiais e, considerando as taxas cobradas aos membros, eram quem basicamente sustentavam as irmandades.

As irmandades arrecadavam os fundos de que precisavam, incumbiam-se dos funerais de seus membros e patrocinavam procissões e outras festividades[61]. Serviam até como fonte de verba para a compra de alforrias[62]. Houve em alguns casos protestos formais de irmandades em relação ao péssimo tratamento que escravos recebiam de seus proprietários, peticionando inclusive a libertação do cativo[63].

Embora a maior parte dos estudos sobre as irmandades tenha se concentrado no período colonial, não resta dúvida de que elas continuaram a ser uma parte vital da vida social das pessoas livres de cor por todo o século XIX. Submetidas ao controle provincial com a criação da nação independente e ainda obrigadas a recorrer aos serviços dos padres locais, elas continuaram a realizar festas anuais, a eleger anualmente o "Rei do Congo" e a mesa administrativa, apesar dos constantes períodos de repressão do governo entremeados aos períodos de liberalização[64]. Por fim, após 1850, a repressão do governo abrandou-se consideravelmente, conforme as irmandades passaram a ser aceitas como parte do cenário social. O número de membros, porém, parece ter declinado à medida que, ao menos em Salvador, a própria Igreja tornou-se menos receptiva a essas associações em fins do século XIX[65]. No entanto, nesse mesmo período tais irmandades permaneceram muito poderosas em outras regiões. Em 1871, por exemplo, as irmandades de pessoas de cor de Nossa Senhora do Rosário de Porto Alegre organizaram e patrocinaram a primeira Festa dos Navegantes anual, e a partir de então esse passou a ser um importante evento festivo na região. Esse popular festival celebrado até hoje sobreviveu inclusive à Irmandade do Rosário, que desapareceu no último quarto do século XX[66].

Afirmou-se que no Brasil a maioria das pessoas livres de cor participou dessas irmandades e teve probabilidade muito maior do que os escravos de associar-se a elas. Entre as poucas estimativas da parcela de membros de irmandades na população total temos um estudo sobre sepultamentos realizados em uma paróquia da cidade mineira de Vila Rica no século XVIII e começo do XIX. Como mostra o Gráfico 9.4, as cerca de 2.200 pessoas livres sepultadas tinham a maior probabilidade de ser membros (aproximadamente 48% para ambos os sexos), vindo em segundo lugar os 2 mil forros sepultados. Em contraste, apenas 6% dos 8.200 funerais de escravos foram de membros de irmandade. Curiosamente, mulheres cativas e forras tinham maior probabilidade de ser membros do que homens dessas mesmas condições sociais, mas entre as pessoas livres ocorria o oposto. Na verdade, essas porcentagens das pessoas livres de cor provavelmente sub-representam essa população no resto do Brasil, já que, das duas paróquias de Vila Rica, Pilar e Antônio Dias, esta era a mais pobre[67]. De 155 testamentos de libertos registrados na cidade de Salvador da Bahia entre 1790 e 1830, 80% dos testadores eram membros de irmandade, e as mulheres tinham uma participação ligeiramente maior do que os homens (82% e 78%, respectivamente)[68]. Em outra amostra de 416 testamentos da paróquia da Sé no Rio de Janeiro no período 1776-1797, cerca de três quartos dos testadores eram membros de irmandade[69]. Mas essas eram, claramente, as pessoas livres de cor mais ricas, pois quem não possuía terras nem renda não deixava testamento, e é difícil saber quantos pobres eram associados. Os dados sobre sepultamentos (Gráfico 9.4) sugerem que a classe influenciava as taxas de participação dos forros.

Gráfico 9.4: Porcentagem de pessoas enterradas membros de irmandades, por situação social e sexo, Paróquia de N. S. da Conceição de Antônio Dias, Vila Rica (1719-1818) (n = 12.436).

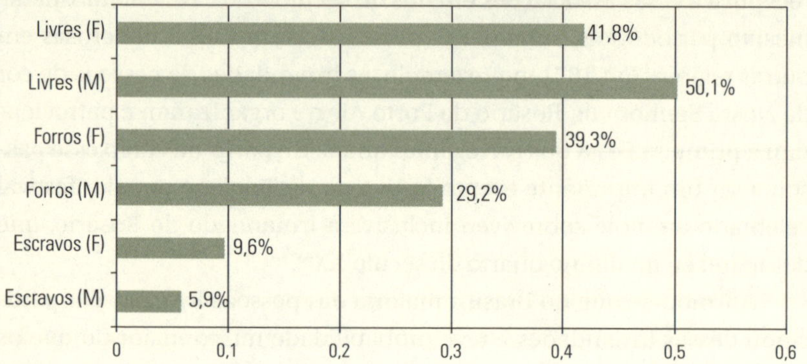

Fonte: Costa (1979), tabela 6, p. 235.

As irmandades procuravam atender as necessidades espirituais e materiais de seus membros, além de ser especialmente importantes como fornecedoras de auxílio funeral. Na maior parte da América portuguesa e espanhola, essas irmandades foram relativamente pobres e em geral partilhavam um altar em uma igreja. Mas uma minoria delas conseguiu acumular vastas propriedades imobiliárias e possuir capelas e cemitérios próprios. Algumas irmandades eram abertas a todos, independentemente de cor ou condição social. Outras eram divididas segundo essas duas categorias. Havia ainda casos de irmandade exclusivas para pessoas de determinada origem étnica[70]. Em Salvador no século XVIII, havia uma irmandade só para os africanos naturais de Daomé, e outra para os nagô-iorubás da nação ketu. Os angolanos foram os primeiros a criar na Bahia a Irmandade de Nossa Senhora do Rosário. Por fim, muitas dessas entidades permitiram aos escravos nascidos no Brasil e outros participarem como membros, mas em geral reservando os cargos administrativos aos grupos africanos fundadores[71]. Irmandades também baseadas na origem africana foram estabelecidas no Rio de Janeiro nos séculos XVIII e XIX[72]. Como já mencionamos, irmandades de negros dedicadas a Nossa Senhora do Rosário foram fundadas em todas as cidades de Minas Gerais, e essa foi a maior organização, com 62 das 322 irmandades espalhadas por todo o território mineiro no período colonial[73]. Na Bahia colonial, 86 de 165 irmandades eram organizações de negros consagradas ao Rosário[74]. Houve, inclusive, uma Irmandade da Boa Morte, fundada em 1820 por sexagenárias negras que eram católicas e iniciadas no candomblé[75]. Na época, a cidade de Salvador abrigava dezesseis irmandades principalmente de negros e mulatos, e possuía muitas outras irmandades mistas. O período de maior desenvolvimento dessas associações foi entre o século XVIII e início do XIX, mas muitas delas sobreviveram até o século XX como expressões da comunidade negra. Após a abolição, algumas das irmandades tradicionais tornaram-se fonte dos cultos afro-brasileiros que ganharam proeminência no período contemporâneo[76].

Embora as irmandades pudessem eleger seus oficiais, existiam as usuais cláusulas proibindo a escravos ou analfabetos os cargos de secretário, presidente ou tesoureiro. A Igreja também se desdobrava para controlar essas associações. A todas elas eram designados clérigos brancos como guardiões, e em alguns casos o governo chegou a forçar irmandades a aceitar brancos no controle de suas finanças. Em geral essas entidades tinham papel subordinado em grande parte da atividade religiosa local, mas em algumas regiões seu poder político e econômico foi substancial. Destacaram-se nesse aspecto as irmandades de Salvador no século XVIII e início do XIX e as que existiram em todas as principais comunidades mineiras no mesmo período. Foram essas irmandades de negros, juntamente com muitas irmandades de brancos, que financiaram importantes manifestações artísticas de mulatos e negros. Isso ocorreu especialmente em Minas Gerais, como vimos anteriormente. Esses excepcionais artistas de projeção regional e até internacional foram apenas a nata de uma multidão de pessoas livres de cor que foram músicos, escritores e artistas, produzindo tanto para as massas como para a elite de suas respectivas sociedades.

Pessoas livres de cor eram encontradas também em todas as outras profissões na sociedade brasileira. Às vezes se viam forçadas a formar suas próprias corporações de ofício, mas com frequência pertenciam a guildas regulares. Mais comuns entre os aprendizes e jornaleiros do que entre os mestres-artesãos, ainda assim podiam ser encontradas em todas as ocupações especializadas nessas sociedades. Alguns até foram mestres em ofícios que lhes eram proibidos. Havia também ocupações manuais tradicionalmente dominadas por pessoas livres de cor e escravos. A mais importante delas era a de cirurgião-barbeiro, um profissional que, em muitos casos, acumulava também a maioria das funções médicas na comunidade[77]. O fato de pessoas livres de cor terem papel significativo em todos os ofícios especializados e até dominarem algumas ocupações cruciais não significa que a cor de sua pele não afetasse sua vida econômica e social. Em registros do período colonial e do século XIX sobejam queixas de artesãos brancos contra seus compatriotas livres de cor. Para cada trabalhador livre de cor que conseguiu ascender ao topo de sua categoria profissional, existiram sempre outros que foram impedidos de exercer livremente a profissão por brancos que usaram a barreira da cor para tirá-los da competição. Brancos fizeram frequentes tentativas de forçar negros e mulatos a formar suas próprias corporações de ofício ou de obrigá-los a submeter-se a exames mais árduos para obterem o certificado de mestre. E houve casos em que os proibiram de exercer seu ofício em qualquer instância. Mas o governo geralmente aceitava o direito dessas pessoas a trabalhar, baseado nas considerações mais pragmáticas da necessidade e prova de sucesso. Assim, em toda parte grassou o preconceito, mas também houve alguma mobilidade social e integração econômica.

Um dos poucos estudos sobre artesãos livres de cor enfoca a mineira Vila Rica no século XVIII. Nessa cidade, os tradicionais exames perante uma banca de juízes artesãos eram apresentados e oficialmente aprovados e registrados na câmara municipal. Em 529 exames bem-sucedidos para ocupações especializadas realizados nessa comunidade no século XVIII, 64 dos candidatos aprovados eram pessoas livres de cor (vinte forros e 44 negros livres), e 23 eram escravos. Juntos, esses artesãos especializados representavam 16% do total[78]. O fato de cativos serem oficialmente examinados e registrados significa que, se obtivessem a liberdade e mudassem de condição social, poderiam manter sua qualificação profissional e, assim, garantir sua manutenção na elite da classe trabalhadora.

Em ocupações menos especializadas havia pouca oposição, pois os brancos eram menos numerosos e tinham menos interesse em competir. Como trabalhadores domésticos, mascates, estivadores e marinheiros, as pessoas livres de cor e os escravos predominavam. No entanto, esses eram tipos de trabalho que proporcionavam menos renda e menos mobilidade para os ex-escravos e seus descendentes.

Também havia pequenos comerciantes entre as pessoas livres de cor. Dois forros de Sabará em fins do século XVIII, por exemplo, possuíram cada qual uma pequena venda. Bernardo Correa, um forro da Costa da Mina, possuía três escravos: dois de Angola e outro da Mina, dois deles meninos pequenos, e o outro, um cativo adulto chamado de Luís. Outra pessoa livre de cor nessa ocupação foi Ignácia Ribeira, que comprou sua liberdade por 300 mil-réis. Ela possuía uma venda de secos e molhados e ao morrer era proprietária de uma escrava mina chamada Ventura, a qual já estava em processo de coartação segundo um acordo com sua senhora[79]. Algumas pessoas livres de cor podem ter exercido ocupações à margem da legalidade. Esse pode ter sido o extraordinário caso da parda baiana Bárbara de Oliveira, uma forra nascida em Sabará na década de 1760, que não era casada mas tinha filhos e netos, possuía muitas roupas e joias caras e 22 escravos. A maioria de seu plantel compunha-se de mulheres. Quando Bárbara morreu, deixou documento mencionando que dezoito de seus cativos eram coartados e o restante deveria ser vendido. Ela legou, inclusive, roupas caras e outros bens a várias das mulheres. Como Bárbara não possuía terras nem estabelecimento comercial e não consta para ela nenhuma designação ocupacional, e considerando ainda o grande número de mulheres que com ela trabalhavam, supõe-se que dirigia um prostíbulo[80]. Casas de prostituição pertencentes a mulheres livres de cor parecem ter sido relativamente comuns em toda Minas Gerais no século XVIII[81]. Enquanto várias mulheres livres eram acusadas de bruxaria, em Minas o mais comum era forros africanos ou nascidos no Brasil serem atacados por praticarem feitiçaria. A maioria deles eram forros africanos pobres e às vezes escravos, mas há inclusive o caso do mulato forro Julião, que era mestre sapateiro e vivia separado da mulher; ele foi acusado de usar feitiçaria para fazer as prostitutas mulatas de Sabará apaixonarem-se por ele, e de usá-las para aumentar sua própria renda[82].

Não era raro pessoas livres de cor e forros organizarem pequenos estabelecimentos comerciais. Um exemplo foi a paróquia de Santa Rita, no Rio de Janeiro, para a qual um censo comercial de 1841 registrou 603 estabelecimentos, quarenta deles pertencentes a pessoas livres de cor: 33 eram pequenas "quitandas de verdura e comida" e sete eram barbearias. Uma ocupação mais comum para escravos recém-alforriados era a de vendedor ambulante, e eles atuavam em toda a cidade. Em 1855, o mina Ignácio José Antonio apresentou à Câmara Municipal da Corte uma petição para que seu escravo, da mesma nação que ele, pudesse vender peixe na cidade. Em outro caso, o nagô Antonio Delfino de Miranda solicitou permissão para que seus dois cativos, Augusto e André, também nagôs, trabalhassem como escravos de ganho nas ruas da cidade[83].

Finalmente, em pouquíssimos casos, até mesmo forros conseguiram alçar-se às camadas superiores da sociedade. Alguns ascenderam por herança. Um exemplo foi João Batista, de dois anos, filho de uma escrava. Nascido em 1814, ele herdou uma fazenda com duzentos escravos de seu pai, o coronel João Antônio de Barcelos Coutinho. Suas várias irmãs pardas mais velhas, também filhas de outras cativas que haviam tido relações ilícitas com seu pai, foram igualmente alforriadas e receberam reconhecimento legal. Duas dessas irmãs, Carolina Leopoldina e Joana Batista, foram formalmente reconhecidas com o título de dona em documentos nos anos 1820, e quando uma delas se casou nessa mesma década, seu nascimento foi registrado como legítimo, sem nenhuma referência, nas declarações formais de casamento, à sua cor (parda) e ao fato de sua mãe ser uma escrava e de ela ter sido fruto de uma relação fora do matrimônio. Além disso, apesar de constantes ataques dos outros parentes do coronel, João Batista de Barcelos Coutinho conseguiu conservar a imensa fazenda de açúcar de seu pai, uma das maiores da região de Campos, no Rio de Janeiro[84]. O caso de Joaquim Barbosa mostra que a mobilidade podia ocorrer graças a habilidade individual ou à sorte. Provavelmente nascido de mãe escrava em fins dos anos 1770 na cidade paulista de Itu e alforriado no início da infância, em 1813 esse forro pardo, filho ilegítimo, possuía dois escravos, era casado, trabalhava como mascate de fazendas secas e era miliciano. Em 1815, ele obteve da Câmara Municipal de Porto Feliz, em São Paulo, licença para abrir uma loja de secos e molhados, e estava promovido a alferes na milícia. Nessa altura, possuía três escravos adultos, e dois agregados pardos trabalhavam para ele. Continuou a trabalhar em sua venda, mas foi lentamente acumulando cativos e comprando terras. Sem jamais abandonar suas atividades comerciais, ele acabou por tornar-se proprietário de terras e produtor de açúcar com 41 escravos. Também emprestava capital a numerosos fazendeiros locais e tinha ativos contatos comerciais com negociantes de Santos e Rio de

Janeiro. Foi padrinho em casamentos e batizados de várias pessoas livres de cor e brancas, porém nunca de escravos seus. Mas todos os seus filhos tiveram padrinhos brancos que foram importantes figuras da Igreja ou do governo[85].

Existem também casos de forros que chegaram a exercer ocupações que lhes eram oficialmente proibidas. O mulato forro Bernardo Gonçalves Bahia, por exemplo, era filho ilegítimo de Bartolomeu e sua escrava Maria Gonçalves Bahia, e foi alforriado por seu pai solteiro pouco depois de nascer em Sabará, Minas Gerais. Bernardo no testamento deixado por seu pai em 1752 consta como padre, uma ocupação que deveria ser-lhe proibida por ser filho natural e mulato[86]. Deve ser enfatizado que Minas Gerais possuía das maiores e mais consolidadas população de pessoas livres de cor e de forros do Brasil, o que explica a elevada mobilidade social e econômica dessa região quando comparada a outras regiões.

Mas esses casos de sucesso eram poucos, ao menos para os forros, e até para pessoas de cor nascidas livres eram raros; além disso, essa mobilidade socioeconômica só ocorria após duas ou três gerações vividas em liberdade. O mais normal era os recém-alforriados e a primeira geração de pessoas de cor nascidas livres serem encontrados nas classes inferiores. Pessoas livres de cor podiam ser encontrados entre os agregados no Brasil, em domicílios de numerosas pessoas de classe média e alta. No município açucareiro paulista de Itu em 1829 havia 343 agregados (9% da população livre total), dos quais pouco menos de metade eram pessoas livres de cor, e a maioria eram mulheres[87]. Essa porcentagem de pessoas livres de cor provavelmente era mais baixa que o normal, considerando a elevada concentração de escravos na região. Nessa mesma localidade em 1854, agregados compunham 11% da força de trabalho combinada de cativos e agregados, e 29% dos trabalhadores das 532 fazendas de gado, mas apenas 4% dos trabalhadores nas 664 fazendas de açúcar. De fato, em Itu em 1829 os agregados tendiam a ser encontrados mais nos domicílios urbanos do que nos rurais[88]. Como dependentes do dono da casa, havia inclusive agregados livres de cor que se deslocavam por longas distâncias entre as várias casas do chefe do domicílio. Esse foi o caso da mulata forra Cândida Izabel da Conceição, de dezoito anos, nascida em Campina Grande, na Paraíba. Em 1856 ela foi libertada por seu senhor, Joaquim José Henriques, e dois anos depois deu à luz uma filha, também livre de cor. Em 1861, ela e a filha residiam na casa de seu ex-senhor no Sul do Brasil, na cidade catarinense de Lages, e ambas foram registradas como pessoas livres nos registros locais de Santa Catarina. Claramente, ela era criada na casa de seu ex-proprietário[89]. Agregados trabalhavam em terras cedidas em usufruto por seu patrão ou integravam de outros modos a força de trabalho agrícola que frequentemente era uma extensão da mão de obra da família do chefe de domicílio.

Além de servirem como criados domésticos ou lavradores e vaqueiros na propriedade de terceiros, pessoas livres de cor também foram uma parte importante da população de pequenos agricultores independentes. Nas fronteiras, nas montanhas, nas terras em torno de pequenas e grandes cidades e em terrenos abandonados pelas fazendas, numerosos ex-escravos ganharam a vida como agricultores livres. Na maioria dos casos, permaneceram como posseiros ou agregados em terras de fazendeiros, e poucos possuíram título de propriedade da terra que ocuparam[90]. Foram um elemento importante das roças nas orlas das cidades, produzindo para o consumo de todos os principais centros urbanos, e compuseram o grosso da população que vivia da agricultura de subsistência mesmo em áreas onde a escravidão era a instituição dominante.

Também não surpreende que esses trabalhadores pobres fossem encontrados entre os elementos criminosos da sociedade. No Rio de Janeiro, entre 1810 e 1821 foram presas 893 pessoas livres de cor. Enquanto 34 desses indivíduos foram detidos por demonstrar solidariedade a grupos de escravos, 267 praticaram roubos e 263 perpetraram atos de violência. Como se poderia esperar, dada a condição de classe dos transgressores, boa parte desses crimes de violência e roubo foi cometida contra outras pessoas pobres, muitas delas escravas ou livres de cor[91]. Ocorriam também os usuais conflitos por motivo de trabalho ou mulheres, e até roubos de escravos. Roubar cativos não era coisa incomum entre brancos e pessoas livres de cor, mas alguns casos envolviam amigos ou amantes. José Ferreira, por exemplo, era um homem livre que foi preso em Parati em 1813 porque fugiu com uma escrava do Rio de Janeiro. A escrava era sua amante e deu à luz o filho de ambos depois de ser devolvida a seu senhor[92].

Como os cativos alforriados e as pessoas livres de cor ingressavam nas classes mais baixas da sociedade, não tinham instrução nem capital, e ascender na escala social era para eles uma empreitada árdua. Entretanto, progrediam. O fundamental para todas as pessoas livres de cor era a mobilidade física[93]. Em apenas algumas regiões e durante períodos limitados o governo colonial ou imperial restringiu seus deslocamentos. Em contraste, na América do Norte passaportes e outras restrições limitaram as pessoas livres de cor à sua comunidade. O direito de migração interna foi crucial para a capacidade dessas pessoas de responder a incentivos de mercado e negociar melhores condições de trabalho. A mobilidade física não era garantia automática de mobilidade econômica — como indica o caso dos posseiros nas fronteiras brasileiras que eram expulsos da terra que ocupavam e se tornavam pobres[94] —, mas era um direito fundamental que permitia escapar de uma exploração mais opressiva pela elite.

Nosso minucioso estudo de 41 municípios da província de São Paulo no período 1829-1831 concluiu que os 9.288 domicílios de pessoas livres de cor dedicavam-se principalmente à agricultura (52% do total). Mas em segundo lugar vinham os artesãos, e, juntos, agricultores e artesãos compunham dois terços dos domicílios de pessoas livres de cor com escravos cuja ocupação era conhecida. Evidentemente, as pessoas livres de cor, embora fossem encontradas em toda parte e participassem em todas as ocupações, inseriam-se, em sua maioria, na base da escala social e econômica, pois em um quarto desses domicílios o chefe foi arrolado como jornaleiro, pobre ou mesmo mendigo. Isso é esperado, considerando a origem escrava e mais pobre dessas pessoas e sua instrução mais limitada, além da carência de capital. No entanto, essas pessoas, por mais pobres que fossem, não estavam sozinhas no degrau mais baixo da escala social, como indica a muito significativa participação de brancos nas categorias de pessoas pobres e trabalhadores diaristas (aproximadamente 10% dos 28.099 brancos chefes de domicílio encontrados na província). Além disso, foi possível encontrar pessoas livres de cor em todas as partes da província, e até, em números surpreendentemente significativos, exercendo ocupações mais próprias da elite.

Embora os domicílios de pessoas livres de cor em São Paulo estivessem sobrerrepresentados entre os pobres e os trabalhadores diaristas, eles compuseram um quarto do total de domicílios paulistas em fins dos anos 1820 e apenas 20% do total de domicílios agrícolas.

Entretanto, foram bem representados entre os domicílios de artesãos e marinheiros (36% e 37%, respectivamente, de todos os chefes de domicílio nessas ocupações). Infelizmente, também representaram 48% dos jornaleiros e 42% dos pobres e mendigos, e apenas 15% dos profissionais liberais, 12% dos comerciantes e 14% dos soldados. Analisados com base em suas divisões internas, agricultores compuseram pouco mais de metade do total da classe das pessoas livres de cor, seguidos por artesãos e pobres nas próximas ocupações mais numerosas. Portanto, se quisermos resumir as posições ocupacionais nos domicílios das pessoas de cor em geral, diríamos que essas pessoas eram encontradas em todas as profissões, trabalhando principalmente na agricultura, e que eram sobrerrepresentadas nas ocupações mais pobres e sub-representadas na elite — uma conclusão nada surpreendente[95].

O fato de que algumas pessoas de livres de cor foram bem-sucedidas na economia de mercado pode ser visto em seu papel como proprietárias de escravos. Em numerosos estudos concluiu-se que tais pessoas possuíram escravos[96]. Seus plantéis geralmente eram muito menores que os da elite branca, e as mulheres tenderam a ser mais bem representadas entre os livres de cor com cativos do que entre os brancos. No censo de 1831-1832 em Minas Gerais, 49% dos 25.286 domicílios de brancos possuíam escravos, enquanto apenas 11% dos 37.501 domicílios de pessoas livres de cor continham cativos. Os senhores brancos chefiavam 71% do total de domicílios com escravos. Enquanto as mulheres brancas proprietárias de escravos compunham apenas 19% dos senhores brancos, as mulheres livres de cor eram 30% dos senhores livres de cor. Dentre todos os senhores, os brancos em geral possuíam quase oito cativos por proprietário, enquanto os livres de cor tinham menos de metade desse número, ou pouco mais de três por proprietário. Embora menos importantes como um grupo nas regiões mais novas da província de São Paulo, também nestas algumas pessoas livres de cor possuíram cativos nos anos 1820. Elas chefiavam apenas 6% de todos os domicílios com escravos, em contraste com 29% em Minas Gerais nesse mesmo período, mas, como em Minas, as mulheres livres de cor eram mais significativas do que as brancas como proprietárias de cativos, representando um terço de todos os domicílios com escravos chefiados por essas pessoas, em comparação com 20% de mulheres brancas nessas condições entre os proprietários brancos. Em média, as pessoas livres de cor em São Paulo possuíam aproximadamente o mesmo número de cativos do que em Minas, mas os senhores brancos paulistas tinham aproximadamente um escravo a menos. Finalmente, vale a pena ressaltar que o número médio de escravos pertencentes a pessoas livres de cor em ambas as províncias apresentou um desvio-padrão muito mais baixo do que a média para os senhores brancos, o que indica que dois terços dos senhores livres de cor possuíam um plantel próximo da média de três escravos[97].

No que respeita às ocupações, os proprietários livres de cor tendiam a dedicar-se menos à agricultura do que os senhores brancos, e bem mais aos ofícios artesanais. Geralmente, o padrão era os artesãos livres de cor possuírem ou alugarem cativos que trabalhavam em suas oficinas. Além disso, havia nítida diferença por sexo. Das mulheres livres de cor que chefiavam domicílios com escravos, apenas 29% ocupavam-se da agricultura, em comparação com 59% dos homens com cativos que eram agricultores. Em contraste, 31% dessas mulheres chefes de domicílio foram arroladas como artesãs (em comparação com apenas 10% dos homens livres de cor com escravos). Porém, mesmo incluindo os domicílios com cativos, evidencia-se que, no total de domicílios com e sem cativos em São Paulo, as pessoas livres de cor foram sobrerrepresentadas entre os pobres e os jornaleiros. Em Minas Gerais, a ocupação de jornaleiro era muito comum para as pessoas livres de cor em domicílios sem escravos e, embora pouco frequente, ocorria também em domicílios com escravos[98].

Analisando a elite brasileira, evidencia-se que indivíduos excepcionais emergiram dessa classe essencialmente pobre. Os escalões superiores, apesar de esmagadoramente brancos, contiveram pardos e negros livres. No Brasil, líderes entre as pessoas livres de cor chegaram a desempenhar importantes papéis políticos, quer identificando-se com seus semelhantes livres de cor e escravos, quer, o mais das vezes, em papéis independentes ou mesmo hostis. Essa relação mais complexa, especialmente na sociedade brasileira do século XIX, derivou mais acentuadamente da maior aceitação e de oposições racistas menos efetivas em suas respectivas sociedades. As atividades políticas dessas pessoas foram as mais variadas, passando por cargos públicos eletivos e postos militares e administrativos nomináveis até a liderança de exércitos revolucionários ilegais. Um tipo de comportamento é exemplificado pela família Rebouças, cujo patriarca negro foi advogado e representante eleito na legislatura provincial da Bahia e teve filhos engenheiros e administradores na corte imperial. No movimento abolicionista, destacaram-se Luis Gama e José do Patrocínio na classe das pessoas livres de cor, enquanto o visconde mulato Francisco de Soles Torres, ex-ministro e diretor do Banco do Brasil, foi defensor da escravidão.

Finalmente deve ser enfatizado que o governo imperial aceitou as pessoas livres de cor como cidadãos. A constituição de 1824, que durou até o final do Império, declarou que essas pessoas eram cidadãos iguais a todos os outros (Título 2, art. 6, no. I). Eles tinham direito a voto e podiam ser eleitos. O complexo sistema de voto indireto do Império era baseado em qualificações de propriedade, assim como o direito de eleição. Com a qualificação de propriedade adequada, a pessoa livre de cor tinha o direito de participar da vida política. A única distinção existente era entre livres e forros. Estes podiam votar apenas na primeira rodada das eleições, e estavam impedidos de ser eleitos (Título 4, Capítulo VI, art. 94, no. II)[99].

Embora atacada, desprezada, rejeitada e temida como uma classe de potenciais competidores, a classe das pessoas livres de cor no Brasil cresceu rapidamente sob o regime escravista que a criou. Essas pessoas revelaram-se capazes de forjar uma comunidade de pessoas livres em condições de integrar-se à economia de livre mercado. Lutaram arduamente e por vezes com êxito pelo direito à mobilidade social e econômica e pelos direitos legais da plena cidadania. Foi a mais difícil das lutas, e prosseguiria por muito tempo depois do fim da escravidão. Mas foi essa interminável batalha pela aceitação que, em última análise, preparou o caminho para os escravos entrarem com melhores perspectivas na sociedade livre após a emancipação ser concedida a todos os africanos e afro-americanos.

NOTAS

1. Ver, por exemplo, Winthrop D. Jordan, *White over Black: American Attitudes toward the Negro, 1550-1812*.
2. Com o surgimento de um império americano baseado no braço escravo africano, era inevitável que todo o processo de discriminação por origem imperante entre portugueses e ibéricos se expandisse para incluir a cor. As chamadas leis de "limpeza de sangue" que dividiam os portugueses em cristãos velhos e novos (estes últimos com origens judaicas ou mouriscas) foram ampliadas de modo a incluir pessoas de cor por um decreto de 1671 que excluiu cristãos-novos e pessoas de cor de todos os cargos públicos e religiosos. Na realidade, as restrições sobre a origem eram mais severas que as relacionadas à cor, e há numerosos casos nos quais indivíduos de cor ricos ou poderosos ascenderam a cargos elevados com isenção régia. Não obstante, a discriminação contra pessoas livres de cor foi uma constante na sociedade colonial. Larissa Viana, *O Idioma da Mestiçagem: as Irmandades de Pardos na América Portuguesa*, pp. 54 segs.
3. Russell-Wood, *The Black Man in Slavery and Freedom in Colonial Brazil*, pp. 70-71. Houve também numerosos decretos contra a posse de armas por pessoas livres de cor e escravas, embora até essas normas draconianas fossem por fim abandonadas tendo em vista a necessidade de capitães-do-mato e milicianos coloniais. Russel-Wood, *The Black Man in Slavery and Freedom in Colonial Brazil*, pp. 67-68.
4. Sobre a lei de 1741 (Lei Pragmática de 1749, capítulo IX), que proibia forras e mulheres livres de cor de usar roupas finas e joias, ver Sílvia Hunold Lara, "Sedas, Panos e Balangandãs: o Traje de Senhoras e Escravas nas Cidades do Rio de Janeiro e Salvador (Século XVIII)".
5. A hostilidade no cotidiano podia expressar-se de vários modos. Os escravos africanos, embora universalmente treinados em todos os ofícios, desde o nível de jornaleiro até o de mestre, eram proibidos de prestar exames oficiais para exercer a profissão, o que efetivamente enfraquecia as guildas e as irmandades a elas associadas. Muitas dessas irmandades de ofícios mecânicos exigiam restrições à venda de produtos feitos por escravos de artesãos não reconhecidos oficialmente. No Rio de Janeiro em princípios do século XIX a irmandade dos sapateiros chegou a proibir a admissão de cativos na entidade, apesar de eles serem treinados por mestres brancos. Mônica de Souza Nunes Martins, *Entre a Cruz e o Capital*, pp. 48-49.
6. Desde cedo, Portugal, como a Espanha, adotou uma organização militar colonial baseada na cor — neste caso, brancos, pardos e pretos. Mas sempre existiram tensões inerentes nesse sistema, pois os regimentos de pessoas de cor queriam ter seus próprios oficiais, e a Coroa insistia na integração e/ou no comando por oficiais brancos. Por fim, a dependência em relação a essas unidades militares forçou a Coroa, até o fim do período colonial, a usar soldados e oficiais negros e mulatos. Russel-Wood, *The Black Man in Slavery and Freedom in Colonial Brazil*, pp. 84-93.
7. Impressiona no Brasil a frequência dos processos de alforria. Alguns dos estudos mais recentes mostram a proporção dos proprietários que libertavam seus escravos nos testamentos. Assim, em Porto Feliz, São Paulo, entre 1798 e 1859, mais de dois terços dos proprietários de escravos (97 entre 144 proprietários) libertaram escravos nos inventários. Esses escravos representavam 10% dos escravos possuída por esses senhores. Roberto Guedes, *Egressos do Cativeiro*, p. 192, quadro 41. Em um estudos sobre Campos de Goiatacases, importante área de produção açucareira do Rio de Janeiro, dos 506 proprietários de escravos registrados nos inventários entre 1704 e 1832, 286 (56%) libertaram algum escravo. Márcio de Sousa Soares, *A Remissão do Cativeiro*, p. 90 tabela III.3.
8. Diretoria Geral de Estatística, *Recenseamento Geral do Brasil de 1872*.
9. Joaquim Norberto de Souza e Silva, *Investigações sobre os recenseamentos da população geral do império e de cada província de per si tentados desde os tempos coloniais até hoje*, pp. 56-57.

10. Mas já por ocasião do censo de 1829-1830 as pessoas livres de cor representavam 43% da população de cor total e 21% da população global, estimada em 128 mil pessoas. Herbert S. Klein e Francisco Vidal Luna, "Free Colored in a Slave Society", tabela 1, p. 7.

11. Paulo Roberto Staudt Moreira, "Faces da Liberdade, Máscaras do Cativeiro", tabela Anexo 6, p. 91. Para evitar as possíveis distorções causadas pelas leis do ventre livre e dos sexagenários, selecionei apenas o período 1885-1872.

12. Ian William Olivo Read, *Unequally Bound: the Conditions of Slave Life and Treatment in Santos County, Brazil, 1822-1888*, tabela 8.5.

13. Para os dados fornecidos na Tabela 9.1, ver as seguintes fontes: para Paraty, James P. Kiernan, "Baptism and Manumission in Brazil: Paraty, 1789-1822", tabela 6; para a cidade do Rio de Janeiro em 1749-1754, James H. Sweet, "Manumission in Rio de Janeiro, 1749-1754: an African perspective", tabela 3; para a cidade do Rio de Janeiro em 1807-1831 (somente os crioulos), Mary C. Karasch, *Slave Life in Rio de Janeiro, 1808-1850*, tabela 11.5; para Porto Feliz, São Paulo, 1798-1850, Roberto Guedes Ferreira, *Pardos: Trabalho, Família, Aliança e Mobilidade Social, Porto Feliz, São Paulo, c. 1798-c. 1850*, quadro 4.6; para Curitiba, Paraná, em 1790-1825, Adriano Bernardo Moraes Lima, *Trajetórias de Crioulos*, tabela 9; para o Rio de Janeiro, 1840-1850, Manolo Florentino e José Roberto Pinto de Góes, "Do Que Nabuco Já Sabia: Mobilidade e Miscigenação Racial no Brasil Escravista", tabela 2; para Porto Alegre, RS, entre 1858 e 1872, Moreira, *Faces da Liberdade, Máscaras do Cativeiro,* tabela Anexo 6; para Sabará, MG, 1710-1819, Kathleen J. Higgins, *"Licentious Liberty"*, tabela 5.1; para Juiz de Fora, 1884-1888, Antônio Henrique Duarte Lacerda, *Os Padrões das Alforrias em um Município Cafeeiro em Expansão: Juiz de Fora, Zona da Mata de Minas Gerais, 1844-88*, tabela 16; para Salvador, Bahia, 1684-1745, Stuart B. Schwartz, "The Manumission of Slaves in Colonial Brazil, Bahia, 1684-1745", tabela V; para Salvador em 1779-1850, ver Kátia M. de Queirós Mattoso, "A Propósito de Cartas de Alforria: Bahia, 1779-1850", tabela VII; para Salvador em 1808-1888, Meiko Nishida, "Manumission and Ethnicity in Urban Slavery: Salvador, Brazil, 1808-1888", tabela 4; para Campinas, SP, em 1789-1874, ver Peter L. Eisenberg, "Ficando Livre: as Alforrias em Campinas no Século XIX", tabela 6; para Montes Claros, MG, em 1830-1888, Alysson Luiz Freitas de Jesus, *No Sertão das Minas. Escravidão, Violência e Liberdade (1830-1888)* , quadro 12; e para as cidades da América Espanhola, ver Lyman L. Johnson, "Manumission in Colonial Buenos Aires, 1776-1810", tabela 1; para Jacobina, Bahia, Raphael Rodrigues Vieira Filho, *Os Negros em Jacobina (Bahia) no Século XIX*, p. 235; para Rio de Contos, Bahia, Maria de Fátima Novaes Pires "Cartas de Alforria: 'Para Não Ter o Desgosto de Ficar em Cativeiro'", p. 149, tabela 2

14. Ver Jacob Gorender, *O Escravismo Colonial*, p. 355.

15. Douglas Cole Libby e Clotilde Andrade Paiva, "Alforrias e Forros em uma Freguesia Mineira: São José d'El Rey em 1795", tabela 1, p. 22. Aventou-se que, se as crianças fossem removidas da classe dos forros, o predomínio das mulheres seria ainda maior. Comunicação pessoal de Stuart B. Schwartz, 4 de novembro de 2008.

16. Diretoria Geral de Estatística, *Recenseamento Geral do Brasil de 1872.*

17. Adriano Bernardo Moraes Lima, *Trajetórias de Crioulos*, tabelas 10 e 11.

18. Um exemplo típico desse padrão é um estudo recente de alforrias em São João del Rey de 1774-1848, no qual se concluiu que 58% dos crioulos alforriados (881) receberam a liberdade incondicionalmente, em comparação com apenas 43% dos africanos libertos (431) que foram libertados gratuitamente. Sheila de Castro Faria, "Aspectos Demográficos da Alforria no Rio de Janeiro e em São João del Rey entre 1700 e 1850", quadro 4, p. 10.

19. Um importante estudo sobre alforrias concluiu que os africanos estavam sobrerrepresentados na categoria da autocompra e sub-representados entre as alforrias voluntárias. Ver Eduardo França Paiva, *Escravidão e Universo Cultural na Colônia*, p. 181. Uma amostra menor das cidades baianas de Salvador e Santo Amaro no século XIX também

encontrou esse mesmo padrão de sobrerrepresentaçãode africanos entre os libertos que compraram a própria liberdade e de pardos na categoria de alforrias incondicionais. Ver Arnold Kessler, *Bahian Manumission Practices in the Early 19th Century*, pp. 19-20.

20. Manolo Florentino, "Sobre Minas, Crioulos e a Liberdade Costumeira no Rio de Janeiro, 1789-1871", tabela 2, p. 349. Usando o conjunto de dados de Florentino, que agora inclui 17.201 alforrias do Rio de Janeiro de 1840 a 1871, um estudo recente concluiu que o volume e o ritmo das coartações baseava-se exclusivamente na habilidade das famílias escravas, em especial das mulheres, para acumular fundos, e não tinham nenhuma relação com acontecimentos externos como o fim do tráfico de escravos. Ver Carlos Eduardo Valencia Villa, *Produzindo Alforrias no Rio de Janeiro no Século XIX*. O autor mostra, também, que os escravos invariavelmente pagavam preços reais mais altos por sua liberdade do que o pago pelo senhor por tais escravos no mercado aberto, e que o aumento dos preços reais da alforria ao longo do tempo (correlacionados com o aumento dos preços de escravos em geral) não teve impacto para reduzir o volume das coartações. Villa, pp. 58-62.
21. Eisenberg, "Ficando Livre: as Alforrias em Campinas", tabela 7, p. 195.
22. Enidelce Bertin, *Alforrias na São Paulo do Século XIX: Liberdade e Dominação*, tabelas 1, 11 e 18, pp. 69, 97, 116. Segundo Bertin, cerca de 26% das alforrias eram pagas por familiares.
23. Florentino e Góes, "Do Que Nabuco Já Sabia: Mobilidade e Miscigenação Racial no Brasil Escravista", tabela 1.
24. Antônio Henrique Duarte Lacerda, "Economia Cafeeira, Crescimento Populacional, Manumissões Onerosas e Gratuitas Condicionais em Juiz de Fora na Segunda Metade do Século XIX", tabelas 2 e 4, pp. 11, 16.
25. Paulo Roberto Staudt Moreira, *Os Cativos e os Homens de Bem. Experiências Negras no Espaço Urbano, Porto Alegre, 1858-1888*, pp. 187, 259, 272. Nesses cálculos, supus que quando não consta a fonte da autocompra, foi o próprio cativo quem fez o pagamento — chegando desse modo ao número de 1.060 coartações.
26. Gabriel Aladrén, *Liberdades Negras nas Paragens do Sul*, tabelas 1.2 a 1.4, pp. 43, 48, 55.
27. Sílvia Hunold Lara, *Campos da Violência*, pp. 252-254.
28. Kiernan, "Baptism and Manumission in Brazil: Paraty, 1789-1822", pp. 61-65.
29. Ver Cristiano Lima da Silva, "As Alforrias nos Registros de Batismos da Matriz de Nossa Senhora do Pilar de São João del-Rei: uma Análise Demográfica (1751-1850)", tabela 1.
30. Cristiano Lima da Silva, "Senhores e Pais: Reconhecimento de Paternidade dos Alforriados na Pia Batismal na Freguesia de Nossa Senhora do Pilar de São João del-Rei (1770-1850)".
31. A razão de sexo dos 351 nascidos cujo sexo é conhecido foi de 82 homens para cem mulheres. Silva, "As Alforrias nos Registros de Batismos da Matriz de Nossa Senhora do Pilar de São João del-Rei", tabela 3.
32. Andrade, Rômulo, "Ampliando Estudos sobre Famílias Escravas no século XIX ", tabela 7, p. 107.
33. Soares, *A Remissão do Cativeiro*, p. 68, tabela II.1.
34. Miriam Moura Lott, "A Lista Nominativa de 1838: Características Demográficas, Econômicas e Sociais de Ouro Preto", quadro 1. Na mesma paróquia nesse período, realizaram-se 429 batismos de escravos adultos, que representaram 26% do total de batismos de cativos (1.665).
35. Robert W. Slenes, *The Demography and Economics of Brazilian Slavery, 1850-1888*, pp. 489-493, esp. tabela 10.2, p. 491, que sintetiza sua complexa análise.
36. Keila Grinberg, *Liberata, a Lei da Ambiguidade*, p. 27.

27. O período coberto parece ser 1806-1888 (ver gráfico 1, p. 109).

37. Lara, *Campos da Violência*, pp. 256-257.

38. Douglas Cole Libby e Clotilde Andrade Paiva, "Alforrias e Forros em uma Freguesia Mineira: São José d'El Rey em 1795", tabelas 1 e 2, pp. 22, 24.

39. Angus Madison, *The World Economy: a Millenial Perspective*, tabela A-1d, p. 186. Nem Portugal cresceu a mais de 1% ao ano antes do século XX, e os doze principais países da Europa ocidental só cresceram a 1% no período 1820-1870 e a 1,3% ao ano em 1870-1913.

40. Assim, por exemplo, das 795 mortes de forros registradas em Mariana, Minas Gerais, entre 1771 e 1800, uma proporção de 26% foram classificados como pobres ou indigentes - o que parece uma taxa superior aquela encontrada para as pessoas livres em geral. Renata Romualdo Diório, *As Marcas da Liberdade*, p. 81, tabela 8.

41. Herbert S. Klein, "Os Homens Livres de Cor na Sociedade Escravista Brasileira", tabela 2.

42. Dados gerados com base nas Listas Nominativas (ou mapas) no Arquivo Público do Estado de São Paulo, Maços de População, lata 27a.

43. Luís Nicoulau Parés, "O Processo de Crioulização no Recôncavo Baiano (1750-1800), tabela 5.

44. Iraci del Nero da Costa, "Ocupação, Povoamento e Dinâmica Populacional", tabelas 1 e 2.

45. Sheila de Castro Faria, *A Colônia em Movimento: Fortuna e Família no Cotidiano Colonial*, quadros II.9 e II.10, pp. 143, 144.

46. Cacilda Machado, "Casamento e Desigualdade Jurídica", Tabela 5, p. 10.

47. Rangel, "Nos Limites da Escolha", tabela 6.

48. Rômulo Andrade, "Casamentos entre Escravos na Região Cafeeira de Minas Gerais", tabela 9.

49. Tarcísio R. Botelho, "Estratégias Matrimoniais entre a População Livre de Minas Gerais: Catas Altas do Mato Dentro, 1815-1850", tabela 3, p. 6.

50. Solange Pereira da Rocha, *Gente Negra na Paraíba Oitocentista*, tabela 4.2.

51. Jonis Freire, "Compadrio em uma Freguesia Escravista: Senhor Bom Jesus do Rio Pardo (MG) (1838-1888)", tabelas 8 e 9.

52. Sílvia Maria Jardim Brügger, *Minas Patriarcal, Família e Sociedade (São João del Rei - séculos XVIII e XIX*, p. 286 e tabela 5.1, p. 287.

53. Sílvia Maria Jardim Brügger, "Compadrio e Escravidão", tabelas 1 e 2. Os dados nas tabelas desse ensaio são mais completos do que os do livro, pois incluem padrinhos e madrinhas ausentes e coartados.

54. Schwartz, "The Manumission of Slaves in Colonial Brazil: Bahia, 1684-1745", tabela IX.

55. Ver R. Douglas Cope, *The Limits of Racial Domination*.

56. Jay Kinsbruner, *Not of Pure Blood*.

57. Luiz Carlos Soares, *O "Povo de Cam" na Capital do Brasil*, p. 301.

58. "[...] sendo de pouco tempo liberto, e isento pelo favor de sua senhora, D. Josefa Maria de Góes Pacheco, ainda se acha o suplicante devedor do restante para o inteiro cumprimento de sua liberdade que, para cujo [fim] efetivamente trabalha pelo seu ofício de Alfaiate, do qual é mestre, e sustenta sua mulher e família, apesar de seus avançados anos." Citado em Roberto Guedes Ferreira, "Trabalho, Família, Aliança e Mobilidade Social", p. 4.

59. "Antonio Pedroso de Campos é soldado Miliciano do Regimento de Sorocaba, aquartelado nesta vila de Porto Feliz, em quem concorre o atributo de bom carpinteiro, e hábil mestre de engenhos, o que se faz muito necessário a esta vila. Assim tão bem Inácio Máximo de Faria e Jesuíno Francisco de Paula, ambos músicos e bons oficiais

de alfaiate, que trabalham com tenda aberta; os que pela sua arte têm servido pronta e gratuitamente todas as funções reais e eclesiásticas, fazendo-se por isso, e por seus ofícios, dignos de todo o acolhimento e conservação e utilidade ao país, como verão V. Exa. dos documentos juntos; pois é verdade que os ditos, há muitos anos, que têm servido constantemente em praça de soldados do regimento. Motivos estes, que me movem a recorrer a mui sábia proteção de V. Exa., para que, atendendo ao exposto, se digne mandar que se lhes dê a sua baixa, providenciando, outrossim, que jamais se assente praça a músicos desta vila pela grande falta e necessidade que deles há. E porque tenha sido vexado pelas justiças, e Ordenanças, para caminhar com cartas, e diligências, fazendo-se dificultoso os pagamentos de sua liberdade por inteiro cumprimento dela; Pelo que [...] mandar seja isento." Citado em Ferreira, "Trabalho, Família, Aliança e Mobilidade Social", p. 5.

60. *Idem*, p. 6.

61. Sobre o papel das irmandades de negros nos funerais de membros, ver João José Reis, *Death is a Festival: Funeral Rites and Rebellion in Ninetenth-century Brazil*, pp. 127-128.

62. Como concluiu um minucioso estudo, "a maioria das irmandades de negros concedia empréstimos a escravos necessitados e prestava auxílio jurídico para libertar o escravo. Geralmente, a irmandade pedia penhor ou garantia de que os empréstimos seriam quitados. Não era possível obter empréstimo do tesouro das irmandades sem expressa permissão do rei ou do cabildo". Patricia A. Mulvey, "Slave Confraternities in Brazil: their Role in Colonial Society", p. 51. Para o caso de uma irmandade cujos estatutos previam a concessão de tais empréstimos para que os escravos comprassem sua liberdade, veja-se Naiara Ferraz Bandeira Alves, *Irmãos de Cor e de Fé*, p. 107. O papel dessas organizações como detentora de fundos de escravos também é salientado por Roger Bastide em *The African Religions of Brazil*, p. 116. Dentre os poucos estudos que arrolam membros e condições sociais dessas irmandades, temos o da Irmandade do Rosário da Alta Cruz em Vila Rica, Minas Gerais, em fins do século XVIII, no qual se conclui que dos 4.097 membros da irmandade, 42% eram escravos, e a razão de sexo global era de 65 homens para cem mulheres. Célia Maia Borges, *Escravos e Libertos nas Irmandades do Rosário*, p. 231, tabela 8. A Irmandade de Nossa Senhora do Rosário em Mariana, MG, entre 1750 e 1819 tinha 850 membros negros cuja condição social é conhecida. Os cativos representavam 62% desse total. Curiosamente, a razão de sexo para os escravos neste caso era acentuadamente desequilibrada, com cerca de 2,5 homens para cada mulher. Em contraste, entre os forros a razão de sexo era de 63 homens para cem mulheres, e a razão global era, portanto, de 166. Fernanda Aparecida Domingos Pinheiro, *Confrades do Rosário*, tabelas II e III.

63. Antonia Aparecida Quintão, *Lá Vem o Meu Parente: as Irmandades de Pretos e Pardos no Rio de Janeiro e em Pernambuco (Século XVIII)*, pp. 136-143.

64. Embora para um período anterior, uma análise minuciosa das mesas administrativas e seus orçamentos encontra-se em Quintão, *Lá Vem o Meu Parente*.

65. Elizabeth W. Kiddy, *Blacks of the Rosary*, cap. 5. Um estudo de testamentos de pessoas livres de cor na Bahia no século XIX concluiu que essas pessoas distribuíam-se por 38 irmandades baseadas na cor em Salvador. Mas parece ter havido um gradativo declínio, pois, se na primeira parte do século quase todos pertenciam a alguma irmandade, apenas um quinto ou menos eram registrados como membros no período pós-1850. Essa situação decorreu do combate a esses tipos de organização por parte do clero mais romanizado, que adquiriu o controle da Igreja na segunda metade do século e censurou progressivamente os aspectos sociais dessas organizações, tentando substituí-los por organizações de bases mais ortodoxas. Maria Inês Cortês de Oliveira, *O Liberto: O seu Mundo e os Outros*, pp. 84-85.

66. Liane Susan Müller, "O Negro e Suas Devoções".

67. Segundo Iraci del Nero da Costa, "os dados referem-se a pessoas adultas (em termos genéricos com sete ou mais anos de idade) que vieram a falecer entre 1719 e 1818

e cujo óbito foi registrado na Paróquia de Nossa Senhora da Conceição de Antônio Dias. Em Vila Rica havia duas Paróquias; a que concentrava pessoas relativamente mais ricas era a do Pilar – os moradores de Antônio Dias eram relativamente menos abonados. O fato de o indivíduo falecido pertencer ou não a uma irmandade foi colhido no registro de óbito em não em livros pertencentes a Irmandades. [...] Também acredito que deve ter havido diferença entre as duas paróquias no que diz respeito ao fato de o falecido ter pertencido ou não a alguma irmandade, mas, infelizmente, não tenho ideia de qual seria tal diferença". Carta datada de 10 de setembro de 2008.

68. Maria Inês Côrtes de Oliveira, *O Liberto: o Seu Mundo e os Outros*, pp. 83-84. Cabe salientar que essa porcentagem declinou progressivamente no decorrer do século XIX, à medida que todos os grupos reduziram sua participação em suas organizações.

69. Há 38 forros nessa amostra, dos quais 27 são nascidos na África, com predominância para os da Costa da Mina. Larissa Viana, *O Idioma da Mestiçagem: as Irmandades de Pardos na América Portuguesa*, quadros 1, 2 e 3, pp. 184, 186, 187.

70. Sobre os vários padrões de inclusão ou exclusão das numerosas irmandades, ver A. J. R. Russell-Wood, "Black and Mulatto Brotherhoods in Colonial Brazil", pp. 579-581.

71. Em testamentos baianos do século XIX deixados por pessoas livres abastadas nascidas na África, evidencia-se que essa pureza étnica de irmandades individualmente consideradas foi rompida, sendo encontrados africanos de origens muito diferentes nas mesmas irmandades, inclusive nas que aceitavam apenas mulatos. Oliveira, *O Liberto: o Seu Mundo e os Outros*, p. 81.

72. João José Reis, "Identidade e Diversidade Étnicas nas Irmandades Negras no Tempo da Escravidão", p. 7-33. Ver também Mariza de Carvalho Soares, *Devotos da Cor*.

73. Boschi, *Os Leigos e o Poder*, pp. 187-88. Ver também Elizabeth W. Kiddy, *Blacks of the Rosary*; Célia Maria Borges, *Escravos e Libertos nas Irmandades do Rosário;* e Julita Scarano, *Devoção e Escravidão*.

74. Patricia A. Mulvey, "Black Brothers and Sisters", p. 256.

75. "A Irmandade da Boa Morte é formada por senhoras sexagenárias, negras e que têm fé católica e iniciação no candomblé." Carolina L. G. Braga, "Tenha uma Boa Morte".

76. Sobre a ascensão de cultos afro-brasileiros e sua associação com as irmandades, ver Roger Bastide, *The African Religions of Brazil*, caps. 5 e 6.

77. Zephyr L. Frank, *Dutra's World: Wealth and Family in Nineteenth-century Rio de Janeiro*.

78. Geraldo Silva Filho, *O Oficialato Mecânico em Vila Rica no Século Dezoito e a Participação do Escravo e do Negro*, p. 81.

79. Paiva, *Escravidão e Universo Cultural na Colônia, Minas Gerais, 1716-1789*, pp. 128-129.

80. *Idem*, pp. 151-53.

81. Ver Laura de Mello e Souza, *Desclassificados do Ouro*, pp. 257-258.

82. *Idem*, pp. 261-62.

83. Soares, *O "Povo de Cam" na Capital do Brasil*, p. 301.

84. Márcio de Sousa Soares, "De Pai para Filho: Legitimação de Escravos, Herança e Ascensão Social de Forros nos Campos dos Goitacases, c. 1750-c. 1830", pp. 10-15.

85. Roberto Guedes, "De Ex-escravo a Elite Escravista: a Trajetória de Ascensão Social do Pardo Alferes Joaquim Barbosa Neves".

86. Ana Luiza de Castro Pereira, *O Sangue, a Palavra e a Lei*.

87. Eni de Mesquita Samara, *Lavoura Canavieira, Trabalho Livre e Cotidiano, Itu 1780-1830*, tabela 6, p. 121.

88. Eni de Mesquita Samara, "O Papel do Agregado na Região de Itu, 1780-1830", pp. 43-44.

89. Nilsen C. Oliveira Borges, "Meio Livre, Meio Liberto", p. 7.

90. Embora o termo *agregados* pudesse incluir os mais variados tipos, como criados domésticos, artesãos ou até mesmo bandidos profissionais, efetivamente a maioria dessas pessoas eram lavradores pobres que trabalhavam nas terras de grandes fazendeiros. Sobre seu papel na fronteira de Goiás, ver David McCrrey, *Frontier Goiás, 1822-1889*, pp. 198-201.

91. Leila Mezan Algranti, *O Feitor Ausente*, pp. 126-129.

92. *Idem*, pp. 135-136.

93. Esse direito de mobilidade foi uma parte fundamental da experiência dos ex-escravos, assim como foi a existência de uma fronteira aberta. Isso foi um fator positivo para sua habilidade de encontrar trabalho e responder às condições do mercado, ou como Hebe Mattos sugeriu, pode ter sido um fator negativo na formação de famílias e raízes na comunidade local, uma parte essencial no processo de integração dos ex-escravos mesmo na classe mais pobre da sociedade brasileira. Hebe Maria Mattos, *Das Cores do Silêncio.*

94. Para esse processo de expulsão de posseiros e sua subsequente redução de renda e rebaixamento à condição de pobres urbanos, ver Alida C. Metcalf, *Family and Frontier in Colonial Brazil, Santana de Parnaíba, 1580-1822.*

95. Francisco Vidal Luna e Herbert S. Klein, *Slavery and the Economy of São Paulo, 1750-1850*, tabela 7.5, pp. 171-72.

96. Estudos recentes mostram a importância relativa das pessoas livres de cor como proprietárias de escravos em vários municípios do Brasil; para a província de São Paulo, ver os dois estudos de Francisco Vidal Luna, *Minas Gerais, Escravos e Senhores* e "São Paulo: População, Atividades e Posse de escravos em Vinte e Cinco Localidades (1777-1829)"; Francisco Vidal Luna e Herbert S. Klein, "Slaves and Masters in Early Nineteenth-century Brazil: São Paulo", e, mais recentemente, Francisco Vidal Luna e Herbert S. Klein, *Slavery and the Economy of São Paulo, 1750-1850.* Para Minas Gerais, ver Herbert S. Klein e Clotilde Andrade Paiva, "Free Persons in a Slave Economy, Minas Gerais in 1831"; "Slave and Free in Nineteenth-century Minas Gerais: Campanha in 1831", e uma comparação das duas províncias por Francisco Vidal Luna e Herbert S. Klein, "Free Colored in a Slave Economy: the Case of São Paulo and Minas Gerais, 1829-1930". Para estudos sobre dois municípios baianos, ver B. J. Barickman, "As Cores do Escravismo". Um estudo detalhado de testamentos de pessoas livres de cor na Bahia do século XIX indica alta correlação entre riqueza e posse de escravos — praticamente todos os forros mais abastados possuíam cativos e, quanto mais ricos, maior seu plantel. Oliveira, *O Liberto: o Seu Mundo*, p. 38.

97. Baseado em cálculos do censo de 1831-1832 de Minas Gerais, com dados fornecidos por Clotilde Paiva, encontrados no Arquivo Público Mineiro, Seção Provincial, Mapas de População. Os plantéis médios eram de 7,6 cativos para os senhores brancos e 3,4 para as pessoas livres de cor proprietárias de escravos. Em São Paulo, as médias eram quase iguais, com 6,8 escravos para os senhores brancos e 3,5 para as pessoas livres de cor - baseado em mapas não publicados pertencentes ao Arquivo do Estado.

98. Francisco Vidal Luna e Herbert S. Klein, "Slave Economy and Society in Minas Gerais and São Paulo, Brazil, in 1830", tabela 8, p. 20; e *Slavery and the Economy of São Paulo, 1750-1850*, pp. 172-73.

99. Disponível em
<http://www.planalto.gov.br/ccivil_03/Constituicao/Constitui%C3%A7ao24.htm>.

O fim da escravidão

A transição do cativeiro para a liberdade

Dois eventos marcaram a transição da escravidão para a liberdade no Brasil. O primeiro foi o fechamento definitivo do tráfico atlântico em 1850. O segundo foi a ascensão do abolicionismo na Europa e na América, que acabou por assegurar a derrocada da instituição em todas as sociedades ocidentais. O fim do tráfico teve um impacto imediato no Brasil, pois assinalou o tamanho máximo da população cativa e pressagiou seu progressivo declínio. A taxa de crescimento global negativa da população escrava no Império continuou sua tendência e, embora não viesse a ser responsável pelo desaparecimento da força de trabalho escrava, reduziu-a sistematicamente em relação a seu ápice em 1850. Do breve período decorrido desde o censo de 1872 até a matrícula de escravos em 1887, a população cativa total sofreu uma queda de 780 mil pessoas, ou 52% em relação ao 1,5 milhão de cativos existentes em 1872[1]. Mesmo nas prósperas zonas cafeeiras do Sudeste, a população escrava perdeu um quarto de seu tamanho em relação a 1872, enquanto na região Nordeste e nas províncias meridionais a diminuição foi ainda mais acentuada (ver Tabela 10.1).

Tabela 10.1: Declínio da população escrava por província, 1872-1887.

Regiões/províncias	1872	1887	% de declinio
		NORTE *	
Pará	27.458	10.535	-62%
Maranhão	74.939	33.446	-55%
		NORDESTE	
Piauí	23.795	8.970	-62%
Ceará	31.913	108	-100%
R. G. do Norte	13.020	3.167	-76%
Paraíba	21.526	9.448	-56%
Pernambuco	89.028	41.122	-54%
Alagoas	35.741	15.269	-57%
Sergipe	22.623	16.875	-25%
Bahia	167.824	76.838	-54%
		SUDESTE	
Esp. Santo	22.659	13.381	-41%
Corte	48.939	7.488	-85%
Rio de Janeiro	292.637	162.421	-44%
Minas Gerais	370.459	191.952	-48%
São Paulo	156.612	107.085	-32%
		CENTRO OESTE	
Goiás	10.652	4.955	-53%
Mato Grosso	6.667	3.233	-52%
		SUL	
R. G. do Sul	67.791	3.513	-95%
Sta.Catarina	14.984	4.927	-67%
Paraná	10.560	8.442	-20%
BRASIL	1.509.827	723.175	-52%

Nota: * Não inclui a população escrava do Amazonas.
Fonte: Censo de 1872: Matrícula 1885, em Slenes (1976), pp. 697-698, Tabela B-7.

Por sua vez, o aumento secular nos preços dos escravos acarretou uma lenta reorientação na distribuição da população cativa. Como se pode notar tanto em uma série longa de preços de escravos em Minas Gerais como em uma comparação dos preços de cativos em Minas e no Rio de Janeiro no período pós-1850, houve uma alta correlação entre os preços nessas duas zonas, além de uma alta secular nos preços dos escravos no período como resposta imediata ao fim do tráfico. Os preços atingiram o auge nos anos 1860, com um aumento superior a 80% em comparação com as médias dos decênios 1840 e 1850. Após uma queda significativa, os preços apresentaram relativa estabilidade até meados dos anos 1870. Nessa década, simultaneamente ao crescimento da produção cafeeira, ocorreu marcante redução na população cativa, especialmente a partir de 1871, com a Lei do Ventre Livre. Essa lei estipulava que os filhos de escravos seriam livres. Mas havia a obrigação do senhor manter a criança até completar oito anos. Quando a criança completava essa idade, o proprietário tinha a opção de receber uma indenização imediata ou manter a criança até os 21 anos, que em pagamento deveria prestar serviços ao proprietário. Era uma espécie de aprendizado para a liberdade. Aliás, em vários países da América Latina essas crianças e adolescentes eram chamados de "aprendizes". A lei não só transformou numerosas crianças escravas em "aprendizes", mas também levou a um grande crescimento das autocompras, das intervenções de terceiros para alforriar escravos e da luta na justiça por parte dos próprios cativos com vistas à obtenção da liberdade. Assim, a lei de 1871 acentuou a gradual redução da população escrava que vinha ocorrendo desde o fechamento do tráfico em 1850. A crescente demanda por cativos, combinada à diminuição da escravaria, teve o efeito de elevar os preços dessa mão de obra até os primeiros anos da década de 1880. A essa altura, o abrandamento da militância abolicionista conseguido graças à promulgação da Lei do Ventre Livre dissipou-se, e a pressão pela abolição recrudesceu drasticamente. Dali por diante, apesar da escassez de cativos e da contínua expansão da cafeicultura, ficou claro que a extinção do escravismo era apenas questão de tempo. Apesar da expectativa generalizada de que a abolição viesse a envolver alguma forma de indenização aos proprietários que perderiam essa mão de obra, o movimento abolicionista claramente elevou o risco associado ao capital investido em cativos (ver Gráficos 10.1a e 10.1b)[2].

Gráfico 10.1a: Preços nominais de escravos em idade produtiva em Minas Gerais, 1830-1888.

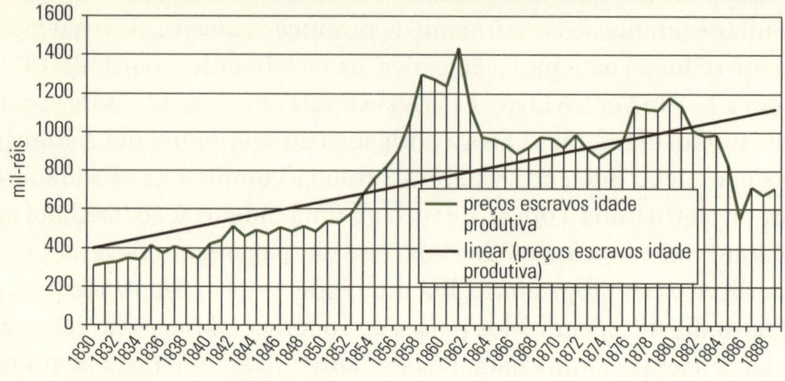

Fonte: Banco de dados de Bergad (1999).

Gráfico 10.1b: Preços nominais de escravos em idade produtiva em Minas Gerais e Rio de Janeiro, 1850-1888.

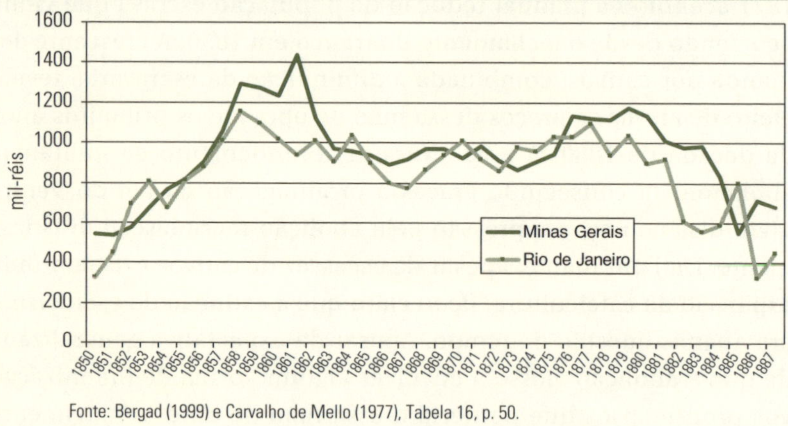

Fonte: Bergad (1999) e Carvalho de Mello (1977), Tabela 16, p. 50.

A população cativa passou a concentrar-se no Sudeste do país, e as elites do Nordeste e Sul foram gradativamente diminuindo sua dependência do braço escravo. Embora a importância relativa das várias regiões mudasse moderadamente entre 1872 e 1887, o maior declínio ocorreu nas províncias meridionais, as mais afetadas pelo tráfico interno; por sua vez, o Nordeste ainda mantinha uma grande parcela da população escrava do país, apesar do intenso tráfico interno nesse período (ver gráficos 10.2a e

10.2b). A mudança na importância relativa da população escrava em diferentes zonas geográficas fortaleceu a escravidão na área mais dinâmica da economia nacional e a enfraqueceu no resto do país. O governo imperial e as administrações locais acabaram sendo forçados a proibir o tráfico interno a fim de impedir a perda total de mão de obra cativa nas províncias do Norte e do Sul e, com isso, manter o apoio geral da elite à instituição. É interessante observar as diferenças encontradas nas várias áreas onde se concentrava a cafeicultura. No Rio de Janeiro, na zona ocidental do Vale do Paraíba, onde se situavam Vassouras e Valença, já havia ocorrido um declínio no número absoluto de escravos semelhante ao verificado na região valeparaibana da província de São Paulo. No oeste paulista houve um aumento de 15% no número de escravos entre 1874 e 1883. De fato, nesse ano o número de cativos residentes na região ultrapassou o da zona valeparaibana de São Paulo[3].

Gráfico 10.2a: Distribuição da população escrava por região, 1872.

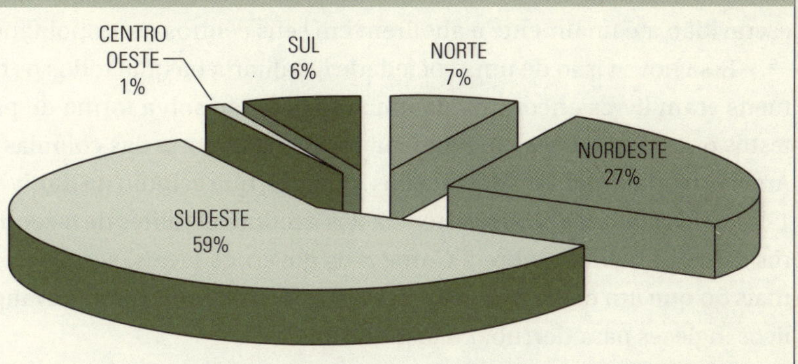

Gráfico 10.2b: Distribuição da população escrava por região, 1887.

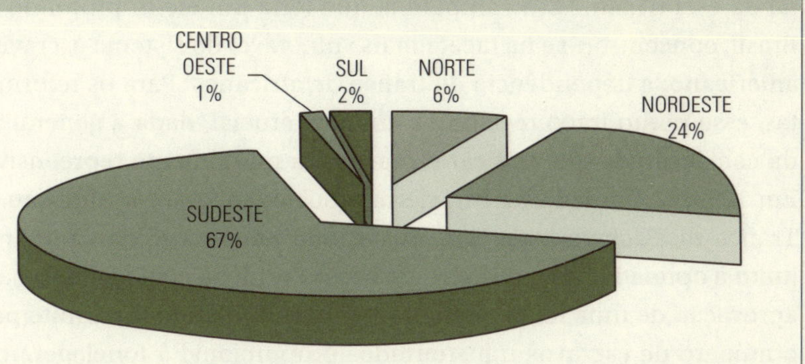

O Brasil não poderia deixar de ser profundamente influenciado pela mudança de atitude em relação à escravidão ocorrida no mundo após 1789. A primeira libertação em massa de cativos deu-se durante a Revolução Francesa, que confrontou diretamente a contradição da escravização de seres humanos em uma sociedade igualitária. De 1789 a 1793, o constante conflito entre fazendeiros e pessoas livres de cor em São Domingos e a subsequente rebelião escrava radicalizou cada vez mais a opinião francesa. Isso levou, em fins de 1793 e começo de 1794, à abolição temporária da escravidão nas colônias da França e, destacadamente, à rebelião haitiana. Mas os eventos da Revolução Francesa só afetaram moderadamente os sentimentos abolicionistas em outras sociedades americanas. Autores europeus de meados dos Setecentos como Montesquieu e Adam Smith passaram a atacar sistematicamente o próprio conceito de escravidão humana, e esse tema foi retomado pelos quacres e outros grupos protestantes no último quartel do século. Em fins do século, potências continentais começaram a combater a escravidão até finalmente a abolirem em seus centros metropolitanos.

Essa nova visão de uma sociedade igualitária na qual todos os homens eram livres encontrou alguma repercussão sob a forma de protestos ou conspirações em pequena escala na maioria das colônias da América espanhola e na Revolta dos Alfaiates, que eclodiu na Bahia em 1798[4]. Mas, dada a eficaz resistência das irredutíveis elites de fazendeiros e sua influência sobre a Coroa e os governos locais, seria preciso mais do que um consenso de radicais europeus e protestantes evangélicos ingleses para derrubar a instituição.

Entretanto, nesse período também teve início uma campanha de mobilização em massa na Europa contra um aspecto fundamental da escravidão. Essa campanha, que teria um efeito profundo no Brasil, concentrou-se na faceta mais vulnerável do sistema escravista americano: a dependência do tráfico de africanos. Para os reformistas, esse ponto fraco revelou-se um alvo crucial, dada a generalizada convicção de que traficar escravos era moralmente repreensível. Em 1787 foi fundada na Inglaterra a Sociedade para a Abolição do Tráfico de Escravos, que organizou uma bem-sucedida campanha junto à opinião pública. Já em 1788 essa entidade conseguiu forçar a aprovação de uma lei de melhoramento estipulando um limite para o número de escravos transportados proporcional à tonelagem dos navios britânicos usados no tráfico; essa legislação foi reforçada por nova lei em 1799. Finalmente, a pressão popular na Inglaterra forçou a abolição total do tráfico em 1808 e incluiu a proibição do tráfico intercolonial. A campanha contra o tráfico alastrou-se depressa por todos os países europeus e americanos. Em 1787 o Congresso dos Estados Unidos decretou que o tráfico estaria proibido a partir de 1808. Em 1792 os dinamarqueses haviam decretado o fim do tráfico, mas encerraram-no a partir de 1802, e assim se tornaram a primeira nação a cessar o comércio de escravos. Entre os anos 1810 e 1820, todas as principais novas repúblicas latino-americanas aboliram o tráfico[5].

O movimento inglês contra o tráfico lançou-se, então, a uma grande empreitada para abolir o tráfico de escravos em todos os países. Os ativistas pressionaram o governo britânico para que compelisse todos os governos a cessar o tráfico exigindo sua proibição total. Por ocasião do Congresso de Viena em 1815, vários países renunciaram ao tráfico sob pressão britânica. O país mais afetado foi a França, que no período anterior à Revolução Francesa tivera papel de vulto nesse comércio e esperava retomá-lo no pós-guerra. Mas a Inglaterra, inflexível, obrigou os franceses derrotados a aceitar suas condições. Em tratados separados firmados em 1815 e 1818, os britânicos também arrancaram de Espanha e Portugal a promessa de iniciar uma abolição gradual do tráfico. Em 1820, a marinha britânica começou a policiar a costa africana, e o governo inglês conseguiu sujeitar várias potências europeias a permitir a revista de seus navios em alto mar. Nos anos 1840, a maioria das principais potências navais da Europa havia concedido à Grã-Bretanha esse direito vital.

No período 1808-1850, somente os espanhóis e os portugueses recusaram submeter-se a essas exigências. Por isso, um dos princípios da política externa britânica no meio século seguinte foi pressionar os dois países a pôr fim ao tráfico. Os britânicos exigiram que Espanha, Portugal e a recém-nascida nação do Brasil declarassem o tráfico de escravos um ato de pirataria. Nos anos 1830, os ingleses haviam conseguido que os três países aceitassem que comissões judiciais mistas julgassem os navios que fossem apanhados no tráfico[6]. Com constantes prevaricações, espanhóis e portugueses conseguiram manter seu tráfico vivo até a segunda metade do século XIX. Mas os bloqueios navais e as patrulhas inglesas dificultaram cada vez mais as ações dos traficantes. Em 1850, a pressão militar e diplomática britânica sobre o império brasileiro finalmente forçou o encerramento definitivo do tráfico de escravos[7]. Os espanhóis, porém, cuja possessão cubana continuava a ser sua colônia mais importante, repeliram todas as exigências abolicionistas ou promulgaram decretos abolicionistas insignificantes que não detiveram o tráfico. Embora o tráfico para Porto Rico, de importância secundária, fosse efetivamente encerrado nos anos 1840, seria preciso o bloqueio combinado da ilha por Estados Unidos e Inglaterra na década de 1860 para finalmente forçar o fim do tráfico de escravos para Cuba. Com isso, finalmente foi abolido todo o tráfico atlântico[8].

Embora muitos abolicionistas estivessem convictos de que o fim do tráfico traria automaticamente o fim da escravidão americana, isso não ocorreu. Com o fechamento do tráfico, o declínio natural da população cativa desacelerou-se gradualmente, e com relativa rapidez a população cativa começou a apresentar taxas de crescimento positivas nas sociedades em que eram mantidos baixos índices de emancipação. Por isso, na Europa e na América dos anos 1810 aos 1840 grupos abolicionistas começaram a reunir forças para um ataque frontal à instituição no Novo Mundo. Mas a emancipação dos escravos seria uma tarefa muito mais difícil e dispendiosa do que o fechamento do tráfico. Proprietários de cativos em todas as principais sociedades escravistas americanas combateram os abolicionistas e, em todos os casos, a abolição da escravidão só foi conseguida com intervenção política e/ou militar. Os senhores rechaçaram ou retardaram todas as iniciativas abolicionistas, indicando, com suas ações, que esperavam manter seus regimes escravocratas intactos até o último instante. Nas Antilhas Francesas e Britânicas e nos Estados Unidos, Brasil e ilhas espanholas, o preço dos cativos permaneceu alto até os derradeiros anos da escravidão. Essa expressão de fé dos proprietários de escravos em seu sistema de controle e dominação fez de cada movimento abolicionista uma árdua luta. Mesmo quando foram forçados a aceitar a derrota, os senhores exigiram compensação em dinheiro e mão de obra pela perda de seus cativos, além do direito de usar livremente seus escravos emancipados como "aprendizes" durante muitos anos futuros. Com isso, procuraram manter o controle sobre a força de trabalho por muito tempo depois da abolição.

Como nas sociedades escravistas independentes da América a classe dos proprietários de escravos dominava a política local, o processo da emancipação deu-se a um ritmo mais lento. A maioria das repúblicas hispano-americanas iniciou a emancipação gradual na época de sua independência, aprovando leis do ventre livre que libertavam os filhos de todas as escravas. No entanto, desses recém-libertos ou manumissos eram exigidos longos períodos de aprendizado sob as ordens dos antigos senhores; ao mesmo tempo, nenhum cativo nascido antes dos anos 1820 era alforriado. Por isso, a escravidão prosseguiu pelos anos 1840 e 1850 na maioria desses países.

Nos casos do Brasil, das ilhas espanholas Cuba e Porto Rico e dos Estados Unidos — as únicas nações escravistas de relevo na segunda metade do século XIX —, a abolição foi um processo lento e demorado. Nos Estados Unidos, uma forte ligação entre os movimentos abolicionistas inglês e norte-americano levou a uma prolongada e intensa campanha que, nos anos 1840 e 1850, culminou com um ataque popular em massa à instituição. Como esse movimento ficou restrito aos Estados do Norte, só a guerra civil poderia levar ao fim da escravidão. A destruição e a violência causadas por essa guerra, nos anos 1860, convenceram intelectuais cubanos e brasileiros de que a escravidão era uma instituição fadada a terminar. Como resultado, nessa década um movimento abolicionista finalmente tomou fôlego nessas duas sociedades. No caso de Cuba e Porto Rico, o problema apresentou-se no contexto de uma complexa relação entre o império espanhol e suas colônias americanas, que envolvia essencialmente a luta pelo controle de um governo central. Desde o princípio, o abolicionismo esteve associado ao movimento liberal na Espanha, mas apenas como uma parte secundária da posição reformista. Na verdade, os mais importantes e influentes líderes abolicionistas nesse país ibérico sempre foram crioulos cubanos ou porto-riquenhos. Foi a Guerra de Secessão norte-americana que estimulou a criação da primeira sociedade abolicionista espanhola, fundada em Madri por um porto-riquenho no ano de 1864. A criação da primeira república espanhola em 1868 finalmente levou Madri a aceitar a emancipação gradual, decretada em setembro desse ano. Mas a fraqueza do governo e o simultâneo início de uma rebelião pela independência em Cuba impediram a promulgação da lei. Apesar disso, o governo em Madri e todos os principais envolvidos agora acreditavam que a escravidão estava condenada, e assim até os conservadores apoiaram a decisão do governo, em julho de 1870, de abolir a escravidão[9].

Em contraste com a complexa luta entre metrópoles e colônias, ou entre regiões, como nos Estados Unidos, o movimento abolicionista no Brasil foi uma luta entre classes dentro de uma nação. Como a escravidão era muito arraigada na sociedade brasileira, o ataque à instituição ocorreu bem depois do que em outras partes da América Latina. Isso decorreu especialmente da relutância da classe dos senhores em alegar que a escravidão trazia benefícios aos negros. Ao contrário dos norte-americanos, a elite brasileira nunca fez uma apologia decidida da escravidão, e só defendeu sua necessidade econômica até que fosse encontrada uma forma alternativa de mão de obra. Com isso, os senhores pareciam aceitar a ideia da emancipação em algum futuro distante, sempre julgando que receberiam uma indenização financeira pelos cativos perdidos[10]. Essa mentalidade dificultou aos que desejavam o fim imediato da escravidão intensificar a oposição. No entanto, o atraso não impediu que a luta fosse uma das mais acirradas já travadas por abolicionistas. Até 1850, um grupo de elite de intelectuais liberais urbanos havia trabalhado pela extinção do tráfico atlântico. A assinatura de um tratado com a Inglaterra proibindo o tráfico em 1831 teve pouco efeito, e por isso a pressão intensificou-se até que a interdição definitiva foi imposta ao Império em 1850 tanto pela pressão popular interna como, principalmente, pela intervenção militar britânica em portos brasileiros. Seguiu-se então um período de dez anos no qual a escravidão permaneceu incontestada. Mas a Guerra de Secessão americana e o robustecimento das campanhas internacionais contra o Brasil finalmente levaram à reabertura da questão nos anos 1860. Isso levou a elite governamental a adotar uma tática gradualista para a abolição como a única resposta a um confronto inevitável.

Assim, em setembro de 1871 foi decretada no Brasil a Lei do Ventre Livre[11]. Essa lei não foi tão importante para uma mudança imediata da condição social dos escravos — pois os filhos de cativas nascidos livres (designados ingênuos) permaneciam prestando serviços ao proprietário da mãe até a idade de 21 anos —, mas teve grande impacto sobre a codificação da lei consuetudinária em relação à escravidão. E, como nenhuma outra lei anterior do Império, esta foi especialmente positiva para os direitos dos cativos. O pecúlio do escravo passou a ser oficialmente reconhecido como independente de seu senhor. Qualquer doação ou herança para um cativo ficava em posse dele e podia ser legada diretamente a seus herdeiros. Por outro lado, eventuais salários recebidos pelo escravo precisavam da aprovação formal do senhor[12]. A lei também defendeu inequivocamente o escravo na questão dos acordos de autocompra, permitindo ao Estado intervir formalmente caso o senhor se recusasse a vender a alforria[13]. Essa determinação mudou um decreto imperial preexistente de 1853, que estipulava a necessidade de permissão do proprietário para o ato da autocompra[14]. Além disso, a lei incentivou a emancipação individual e, no artigo quatro, declarou que o cativo, com permissão do proprietário, poderia firmar contratos legais com terceiros com o objetivo de pagar por sua liberdade em troca de prestar serviços futuros a essa pessoa por no máximo sete anos[15]. Esse parece ter sido um impulso para o surgimento de uma nova categoria de trabalho por contrato do tipo *indentured* que passou a aparecer nos registros notariais[16]. Passou a ser proibido exigir do escravo o pagamento de taxas ou fazer-lhe qualquer tipo de cobrança pelos papéis da alforria[17], bem como separar crianças de seus pais por qualquer razão[18]. Deixou de ser permitido tirar a liberdade de um ex-escravo por motivo de ingratidão a seu ex-senhor[19]. A nova lei criou, ainda, um fundo de emancipação patrocinado pelo Estado a fim de comprar a liberdade dos nascidos antes de 1872[20]. Por fim, a lei determinou o registro de todos os cativos em Listas de Classificação para Emancipação, e essas listas tornaram-se uma rica fonte para o estudo da escravidão no último quarto do século XIX[21].

A mudança de atitude do Estado em relação à escravidão incorporada na lei de 1871 encorajou, em todas as regiões, a abertura de processos na Justiça para obrigar senhores a libertar cativos. Chegou-se ao ponto de serem abertos processos exigindo a liberdade para famílias de cativos trazidas "ilegalmente" para o Brasil entre 1830 e 1850, usando-se como base de argumentação a antiga lei de 1831 que proibira o tráfico mas não conseguira ser aplicada com êxito. O ganho de causa, nesse caso, teria beneficiado estimados 745 mil escravos e descendentes. A lei e sua legislação pertinente determinavam que os escravos podiam exigir do Estado a liberdade se houvessem sido trazidos para o Brasil depois que o decreto entrasse em vigor[22].

Líderes do governo pensaram ter resolvido o problema da emancipação com a Lei do Ventre Livre. De fato, o ativismo abolicionista arrefeceu nesse período, e até 1880 a classe dos senhores desfrutou de relativa paz e controle sobre sua força de trabalho cativa. Isso não significou que o sentimento abolicionista houvesse mudado; ao contrário, os processos jurídicos reivindicando a alforria aumentaram por toda parte. Mas foi só depois de 1880 que o Brasil finalmente viu florescer um movimento abolicionista em massa exigindo o fim imediato da instituição. Uma vez começado, esse movimento abalou os alicerces da escravidão. Embora a liderança proviesse de famílias da elite, o abolicionismo brasileiro foi singular por possuir uma significativa minoria de líderes mulatos e negros, entre eles o engenheiro André Rebouças, o farmacêutico José do Patrocínio, o político Luiz Gama e Quintano Lacerda, líder de uma comunidade de 10 mil escravos fugitivos na cidade de Santos[23]. Também houve numerosos líderes negros livres que foram estivadores e ferroviários. Eles se recusavam a transportar escravos e ajudavam foragidos. No começo dos anos 1880 estancou-se o tráfico interno e estipularam-se taxas sobre a venda local de cativos. Mas essas medidas não contiveram a maré crescente do ativismo abolicionista. Em 1884, os militantes conseguiram a proclamação do Ceará como Estado livre. Imediatamente entrou em ação um movimento clandestino no qual pessoas livres ajudavam cativos a escapar de seus senhores e chegar ao Ceará. Os senhores combateram com unhas e dentes essa crescente desobediência. Junto com um novo conjunto de leis de melhoramento aprovadas em setembro de 1885, libertando os sexagenários e aumentando a verba para os fundos de emancipação, os escravistas conseguiram a aprovação de uma severa lei contra vadiagem que exigia dos cativos recém-emancipados a comprovação de que tinham um emprego regular[24].

Assim, a partir de 1885 as pressões aumentaram. A cada ano, mais e mais cidades decretaram a abolição da escravidão dentro de suas fronteiras. O Amazonas juntou-se ao Ceará como território livre. E, sobretudo, São Paulo tornou-se um centro de mobilização de massas. Em novembro de 1886, greves de trabalhadores livres, muitos deles de cor, finalmente forçaram a cidade de Santos a declarar-se livre, e no fim desse ano havia 10 mil fugitivos vivendo na cidade. Embora os proprietários de escravos proclamassem sentimentos emancipacionistas e alegassem que as leis de 1871 e 1885 estavam pondo fim à escravidão, os abolicionistas radicais contestaram tais afirmações. O Fundo de Emancipação, em todo o período de 1871 a 1888 em que esteve em operação, libertou apenas cerca de 32 mil cativos. Três vezes mais escravos compraram a própria liberdade ou foram alforriados pelo proprietário. Por isso, argumentaram os líderes que exigiam a abolição imediata, todas as leis graduais tinham pouco impacto sobre a escravidão, e em 1885 ainda existiam 1,1 milhão de cativos.

Foi essa guinada para uma política de confronto por parte dos abolicionistas no período pós-1885 que finalmente levou à extinção da escravidão. Em 1887, o número de cativos declinara para 723 mil e estava em queda vertiginosa. Agora o exército e a polícia locais recusavam-se a participar da captura de fugitivos, e com isso o êxodo em massa tornara-se comum nos mais avançados centros de grande lavoura em São Paulo. Quase todas as principais cidades paulistas estavam declarando a abolição da escravidão e zona livre em seu território, e assim os escravos que escapavam não tinham muita dificuldade para encontrar refúgio. O nível de violência também aumentou, pois abolicionistas mais radicais distribuíam armas a escravos fugidos. Os conflitos entre policiais e cativos armados tornaram-se comuns, e a agitação espalhou-se inclusive para as áreas mais atrasadas. Quando até membros da família imperial assumiram posição abolicionista radical, restou pouca esperança aos escravocratas. Em maio de 1888, o governo finalmente decretou a libertação imediata e sem indenização de todos os cativos. Foi esse o fim do maior regime escravista que ainda restava na América, e com seu aniquilamento a escravidão africana foi levada à extinção em todas as Américas[25].

Mas o término legal da escravidão não encerrou a influência dessa instituição na vida brasileira. O impacto da emancipação ocasionou uma das mais fundamentais mudanças na economia mundial no século XIX. O processo realocou grandes volumes de capital e gerou uma redução imediata, ainda que temporária em certos casos, das exportações para Europa e América do Norte de produtos agrícolas antes dependentes do braço escravo. A adaptação para a mão de obra livre também trouxe importantes mudanças nos centros de produção, pois o choque da transição acarretou o colapso de muitos centros produtores mais antigos.

O Brasil não ficou imune a essas mudanças. Aqui a abolição transformou profundamente a natureza da força de trabalho, pois os cativos abandonaram as fazendas de café e seu trabalho passou a ser feito por imigrantes. Em meados do século haviam sido feitas tentativas de trocar a mão de obra cativa pela imigrante, mas o experimento fracassou[26]. Nos cafezais do Centro-Sul, os escravos saíram das fazendas, e imigrantes tomaram imediatamente seu lugar. Assim como nas Antilhas, a emancipação tornou-se o principal impulso para a migração de trabalhadores asiáticos para as Américas, o abandono dos cafezais trouxe milhões de europeus meridionais para o Brasil e modificou radicalmente a natureza da sociedade brasileira[27]. O Brasil, antes uma sociedade na qual os brancos eram uma distinta minoria, transformou-se em uma nação de maioria branca. Além disso, às tradições de Portugal somaram-se as da Itália, Espanha e por fim, após 1908, Japão.

A abolição gerou uma reorganização fundamental na cafeicultura, a principal atividade de exportação brasileira. A região valeparaibana, situada nas províncias do Rio de Janeiro e São Paulo, fora o primeiro berço das grandes fazendas de café baseadas no trabalho escravo. Tempos depois, principalmente após a introdução das ferrovias nos anos 1870, o café expandiu-se para as planícies virgens do oeste paulista. Essa rica fronteira mais recente logo rivalizou com as fazendas valeparaibanas cujas terras estavam esgotadas e se tornou um centro escravista. Assim, a abolição foi o golpe fatal para a economia do Vale do Paraíba. Devido à perda de seus escravos e à baixa produtividade de seus cafezais, agravadas pelo esgotamento do solo decorrente de manejo inadequado, os cafeicultores valeparaibanos não puderam fazer a transição para o trabalho livre. Assim, a abolição transformou essa outrora poderosa região em uma área decadente e ao mesmo tempo acelerou o plantio de cafezais nas planícies do oeste paulista, a zona mais rica de São Paulo tanto naquela época como atualmente; esta, então, se tornou o centro da atividade cafeeira. O oeste paulista transformou-se na principal zona de trabalhadores imigrantes, que eram pagos por tarefa, ficando cada família responsável por cuidar de um determinado número de cafeeiros[28].

O êxodo dos ex-escravos nas fazendas de café, portanto, mudou a natureza da própria mão de obra agrícola na grande lavoura cafeeira. O trabalho nos cafezais, antes supervisionado, organizado em grupos e empregando mulheres em todos os aspectos básicos da produção, passou a ser feito por unidades de produção familiares nas quais o controle sobre as condições de trabalho era deixado a cargo dos trabalhadores. A produção de café transformou-se: de um trabalho sistemático realizado em turmas, passou a ser uma agricultura familiar por tarefa, até por fim a ser praticada em unidades produtoras menores.

Os cativos deixaram em massa os cafezais do Sudeste, mas não saíram da região e não evitaram totalmente o trabalho assalariado. Muitos tornaram-se posseiros e pequenos proprietários de terras agrícolas em todas as regiões de cafeicultura mais antigas, como o Vale do Paraíba, ou mesmo em algumas das localidades de cultivo mais recente no Oeste Paulista e na Zona da Mata mineira. Apesar da tradicional imagem dos imigrantes substituindo os trabalhadores livres brasileiros, na verdade a migração nacional interna para a fronteira paulista foi constante, e brancos pobres e pessoas livres de cor mudaram-se regularmente em função dos mercados de trabalho. A maioria dessas pessoas trabalhava em regime de parceria, suplementando a renda com emprego sazonal na lavoura em zonas agrícolas de exportação ou como operários na rede ferroviária, que, no último quartel do século XIX, estava em expansão e transformava a infraestrutura nacional[29]. Houve também os que permaneceram nas antigas regiões açucareiras do Nordeste como trabalhadores sazonais. Na primeira dessas áreas, muitos fazendeiros libertaram seus cativos antes da abolição da escravidão, fizeram acordos de parceria, venderam terra a ex-escravos ou tentaram de outras maneiras segurar seus trabalhadores ex-cativos mesmo quando as economias locais foram redirecionadas do café para o gado e outras atividades. De fato, nas áreas de grande lavoura mais antigas, a maioria dos ex-escravos permaneceu porque ali estavam suas extensas redes sociais e familiares. Muitos viveram nas fazendas onde haviam sido cativos até os anos 1930, quando a economia da região sucumbiu e forçou a migração para outras zonas[30]. Nas fazendas de açúcar nordestinas introduziu-se o trabalho livre muito antes da abolição da escravidão, e foi comum cativos trabalharem lado a lado com pessoas livres. Dos poucos estudos disponíveis se depreende que os ex-escravos podem ter permanecido nas velhas fazendas de açúcar em números nada desprezíveis. Em uma investigação original, cotejaram-se registros hospitalares da Santa Casa de Santo Amaro, Bahia, do período 1906-1913, com listas de escravos de engenhos da região de fins dos anos 1880. A conclusão foi que 232 pacientes residiam em engenhos, e destes 189 eram ex-cativos adultos que moravam na fazenda de açúcar onde haviam nascido[31]. Se esse tiver sido o padrão, as antigas zonas escravistas do Nordeste seriam comparáveis às antigas fazendas escravistas dos Estados Unidos, que também apresentaram uma alta porcentagem de ex-cativos permanecendo nas propriedades onde haviam trabalhado como escravos[32]. A transição gerou, além disso, uma crescente divisão do trabalho por sexo, pois as mulheres deixaram a lide nos canaviais. Outro aspecto afetado foi o ritmo da produção agrícola, pois a ocupação acentuadamente sazonal da mão de obra durante a safra e o plantio passou a ser um aspecto mais pronunciado da cultura açucareira no Brasil, como foi no restante do Novo Mundo, depois de eliminada a necessidade de manter a força de trabalho cativa ocupada em período integral.

Essa transição do trabalho escravo para o livre também iniciou um novo capítulo na luta entre ex-senhores e ex-escravos pelo controle da terra e do trabalho. Os cativos libertados das áreas rurais queriam possuir terra e desejavam ser livres de qualquer tipo de trabalho forçado. Por toda parte, seu ideal era ser dono de um pedaço de terra e cultivá-lo com independência. Só se dispunham a trabalhar para seus ex-senhores se não conseguissem acesso à sua própria terra ou se não encontrassem algum emprego alternativo, inclusive na zona urbana. Mesmo quando não surgiam oportunidades de migração ou de acesso à terra, eles ainda assim se recusavam a retornar às antigas condições de trabalho na fazenda. Nos casos em que voltavam a trabalhar onde haviam sido escravos, exigiam a retirada imediata de sua esposa e filhas da labuta na plantação, o fim da organização em turmas, o pagamento em dinheiro por todo trabalho e o usufruto de um pedaço de terra para cultivarem sua própria roça. Em muitos casos, isso tornava sua mão de obra mais cara que o trabalho subsidiado de imigrantes europeus. O que impeliu cafeicultores paulistas a recorrer a trabalhadores estrangeiros não foi o preconceito racial, como muitos afirmaram, e sim o fato de que essa mão de obra era, em última análise, mais barata do que a afro-brasileira. Essa volumosa imigração da mão de obra excedente de europeus e asiáticos também teve um impacto sobre as oportunidades de trabalho dos ex-escravos: os imigrantes recém-chegados, por terem mais instrução, tomaram o lugar dos cativos recém-libertados e de muitos outros trabalhadores rurais livres nos mercados de trabalho especializado e semiespecializado.

Por isso, muitos ex-escravos continuaram ocupados na economia informal, a maioria na agricultura de subsistência. Anteriormente essa população não havia sido incorporada à economia formal em razão da existência da escravidão. Com o fim do cativeiro, oportunidades econômicas para essas pessoas poderiam ter surgido, mas a rápida solução do problema da mão de obra com a imigração de estrangeiros na cafeicultura adiou a incorporação dos ex-cativos ao mercado de trabalho formal. Essa incorporação só viria a ocorrer efetivamente na segunda metade do século XX com a urbanização, a industrialização e o fim da entrada em massa de estrangeiros imigrantes.

Na indústria açucareira nordestina, porém, antes da abolição da escravidão ocorreu uma lenta transição para o uso de uma força de trabalho mista de livres e escravos, e esse fato, aliado à mudança para uma acentuada sazonalidade nas necessidades de mão de obra, tornou os ex-escravos mais facilmente disponíveis para trabalhar nas fazendas, especialmente porque muitos dos cativos libertados passaram a ter acesso à sua própria terra fora da temporada de trabalho na grande lavoura. Trabalhadores caboclos já eram empregados em tempo parcial nas fazendas de açúcar mesmo antes da abolição. Essa mão de obra, juntamente com a de ex-escravos empregados em tempo integral ou parcial, tornou-se a força de trabalho básica das fazendas na era pós-emancipação. Em partes do Brasil, como ocorreu em Cuba, desenvolveu-se uma relação de compatibilidade entre a agricultura de subsistência e o trabalho em tempo parcial na grande lavoura. Além disso, sem a necessidade de sustentar uma força de trabalho escrava o ano todo, alguns engenhos no período pós-emancipação tornaram-se ainda mais acentuadamente sazonais, com uma "temporada morta" claramente definida na qual não se fazia trabalho nenhum.

A abolição também impulsionou a total reorganização da própria produção açucareira nas regiões mais avançadas. Na esteira dos experimentos com novas usinas de açúcar em Guadalupe nos anos 1860, no último quartel do século XIX os cubanos começaram a adotar em grande escala o novo sistema de produção. Assim, foi preciso criar grandes fábricas movidas a vapor e abastecidas por ferrovias para o fabrico do açúcar. No Nordeste do Brasil, esse processo de adaptação também ocorreu. De início, usou-se o trabalho de assalariados livres encontrados entre a numerosa população de cor livre, branca e cabocla que vivia da agricultura de subsistência nas proximidades dos engenhos em Pernambuco e na Bahia. A produção entrou em crise quando os cativos deixaram as fazendas em massa para se tornarem posseiros em terras inexploradas. No entanto, a manutenção de um crescente mercado nacional e a continuidade das exportações mundiais permitiram aos produtores de açúcar nordestinos encontrar capital para dar início à construção das novas usinas nas duas últimas décadas do século. Além disso, uma série de graves secas no Nordeste iniciada nos anos 1880 e a subsequente crise na agricultura de subsistência forçaram muitos lavradores ex-escravos a retornar ao trabalho em tempo parcial nas fazendas onde haviam sido cativos. A indústria brasileira do açúcar também passou a sofrer as novas pressões da produção acentuadamente sazonal, criando-se uma relação simbiótica entre a agricultura camponesa — que sustentava os trabalhadores durante a maior parte do ano — e o trabalho assalariado sazonal nas fazendas em tempo de colheita.

Nos cafezais de São Paulo, a transição teve características um tanto diferentes. O café, como o algodão, foi uma cultura cujos preços mundiais permaneceram altos durante todo o período de transição, o que forneceu capital para ajudar os fazendeiros na mudança para o trabalho livre. Esse fator foi crucial, pois, devido ao abandono em massa das fazendas pelos ex-cativos, os cafeicultores sofreram mais com a crise de mão de obra do que os produtores de açúcar. Os escravos emancipados tiveram à disposição terras ou oportunidades de trabalho suficientes: a cidade de São Paulo e outros grandes centros urbanos que se expandiam no coração das zonas cafeeiras, uma fronteira local e razoavelmente próspera acessível a oeste e terras pobres abandonadas nas antigas regiões cafeeiras do Vale do Paraíba ao norte. Por isso, os ex-cativos não precisaram fazer concessões aos fazendeiros. Eles simplesmente desapareceram das fazendas e rapidamente foram substituídos por uma força de trabalho composta de brancos.

Os cafeicultores resistiram à transição até o fim, mas nos anos 1870 e começo da década seguinte eles finalmente começaram a fazer experimentos com o uso de trabalhadores imigrantes sob o sistema de contrato (*indentured*). A maioria desses primeiros ensaios dos paulistas fracassou, pois os europeus não aceitaram os contratos extremamente restritivos ou as condições de trabalho que eram comuns para os escravos. Greves de trabalhadores imigrantes, desaceleração da imigração e a ameaça da proibição da emigração pelos governos europeus pressionaram os fazendeiros a organizar um sistema de trabalho mais livre e com remuneração bem mais elevada para os trabalhadores. Apesar disso, os imigrantes descobriam que o reembolso do valor de sua passagem para o Brasil limitaria demais seus ganhos, e por isso recusavam-se a emigrar para o país. Nessa época, os italianos que poderiam vir para terras brasileiras também tinham a Argentina e os Estados Unidos como alternativas viáveis. O resultado final foi os fazendeiros serem obrigados a arcar com todos os custos de transporte, do mesmo modo que tiveram de aceitar famílias em vez de homens solteiros como base de sua força de trabalho. A riqueza dos cafeicultores, advinda das condições de mercado e de seu poder na política local, permitiu-lhes forçar o governo a usar receitas públicas para subsidiar a imigração de famílias italianas e de outros países europeus. Primeiro o governo provincial paulista, e depois o governo central após a proclamação da República em 1889, subsidiaram a vinda de aproximadamente 900 mil imigrantes para trabalharem em fazendas de café. Na década após a abolição, chegaram da Europa cerca de 1,3 milhão de imigrantes, dos quais 60% eram italianos.

O resultante trabalho das famílias imigrantes nos cafezais brasileiros levou a uma reorganização técnica de todo o processo de produção do café. Agora cada família ficava incumbida de cultivar determinado número de cafeeiros e, trabalhando individualmente, era remunerada pelo plantio, cuidados e colheita em um sistema combinado de parceria e remuneração por tarefa. Essa modificação na organização do trabalho e da produção ocorreu quando a fronteira da cafeicultura dirigia-se para o sul e para o leste. Na primeira fase do processo, verificou-se um deslocamento da produção para novas áreas abertas no Vale do Paraíba, e em seguida houve o direcionamento para o oeste, na região das planícies do oeste paulista. Essa migração do café foi facilitada pelo estabelecimento de uma importante malha ferroviária que ligava essas zonas produtivas ao porto de Santos. Ainda prevaleciam as grandes fazendas, mas agora a base da mão de obra eram os imigrantes europeus. A cidade de São Paulo, que até 1890 era pequena e tinha apenas 65 mil habitantes, tornou-se o centro econômico dessa região de produção e exportação cafeeira, integrando o porto de Santos com o centro da produção do café, e com isso logo cresceu até tornar-se uma das maiores cidades do mundo.

Com a crise de 1929 e a lenta migração do café para o sul de São Paulo e norte do Paraná, houve uma redução em escala das unidades produtores e um aumento relativo no número de imigrantes proprietários de terra que também passaram a produzir café.

Assim, o processo dual de emancipação e transição para o trabalho livre resultara em profundas mudanças na organização social, econômica e até geográfica na maioria das sociedades que haviam sido escravistas. Além disso, introduzira vários padrões de integração e marginalização entre os cativos libertados. Na maioria dos casos, obtendo terras ou não, os ex-escravos continuaram a viver nas antigas áreas de grande lavoura escravista, boa parte deles no nível inferior de seu sistema socioeconômico. Entrando na sociedade livre com pouco ou nenhum capital, muitos deles com habilidades profissionais que somente se adaptavam à decadente economia de grande lavoura, e enfrentando a contínua discriminação de cor ou da condição de ex-escravos, boa parte dessa população teve dificuldade para ascender socialmente da classe trabalhadora[33]. No Brasil, até mesmo nas regiões mais dinâmicas, muitos ex-escravos concentraram-se nas áreas mais atrasadas.

Para os filhos e filhas de ex-cativos, portanto, só havia alguma esperança de progresso se conseguissem escapar das velhas regiões de grande lavoura. Na maioria dos casos, tal migração só viria a ocorrer na esteira de grandes mudanças na economia mundial. O impacto da Primeira Guerra Mundial, com suas novas demandas de mão de obra nas áreas industriais do mundo ocidental, e o ainda mais profundo impacto da Segunda Guerra Mundial finalmente romperam o isolamento dos escravos emancipados e seus descendentes. Foi só em meados do século XX que passou a ocorrer uma migração realmente vultosa de afro-americanos. Essas migrações diferiram substancialmente dos movimentos intrarregionais anteriores, pois embora fossem, como as anteriores, motivadas pela busca de novas oportunidades econômicas, em geral envolveram deslocamentos de longa distância ou residência permanente fora dos centros tradicionais. Antilhanos iniciaram importantes migrações para a América do Norte e a Europa, e brasileiros mais pobres partiram do Nordeste para o Sul com destino aos florescentes centros urbanos e grandes áreas industriais.

No entanto, a migração de terras pobres e regiões marginais não pôs fim ao legado da escravidão. Mesmo os que obtiveram as qualificações, a educação e o capital necessários para sair da classe trabalhadora e ascender socialmente constataram que a mobilidade, para eles, não era tão acessível quanto para os brancos pobres. A cor negra vista como uma identidade negativa e o "embranquecimento" considerado pré-requisito para a mobilidade bem-sucedida foram parte da visão cognitiva de todas as sociedades americanas até boa parte do século XX. O que distinguia o Brasil não era tanto a ausência de preconceito, mas as sutis diferenciações que o preconceito criava. A classe era um determinante de posição tão poderoso que em geral os atributos de classe influenciavam a definição de cor, independentemente das características fenotípicas do indivíduo. Muitos advogados negros eram definidos como mulatos, e mulatos, como brancos. Por sua vez, muitos afro-americanos bem-sucedidos, aceitando as concepções de suas sociedades racistas, casavam-se com alguém "mais branco" com vistas a embranquecer seus descendentes e inseri-los na categoria dos mulatos ou dos brancos. Como a classe tinha grande influência sobre as definições de cor, o papel do preconceito era muito mais sutil, e a discriminação, muito menos precisa do que em sociedades como a estadunidense, onde se definia a cor unicamente pelo fenótipo e pela origem.

Embora mulatos e negros que ascendiam socialmente assentissem com essas ideias racistas, as massas negras não aceitaram totalmente tais valores. Muitos rejeitaram a aculturação às normas dos "brancos", e a rejeição de sua cor e cultura que ela geralmente implicava. As povoações isoladas de ex-escravos que preservavam seus costumes tradicionais foram uma reação a esse preconceito. Outra reação, porém, foi a elaboração de uma expressão cultural alternativa ainda mais vibrante. Com a liberdade, expandiu-se a nova religião da umbanda, juntamente com os grupos pré-abolição de candomblé e outros cultos. Mesmo sob fortes ataques da polícia, os cultos afro-americanos, acusados de serem manifestações de idolatria e desordem social, revelaram-se publicamente em fins do século XIX e início do XX e forçaram a sociedade dominante a dar-lhes o reconhecimento. Primeiramente intelectuais isolados, e depois importantes setores da elite perceberam que essas crenças eram demasiado poderosas para ser destruídas, especialmente depois que as massas negras obtiveram o direito de voto e passaram a poder influenciar o processo político. Foram permitidos números cada vez maiores de igrejas e festivais de rua, e estes começaram a atrair adeptos mulatos e brancos em meados do século XX. O que começou como sinais de protesto e identidade própria tornou-se símbolo de uma cultura nacional diversificada e integrada.

Boa parte dessa lenta erosão das manifestações mais rígidas de preconceito racial deveu-se a duas tendências distintas. A primeira foi o crescente poder político das massas negras, com a instituição de governos democráticos ou representativos em todas essas sociedades que haviam sido escravistas. Isso ocorreu no Brasil nas primeiras décadas do século XX. As elites tradicionais viram-se, assim, forçadas a transigir com a população de cor. Não demoraram a ser eleitos negros e mulatos para as assembleias provinciais, mas só no século XX houve algum progresso contra o preconceito no governo central, o qual era, em grande medida, controlado por brancos do Sul e do Centro do Brasil.

Juntamente com o crescimento do poder político, aumentou a aceitação da contribuição dos negros à cultura e à identidade nacionais. Em fins do século XIX, muitos brasileiros brancos foram influenciados pelas ideias europeias de hierarquia racial e se mostraram hostis aos afro-americanos e sua cultura. Gobineau, o autor de muitas dessas doutrinas, foi embaixador francês no Brasil e amigo de dom Pedro II[34]. Mas a ascensão da antropologia cultural, sob a liderança de Franz Boas na Alemanha, na América teve grande impacto na intelectualidade baiana, a qual criou uma escola de estudos afro-brasileiros, apontou os benefícios da integração entre brancos e negros e refutou as ideias ou argumentos racistas que rejeitavam o elemento africano da cultura e identidade brasileiras. O mais conhecido intelectual dessa escola baiana, embora nascido em Pernambuco, foi Gilberto Freyre. Ele, aliás, estudou com Boas na Universidade Columbia nos anos 1920. O movimento pró-africanista e o colapso da supostamente superior sociedade europeia na Primeira Guerra Mundial desafiaram a legitimidade do imperialismo branco. Isso também impulsionou a intensificação do relativismo na análise cultural nas ciências sociais na Europa e América do Norte, além de fornecer aos brasileiros modelos para reavaliarem suas culturas nacionais. Nos anos 1930 e 1940, a ascensão das escolas nativistas que glorificaram as contribuições africanas à cultura nacional ajudaram a redefinir sistematicamente a identidade brasileira. Acentuadamente paternalistas em suas manifestações iniciais, ainda assim as novas ideologias pró-africanas deram legitimidade à oposição ao processo de "embranquecimento" e ajudaram a reduzir os altos custos sociais da integração à sociedade dominante[35].

No Brasil, o grau de expansão econômica, a urbanização, a imigração europeia e a emigração afro-americana influenciariam as taxas relativas de mobilidade dos descendentes dos escravos. Mas houve mobilidade suficiente, além de consciência por parte dos afro-americanos da legitimidade de suas necessidades e demandas culturais, para que na segunda ou terceira geração após a abolição fossem atingidas taxas relativamente altas de mobilidade e adaptação. O mais das vezes a luta dos afro-americanos foi árdua e onerosa, porém na maior parte da América Latina no último quartel do século XX sua presença tornara-se uma parte habitual e aceita da identidade e cultura nacionais. Um século depois que o último escravo foi libertado, ainda se vê o legado da escravidão na pobreza de muitos descendentes de cativos, no ainda existente preconceito contra afro-brasileiros e nas taxas de mobilidade mais baixas que as dos brancos. Não obstante essa rigidez de classe e os impedimentos de cor, os descendentes dos escravos africanos atingiram altos níveis de mobilidade socioeconômica, poder político e integração cultural na sociedade para a qual seus antepassados haviam sido tão brutalmente transportados muitos anos atrás.

NOTAS

1. Se o ritmo do declínio encontrado para o período 1872-1887 houvesse prosseguido, em 1901 a população cativa teria diminuído para aproximadamente metade do total de 1887.
2. Pedro Carvalho de Mello concluiu que houve uma correlação primária entre a queda de preços nas duas últimas décadas de escravidão e a ascensão do movimento abolicionista. Pedro Carvalho de Mello, *The Economics of Labor in Brazilian Coffee Plantations, 1850-1888*, cap. 5.
3. *Idem*, tabelas 21 e 22, pp. 76-77.
4. Ver o clássico estudo de Kátia de Queirós Mattoso, *Presença Francesa no Movimento Democrático Baiano de 1798*; e um ensaio mais recente de Ubiratan Castro de Araújo, "A Política dos Homens de Cor no Tempo da Independência", pp. 253-269.
5. Sobre a ascensão de movimentos abolicionistas nos contextos europeu e americano, ver David Brion Davis, *The Problem of Slavery in the Age of Revolution, 1770-1823*. Para a campanha específica que pôs fim ao tráfico britânico, ver o clássico estudo de Roger T. Anstey, *The Atlantic Slave Trade and British Abolition, 1760-1810*.

6. Uma das condições que a Inglaterra impôs ao Brasil para reconhecer sua independência foi o fim do tráfico. Para cumprir essa exigência, em 7 de novembro de 1831 foi promulgada a Lei Feijó, decretando a proibição do tráfico. Embora de início se julgasse que a medida daria fim a ele, este na verdade prosseguiu com intensidade ainda maior, pois o governo recusou-se a impor o cumprimento da lei. No entanto, a chegada de navios negreiros deixou de ser anunciada nos jornais locais, como até então se costumava fazer.

7. Como o Brasil não encerrou o tráfico apesar de ter concordado em fazê-lo, a Inglaterra aprovou a Lei Aberdeen, autorizando a marinha britânica a apreender navios negreiros inclusive nas águas territoriais brasileiras e julgar os capitães. Essa medida reduziu,mas não estancou o tráfico brasileiro. Entretanto, o Brasil não conseguiu resistir ao poder da marinha britânica. Em 1850, sob ataque direto dos ingleses, o país aprovou a Lei Eusébio de Queirós, que finalmente pôs fim a três séculos de tráfico de escravos para o país.

8. Sobre a longa campanha britânica contra o tráfico após 1808, ver Chaim D. Kaufmann e Robert A Pape, "Explaining Costly International Moral Action", pp. 631-668; e sobre os custos financeiros, ver E. Phillip Le Veen, *British Slave Trade Suppression Policies, 1821-1865.* O debate sobre os motivos dos ingleses na campanha do século XIX é avaliado em Seymour Drescher, *Econocide: British Slavery in the Era of Abolition.* Sobre as ações específicas contra o Brasil e a reação brasileira, ver Leslie Bethell, *The Abolition of Brazilian Slave Trade: Britain, Brazil, and the Slave Trade Question, 1807-1869,* e sobre os tráficos cubano e brasileiro no século XIX e suas vicissitudes, ver David Eltis, *Economic Growth and the Ending of the Atlantic Slave Trade.*

9. Sobre a ascensão dos movimentos abolicionistas em Cuba e Porto Rico, ver Christopher Schmidt-Nowara, *Empire and Antislavery: Spain, Cuba, and Puerto Rico, 1833-1874.* A obra clássica sobre a campanha diplomática e naval contra o tráfico de Cuba é David R. Murray, *Odious Commerce: Britain, Spain, and the Abolition of the Cuban Slave Trade*; e sobre a evolução do tráfico para todas as Américas, ver Herbert S. Klein, *The Atlantic Slave Trade.*

10. Ver Barbara Weinstein, "Slavery, Citizenship, and National Identity in Brazil and the United States South", pp. 248-271.

11. Sobre a lei de 1871, seu contexto e seu impacto, ver Martha Abreu, "Slave mothers and Freed Children", pp. 567-580; e a clássica exposição sobre os êxitos e fracassos da lei por seu principal autor, Joaquim Nabuco, *O Abolicionismo,* cap. 8. O modo como os cativos usaram a lei para reivindicar judicialmente sua liberdade é analisado em Lenira Lima da Costa, *A Lei do Ventre Livre e os Caminhos da Liberdade em Pernambuco, 1871-1888.*

12. Todas essas disposições encontram-se no artigo 4 e seus vários parágrafos. O artigo começa declarando: "É permitido ao escravo a formação de um pecúlio com o que lhe provier de doações, legados e heranças, e com o que, por consentimento do senhor, obtiver do seu trabalho e economias. O governo providenciará nos regulamentos sobre a colocação e segurança do mesmo pecúlio". Os parágrafos seguintes reforçam essa determinação. O parágrafo 1 desse artigo estipula: "Por morte do escravo, metade do seu pecúlio pertencerá ao cônjuge sobrevivente, se o houver, e a outra metade se transmitirá aos seus herdeiros, na forma de lei civil. Na falta de herdeiros, o pecúlio será adjudicado ao fundo de emancipação de que trata o art. 3º". Para uma análise detalhada das origens e debates a respeito dessa seção da nova lei, que foi apoiada por Rio Branco e Nabuco e teve a oposição de Perdigão Malheiros, ver Sydney Chalub, *Visões da Liberdade,* pp. 155-158. Uma tradução de parte dessa lei pode ser encontrada em Sue Peabody e Keila Grinberg, *Slavery, Freedom and the Law in the Atlantic World, a Brief History with Documents,* pp. 158-161. Curiosamente, apesar da constante prática da autocompra documentada desde os primeiros registros da era colonial, essa foi a primeira vez que o Estado reconheceu formalmente esse costume. Manuela Carneiro da Cunha, "Sobre os Silêncios da Lei".

13. Determina o artigo 4, parágrafo 2: "O escravo que, por meio de seu pecúlio, obtiver meios para indenização de seu valor, tem direito à alforria. Se a indenização não for fixada por acordo, o será por arbitramento. Nas vendas judiciais ou nos inventários o preço da alforria será o da avaliação". Recentemente, vários historiadores passaram a enfatizar o segundo aspecto dessa lei, mostrando que ela trouxe uma mudança fundamental no comprometimento do Estado com os escravos e com a emancipação. Ver, por exemplo, Maria Aparecida C. R. Papali, *Escravos, Libertos e Órfãos. A Construção da Liberdade em Taubaté (1871-1895)*, pp. 21 e segs.

14. Adriana Pereira Campos, *Escravidão e Liberdade nas Barras dos Tribunais*, p. 1, que pode ser acessado em <http://www.historica.arquivoestado.sp.gov.br/materias/anteriores/edicao09/materia03/texto03.pdf>.

15. O artigo 4, parágrafo 3, determina: "É, outrossim, permitido ao escravo, em favor da sua liberdade, contratar com terceiro a prestação de futuros serviços por tempo que não exceda de sete anos, mediante o consentimento do senhor e aprovação do Juiz de Órfãos".

16. Essa prática de prestar de quatro a sete anos de serviços a outra pessoa em troca do valor da autocompra a ser pago ao proprietário do cativo talvez já fosse costumeira. Vários contratos nesses moldes foram firmados em Santos nos anos 1860. Ver William Olivo Read, *Unequally Bound*, p. 265.

17. Artigo 4, parágrafo 6: "As alforrias, quer gratuitas, quer a título oneroso, serão isentas de quaisquer direitos, emolumentos ou despesas".

18. O artigo 4, parágrafo 7 determinava: "Em qualquer caso de alienação ou transmissão de escravos é proibido, sob pena de nulidade, separar os cônjuges, e os filhos menores de doze anos, do pai ou mãe", e o parágrafo 8 estipulava: "Se a divisão de bens entre herdeiros ou sócios não comportar a reunião de uma família, e nenhum deles preferir conservá-la sob seu domínio, mediante reposição da quinta parte dos outros interessados, será a mesma família vendida e o seu produto rateado".

19. Artigo 4, parágrafo 9, "Fica derrogada a ord. Liv. 4º, tít. 63, na parte que revoga as alforrias por ingratidão".

20. Sobre o impacto do fundo de emancipação sobre as manumissões no período pós-1871, ver o estudo recente de Fabiano Dauwe, "Os Múltiplos Sentidos da Liberdade", que é um resumo de sua tese de mestrado de 2004 na UFF.

21. Artigo 8: "O governo mandará proceder à matrícula especial de todos os escravos existentes no Império, com declaração de nome, sexo, estado, aptidão para o trabalho e filiação de cada um, se for conhecida". Para usos desses dados censitários, ver, por exemplo, Robson Pedrosa Costa, *Cotidiano e Resistência nas Últimas Décadas da Escravidão, Olinda, 1871-1888*; e Renato Leite Marcondes e José Flávio Motta, "Duas Fontes Documentais para o Estudo dos Preços dos Escravos no Vale do Paraíba Paulista", pp. 495-514.

22. Ver, por exemplo, os estudos de Maria Angélica Zubaran, "Os Escravos e a Lei de 7 de Novembro de 1831 no Rio Grande do Sul (1865-1888)", e "Escravidão e Liberdade nas Fronteiras do Rio Grande do Sul (1860-1880): o Caso da Lei de 1831", pp. 119-132; ver também Argemiro Eloy Gurgel, *A Lei de 7 de Novembro de 1831 e as Ações Cíveis de Liberdade na Cidade de Valença (1870 a 1888)*, capítulos 3 e 4. Salientou-se, na maioria desses casos incomuns, que os escravos não haviam sido devidamente matriculados nas várias matrículas pós-1871, o que permitia que petições pela liberdade automática fossem apresentadas com base em entradas ilegais no Brasil pós-1831.

23. Sobre o importante a muito ativo papel do engenheiro André Rebouças como abolicionista de 1879 a 1888, ver a recente tese de Alexandro Dantas Trindade, *André Rebouças: da Engenharia Civil à Engenharia Social*, pp. 281 segs.

24. A Lei dos Sexagenários, promulgada em setembro de 1885, libertou imediatamente todos os escravos com mais de sessenta anos de idade, embora até mesmo essa lei concedesse aos senhores mais três anos de trabalho dos cativos idosos libertados e fosse um meio-termo em relação a uma proposta mais liberal de emancipação imediata e sem compensações. No artigo 3, parágrafos 15 e 17 dessa lei, determinava-se que os libertos deveriam manter sua residência tradicional e provar à polícia que tinham emprego regular. Do contrário, deviam ser mandados para colônias agrícolas de características militares criadas para lidar com esses libertos vadios (artigo 4, parágrafo 5). Essa lei, assim como todas as outras principais leis sobre a escravidão promulgadas de 1850 a 1888, é reproduzida no *site* do Centro de Direitos Humanos da UFRJ: <http://www.nepp-dh.ufrj.br/estante.html#10>. Para uma análise detalhada dos debates e da lógica que fundamenta esse decreto, ver Joseli Maria Nunes Mendonça, *Entre a Mão e os Anéis*, e para uma análise da lei no contexto das leis anteriores, ver Adriane Eunice de Paula Roos, *A Escravidão Negra sob a Perspectiva do Direito no Brasil Imperial*, p. 12.

25. As fontes clássicas sobre essa história são: Robert Conrad, *The Destruction of Brazilian Slavery, 1850-1888*, e Robert B. Toplin, *The Abolition of Slavery in Brazil*. Sobre a participação de escravos nesse movimento e protestos de alcance local, ver Elciene Azevedo, *O Direito dos Escravos*.

26. O melhor estudo sobre esse experimento malsucedido é Warren Dean, *Rio Claro: A Brazilian Plantation System, 1820-1920*.

27. Sobre a imigração italiana, ver Thomas Holloway, *Immigrants on the Land: Coffee and Society in São Paulo, 1886-1934*, e para o outro grande grupo de imigrantes da cafeicultura, ver Herbert S. Klein, *A Imigração Espanhola no Brasil*.

28. Antonio Delfim Netto, *O Problema do Café no Brasil*.

29. Maria Lúcia Lamounier, "Agricultura e Mercado de Trabalho", pp. 363 e segs.

30. Os numerosos estudos sobre a experiência pós-abolição nessa antiga região cafeeira são resumidos em Ana Maria Rios e Hebe Maria Mattos, "O Pós-abolição como Problema Histórico: Balanços e Perspectivas", pp. 170-198; ver também a tese recente de Carlos Eduardo C. da Costa, *Campesinato Negro no Pós-abolição*. Uma tendência semelhante de divisão de uma antiga fazenda em unidades menores, expansão da criação de gado e por fim um conflito de terras entre ex-escravos e pecuaristas pode ser encontrado em Elione Silva Guimarães, "Memórias Históricas de Movimentos Rurais - Juiz de Fora na Passagem do século XIX ao XX", pp. 58-79. Para uma análise comparativa da transição do trabalho livre para o escravo no Caribe e nos Estados Unidos, ver Herbert S. Klein e Stanley Engerman, "The Transition from Slave to Free Labor".

31. Walter Fraga Filho, *Encruzilhadas da Liberdade, Histórias de Escravos e Libertos na Bahia (1870-1910)*, p. 246. O autor também constatou, em uma análise de nascimentos de filhos de ex-escravos em várias paróquias da região em 1889-1890 na província da Bahia, que dois terços dos pais ainda viviam na mesma paróquia ou nos antigos engenhos, e o restante provinha de paróquias próximas. Fraga Filho pp. 247-48.

32. Herbert S. Klein, *Population History of the United States*, p. 100.

33. Numerosos autores salientam a lei de 1879 sobre os contratos de trabalho, proposta por Nabuco, que parece ser uma contrapartida para a Lei do Ventre Livre de 1871. Essa Lei de Locação de Serviços foi parte de uma legislação que remonta ao código criminal de 1830, o qual fora concebido para forçar brancos pobres e pessoas livres de cor a comprometer-se com contratos de trabalho. Mas o código de 1879 determinou que esses contratos legais entre proprietários de terra e trabalhadores tivessem duração de apenas três anos para imigrantes, cinco anos para brasileiros (de qualquer cor) e sete anos para libertos. Lamounier, "Agricultura e Mercado de Trabalho", pp. 360-362.

34. Sobre esse tema, ver José Luis Petruccelli, "Doutrinas francesas e o pensamento racial brasileiro, 1870-1930"; e Thomas E. Skidmore, *Black into White: Race and Nationality in Brazilian Thought.*

35. Sobre o racismo prevalecente no Brasil em fins do século XIX e início do século XX, ver Lilia Moritz Schwartz, *O espetáculo das Raças, Cientistas, Instituições e Questão Racial no Brasil, 1870-1930*; Mariza Corrêa, *As Ilusões da Liberdade: a Escola Nina Rodrigues e a Antropologia no Brasil.* Sobre as origens da escola nordestina que reavaliou a contribuição africana para o Brasil, ver Thomas E. Skidmore, "Raízes de Gilberto Freyre". Para uma análise recente da influência de Boaz e do impacto de Gilberto Freyre sobre a redefinição de raça, ver Antonio Sérgio Alfredo Guimarães, "Preconceito de Cor e Racismo no Brasil".

Conclusão

Ao longo deste livro procuramos apresentar uma visão ampla e profunda da sociedade escravista no Brasil, baseada tanto em pesquisas próprias, que se estendem por mais de trinta anos, como nos estudos de centenas de pesquisadores que nesse período produziram uma bibliografia de grande qualidade a respeito da escravidão, nem sempre coincidente com a visão tradicional.

A distribuição dos escravos entre os proprietários é um dos temas mais estudados. A visão tradicional mostrava uma sociedade composta por senhores, escravos e uma população pobre, com pouca expressão econômica ou social. Seriam os despossuídos, não pertencentes à elite formada pelos grandes proprietários de escravos. Os estudos atuais mostram uma realidade totalmente diferente. Em primeiro lugar havia uma população livre, de brancos, mulatos e mestiços, pobre, não proprietária de escravos, mas que exercia um importante papel, tanto na área rural como nos centros urbanos. Além disso, há uma nova visão a respeito da distribuição dos escravos pelos respectivos proprietários e pelas variadas atividades econômicas. As primeiras pesquisas sobre a estrutura da posse de escravos em São Paulo e Minas Gerais foram multiplicadas por outros trabalhos a respeito de praticamente todas as regiões do Brasil. Os resultados evidenciam que o pequeno proprietário representava o padrão na posse de cativos. Entre 20 e 30% dos domicílios tinham escravos, e a média de escravos por domicílio, ou proprietário, era usualmente abaixo de sete, exceto nas áreas onde predominava a grande lavoura de açúcar ou do café. Mesmo nessas áreas, ao lado de alguns grandes senhores, encontramos uma grande quantidade de pequenos proprietários. Em todas as áreas e períodos a maior frequência na posse de escravos era dos proprietários com apenas um escravo; estes perfaziam ao redor de um quarto do total. Em São Paulo, por exemplo, no ano de 1829 somaram-se 11 mil proprietários e 75 mil escravos. Os proprietários com apenas um escravo representavam 20%; os com até cinco escravos perfaziam 66% e apenas 38 senhores tinham mais de cem escravos. A média geral era 6,9. Em Minas Gerais, no ano de 1833 repetem-se os resultados. Somaram-se 20 mil proprietários com 135 mil escravos; 25% possuíam apenas um escravo; os proprietários com até cinco escravos resultavam no mesmo percentual obtido em São Paulo, 66%; e apenas 29 proprietários possuíam cem ou mais escravos. A média geral era 6,6. Em São Paulo, 26% dos domicílios tinham escravos; em Minas a proporção era de 33%. Os escravos representavam 28% da população em São Paulo e 32% da população mineira. Embora constituam realidades muito diferentes, as duas províncias apresentavam resultados similares em relação a posse de escravos: cerca da metade dos cativos pertenciam a proprietários que não tinham mais de dez escravos e um quinto dos escravos, pertencia a proprietários com mais de quarenta escravos. Ou seja, a maior parte da população escrava pertencia a plantéis de pequeno porte. Resultados similares foram encontrados em outras partes do Brasil.

A posse de escravos, além de refletir a forma da distribuição pelos respectivos proprietários, constituía um indicador da distribuição da própria riqueza no Brasil, pois vários estudos mostram que os escravos perfaziam um quarto ou um terço da riqueza pessoal durante os séculos XVIII e XIX, e um dos itens da riqueza com maior liquidez. Era um dos poucos bens vendidos a crédito. A posse de escravos fornece também uma ideia a respeito da organização da estrutura produtiva. O Brasil caracterizava-se pela grande concentração na propriedade rural, influenciada em grande parte pelo regime de sesmarias, instrumento legal de cessão de terras a particulares. Mas a força de trabalho, representada pela posse de escravos, limitava a capacidade produtiva. Embora a grande propriedade fosse uma característica fundamental, a grande exploração econômica não poderia ser considerada um padrão na organização da estrutura produtiva. Como definir uma propriedade rural com milhares de hectares, mas cujo proprietário possuía vinte ou trinta escravos, que incluiam mulheres e crianças? Era sem dúvida uma grande propriedade rural, mas não uma grande exploração econômica. Quadro que somente foi alterado na segunda metade do século XIX nas áreas de maior concentração da cafeicultura, que passaram a contar com unidades produtivas com centenas de trabalhadores

Além da distribuição entre proprietários, é importante enfatizar que os escravos eram utilizados em todas as atividades, rurais e urbanas. Na agricultura, além do uso na grande lavoura exportadora, os escravos eram também intensamente utilizados no cultivo de milho, arroz e feijão, produzidos para consumo próprio e cujos excedentes eram vendidos em mercados locais ou regionais. Analisando um conjunto de oito localidades paulistas que contém dados sobre produção em 1836, encontramos 2 mil agricultores que produziam milho; destes 40% possuíam escravos e responderam por 80% da produção naquele ano. Ou seja, mesmo um produto cultivado para consumo próprio ou comercialização local utilizava rotineiramente o trabalho escravo. O mesmo ocorria com os demais cultivos e com a criação animal. Essas evidências de alguma forma contradizem a visão tradicional, não só quanto ao uso dos escravos, como também em relação a organização produtiva colonial. Aliás, os novos estudos mostram uma economia interna muito mais pujante do que se pensava. Muitas das atividades típicas de subsistência geravam excedentes que abasteciam mercados locais e também os principais centros urbanos. E nessas atividades encontravam-se muitas vezes escravos.

Os escravos estavam presentes não só na agricultura. Como sabemos, representaram também a força de trabalho essencial na mineração, e nas áreas urbanas desempenhavam múltiplas atividades.

O serviço doméstico predominava, mas estavam também presentes no artesanato, no comércio e nos serviços. Essa multiplicidade de uso do trabalho escravo criava diferentes formas de inserção na atividade produtiva, nas formas de controle exercido sobre seu trabalho e sobre a própria autonomia dos cativos. Na grande lavoura o trabalho era organizado normalmente em turmas, na qual persistia uma forte componente de violência, real ou aparente, para impor um regime de trabalho duro e rotineiro. Na mineração ocorria o mesmo nas explorações de grande porte. Os escravos eram organizados em turmas para a execução das grandes obras necessárias à exploração mineral, como barragens, desvios de cursos de água, desmonte de morros, perfurações etc.

Mas ocorriam formas diferenciadas de utilização do trabalho escravo. No caso da agricultura, além dos grandes proprietários de escravos, havia um número majoritário de proprietários com reduzido número deles. Um agricultor com um, dois, três cativos, que incluiam mulheres e crianças, não devia depender apenas dos escravos para a execução de todo o trabalho no campo. Provavelmente trabalho escravo e trabalho familiar livre atuassem em parceira para suprir as necessidades do domicílio e gerar excedentes comercializáveis. As relações prevalecentes seriam diferentes daqueles estabelecidas entre os grandes proprietários e seus respectivos escravos.

Na mineração ocorria um fato peculiar. Mesmo na grande exploração, havia uma etapa do trabalho na qual a força e a violência não extraíam do trabalho seus melhores resultados. Depois de concentrado o cascalho com maior potencial aurífero, executava-se a chamada apuração do ouro, que consistia em encontrar as pequenas partículas de ouro eventualmente existente no meio do cascalho. Sem estímulo ou interesse, o escravo podia descartar as partículas de ouro junto com o cascalho. O mesmo ocorria com os diamantes. Na etapa de apuração do ouro, estímulos e prêmios eram usualmente oferecidos, pois violência ou controle eram pouco eficazes. Além disso, havia o faiscador com poucos escravos e sem recursos para obras de vulto. Nesse caso, era comum dar autonomia ao escravo para fazer a faiscação, com o compromisso de pagar uma determinada importância ao seu proprietário, podendo acumular o excedente.

Aliás, esse tipo de relação também ocorria nos chamados escravos de ganho, instituição tipicamente brasileira e que ocorria principalmente na área urbana. Embora o aluguel de cativos pelos proprietários fosse comum, em poucos regimes escravistas os escravos tiveram a oportunidade de alugar seu próprio trabalho, como ocorreu no Brasil. Estes faziam seus contratos, retinham a renda gerada por eles contratos e usualmente custeavam sua manutenção e moradia. A maioria desses cativos eram vendedores ambulantes ou trabalhavam como carregadores, sozinhos ou em grupo, levando a carga em carroças, carrinhos de mão, nos ombros ou em um cesto na cabeça. Alguns escravos de ganho não trabalhavam na rua, pois exerciam atividades mais valorizadas, como artesãos, marinheiros, pescadores, quitandeiros, barbeiros, cirurgiões, estivadores etc. Em alguns casos, o proprietário mandava alguns escravos aprenderem um ofício, que permitiria obter melhor remuneração por seu trabalho. Havia também casos, de escravos de ganho que se dedicavam à mendicância ou prostituição, e também pagavam ao seu senhor uma quantia fixa diária ou semanal.

As novas pesquisas mostram também a prática dos escravos produzirem parte do alimento que consumiam, trabalhando principalmente aos domingos, dia dedicado ao descanso. Qualquer excedente podia ser vendido no mercado local, representando-lhe uma renda eventual. Se para o cativo era uma oportunidade, para o senhor significava uma redução no custo de manutenção.

Esses amplos e variados usos dos escravos nas áreas rurais e urbanas e na maioria das áreas povoadas criaram várias formas de autonomia, controle, incentivo, punições e relações entre escravos e senhores, entre cativos e outras pessoas livres e entre os próprios cativos. Em algumas atividades, a intensidade do trabalho era imposta por meio de rigoroso controle e muita violência física. Em outras, ainda que sem eliminação do controle e do potencial de violência física, foram cruciais os incentivos e recompensas materiais e imateriais. Nos trabalhos domésticos, prestação de serviços, ofícios artesanais e pequenas unidades agrícolas talvez predominassem os incentivos positivos. Na forma de exploração do trabalho vigente na grande lavoura, onde predominavam a força física e o trabalho estruturado, talvez a violência e outros incentivos negativos tenham sido mais importantes. Essas relações de trabalho geraram uma situação atípica na sociedade escravista brasileira: significativas taxas de alforria, muitas compradas pelos próprios cativos. As alforrias aumentaram a população livre de origem africana, que cresceu também pelo intenso processo de miscigenação ocorrido entre pessoas de todas as categorias sociais.

Junto com o grande crescimento das pessoas livres de cor, que em 1872 constituíam o maior grupo populacional no Brasil, houve também o aumento das relações sociais dos escravos e entre escravos e livres. Não só os livres e forros apadrinhavam escravos, como participavam de irmandades por eles frequentadas. Estudos recentes mostraram a intensa atividade das irmandades no Rosário por todo o Brasil, e a importância dessas e de outras irmandades nos serviços fúnebres de livres, forros e, em menor escala, de escravos.

A forma na qual a escravidão foi organizada no Brasil permitiu uma ampla socialização da população cativa e a formação de famílias, das quais algumas foram mantidas por gerações. Esse é um tema que abriu uma importante área de novos estudos. Casamentos, famílias, parentescos são temas que recentemente proliferaram em estudos de diversas regiões do país. Ao contrário do que se imaginava há cerca de trinta anos, uma grande parcela dos escravos eram casados formalmente pela Igreja. Na capitania de São Paulo, em 1804, cerca de um terço dos escravos com mais de quinze anos eram casados ou viúvos, o que demonstra elevada proporção de uniões estáveis e sacramentadas pela Igreja. Há estudos que demonstram a formação de famílias que permaneciam unidas por duas ou três gerações. Embora possível a separação de famílias pela venda dos seus componentes, tal prática contava com forte oposição por parte da Igreja. Usualmente os casamentos entre escravos ocorriam entre os escravos de um mesmo proprietário, o que limitava a oportunidade de casamento para os escravos pertencentes aos pequenos proprietários. Assim, era normal a existência de maior proporção de casados nos grandes plantéis.

Finalmente, embora tenham ocorrido poucos eventos com a dimensão de Palmares e da Rebelião dos Malês de 1835, os numerosos atos de rebeldia dos escravos, as várias conspirações e mesmo rebeliões sugerem que havia uma violência latente no sistema, provavelmente mitigada pelas alforrias, os apadrinhamentos, as irmandades, a interação social e mesmo a possibilidade de alguma vida familiar para uma parcela da população escrava. Mas os quilombos provavelmente foram a principal válvula de escape do sistema. A existência de uma fronteira aberta, praticamente sem o risco de grupos indígenas hostis, a possibilidade de desenvolver atividades agrícolas por todo o ano, bem como a ampla disponibilidade de caça e pesca, favoreceram o surgimento de tantos quilombos no Brasil, que seu número excedeu os estabelecidos na maioria das outras sociedades escravistas na América.

Os estudos sobre a criminalidade dos escravos mostram que tais válvulas de escape ou alternativas não foram suficientes. Estudos recentes sugerem que ao lado dos ataques contra feitores e senhores, escravos descarregavam sua violência entre si. Essa violência, usualmente envolvendo agressões contra amigos e outras pessoas da própria comunidade, mostram que na sociedade escravista havia um nível elevado de tensão e de violência, mesmo para os padrões atuais. Escravidão claramente não era uma sistema social normal. A falta de controle sobre suas próprias vidas não tem similar em outras organizações sociais. As limitações impostas aos escravos ultrapassam aquelas impostas a grupos minoritários ou as mulheres em várias sociedades atuais.

Deve ser enfatizado que os escravos não representavam um grupo uniforme do ponto de vista demográfico. Havia uma clara segmentação entre escravos africanos e seus descendentes nascidos no Brasil. O tráfico trazia preferencialmente adultos do sexo masculino. Isso dava a esse grupo populacional uma estrutura demográfica completamente distorcida, envelhecida e com uma elevada proporção masculina. Estima-se que 65% dos escravos embarcados na África eram homens; 22%, crianças. Por outro lado, para os nascidos no Brasil, sua estrutura demográfica assemelhava-se à dos contemporâneos livres. Essa segmentação é essencial para entendermos a dinâmica da população escrava no Brasil.

O ingresso de cativos africanos, além de influenciar as características gerais de idade e sexo da população escrava residente, exerceu um impacto sobre vários aspectos das características dessa população. O mais óbvio foi a diminuição da capacidade de autorreprodução da força de trabalho cativa. Embora possamos supor que em algumas zonas agrícolas mais tradicionais e mais antigas a população escrava nascida no Brasil tenha alcançado uma taxa positiva de crescimento natural, isso não ocorria nas áreas onde predominava a grande lavoura ou a mineração. Nessas áreas, a intensa importação de novos africanos, e eventualmente o impacto das alforrias, inviabilizou o processo de reprodução natural da população escrava. Assim, no início do século XIX somente as constantes aquisições de africanos recém-chegados permitiam a estabilidade quantitativa da população cativa e, mais ainda, crescendo às altas taxas registradas no período.

Essa questão da capacidade reprodutiva da população escrava é um dos temas mais instigantes dos debates recentes sobre a história da escravidão no Brasil. Segundo o pensamento atual, taxas de crescimento natural da população foram obtidas entre os cativos em determinadas situações e áreas do Brasil, quando não houve entrada significativa de novos escravos africanos e quando com baixas taxas de alforria. A entrada em massa de africanos alterou profundamente o equilíbrio da população cativa residente quanto às características de idade e sexo; também as alforrias tiveram esse efeito. Assim, a reprodução natural que a população cativa nascida do país chegou a atingir foi tolhida pela produção para exportação, cujo crescimento fomentava a entrada em massa de novos escravos africanos — a maioria homens adultos —, o que reduzia o potencial reprodutivo da população cativa residente. Esse potencial reprodutivo também foi restringido pela saída de mulheres jovens, grupo no qual as alforrias eram mais prováveis. Não era a intensificação do trabalho na grande lavoura que impedia a reprodução da população escrava; a principal razão era a maciça importação de africanos que a grande lavoura e a mineração induziam, distorcendo a estrutura demográfica da população escrava.

Uma vez que a entrada de africanos estava sendo impelida pela expansão econômica, não foi por acaso que a distribuição dos africanos não tenha sido uniforme pela província ou entre os proprietários. Os nascidos na África tendiam a estar em unidades maiores que os nascidos no Brasil, resultante da concentração dos africanos nas atividades mais orientadas para a exportação e de maior porte.

Saber quem eram os proprietários de escravos permite um aprofundamento da análise sobre o escravismo no Brasil. Como dito, entre 20% a 30% dos domicílios tinham escravos e, na maioria dos casos, um números reduzido deles. O interessante é que encontramos proprietários em todos os segmentos sociais. Agricultores, artesãos, comerciantes, autoridades eclesiásticas, militares e governamentais, mas também entre pobres, agregados, pessoas que viviam de esmola etc. Por exemplo, em São Paulo no ano de 1804, entre os 7.656 proprietários de escravos, 274 classificaram-se como assistidos por terceiros, pobres, mendigos, vivendo de sua agência e agregados.

Os proprietários eram essencialmente homens, brancos, casados. A maioria das proprietárias eram viúvas. Isso não significa que os pretos e pardos estivessem alijados dessa categoria social. Em Minas Gerais, em 1833, dos 14 mil proprietários existentes, 41% eram pretos ou pardos. Aliás, dos pardos chefes de domicilio ali residentes, 19% possuíam escravos (entre os brancos esse percentual era de 56%). É claro que a média de escravos por proprietário branco era superior à média resultante entre os proprietários pretos e pardos: oito contra quatro, respectivamente.

Como os escravos eram usualmente um dos principais componentes da riqueza individual, vários estudos demonstram uma relação entre a idade do proprietário e o número médio de escravos possuídos. Identifica-se claramente um aumento na média de escravos na proporção da idade média dos proprietários, demonstrando um processo de acumulação ao longo da vida do proprietário. No caso das mulheres brancas, onde predominavam as viúvas, os escravos possuídos provavelmente representavam continuidade do patrimônio acumulado pelo casal. No caso das proprietárias negras e pardas, o patrimônio constituído por seus escravos provavelmente representava uma acumulação pessoal, feita pelo seu próprio trabalho.

A grande maioria dos proprietários eram agricultores. Mas, como dissemos, encontramos proprietários de escravos em todas as atividades. Mas o grupo dos não agricultores era extremamente heterogêneo. Envolvia desde a elite da administração ou dos comerciantes até pequenos proprietários do artesanato, serviços e comércio.

Os proprietários de escravos estavam em todos os segmentos sociais. Encontramos mesmo ex-escravos como proprietários de escravos. Ou seja, pessoas que passaram parte da vida como escravos, obtiveram a liberdade e posteriormente se transformaram em proprietários. Em 1738, por exemplo, na lista dos proprietários de escravos da localidade do Serro do Frio, em Minas Gerais, 22% eram ex-escravos e controlavam 10% dos cativos. Ademais, entre esses forros proprietários, dois terços eram mulheres. Isso representa um aspecto importante da escravidão no Brasil: em situações muitos particulares, como na mineração, ex-escravos atingiam a condição de proprietários de escravos.

Como visto, o regime escravista no Brasil era complexo e afetava todas as relações econômicas e sociais. Da proporção de casamentos e de ilegítimos até o mercado de trabalho, da estrutura social à ideologia nacional, a escravidão influenciou sobremaneira a sociedade colonial e imperial no país. A complexidade do sistema escravista brasileiro vem sendo lentamente revelada através da abertura gradual de arquivos locais e provinciais por historiadores e outros cientistas sociais, e mostra um mundo muito mais rico e complexo do que aquele apresentado por Gilberto Freyre.

Bibliografia

Fontes Primárias

ARQUIVO DA CASA DOS CONTOS. *Serro do Frio: Escravos, Livro de Matrícula.* Codice n. 1068.

ARQUIVO NACIONAL. Rio de Janeiro. *Rol das Pessoas que Confessam e Comungam na Freguesia de Congonhas do Sabará, 1771.* Caixa 202, pacote único.

ARQUIVO PÚBLICO DO ESTADO DE SÃO PAULO. Mapas de População.

ARQUIVO PÚBLICO MINEIRO. Seção Provincial, Mapas de População.

CARVALHO, Claudio Lomellino de. *Atlas do Império do Brazil* Rio de Janeiro: Lithographia P. Robin & ca., 1882.

CHRISTIE, W. D. *Notes on Brazilian Questions* London: Macmillan, 1865.

DIRETORIA GERAL DE ESTATÍSTICA. *Recenseamento Geral do Brazil de 1872.*

IHGB/CU Arq 1-1-19. *Correspondência do Governador da Bahia, 1751-1782,* folios 228v-230, 3 Julho 1775, Bahia.

Jornal do Commercio (Rio de Janeiro). Vários números 1830s & 1840s.

LAERNE, C. F. Van Delden. *Brazil and Java. Report on Coffee-Culture in America, Asia and África.* London, W. H. Allen, 1885.

LIMA, Álvaro Tibério de Moncorvo. *Falla recitada na abertura da Assembleia Legislativa da Bahia....* Bahia, 1856.

LEME, Pedro Taques de Almeida Paes. *Notícias das Minas de São Paulo e dos Sertões da mesma Capitania, São Paulo [1645].* São Paulo: Prefeitura do Município de São Paulo, Biblioteca Histórica Paulista, 1953.

MARINHO, Joaquim Saldanha. *Relatório apresentado a Assembléia Legislativa provincial de São Paulo... no dia 2 de fevereiro de 1868 pelo presidente da mesma província.* São Paulo, 1868.

______. *Relatório com que sua excelência o sr. senador Barão de Itaúna passou a administração da província ao exmo. sr. comendador Antônio Joaquim da Rosa.* São Paulo, 1869.

The Trans-Atlantic Slave Trade Database, Voyages, Emory University. Disponível em: <http://www.slavevoyages.org/tast/index.faces>. As estimativas estão em <http://www.slavevoyages.org/tast/assessment/estimates.faces>.

LARA, Silvia Hunold (ed). *Ordenações Filipinas,* Livro V. São Paulo: Cia. das Letras, 1999.

ROCHA, Antonio Candido da. *Relatório apresentado à Assembleia Legislativa provincial de São Paulo pelo presidente da província.* São Paulo, 1870.

REAL ACADEMIA DE LA HISTORIA. *Los Siete Partidas del rey Alfonso el sabio, cotejadas con varios codices antiguos.* 3 vols. Madrid: La Imprenta Real, 1807.

SINIMBU, João Lins Vieira Cansanção de. *Falla recitada na abertura da Assembléia Legislativa da Bahia.* Bahia, 1857.

Fontes Secundárias

ABREU, Martha. "Slave Mothers and Freed Children: Emancipation and Female Space in Debates on the 'Free Womb' Law, Rio de Janeiro, 1871". *Journal of Latin American Studies,* 28, n. 3, Oct. 1996, pp. 567-580.

ALADRÉN, Gabriel. *Liberdades negras nas paragens do Sul: Alforria e inserção social de libertos em Porto Alegre, 1800-1835.* Niterói: Universidade Federal Fluminense, 2008 (dissertação de mestrado).

AL-ALAM, Caiuá Cardoso. "Questões acerca dos Enforcamentos de Escravos em Pelotas-RS". *II Encontro "Escravidão e Liberdade no Brasil Meridional",* 2003.

ALVES, Naiara Ferraz Bandeira. *Irmãos de Cor e de Fé: Irmandades Negras na Parahyba do Século XIX.* João Pessoa: UFPB, 2006 (dissertação de mestrado).

ANDRADE, Maria José de Souza. *A Mão de Obra Escrava em Salvador, 1811-1860.* São Paulo: Corrupio, 1988.

ALDEN, Dauril. "Late Colonial Brazil, 1750-1808". In: BETHEL, Leslie (org.). *The Cambridge History of Latin America.* 11 vols. Cambridge: Cambridge University Press, 1984.

ALDEN, Dauril. "Yankee Sperm Whalers in Brazilian Waters, and the Decline of the Portuguese Whale Fishery (1773-1801)". *The Americas,* 20, n. 3, jan. 1964, pp. 270s.

ALEIXO, Lucia Helena Gaeta. *Mato Grosso: Trabalho Escravo e Trabalho Livre (1850-1888).* São Paulo: PUC, 1984 (dissertação de mestrado).

ALENCASTRO, Luís Felipe de. *O Trato dos Viventes: Formação do Brasil no Atlântico Sul, Séculos XVI e XVII.* São Paulo: Cia. das Letras, 2000.

ALGRANTI, Leila Mezan. *O Feitor Ausente. Estudos sobre a Escravidão Urbana no Rio de Janeiro, 1808-1822.* Petrópolis: Vozes, 1988.

______. "Os Ofícios Urbanos e os Escravos de Ganho no Rio de Janeiro Colonial (1808-1822)". In: SZMRECSÁNYI, Tamás (org.), *História Econômica do Período Colonial.* São Paulo: Hucitec/Fapesp, 1996, pp. 195-214.

ALMEIDA, Joseph Cesar Ferreira de. *Entre engenhos e canaviais: Senhoras do açúçar em Itu (1780-1830).* São Paulo: FFLCH-USP, 2007 (dissertação de mestrado).

AMANTINO, Márcia. "As Condições Físicas e de Saúde dos Escravos Fugitivos Anunciados no Jornal do Commercio (RJ) em 1850". *História, Ciências, Saúde - Manguinhos,* v. 14, n. 4, out.-dez. 2007,pp. 1377-1399.

AMOGLIA, Ana Maria Faria. "Um Suspiro de Liberdade: Suicídio de Escravos no Município de Juiz de Fora (1830-1888)". *Boletim do Núcleo de Estudos em História Demográfica,* FEA-USP, n. 18, nov. 1999.

AMOS, Alcione Meira. "Afro-Brazilians in Togo The Case of the Olympio Family, 1882-1945". *Cahiers d'Études africaines,* 162, XLI-2, 2001, pp. 293-314.

AMOS, Alcione Meira & EBENEZER Ayesu. "Sou Brasileiro: História dos Tabom, Afro-brasileiros em Acra, Gana". *Afro-Ásia,* n. 3, 2005, pp. 35-65.

ANDRADE, Marcos Ferreira de. "Negros Rebeldes nas Minas Gerais: a Revolta dos Escravos de Carrancas (1833)". *Afro-Ásia, n.* 21-22, 1998-1999, pp. 45-82.

ANDRADE, Rômulo. "Ampliando Estudos sobre Famílias Escravos no Século XIX –Crianças Cativas em Minas Gerais: Legitimidade, Alforria e Estabilidade Familiar". *Revista Universidade Rural, Série Ciências Humanas,* 24, ns. 1-2, 2002, pp. 101-113.

______. "Casamento entre Escravos na Região Cafeeira de Minas Gerais". *Revista Universidade Rural, Série Ciências Humanas,* 22, n. 2, jul-dez 2000, pp. 177-288.

_____. "Havia um Mercado de Famílias Escravas? (A Propósito de uma Hipótese Recente na Historiografia da Escravidão)". *Revista de História,* Juiz de Fora, 4, n. 1, 1998, pp. 93-104.

ANDREAU, Jean & DESCAT, Raymond. *Esclave en Grèce et à Rome.* Paris: Hachette, 2006.

ANSTEY, Roger T. *The Atlantic Slave Trade and British Abolition, 1760-1810.* London: Macmillan, 1975.

ANTONIL, André João. *Cultura e Opulência do Brasil.* Introdução e vocabulário por A. P. Canabrava. São Paulo: Companhia Editora Nacional, s.d.

ARAÚJO, Ubiratan Castro de. "A Política dos Homens de Cor no Tempo da Independência". *Estudos Avançados,* 18, n. 50, 2004, pp. 253-269.

ARÊDES, Diego Emílio Alves & PAPALI, Maria Aparecida Chaves Ribeiro. *Crime de Escravo em Taubaté: Assassinato de um Feitor em 1852.* Disponível em: <www.inicepg.univap.br/INIC_2005/inic/IC7%20anais/IC7-10.pdf->.

ARRIAGA, Eduardo E. *New Life Tables for Latin American Populations in the Nineteenth and Twentieth Centuries.* Berkeley: University of California, Population Monograph Series, n. 3, 1968.

ARRUDA, José Jobson de Andrade. *Brasil no Comércio Colonial.* São Paulo: Ática, 1980.

ASSUNÇÃO, Mattias Röhrig. "Quilombos Maranhenses". In: REIS, João & GOMES, Santos (orgs.). *Liberdade por um Fio. História dos Quilombos no Brasil.* São Paulo: Cia. das Letras, 1996, pp. 433-466.

AUSTEN, Ralph A. "The Mediterranean Islamic Slave Trade out of Africa: A Tentative Census". *Slavery & Abolition,* XIII, 1992, 214-248.

_____."The 19th Century Islamic Slave Trade from East Africa (Swahili and Red Sea Coasts): A Tentative Census". *Slavery & Abolition,* IX, 1988, pp. 21-44.

_____. "The Trans-Saharan Slave Trade: A Tentative Census". In: GEMERY, Henry A. & HOGENDORN, Jan S. (orgs.). *The Uncommon Market: Essays in the Economic History of the Atlantic Slave Trade. Nova York:* Academic Press, 1979, pp. 23-75.

AZEVEDO, Elciene. *O Direito dos Escravos. Lutas Jurídicas e Abolicionismo na Província de São Paulo na Segunda Metade do Século XIX.* Campinas: Unicamp, 2003 (tese de doutorado).

BACELLAR, Almeida Prado. *Os senhores da terra: família e sistema sucessório entre os senhores de engenho do oeste paulista (1765-1855)* São Paulo: USP, 1987 (tese de doutorado).

BARICKMAN, B. J. "Revisiting the Casa-grande: Plantation and Cane-Farming Households in Early Nineteenth-Century Bahia". *Hispanic American Historical Review*, vol. 4, n. 84, 2004, pp. 619-659.

______. *Bahian Counterpoint: Sugar, Tabacco, Cassava and Slavery in the Recôncavo, 1780-1860*. Stanford: Stanford University Press, 1998.

______. "As Cores do Escravismo: Escravistas 'Pretos', 'Pardos' e 'Cabras' no Recôncavo Baiano, 1835". *População e Família*, 2, n. 2, 1999.

BASTIDE, Roger. *Les religions africaines au Brésil*. Paris: Presses Universitaires de France, 1960.

BASTIDE, Roger & FERNANDES. Florestan. *Brancos e Negros em São Paulo*. São Paulo: Companhia Editora Nacional, 1959.

BATISTA, Nilo. "Pena Pública e Escravismo". *Capítulo Criminológico*, vol. 34, n. 3, jul.-set. 2006, pp. 279-321.

BERGAD, Laird W. *Slavery and the Demographic ad Economic History of Minas Gerais, Brazil, 1720-1888*. Cambridge: Cambridge University Press, 1999.

BERTIN, Enidelce. *Alforrias na São Paulo do Século XIX: Liberdade e Dominação*. São Paulo: Humanitas, 2004.

BERUTE, Gabriel Santos. "A Concentração do Comércio de Escravos na Capitania do Rio Grande de São Pedro do Sul, c. 1790 - c. 1825". *II Encontro "Escravidão e Liberdade no Brasil Meridional", 2005*.

______. "Dos Escravos Que Partem para os Portos do Sul: Características do Tráfico Negreiro do Rio Grande de São Pedro do Sul, c.1790-c.1825". Porto Alegre: UFRGS, 2006 (dissertação de mestrado).

BETHELL, Leslie. *The Abolition of the Brazilian Slave Trade: Britain, Brazil, and the Slave Trade Question, 1807-1869*. Nova York: Cambridge University Press, 1970.

BETHENCOURT, Francisco. "Political Configurations and Local Powers". In: BETHENCOURT, Francisco & CURTO, Diogo Ramada. *Portuguese Oceanic Expansion, 1400-1800*. Cambridge: Cambridge University Press, 2007, pp. 197-254.

BIRCHAL, Sérgio de Oliveira. *O Mercado de Trabalho Mineiro no Século XIX*. Belo Horizonte: Ibmec, 2007.

BLASENHEIM, Peter Louis. A Regional History of the Zona da Mata in Minas Gerais, Brazil, 1870-1906". Stanford University, 1982 (tese de PhD).

BLOCH, Marc. *Slavery and Serfdom in the Middle Ages, Selected Essays*. Berkeley: University of California Press, 1975.

BONNAISSIE, Pierre. *From Slavery to Feudalism in South-Western Europe*. Cambridge: Cambridge University Press, 1991.

BORGES, Célia Maia. *Escravos e Libertos nas Irmandades do Rosário. Devoção e Solidariedade em Minas Gerais - Séculos XVIII e XIX*. Juiz de Fora: editora da UFJF, 2005.

BORGES, Nilsen C. Oliveira Terra. *Gado e Trabalho: Sociedade e Economia Escravista em Lages, SC (1840-1865)*. Florianópolis: Universidade Federal de Santa Catarina, 2005 (dissertação de mestrado).

______. "Meio Livre, Meio liberto". *II Encontro "Escravidão e Liberdade no Brasil Meridional"*, 2005, p. 7.

BOSCHI, Caio César. *Os Leigos e o Poder (Irmandade Leigas e Política Colonizadora e Minas Gerais)*. São Paulo: Ática, 1986.

BOTELHO, Tarcísio R. "Estratégias Matrimoniais entre a População Livre de Minas Gerais: Catas Altas do Mato Dentro, 1815-1850". *XIV Encontro Nacional de Estudos Populacionais, Abep, 2004.*

______. "Família Escrava em Catas Altas do Mato Dentro (MG) no Século XVIII". *Anais da V Jornada Setecentista, 2003.*

______. "Família e Escravidão em uma Perspectiva Demográfica: Minas Gerais (Brasil), Século XVIII". In: LIBBY, Douglas Cole & FURTADO, Júnia Ferreira (orgs.), *Trabalho Livre, Trabalho Escravo, Brasil e Europa, Séculos XVIII e XIX*. São Paulo: Annablume, 2006, pp. 195-222.

BOWSER, Frederick P. *The African Slave in Colonial Peru, 1524-1650*. Stanford: Stanford University Press, 1974.

BOXER, Charles R. *The Dutch Seaborne Empire, 1600-1800*. Nova York: A.A. Knopf, 1965.

______. *The Golden Age of Brazil, 1695-1750; Growing Pains of a Colonial Society*. Berkeley: University of California Press, 1962.

______. *The Portuguese Seaborne Empire, 1415-1825*. London: Hutchinson, 1969.

BRADLEY, Keith. *Slavery and society at Rome*. Cambridge: Cambridge University Press, 1994.

BRAGA, Carolina L. G. "Tenha uma Boa Morte". *Científico*, IV:2, 2004, s.p.

BRÜGGER, Silvia Maria Jardim. "Compadrio e Escravidão: uma Análise do Apadrinhamento de Cativos em São João del Rei, 1730-1850". *XIV Encontro Nacional de Estudos Populacionais, Abep*, 2004.

______. *Minas Patriarcal, Família e Sociedade (São João del Rei – Séculos XVIII e XIX)*. São Paulo: Annablume, 2007.

______. "Legitimidade, Casamento e Relações Ditas Ilícitas em São João del Rei (1730-1850)". *IX Seminário sobre a Economia Mineira*, 2000.

CABRERA, Manuel Lobo. *La Esclavitud en las Canarias Orientales en el Siglo XVI (Negros, Moros y Moriscos)*. Las Palmas: Cabildo Insular de Gran Canaria, 1982.

CALÓGERAS, João Pandiá. *As Minas do Brasil e Sua Legislação.* Rio de Janeiro, Imprensa Oficial, 1905.

CAMPOLINA, Alda Maria Palhares, MELO, Cláudia Alves & ANDRADE, Mariza Guerra de. *Escravidão em Minas Gerais: Cadernos do Arquivo*. BELO Horizonte: Arquivo Publico Mineiro/Copasa-MG, 1988.

CAMPOS, Adriana Pereira. *Escravidão e Liberdade nas Barras dos Tribunais.* Disponível em: http://www.historica.arquivoestado.sp.gov.br/materias/anteriores/edicao09/materia03/texto03.pdf.

CAMPOS, Kátia Maria Nunes. "Antônio Dias de Vila Rica: Aspectos Demográficos de uma Paróquia Colonial (1763-1773)". *XVI Encontro Nacional de Estudos Populacionais,* 2008.

CANABRAVA, Alice P. "A Repartição da Terra na Capitania de São Paulo, 1818". *Estudos Econômicos,* 2:6, dez. 1972.

______. "A Grande Lavoura". In: HOLANDA, Sérgio Buarque de (org.). *História Geral da Civilização Brasileira,* vol. 6. Rio de Janeiro: Bertrand Brasil, 1997.

______. "João Antonio Andreoni e Sua Obra". In: José João Antonil. *Cultura e Opulência do Brasil.* Introdução e vocabulário por A. P. Canabrava. São Paulo: editora Nacional, s.d.

______. "Uma Economia de Decadência: Os Níveis de Riqueza na Capitania de São Paulo 1765-67". *Revista Brasileira de Economia,* Rio de Janeiro, 26:4, out.-dez. 1972, pp. 95-123.

CARDOSO, Ciro Flamarion *et al. Escravidão e Abolição no Brasil: Novas Perspectivas.* Rio de Janeiro, Zahar, 1988.

______. *Escravo ou Camponês? O Protocampesinato Negro nas Américas.* São Paulo, Brasiliense, 1987.

CARDOSO, Fernando Henrique. *Capitalismo e Escravidão no Brasil Meridional: O Negro na Sociedade Escravocrata do Rio Grande do Sul* São Paulo: Difusão Europeia do Livro, 1962.

CARDOSO, Fernando Henrique & IANNI, Octavio. *Cor e mobilidade social em Florianópolis.* São Paulo: Companhia Editora Nacional, 1960.

CARDOSO, Lavínia Coutinho. *Revolta Negra na Freguesia de São José do Queimado: Escravidão, Resistência e Liberdade no Século XIX na Província do Espírito Santo (1845-1850).* Vitória: Universidade Federal do Espírito Santo, 2008 (dissertação de mestrado).

CARNEY, Judith A. 'With Grains in Her Hair': Rice in Colonial Brazil". *Slavery & Abolition*, 25: 1, abr. 2004, pp. 1-27.

CARREIRA, António. *As Companhias Pombalinas de Grão-Pará e Maranhão e Pernambuco e Paraíba*. 2. ed. Lisboa: Editorial Presença, 1982.

CARVALHO FILHO, Luís Francisco. "Impunidade no Brasil – Colônia e Império". *Estudos Avançados USP*, 18, n. 51, 2004, pp. 187-188.

CARVALHO, Filipe Nunes de. "Do Descobrimento a União Ibérica". In: JOHNSON, Harold & SILVA, Maria Beatriz Nizza da (orgs.). *O Império Luso-brasileiro, 1500-1620*. Vol. 6 da *Nova História da Expansão Portuguesa* editado por Joel Serrão e A. H. de Oliveira Marques. Lisboa: Editorial Estampa, 1998.

CARVALHO, Marcus J. M. de. *Liberdade, Rotinas e Rupturas do Escravismo, Recife, 1822-1850*. Recife: Ed. Univesitária UFPE, 1998.

CASTRO, Antonio Barros de. *Escravos e Senhores nos Engenhos do Brasil. Um Estudo sobre os Trabalhos do Açúcar e a Política Econômica dos Senhores*. São Paulo: Unicamp, 1976 (tese de doutorado).

CHALHOUB, Sidney. *Visões da Liberdade. Uma História das Últimas Décadas da Escravidão na Corte*. São Paulo: Cia. das Letras, 1990.

CHAUDHURI, K. N. *Trade and Civilization in the Indian Ocean, An Economic History from the Rise of Islam to 1750*. Cambridge: Cambridge University Press, 1985.

CHAVES, Cláudia Maria das Graças. *Perfeitos Negociantes, Mercadores das Minas Setecentistas*. São Paulo: Annablume, 1999.

CHESNAIR, Jean-Claude. *The Demographic Transition, 1720-1984*. Oxford, 1992.

COMAR, Michelle. *Imagens de Ébano em Altares Barrocos: As Irmandades Leigas de Negros em São Paulo (Séculos XVIII-XIX)*. São Paulo: USP, 2008 (dissertação de mestrado).

CONRAD, Alfred H. & MEYER, John R. "The Economics of Slavery in the Ante Bellum South". *The Journal of Political Economy*, 66, n. 2, abr. 1958, pp. 95-130.

CONRAD, Robert E. *The Destruction of Brazilian slavery, 1850-1888*. Berkeley: University of California Press 1972.

______. *Tumbeiros: o Tráfico de Escravos para o Brasil*. São Paulo: Brasiliense, l985.

COOK, David Nobel. *Demographic Collapse, Indian Peru 1520-1620*. Cambridge: Cambridge University Press, 1981.

COPE, R. Douglas. *The Limits of Racial Domination, Plebian society in Colonial Mexico City, 1660-1720*. Madison,Wisc.: University of Wisconsin Press, 1994.

CORRÊA, Carolina Perpétuo. "Aspectos da Demografia e Vida Familiar dos Escravos de Santa Luzia, Minas Gerais, 1818-1833". *XIV Encontro Nacional de Estudos Populacionais, Abep*, 2004.

CORRÊA, Mariza. *As Ilusões da Liberdade: a Escola Nina Rodrigues e a Antropologia no Brasil*. Bragança Paulista, Udusf, 1998.

CORTES ALONSO, Vicenta. *La Esclavitud en Valencia durante el Reinado de los Reyes Católicos (1479-1516)*. Valencia: Ayuntamiento, 1964.

COSTA, Carlos Eduardo C. da. *Campesinato Negro no Pós-Abolição: Migração, Estabilização e os Registros Civis de Nascimentos. Vale do Paraíba e Baixada Fluminense, RJ (1888-1940)*. Rio de Janeiro: UFRJ, 2008 (dissertação de mestrado).

COSTA, Iraci del Nero da. *Vila Rica: População (1719-1826)*. São Paulo: IPE-USP, 1979.

______. "Repensando o Modelo Interpretativo de Caio Prado Jr.". São Paulo, NEHD-FEA/USP, 1995 (Cadernos NEHD, n. 3).

______. "Ocupação, Povoamento e Dinâmica Populacional". In: COSTA, Iraci del Nero da & LUNA, Francisco Vidal. *Minas Colonial: Economia e Sociedade*. São Paulo: Pioneira, 1982, pp. 1-30.

COSTA, Lenira Lima da. *A Lei do Ventre Livre e os Caminhos da Liberdade em Pernambuco, 1871-1888*. Recife: UFP, 2007 (dissertação de mestrado).

COSTA, Robson Pedrosa. *Cotidiano e Resistência nas Últimas Décadas da Escravidão, Olinda, 1871-1888*. Recife: UFP, 2006 (dissertação de mestrado).

CUNHA, Maísa Faleiros da. "A Legitimidade entre os Cativos da Paróquia Nossa Senhora da Conceição de Franca – Século XIX". *XIV Encontro Nacional de Estudos Populacionais, Abep*, 2004.

CUNHA, Manuela C. da. *Da Senzala ao Sobrado: Arquitetura Brasileira na Nigéria e na República Popular do Benim. From Slave Quarters to Town Houses: Brazilian Architecture in Nigeria and the Peoples Republic of Benin*. São Paulo: Nobel/Edusp, 1985a.

______. *Negros, Estrangeiros: os Escravos Libertos e a sua Volta à África*. São Paulo: Brasiliense, 1985b.

______. *Antropologia do Brasil, Mito, História, Etnicidade*. São Paulo: Brasilense, 1986, pp. 123-144.

CUNHA, Manuela C. da (org.). *História dos Índios no Brasil*. São Paulo: Cia. das Letras, 1992.

CURTI, Ana Helena (org.). *Aleijadinho e Seu Tempo: Fé, Engenho e Arte*. Rio de Janeiro: Banco Central do Brasil, 2006.

CURTIN, Philip. *The Atlantic Slave Trade, A Census*. Madison: University of Wisconsin Press, 1969.

DANIELI NETO, Mário. *Escravidão e Indústria: um Estudo sobre a Fábrica de Ferro São João de Ipanema – Sorocaba (SP) - 1765-1895*.Campinas: Unicamp, 2006 (tese de doutorado).

DANTAS, Mariana L. R. *Black Townsmen: Urban Slavery and Freedom in the Eighteenth Century Américas*. Nova York: Palgrave MacMillan, 2008.

DAUWE, Fabian. "Os Múltiplos Sentidos da Liberdade: a Viabilidade e as Expectativas da Libertação pelo Fundo de Emancipação de Escravos". *II Encontro "Escravidão e Liberdade no Brasil Meridional"*, 2003.

DAVID, Paul A. *et al. Reckoning with Slavery: A Critical Study in the Quantitative History of American Negro Slavery*. Nova York: Oxford University Press, 1976.

DAVIS, David Brion. *The Problem of Slavery in the Age of Revolution, 1770–1823*. Ithaca, N.Y.: Cornell University Press, 1975.

DEAN, Warren. "Indigenous Populations of the São Paulo-Rio de Janeiro Coast: Trade Aldeamento, Slavery and Extinction". *Revista de História*, 117: 3-26, 1984.

______. *Rio Claro. A Brazilian Plantation System, 1820-1920*. Stanford: Stanford University Press, 1976.

DEBIEN, Gabriel. *Les esclaves aux antillais françaises (XVIIe-XVIIIe siècles)*. Basse-Terre: Société d'Historie de la Guadeloupe, 1974.

DEERR, Noel. *The History of Sugar*. 2 vols. London: Chapman and Hall, 1949-1950.

DELFIM NETTO, Antonio. *O Problema do Café no Brasil*. São Paulo: IPE-USP, 1981.

DIAS, João José Alves. "A População".In: SERRÃO, Joel & MARQUES, A.H. de Oliveira (orgs.), *Nova História de Portugal*. 12 vols. Lisboa: Editorial Presencia, 1998.

DÍAZ, Maria Elena. *The Virgin, the King and the Royal Slaves of El Cobre...Colonial Cuba, 1670-1780*. Stanford: Stanford University Press, 2000.

DOCKÈS, Pierre. *Medieval slavery and liberation*. London: Methuen, 1982.

DOMAR, Evsey D. "The Causes of Slavery or Serfdom: A Hypothesis". *Journal of Economic History*, 30:1, mar. 1970.

DIÓRIO, Renata Romulado. *As Marcas da Liberdade: Trajetórias Sociais dos Libertos em Mariana na Segunda Metade do Século XVIII*. São Paulo: USP, 2007 (dissertação de mestrado).

DRESCHER, Seymour. *Econocide: British Slavery in the Era of Abolition*. Pittsburgh, Penn.: University of Pittsburgh Press, 1977.

EBERT, Christopher. "Dutch Trade with Brazil before the Dutch West India Company, 1587-1621". In: POSTMA, Johannes & ENTHOVEN, Victor (orgs.). *Riches from Atlantic Commerce: Dutch Transatlantic Trade and Shipping, 1585-1817*. Leiden: Brill, 2003, pp. 49-76.

EBLEN, Jack Ericson. "New Estimates of the Vital Rates of the United States Black Population During the Nineteenth Century". *Demography*, 11, n. 2, maio 1974, pp. 301-319.

EISENBERG, Peter L. "Ficando Livre: As Alforrias em Campinas no Século XIX". *Estudos Econômicos*, 17, n. 2, maio-ago. 1987.

______. *The Sugar Industry in Pernambuco, Modernization without Change, 1840-1910*. Berkeley: University of California Press, 1974.

ELBL, Ivana. "Group Identities in the Early Portuguese Overseas Expansion in Africa: Concepts and Expressions". *Portuguese Studies Review*, 15, n. 1-2, 2007, pp. 37-61.

______. "Volume of the Early Atlantic Slave Trade, 1450-1521". *Journal of African History*, XXXVIII, 1997, pp. 31-75.

ELLIS JÚNIOR, Alfredo. "O Ciclo do Muar". *Revista de História*, vol. I, São Paulo, 1950.

______. "Ouro e a Paulistânia". *Boletim de História da Civilização Brasileira*, 8, 1948.

ELLIS, Myriam. "A Economia Paulista no Século XVIII". *Boletim de História da Civilização Brasileira*, 11, 1950.

______. *A Baleia no Brasil Colonial*. São Paulo: Edições Melhoramentos/Edusp, 1969.

ELTIS, David. *Economic Growth and the Ending of the Transatlantic Slave Trade*. Nova York: Oxford University Press, 1987.

______. "The Relative Importance of Slaves and Commodities in the Atlantic Trade of Seventeenth-Century Africa". *The Journal of African History*, 35:2, 1994, pp. 237-249.

______. "Slavery and Freedom in the Early Modern World". In: ENGERMAN, Stanley L. (org.). *Terms of Labor, Slavery, Serfdom and Free Labor*. Stanford: Stanford University Press, 1999.

______. "The Relative Importance of Slaves and Commodities in the Atlantic Trade of Seventeenth-Century Africa". *The Journal of African History*, 35, n. 2, 1994, pp. 237-249.

______. "The Volume and Structure of the Transatlantic Slave Trade: A Reassessment". *The William & Mary Quarterly*, 3rd series, 58:1, jan. 2001.

ELTIS, David *et al. The Transatlantic Slave Trade: 1562-1867: A Database*. New York/ Cambridge: Cambridge University Press, 2000.

ESCHWEGE, W. L. von. *Pluto Brasilienses* [1833.] 2 vols. São Paulo: Companhia Editora Nacional, 1944.

EUGÊNIO, Alisson. "Tensões entre os Visitadores Eclesiásticos e as Irmandades Negras no Século XVIII Mineiro". *Revista Brasileira de História*, 22, n. 43, 2002, pp. 33-46.

______. *Solidariedade e Tensões no Simbólico das Festas das Irmandades de Escravos e Libertos em Minas Gerais no Século XVIII*. Não publicado.

FARIA, Sheila de Castro. *A Colônia em Movimento: Fortuna e Família no Cotidiano Colonial*. Rio de Janeiro: Nova Fronteira, 1988.

______. "Legitimidade, Estratégias Familiares e Condição Feminina no Brasil Escravista". *Anais do VIII Encontro de Estudos Populacionais, Abep , 1992.*

______. "Identidade e Comunidade Escrava: um Ensaio". *Tempo*, 11, n. 22 , 2007, pp. 122-146.

______. "Aspectos Demográficos da Alforria no Rio de Janeiro e em São João Del Rey entre 1700 e 1850". *XVI Encontro Nacional de Estudos Populacionais, Abep, 2008.*

FARIAS, Juliana Barreto *et al. Cidades Negras, Africanos, Crioulos e Espaços Urbanos no Brasil Escravista do Século XIX*. São Paulo: Alameda, 2006.

FENOALTEA, Stefan. "Slavery and Supervision in Comparative Perspective: A Model". *The Journal of Economic History*, 44, n. 3, set. 1984, pp. 635-668.

FERNANDÉZ, Ramón Vicente Garcia. *Transformações Econômicas no Litoral Norte Paulista (1778-1836)*. São Paulo: FEA-USP, 1992 (tese de doutorado).

FERREIRA, Roberto Guedes. *Pardos: Trabalho, Família, Aliança e Mobilidade Social, Porto Feliz, São Paulo, c. 1798 – c. 1850*. Rio de Janeiro: UFRJ, 2005 (tese de doutorado).

______. "Trabalho, Família, Aliança e Mobilidade Social: Estratégias de Forros e Seus Descendentes – Vila de Porto Feliz, São Paulo, Século XIX". *V Congresso Brasileiro de História Econômica, 2003.*

FINLEY, M. I. "Between Slavery and Freedom". *Comparative Studies in Society and History*, 6:3, abr. 1964.

______. *Classical Slavery*. London: F. Cass, 1987.

FLAUSINO, Camila Carolina. Negócios da Escravidão: Tráfico Interno de Escravos em Mariana: 1861-1886. Juiz de Fora: Universidade Federal de Juiz de Fora, 2006 (dissertação de mestrado).

FLORENTINO, Manolo. *Em Costas Negras. Uma História do Tráfico de Escravos entre a África e o Rio de Janeiro.* São Paulo: Cia. das Letras, 1997.

______. "Sobre Minas, Crioulos e a Liberdade cosTumeira no Rio de Janeiro, 1789-1871". *Tráfico, Cativeiro e Liberdade no Rio de Janeiro, Séculos XVII-XIX.* Rio de Janeiro: Civilização Brasileira, 2005.

FLORENTINO, Manolo & MACHADO, Cacilda. "Sobre a Família Escrava em Plantéis Ausentes do Mercado de Cativos: Três Estudos de Casos (Século 19)". *XI Encontro Nacional de Estudos Populacionais da Abep*, 1998.

FLORENTINO, Manolo & GOÉS, José Roberto. *A Paz das Senzalas: Famílias Escravas e Tráfico Atlântico, Rio de Janeiro, c. 1790 - c. 1850.* Rio de Janeiro: Civilização Brasileira, 1997.

______. "Parentesco e Família entre os Escravos de Vallin". In: CASTRO, Hebe Maria Mattos de & SCHNOOR, Eduardo (orgs.). *Resgate. Uma Janela para o Oitocentos.* Rio de Janeiro: Topbooks, 1995, pp. 140-164.

______. "Do que Nabuco Já Sabia: Mobilidade e Miscigenação Racial no Brasil Escravista". *Congresso Internacional Brasil-Portugal Ano 2000 – Sessão de História.*

FOGEL, Robert W. & ENGERMAN, Stanley L. *Time on the Cross, The Economics of American Negro Slavery.* Boston, 1974.

FONSÊCA, Humberto José. *Vida e Morte na Bahia Colonial: Sociabilidades Festivas e Rituais Fúnebres (1640-1760).* Belo Horizonte: FAFICH/UFMG, 2006 (tese de doutorado).

FRAGA FILHO, Walter. *Encruzilhadas da Liberdade, Histórias de Escravos e Libertos na Bahia (1870-1910).* Campinas: Editora de Unicamp, 2006.

FRAGOSO, João Luís Ribeiro. *Homens de Grossa Aventura: Acumulação e Hierarquia na Praça Mercantil do Rio de Janeiro, 1790-1830.* Rio de Janeiro: Civilização Brasileira, 1998.

FRAGINALS, Manuel Moren. *El Ingenio: Complexo Económico Social Cubano del Azúcar.* 3 vols. Habana: Editorial de Ciencias Sociales, 1978.

FRANCO SILVA, Alfonso. *La Esclavitud en Sevilla y su Tierra a Fines de la Edad Media.* Sevilla: Diputación Provincial de Sevilla, 1979.

FRANK, Zephyr. *Dutra's World: Wealth and Family in Nineteenth-century Rio de Janeiro.* Albuquerque: University of New Mexico Press, 2004.

FREIRE, Jonis. "Compadrio em uma Freguesia Escravista: Senhor Bom Jesus do Rio Pardo (MG) (1838-1888)". *XIV Encontro Nacional de Estudos Populacionais, Abep,* 2004.

FREITAS, Décio (org.). *República de Palmares: Pesquisa e Comentários em Documentos Históricos do Século XVII.* Maceió: Edufal, 2004.

______. *Palmares, a Guerra dos Escravos.* Porto Alegre: Mercado Aberto, 1984.

FREUDENBERGER, Herman & PRITCHETT, Jonathan B. "The Domestic United States Slave Trade: New Evidence". *Journal of Interdisciplinary History,* XXI:3, pp. 447-477.

FREYRE, Gilberto. *O Escravo nos Anúncios de Jornais Brasileiros do Século XIX.* Recife: Imprensa Universitária, 1963.

FUNARI, Pedro Paulo de Abreu. "A Arqueologia de Palmares, sua Contribuição para o Conhecimento da História da Cultura Afro-americana". In: REIS, João José Reis & GOMES, Flávio dos Santos (orgs.). *Liberdade por um Fio. História dos Quilombos no Brasil.* São Paulo: Cia. das Letras, 1996.

FUNES, Eurípedes A. "'Nasci nas Matas, Nunca Tive Senhor' – História e Memória dos Mocambos do Baixo Amazonas". In: REIS, João José Reis & GOMES, Flávio dos Santos (orgs.). *Liberdade por um Fio. História dos Quilombos no Brasil.* São Paulo: Cia. das Letras, 1996, pp. 467-497.

GALENSON, David W. "The Rise and Fall of Indentured Servitude in the Americas: An Economic Analysis". *The Journal of Economic History,* 44:1, mar. 1984.

______. *White Servitude in Colonial America: an Economic Analysis.* Cambridge: Cambridge University Press, 1981.

______. "White Servitude and the Growth of Black Slavery in Colonial America". *The Journal of Economic History,* 41:1, mar. 1981.

GALLOWAY, J. H. "The Last Years of Slavery on the Sugar Plantations of Northeastern Brazil". *Hispanic American Historical Review,* LI: 4, nov. 1971.

______. *The Sugar Cane Industry: An Historical Geography from its Origins to 1914.* Cambridge: Cambridge University Press, 1989, capítulo 7.

GALVÃO, Rafael Ribas. "Bastardia e Legitimidade na Curitiba dos Séculos XVIII e XIX". *XIII Encontro da Associação Brasileira de Estudos Populacionais,* 2002.

GARAVAZO, Juliana. "Relações familiares e estabilidade da família escrava: Batatais (1850-88)". *Anais de XIV Encontro Nacional de Estudos Populacionais, Abep,* 2004.

GARLAN, Yvon. *Slavery in Ancient Greece.* Ithaca: Cornell University Press, 1982.

GENOVESE, Eugene D. *Roll Jordon Roll: the World the Slaves Made.* Nova York: Vintage Books, 1976.

GIOVANINI, Rafael Rangel. Regiões em Movimento: Um Olhar sobre a Geografia Histórica do Sul de Minas e da Zona da Mata Mineira (1808-1897). Minas Gerais: Universidade Federal de Minas Gerais, 2006 (dissertação de mestrado).

GODINHO, Vitorino Magalhães. *Os Descobrimentos e a Economia Mundial.* 2. ed. 4 vols. Lisboa: Editorial Presença, 1981-1983.

GODOY, Marcelo Magalhães. "Espaços Canavieiros Regionais e Mercado Interno: Subsídios para o Estudo da Distribuição Espacial da Produção e Comércio de Derivados da cana-de-açúcar da Província de Minas Gerais". *X Seminário sobre a Economia Mineira, Diamantina, 2002.*

______. "Fazendas Diversificadas, Escravas Polivalentes: caracterização Sociodemográfica e Ocupacional dos Trabalhadores Cativos em Unidades Productivas com Atividades Agroaçucareiras de Minas Gerais no Século XIX". *XIV Encontro Nacional de Estudos Populacionais, Abep,* 2004.

______. "Uma Província Artesã: O Universo Social, Econômico e Demográfico dos Artífices da Minas do Oitocentos". *Anais do XII Encontro Nacional da Abep,* 2004, tabelas 1, 6 e 7.

GODOY, Marcelo Magalhães; RODARTE, Mario Marcos Sampaio & PAIVA, Clotilde Andrade. "Negociantes e Tropeiros em um Território de Contrastes; o Setor Comercial de Minas Gerais no Século XIX". *Anais do V Congresso Brasileiro de História Econômica, ABHPE,* 2003.

GÓES, José Roberto. *O Cativeiro Imperfeito, Um Estudo Sobre a Escravidão no Rio de Janeiro da Primeira Metade do Século XIX.* Vitória: Lineart, 1993.

GOLDSCHMIDT, Elena María Réa. *Casamentos Mistos de Escravos na São Paulo Colonial.* São Paulo: Annablume, 2004.

GOMES, Alessandra Caetan. *Em Busca da Liberdade: As Alforrias em Duas Regiões so Sudeste Escravista, 1825-1888.* São Paulo: USP, 2008 (dissertação de mestrado).

GOMES, Flávio dos Santos. "Experiências Negras e Brasil Escravista: Questões e Debates". *X Congresso Internacional da ALADAA (Associação Latino-Americana de Estudos Africanos e Asiático),* 2001.

______. *A Hydra e os Pântanos, Mocambos, Quilombos e Comunidades de Fugitivos no Brasil (Séculos XVII-XIX).* São Paulo: Editora da Unesp, 2005, p. 56.

______. *Experiências Atlânticas. Ensaios e Pesquisas sobre a Escravidão e o Pós Emancipação no Brasil.* Passo Fundo, RS: Editora UPF, 2003, pp. 45-51.

______. *Histórias de Quilombolas: Mocambos e Comunidades de Senzalas no Rio de Janeiro, Século XIX* Rio de Janeiro: Arquivo Nacional 1995.

GORENDER, Jacob. *O Escravismo Colonial* 4. ed. São Paulo: Ática, 1985.

_____. *A Escravidão Reabilitada.* São Paulo: Ática, 1990.

GRAÇA FILHO, Afonso de Alencastro. "As Flutuações dos Preços e as Fazendas Escravistas de São João del Rei no Século XIX". *IX Seminário sobre a Economia Mineira,* 2000.

GRAHAM, Sandra Lauderdale. "Slavery's Impasse: Slave Prostitutes, Small-Time Mistresses, and the Brazilian Law of 1871". *Comparative Studies in Society and History,* 33, n. 4, out. 1991, pp. 669-694.

GREEN, William A. "Supply Versus Demand in the Barbadian Sugar Revolution". *Journal of Interdisciplinary History,* 18:3, 1988.

GRINBERG, Keila. *Liberata, a Lei da Ambiguidade: as Ações de Liberdade da Corte de Apelação do Rio de Janeiro no Século XIX.* Rio de Janeiro: Relume Dumará, 1994.

GRUBB, Farley. "The Transatlantic Market for British Convict Labor". *The Journal of Economic History,* 60:1, mar. 2000.

_____. "The End of European Immigrant Servitude in the United States: An Economic Analysis of Market Collapse, 1772-1835". *The Journal of Economic History,* 54:4, dez. 1994.

GUEDES, Roberto. "De Ex-escravo a Elite Escravista: a Trajetória de Ascensão Social do Pardo Alferes Joaquim Barbosa Neves (Porto Feliz, São Paulo, Século XIX)". In: FRAGOSO, João Luis Ribeiro; ALMEIDA, Carla Maria Carvalho de & SAMPAIO, Antonio Carlos Juca de (orgs.). *Conquistadores e Negociantes. Histórias de Elites no Antigo Regime nos Trópicos, América Lusa, Séculos XVI a XVIII.* Rio de Janeiro: Civilização Brasileira, 2007, pp. 337-376.

_____. *Egressos do Cativeiro: Trabalho, Família, Aliança e Mobilidade Social (Porto Feliz, São Paulo, c 1798-1850).* Rio de Janeiro: Faperj/Mauad X, 2008.

GUDEMAN, Stephen & SCHWARTZ, Stuart B. "Purgando o Pecado Original: o Compadrio e Batismo de Escravos na Bahia no Século XVIII". In: REIS, João (org.). *Escravidão e Invenção da Liberdade. Estudos sobre o Negro no Brasil.* São Paulo: Brasiliense, 1988, pp. 33-59.

GUIMARÃES, Antonio Sérgio Alfredo. "Preconceito de Cor e Racismo no Brasil". *Revista de Antropologia,* São Paulo, USP, 47, n. 1, 2004, pp. 9-43.

GUIMARÃES, Carlos Magn. "Mineração, Quilombos e Palmares: Minas Gerais no Século XVIII". In: REIS, João José Reis & GOMES, Flávio dos Santos (orgs.). *Liberdade por um Fio. História dos Quilombos no Brasil.* São Paulo: Cia. das Letras, 1996.

GUIMARÃES, Elione Silva. "Criminalidade entre Municípios: a Comunidade Escrava no Contexto de Grandes Fazendas Cafeeiras da Zona da Mata Mineira 1850-1881". *X Seminário sobre a Economia Mineira*, 2002.

______. *Violência entre Parceiros de Cativeiro: Juiz de Fora, Segunda Metade do Século XIX*. São Paulo: Annablume, 2006.

______. "Rixas e Brigas entre Companheiros de Cativeiro (Juiz de Fora 1850-88)". *Revista Universidade Rural, Série Ciências Humanas*, 24, n. 1-2, 2002, pp. 89-100.

GURGEL, Argemiro Eloy. *A Lei de 7 de Novembro de 1831 e as Ações Cíveis de Liberdade na Cidade de Valença (1870 a 1888)*. Rio de Janeiro: UFRJ, 2004 (dissertação de mestrado).

GUTIERREZ, Ester J. B. *Negros, Charqueadas & Olarias. Um Estudo sobre o Espaço Pelotense*. 2. ed. Pelotas: UFPel, 2001.

GUTIERRÉZ, Horácio. "A Harmonia dos Sexos. Elementos da Estrutura Demográfica da População Escrava no Paraná, 1800-1830". *Anais do V Encontro Nacional de Estudos Populacionais, Abep*, 1986.

______. "Crioulos e Africanos no Paraná, 1798-1830". *Revista Brasileira de História*, 8, n. 16, 1988, pp. 161-188.

______. "Demografia Escrava numa Economia Não Exportadora: Paraná". *Estudos Econômicos*, 17, n. 2, 1987, pp. 297-314.

______. "Donos de Terras e Escravos no Paraná: Padrões e Hierarquias nas Primeiras Décadas do Século XIX". *História*, 25, n. 1, 2006, pp. 100-122.

______. *Escravidão e Pequena Propriedade no Paraná*. Não publicado.

______. *Terras e Gado no Paraná Tradicional*. São Paulo: USP, 1996 (tese de doutorado).

GUTMAN, Herbert G. *The Black Family in Slavery and Freedom, 1750-1925*. Nova York: Vintage Books, 1976.

HAINES, Michael R. "The Use of Model Life Tables to Estimate Mortality for the United States in the Late Nineteenth Century". *Demography*, 16, n. 2, maio 1979, pp. 289-312.

HARRIS, Mark. *Rebellion on the Amazon: the Cabanagem, Race and Popular Culture in the North of Brazil, 1798-1840*. Cambridge: Cambridge University Press, 2004.

HERRMANN, Lucila. *Evolução da Estrutura Social de Guaratinguetá num Período de Trezentos Anos*. Ed. Fac-similar. São Paulo: IPE/USP, 1986.

HEYWOOD, Linda M. ed. *Central Africans and Cultural Transformations in the American Diáspora*. Nova York: Cambridge University Press, 2002.

HIGGINS, Kathleen J. "Gender and the Manumission of Slaves in Colonial Brazil: The Prospects for Freedom in Sabará, Minas Gerais, 1710–1809". *Slavery & Abolition,* 18, n.2, 1997.

______. *"Licentious Liberty" in a Brazilian Gold-mining Region: Slavery, Gender, and Social Control in Eighteenth-century Sabará, Minas Gerais.* University Park, Pa.: Pennsylvania State University Press, 1999.

HIGMAN, B. W. *Slave Population and Economy in Jamaica 1807-1834.* Cambridge: Cambridge University Press, 1976.

______. *Slave Populations of the British Caribbean, 1807-1834.* Baltimore: Johns Hopkins University Press, 1984.

HOLANDA, Sérgio Buarque de. "Metais e Pedras Preciosas". *História Geral da Civilização Brasileira,* vol. 6. Rio de Janeiro: Bertrand Brasil, 1997.

______. *Caminhos e Fronteiras.* 2. ed. São Paulo: Cia. das Letras, 1995.

______. *Monções.* 2. ed. São Paulo: Alfa Omêga, 1976.

______. *Raízes do Brasil.* Rio de Janeiro: José Olympio Editora, 1956.

______. *Visão do Paraíso.* São Paulo: Brasiliense, 1994.

______. "Movimentos de População em São Paulo no Século XVIII". *Revista do Instituto de Estudos Brasileiros,* 1, 1966, pp 55-111.

HOLLOWAY, Thomas. *Immigrants on the Land: Coffee and Society in São Paulo, 1886-1934.* Ithaca, NY: Cornell University Press, 1980.

HOPKINS, Keith. *Conquerors and Slaves.* Cambridge: Cambridge University Press, 1978.

IANNI, Octavio. *As Metamorphoses do Escravo: Apogeu e Crise da Escravatura no Brasil Meridional.* São Paulo: Difusão Europeia do Livro, 1962 (Corpo e Alma do Brasil, n. 7).

ISRAEL, Jonathan I. *Dutch Primacy in World Trade, 1585-1740.* Oxford: Clarendon Press, 1989.

JESUS, Alysson Luiz Freitas de. *No Sertão das Minas. Escravidão, Violência e Liberdade (1830-1888).* São Paulo: Annablume, 2007.

JOHNSON, Harold. "Desenvolvimento e Espansão da Economia Brasileira". In: JOHNSON, Harold & SILVA, Maria Beatriz Nizza da (orgs.). *O Império Luso-brasileiro, 1500-1620.* Vol. 6 da *Nova História da Expansão Portuguesa* editado por Joel Serrão e A. H. de Oliveira Marques. Lisboa: Editorial Estampa, 1998.

______. "Portuguese Settlement, 1500-1580". in Leslie Bethel, *The Cambridge History of Latin America* (11 vols; Cambridge: Cambridge University Press, 1984), I, pp.249-286.

JOHNSON, Harold & SILVA, Maria Beatriz Nizza da (orgs.). *O Império Luso-brasileiro, 1500-1620*. Vol. 6 da *Nova História da Expansão Portuguesa* editado por Joel Serrão e A. H. de Oliveira Marques. Lisboa: Editorial Estampa, 1998.

JOHNSON, Lyman L. "Manumission in Colonial Buenos Aires, 1776-1810". *Hispanic American Historical Review*, 59, 1979.

JORDAN, Winthrop D. *White Over Black: American Attitudes Toward the Negro, 1550-1812*. Chapel Hill: The University of North Carolina Press, 1968.

KARASCH, Mary C. *Slave Life in Rio de Janeiro, 1808-1850*. Princeton: Princeton Univ. Press, 1987.

KAUFMANN, Chaim D. & PAPE, Robert A. Pape. " Explaining Costly International Moral Action: Britain's Sixty-year Campaign Against the Atlantic Slave Trade". *International Organization*, 53, n. 4, 1999, pp. 631–668.

KESSLER, Arnold. *Bahian Manumission Practices in the Early 19th Century*. Trabalho enviado para a American Historical Association, 29 dez. 1973, tabela IX, pp. 19-20.

KIDDY, Elizabeth W. *Blacks of the Rosary, Memory and History in Minas Gerais, Brazil*. University Park: Pennsylvania State University Press, 2005.

KIERNAN, James P. "Baptism and Manumission in Brazil: Paraty, 1789-1822". *Social Science History*, 3, n. 1, 1978.

KINSBRUNER, Jay. *Not of Pure Blood: the Free People of Color and Racial Prejudice in Nineteenth-Century Puerto Rico*. Durham: Duke University Press, 1996.

KLEIN, Herbert S. "The Trade in African Slaves to Rio de Janeiro, 1795-1811: Estimates of Mortality and Patterns of Voyages". *Journal of African History*, X, n. 4, 1969, pp. 533-549.

______. "The Internal Slave Trade in Nineteenth Century Brazil: A Study of Slave Importations into Rio de Janeiro in 1852". *Hispanic American Historical Review*, LI, n. 4, nov. 1971, pp. 567-568.

______. *The Middle Passage: Comparative Studies in the Atlantic Slave Trade*. Princeton: Princeton University Press, 1978a.

______. "Os Homens Livres de Cor na Sociedade Escravista Brasileria". *Dados*, Rio de Janeiro, n. 17, 1978b.

______. "African Women in the Atlantic Slave Trade". In: ROBERTSON, Claire & KLEIN, Martin A. (orgs.). *Women and Slavery in África*. Madison: University of Wisconsin Press, 1983, pp. 29-38.

______. "The Supply of Mules to Central Brazil: The Sorocaba Market, 1825-1880". *Agricultural History*, 64, n. 4, 1990, pp. 1-25.

______. *A Imigração Espanhola no Brasil*. São Paulo: Fapesp/Idesp/editora Sumaré, 1994.

______. "The Demographic Structure of Mexico City in 1811". *Journal of Urban History*, 23, n. 1, nov. 1996, pp. 66-93.

______. *The Atlantic Slave Trade*. 2. ed. Cambridge: Cambridge University Press, 2002.

______. "The Structure of the Atlantic Slave Trade in the 19th Century: An Assessment". *Revue Française d'Histoire d'Outre-mer*, n. 336-337, 2º semestre 2002, pp. 63-77.

______. *Population History of the United States*. 2 ed. Ver. Cambridge: Cambridge University Press, 2004.

KLEIN, Herbert S. & ENGERMAN, Stanley. "Slave Mortality on British Ships, 1791-1797". In: ANSTEY, Roger & HAIR, P. E. H. (orgs.). *Liverpool, The African Slave Trade and Abolition*. Liverpool; Historical Society of Lancashire and Chesire, 1976a, pp. 113-122 (Occasional Papers, vol. 2).

______. "Shipping Patterns and Mortality in the African Slave Trade to Rio de Janeiro". *Cahiers d'études africaines*, XV, n. 3, 1976b, pp. 381-398.

______. "Facteurs de mortalité dans le trafic française d'esclaves au XVIIIe siècle". *Annales. Économies, Societés, Civilisations*, 31, n. 6, 1976c, pp. 1213-1223.

______. "Fertility Differentials between Slaves in the United States and the British West Indies: A Note on Lactation Practices and their Implications". *William and Mary Quarterly*, XXXV, n. 2, abr. 1978, pp. 357-374.

______. "The Transition from Slave to Free Labor: Notes on a Comparative Economic Model". In: FRAGINALS, M. Moreno *et al.* (orgs.). *Between Slavery and Free Labor: The Spanish Speaking Caribbean in the Nineteenth Century*. Baltimore: Johns Hopkins University Press, 1985, pp. 255-269.

______. "Long Term Trends in African Mortality in the Transatlantic Slave Trade". *Slavery & Abolition*, 18, n. 1, abr. 1997, pp. 59-71.

KLEIN, Herbert S. & LUNA, Francisco Vidal. "Free Colored in a Slave Society: São Paulo and Minas Gerais in the Early Nineteenth Century". *Hispanic American Historical Review*, 80, n. 4, nov. 2000, pp. 913-941.

KLEIN, Herbert S. & PAIVA, Clotilde Andrade. "Free Persons in a Slave Economy, Minas Gerais in 1831". *Journal of Social History*, 29, n. 4, 1996.

KLEIN, Herbert S. & VINSON III, Ben. *African Slavery in Latin America and the Caribbean* 2. ed. rev. Nova York: Oxford University Press, 2007.

KLEIN, Herbert S. *et al.* "Transoceanic Mortality: The Slave Trade in Comparative Perspective". *William & Mary Quarterly*, LVIII, n. 1, jan. 2001, pp. 93-118.

KRAAY, Hendrick. "The Shelter of the Uniform: The Brazilian Army and Runaway Slaves, 1800-1888". *Journal of Social History*, 29, n. 3, 1996, pp. 637-657.

______. "As Terrifying as Unexpected: The Bahian Sabinada, 1837-1838". *The Hispanic American Historical Review*, 72, n. 4, nov. 1992, p. 502.

LACERDA, Antônio Henrique Duarte. "Economia Cafeeira, Crescimento Populacional, Manumissões Onerosas e Gratuitas Condicionais em Juiz de Fora na Segunda Metade do Século XIX". *X Seminário sobre a Economia Mineira, 2002.*

______. *Os Padrões das Alforrias em um Município Cafeeiro em Expansão: Juiz de Fora, Zona da Mata de Minas Gerais, 1844-1888.* São Paulo: Annablume, 2006.

LAMOUNIER, Maria Lúcia. "Agricultura e Mercado de Trabalho: Trabalhadores Brasileiros Livres nas Fazendas de Café e na Construção de Ferrovias em São Paulo, 1850-1890". *Estudos Econômicos,* 37, n. 2 abr.-jun. 2007, pp. 353-372.

LANG, Francisco Kurt. "A Música Barroca".In: HOLANDA, Sérgio Buarque de (org.). *História Geral da Civilização Brasileira,* II, pp. 121-144.

LARA, Silvia Hunold. "Do Singular ao Plural, Palmares, Capitães-do-mato e o Governo dos Escravos". In: REIS, João José Reis & GOMES, Flávio dos Santos (orgs.). *Liberdade por um Fio. História dos Quilombos no Brasil.* São Paulo: Cia. das Letras, 1996, p. 86.

______. "Sedas, Panos e Balangandãs: o Traje de Senhoras e Escravas nas Cidades do Rio de Janeiro e Salvador (Século XVIII)". In: SILVA, Maria Beatriz Nizza da (org.). *Brasil: Colonização e Escravidão*. Rio de Janeiro: Nova Fronteira, 1999, pp. 177-191.

______. *Campos da Violência. Escravos e Senhores na Capitania do Rio de Janeiro, 1750-1808.* Rio de Janeiro: Paz e Terra, 1988.

LAW, Robin. "The Evolution of the Brazilian Community in Ouidah". *Slavery & Abolition*, 22, n. 1, 2001, pp. 3-21.

LAW, Robin & MANN, Kristin. "West Africa in the Atlantic Community: The Case of the Slave Coast". *The William and Mary Quarterly*, 56, n. 2, abr., 1999, p. 317.

LEACOCK, Seth & LEACOCK, Ruth. *Spirits of the Deep; a Study of an Afro-Brazilian Cult.* Garden City, N.Y.: American Museum of Natural History, 1972.

LESTRINGANT, Frank. *L'expérience Huguenote au nouveau monde (XVIe siècle).* Geneva: Librairie Droz, 1996.

LE VEEN, E. Phillip. *British Slave Trade Suppression Policies, 1821-1865*. Nova York: Arno, 1977.

LIBBY, Douglas Cole. "Proto-Industrialisation in a Slave Society: The Case of Minas Gerais". *Journal of Latin American Studies*, 23, n. 1, fev. 1991, pp. 1-35.

______. *Trabalho Escravo e Capital Estrangeiro no Brasil: o Caso de Morro Velho*. Belo Horizonte: Itatiaia, 1984.

LIBBY, Douglas Cole & PAIVA, Clotilde Andrade. "Alforrias e Forros em uma Freguesia Mineira: São José d'El Rey em 1795". *Revista Brasileira de Estudos de População*, 17: 1/2, jan.-dez. 2000.

______. "Manumission Practices in a Late-Eighteenth-Century Brazilian Slave Parish: São José d'El Rey in 1795". *Slavery & Abolition*, 21, n. 1, 2000.

LIMA, Adriano Bernardo Moraes. *Trajetórias de Crioulos: Um Estudo das Relações Comunitárias de Escravos e Forros no Têrmo da Vila de Curitiba (c.1760-c.1830)* Curitiba: UFP, 2001 (dissertação de mestrado).

LIMA, Carlos A. M. "Escravos Artesãos: Preço e família (Rio de Janeiro, 1789-1839)". *Estudos Econômicos*, 30, n. 3, jul.-set. 2000, pp. 447-484.

LIMA, Solimar Oliveira. *Triste Pampa: Resistência e Punição de Escravos em Fontes Judiciárias no Rio Grande do Sul, 1818-1833*. Porto Alegre, editora da PUC-RS, 1997.

LOCKHART, James. *Spanish Peru, 1532-1560: a Social History* 2. ed. Madison: University of Wisconsin Press, 1994.

LOIOLA, Maria Lemke. *Trajetórias Atlânticas, Percursos para a Liberdade: Africanos e Descendentes na Capitania dos Guayazes*. Goiânia: FCHF, Universidade Federal de Goiás, 2008 (dissertação de mestrado).

LOPES, Janaina Christina Perrayon. "Casamentos de Escravos e Forros nas Freguesias da Candelária, São Francisco Xavier e Jacarepaguá: uma Contribuição aos Padrões de Sociabilidade Marital no Rio de Janeiro (c. 1800-c. 1850)". *Anais do 1 Colóquio de LAHES*, 2005.

______. *Casamentos de Escravos nas Freguesias da Candelária, São Francisco Xavier e Jacarepaguá: uma Contribuição aos padrões de Sociabilidade Matrimonial no Rio de Janeiro (c. 1800 - c. 1850)*. Rio de Janeiro: UFRJ, 2006 (dissertação de mestrado).

LOTT, Mirian Moura. "A Lista Nominativa de 1838, Características Demográficas, Econômicas e Sociais de Ouro Preto". *Anais do XIII Seminário sobre a Economia Mineira*, 2008.

LOVEJOY, Paul E. *Transformations in Slavery: A History of Slavery in África*. Cambridge: Cambridge University Press, 1983.

LUNA, Francisco Vidal. *Minas Gerais: Escravos e Senhores. Análise da Estrutura Populacional e Econômica de alguns Núcleos Mineratórios (1718-1804).* São Paulo: FEA-USP, 1980.

______. "Economia e Sociedade em Minas Gerais (Período Colonial)". *Revista do Instituto de Estudos Brasileiros,* vol. 24, 1982, pp. 43-46.

______. "Estrutura da Posse de Escravos em Minas Gerais (1718)". In: BARRETO, A. E. M. *et al. História Econômica: Ensaios.* São Paulo: IPE-USP, 1983.

______. "Mineração: Métodos Extrativos e Legislação". *Estudos Econômicos,* vol. 13, 1983, pp. 845-859.

______. "Estrutura da Posse de Escravos em Minas Gerais (1804)". In: COSTA, Iraci del Nero da Costa (org.). *Brasil: História Econômica e Demográfica.* São Paulo: IPE-USP, 1986.

______. "Observações sobre Casamento de Escravos em Treze Localidades de São Paulo (1776, 1804 e 1829). *Anais do Congresso sobre História da População da América Latina, São Paulo, Abep/Seade, 1989.*

______."Características Demográficas dos Escravos de São Paulo (1777-1829)". *Estudos Econômicos,* 22, 3:443-483, set.-dez. 1993.

______. "São Paulo: População, Atividades e Posse de Escravos em Vinte e Cinco Localidades (1777-1829)". *Estudos Econômicos,* 28, 1: 99-169, jan.-mar. 1998.

LUNA, Francisco Vidal & COSTA, Iraci del Nero da. "Algumas Características do Contingente de Cativos em Minas Gerais. *Anais do Museu Paulista,* Tomo XXIX, 1979, pp. 79-97.

______. "A Presença do Elemento Forro no Conjunto dos Proprietários de Escravos". *Ciência e Cultura,* São Paulo, SBPC, 32, n. 7, julho 1980, pp. 838-841.

______. "Estrutura da Massa Escrava de Algumas Localidades Mineiras (1804)". *Revista do Instituto de Estudos Brasileiros,* 1981.

______. *Minas Colonial: Economia e Sociedade.* São Paulo, Fipe/Pioneira, 1982.

______. "Demografia Histórica de Minas Gerais no Período Colonial". *Revista Brasileira de Assuntos Políticos,* Belo Horizonte, UFMG, vol 58, 1984.

LUNA, Francisco Vidal & CAN, Wilson. "Economia Escravista em Minas Gerais". *Cadernos IFCH/Unicamp,* out. 1983.

LUNA, Francisco Vidal & KLEIN, Herbert S. "Slaves and Masters in Early Nineteenth-Century Brazil: São Paulo". *Journal of Interdisciplinary History,* 21, n. 4, 1991.

______. "Free Colored in a Slave Economy: The Case of São Paulo and Minas Gerais, 1829-1830". *Hispanic American Historical Review,* vol.80, n. 4, nov. 2000.

______. *Slavery and the Economy of São Paulo, 1750-1850*. Stanford: Stanford University Press, 2003.

______. "Slave Economy & Society in Minas Gerais and São Paulo, Brazil in 1830". *Journal of Latin American Studies*, vol. 36, fev. 2004.

LUNA, Francisco Vidal; COSTA, Iraci Del Nero da Costa & KLEIN, Herbert S. *Escravismo em São Paulo e Minas Gerais*. São Paulo, Imprensa Oficial/ Edusp, 2009.

MACHADO, Alcântara. *Vida e Morte do Bandeirante*. São Paulo: Livraria Martins, 1965.

MACHADO, Cacilda. "Casamento & Desigualdade Jurídica. Primeiras Notas de um Estudo em uma Área da Região Paulista no Período Colonial". *XIII Encontro da Associação Brasileira de Estudos Populacionais Abep*, 2002.

MACHADO, Cláudio Helen. "O Tráfico Interno de Escravos na Região de Juiz de Fora na Segunda Metade do Século XIX". *X Seminário de Economia Mineira*, Diamantina, 2002.

MACHADO, Maria Helena P. T. *Crime e Escravidão: Trabalho, Luta e Resistência nas Lavouras Paulistas, 1830-1888*. São Paulo: Brasiliense, 1987, p. 49.

MADDISON, Angus. *The World Economy: a Millennial Perspectiv*. Paris: OECD 2001.

MAESTRI FILHO, Mário José. *O Escravo no Rio Grande do Sul. A Chaqueada e a Gênese do Escravismo Gaúch*. Porto Alegre: Escola Superior de Teologia São Lourenço de Brindes, 1984.

MAIA, Moacir Rodrigo de Castro. "Por uma Nova Abordagem da Solidariedade entre Escravos Africanos Recém-chegados a América (Minas Gerais, Século XVIII)". *III Encontro de Escravidao e Liberdade no Brasil Meredional*, 2007.

MALHEIRO, Agostinho Marques Perdigão. *A Escravidão no Brasil. Ensaio Histórico-Juridico-Social* 2 vols. Rio de Janeiro: Typografhia Nacional, 1866.

MANNING, Patrick. *Slavery and African Life: Occidental, Oriental, and African Slave Trades*. Cambridge: Cambridge University Press, 1990.

MARCHANT, Alexander. *Do Escambo à Escravidão: as Relações Econômicas de Portugueses e Índios na Colonização do Brasil, 1500-1580*. São Paulo, 1980.

MARCÍLIO, Maria Luiza. "The Population of Colonial Brazil". *Cambridge History of Latin America, vol. II*.

MARCÍLIO, Maria Luíza *et al*. "Considerações sobre o Preço do Escravo no período Imperial: uma Análise Quantitativa (Baseada nos Registros de Escritura de Compra e Venda de Escravos na Bahia)". *Anais de História*, Assis, 1973. n. 5, pp. 179-194.

MARCONDES, Renato Leite. *A Arte de Acumular na Economia Cafeeira*. Lorena, 1998.

______. *Desigualidades Regionais Brasileiras: Comércio Marítimo e Posse de Cativos na Década de 1870*. Ribeirão Preto: FEA-USP, 2005 (tese de livre-docência).

MARCONDES, Renato Leite & MOTTA, José Flávio. "A Família Escrava em Lorena e Cruzeiro (1874)". *Anais do XII Encontro Nacional de Estudos Populacionais, Abep, 2000.*

______. "Duas Fontes Documentais para o Estudo dos Preços dos Escravos no Vale do Paraíba Paulista". *Revista Brasileira de História*, 21, n. 42, 2001, pp. 495-514.

MARCONDES, Renato Leite & FALCI, Miridan Britto Knox. *Escravidão e Reprodução no Piauí: Oeiras e Teresina (1875)*. Texto para Discussão, Série Economia, TD-E/26, USP-FEAC-Ribeirão Preto, 2001.

MARIZ, Vasco & PROVENÇÃO, Lucie. *Villegagnon e a França Antártica*. Rio de Janeiro: Nova Fronteira, 2000.

MARQUES, A. H. de Oliveira (org.). *A Expansão Quatrocentista*. Vol. 2 da *Nova História da Expansão Portuguesa* editado por Joel Serrão e A. H. de Oliveira Marques. Lisboa: Editorial Estampa, 1998.

MARQUESE, Rafael de Bivar. *Feitores do Corpo, Missionários da Mente*. São Paulo: Cia das Letras, 2004.

______. *Administração & Escravidão. Ideias sobre a Gestão da Agricultura Escravista Brasileira*. São Paulo: Hucitec, 1999.

MARTINS FILHO, Amílcar V. & MARTINS, Roberto B. "Slavery in a Non-Export Economy: Nineteenth-Century Minas Gerais Revisited. *Hispanic American Historical Review*, 63 n. 3, 1983, pp. 537-568.

MARTINS, Bárbara Canedo Ruiz. "Amas-de-leite e Mercado de Trabalho Feminino: Descortinando Práticas e Sujeitos (Rio de Janeiro, 1830-1890). Rio de Janeiro: UFRJ, 2006 (dissertação de mestrado).

______. *Meninas e Mulheres: as Imagens das Amas-de-leite no Mercado de Trabalho Doméstico Urbano do Rio de Janeiro (1830-1888)*. Não publicado.

MARTINS, Ilton César. "Veredicto Culpado: a Pena de Morte Enquanto Instrumento de Regulação Social em Castro – PR (1853-1888)". Curitiba: Universidade Federal de Paraná, 2005 (dissertação de mestrado).

MARTINS, Mônica de Souza Nunes. *Entre a Cruz e o Capital: Mestres, Aprendizes e Corporações de Ofícios no Rio de Janeiro (1808-1824)*. Rio de Janeiro: UFRJ, 2007 (tese de doutorado).

MARTINS, Maria do Carmo Salazar & SILVA, Helenice Carvalho Cruz da Silva. "VIA BAHIA: A Importação de Escravos para Minas Gerais pelo Caminho do Sertão, 1759-1772". *XII Seminário sobre a economia mineira*, Diamantina, 2006.

MARTINS, Roberto Borges. *Growing in Silence: the Slave Economy of Nineteenth-century' Minas Gerais, Brazil*. Nashville: Vanderbilt University, 1980 (tese de PhD).

MATHIAS, Carlos Leonardo Kelmer. "O Perfil Econômico da Capitania de Minas Gerais na Segunda Década do Século XVIII: Notas de Pesquisa – 1711-1720". *Anais do XII Seminário sobre a Economia Mineira*, 2006.

MATTOSO, Katia M. de Queirós. *Presença Francesa no Movimento Democrático Baiano de 1798*. Salvador: Itapuã, 1969.

______. "A Propósito de Cartas de Alforria: Bahia, 1779-1850". *Anais de História*, 4, 1972.

______."A Carta de Alforria como Fonte Complementar para o Estudo de Rentabilidade de Mão de Obra Escrava Urbana, 1819-1888". In: PELAEZ, Carlos Manuel & BUESCU, Mircea (orgs.). *A Moderna História Econômica*. Rio de Janeiro: APE, 1976.

______. *Família e Sociedade na Bahia do Século XIX*. São Paulo: Corrupio, 1988.

______. *Bahia, Século XIX: Uma Província no Império*. Rio de Janeiro: Nova Fronteira, 1992.

______. "Sociedade Escravista e Mercado de Trabalho: Salvador – Bahia, 1850-1868". *Bahia Análise & Dados*, Salvador, 10:1, jul. 2000, pp. 12-20.

MATTOSO, Katia M. de Queirós; KLEIN, Herbert S.& ENGERMAN, S. L. "Trends and Patterns in the Prices of Manumitted Slaves: Bahia, 1819-1888". *In: REIS,* João José (org.). *Escravidão e Invenção da Liberdade. Estudos sobre o Negro no Brasil*. São Paulo: Brasiliense, 1988, pp. 60-72.

MAURO, Frédéric. *Le Portugal et l'Atlantique au XVIIe siècle (1570-1670), étude économique*. Paris: SEVPEN, 1960.

MCCREEY, David. *Frontier Goiás, 1822-1889* (Stanford: Stanford University Press, 2006.

MEILLASSOUX, Jean Claude. *L'Esclavage en Afrique précoloniale*. (Paris: Presses Universitaires de France, 1975.

MEIRA, Roberta Barros. *Banguês, Engenhos Centrais e Usinas: o Desenvolvimento da Economia Açucareira em São Paulo e a Sua Correlação com as Políticas Estatais (1875-1941)*. São Paulo: FFLCH-USP, 2007 (tese de doutorado).

______. "O Processo de Modernização da Agroindústria Canavieira e os Engenhos Centrais na Província de São Paulo". *História e Economia Revista Interdisciplinar,* São Paulo, 3:1, 2º semestre 2007, pp. 39-54.

MELLO, Evaldo Cabral de. *O Negócio do Brasil: Portugal os Países Baixos e o Nordeste 1641-1669.* Rio de Janeiro: Topbooks, 1998.

MELLO, José Antônio Gonçalves de. *Tempo dos Flamengos: Influência da Ocupação Holandesa na Vida e na Cultura do Norte do Brasil.* 3. ed. rev. Recife: Fundação Joaquim Nabuco/Massangana, 1987.

MELLO, Pedro Carvalho de. The Economics of Labor in Brazilian Coffee Plantations, 1850-1888. Chicago: University of Chicago, 1977 (tese de PhD).

MELLO, Pedro Carvalho de. "Aspectos Econômicos da Organização do Trabalho da Economia Cafeeira do Rio de Janeiro, 1858-88". *Revista Brasileira de Economia,* 32, n. 1, jan.-mar. 1978, pp. 19-68.

______. "Estimativa da Longevidade de Escravos no Brasil na Segunda Metade do Século XIX". *Estudos Econômicos,* 13, n. 1, jan.-abr. 1983, pp. 151-179.

MELLO, Pedro Carvalho de & SLENES, Robert W. "Análise Econômica da Escravidão no Brasil". In NEUHAUS, P. (org.). *Economia Brasileira: uma Visão Histórica.* Rio de Janeiro: Campus, 1980.

MELLO, Suzy de. *Barroco Mineiro.* São Paulo: Brasiliense, 1985.

MENDONÇA, Joseli Maria Nunes. *Entre a Mão e os Anéis: A Lei dos Sexagenários e os Caminhos da Abolição no Brasil.* Campinas: Editora da Unicamp, 1999.

MERLO, Patrícia Maria Silva. *O Nó e o Ninho: Estudo sobre a Família Escrava em Vitória, Espírito Santo, 1800-1871.* Rio de Janeiro: UFRJ, 2008 (tese de doutorado).

METCALF, Alida C. "Searching for the Slave Family in Colonial Brazil: A Reconstruction from São Paulo". *Journal of Family History,* 16:3, 1991.

______. *Family and Frontier in Colonial Brazil, Santana de Parnaíba, 1580-1822.* Berkeley: University of California Press, 1992.

______. *Go-betweens and the Colonization of Brazil.* Austin: University of Texas Press, 2005.

MIERS, Suzanne & KOPYTOFF, Igor (orgs.). *Slavery in Africa: Historical and Anthropological Perspectives.* Madison: University of Wisconsin Press, 1977.

MILLER, Joseph C. *The Way of Death, Merchant Capitalism and the Angolan Slave Trade 1703-1830.* Madison: University of Wisconsin Press, 1988.

MIRANDA, Daniela. "Músicos de Sabará: a Prática Musical Religiosa a Serviço da Câmara (1749-1822)". Belo Horizonte: FFCH/UFMG, 2002 (tese de doutorado).

MONASTÉRIO, Leonardo M. "FHC Errou? A Economia da Escravidão no Brasil Meridional". *História e Economia Revista Interdisciplinar,* São Paulo, BBS, 1:1, 2º semestre 2005, pp. 13-28.

MONTEIRO, John Manuel. "From Indian to Slave: Forced Native Labour and Colonial Society in São Paulo during the 17th Century". *Slavery & Abolition,* 9:2 , set. 1988, pp. 105-127.

______. *Negros da Terra: Índios e Bandeirantes nas Origens de São Paulo.* São Paulo: Cia. das Letras, 1994.

MOREIRA, Paulo Roberto Staudt. *Faces da Liberdade, Máscaras do Cativeiro. Experiências de Liberdade e Escravidão Percebidas através das Cartas de Alforria – Porto Alegre (1858-1888).* Porto Alegre: editora da PUC-RS, 1996.

______. *Os Cativos e os Homens de Bem. Experiências Negras no Espaço Urbano – Porto Alegre, 1858-1888.* Porto Alegre: EST edições, 2003.

MOREL, Genaro Rodríguez. "The Sugar Economy of Española in the Sixteenth Century" In: SCHWARTZ, Stuart B. (org.). *Tropical Babylons: Sugar and the Making of the Atlantic World, 1450-1680.* Chapel Hill: University of North Carolina Press, 2004, pp. 85-114.

MOTA, Isidora Moura. *O "Vulcão Negro" da Chapada: Rebelião Escrava nos Sertões Diamantinos (Minas Gerais, 1864).* Campinas: Unicamp, 2005 (dissertação de mestrado).

MOTT, Luiz. *Rosa Egipcíaca: uma Santa Africana no Brasil.* Rio de Janeiro: Bertrand Brasil, 1993.

MOTTA, José Flávio. "A Família Escrava e a Penetração do Café em Bananal (1801-1829)". *Revista Brasileira de Estudos Populacionais,* 5:1, 1988, pp. 71-101.

______. "Tráfico Interno de Cativos: o Preço das Mães Escravas e sua Prole". *XI Encontro Nacional de Estudos Populacionais, Abep,* 1998.

______. *Corpos Escravos e Vontades Livres – Estrutura da Posse de Cativos e Família Escrava em um Núcleo Cafeeiro (Bananal, 1801-1829).* São Paulo: Annablume/Fapesp, 1999.

______. *O Tráfico de Escravos na Província de São Paulo Areias, Silveiras, Guaratinguetá e Casa Branca, 1861-1887.* Texto para Discussão. São Paulo: IPE-USP, 21, 2001.

______. "O Tráfico de Escravos na Província de São Paulo: Areias, Silveiras, Guaratinguetá e Casa Branca, 1861-1887". *Anais VII Encontro Nacional de Economia Política,* Curitiba, 2002.

______. "Escravos Daqui, Dali e de Mais Além: o Tráfico Interno de Cativos em

Constituição (Piracicaba), 1861-1880". *Anais do XXXIII Encontro Nacional de Economia, Anpec,* 2005.

_____. "Derradeiras Transações: O Comércio de Escravos nos Anos de 1880 (Areias, Piracicaba e Casa Branca, Província de São Paulo)". *Anais do XII Encontro Nacional de Economia Política,* São Paulo, 2007.

MOTTA, José Flávio & MARCONDES, Renato Leite. "O Comércio de Escravos no Vale do Paraíba Paulista: Guaratinguetá e Silveiras na Década de 1870". *Estudos Econômicos,* vol 30, n. 2, abr-jun. 2000, pp. 267-299.

MOTTA, José Flávio & NOZOE, Nelson Hideiki. "Cafeicultura e Acumulação". *Estudos Econômicos,* 24:2, maio-ago. 1994, pp. 253-320.

MOTTA, José Flávio; NOZOE, Nelson Hideiki & COSTA, Iraci del Nero da. "Às Vésperas da Abolição: Um Estudo sobre a Estrutura da Posse de Escravos em São Cristóvão (RJ), 1870". *Estudos Econômicos,* 34, n. 1, jan.-mar. 2004, pp. 157-213.

MOURA, Ana Maria da Silva. *Cocheiros e Carroceiros, Homens Livres no Rio de Senhores e Escravos.* São Paulo: Hucitec, 1988.

MÜLLER, Liane Susan. "O Negro e Suas Devoções. A Importância da Irmandade do Rosário e da Festa dos Navegantes para a Formação de uma Classe Média Negra Porto-alegrense". *II Encontro "Escravidão e Liberdade no Brasil Meridional",* 2005.

MULVEY, Patricia A. "Black Brothers and Sisters: Membership in the Black Lay Brotherhoods of Colonial Brazil". *Luso-Brazilian Review,* 17:2, 1980, pp. 253-279.

_____. "Slave Confraternities in Brazil: Their Role in Colonial Society". *The Americas,* 39:1, jul. 1982.

MURRAY, David R. *Odious Commerce: Britain, Spain, and the Abolition of the Cuban Slave Trade.* Nova York: Cambridge University Press, 1980.

NABUCO, Joaquim. *O Abolicionismo.* Rio de Janeiro: Nova Fronteira, 1999.

NASCIMENTO, Álvaro Pereira do. "Do Cativeiro ao Mar: Escravos na Marinha de Guerra". *Estudos Afro-Asiáticos,* n. 38, dez. 2000, pp. 1-25.

NEVES, Erivaldo Fagundes. "Sampauleiros Traficantes: Comércio de Escravos do Alto Sertão da Bahia para o Oeste cafeeiro Paulista". *Afro-Ásia,* n. 24, 2000, pp. 97-128.

NISHIDA, Meiko. "Manumission and Ethnicity in Urban Slavery: Salvador, Brazil 1808-1888". *Hispanic American Historical Review,* 73:3, 1993.

NOGUERÓL, Luiz Paulo Ferreira. *Sabará e Porto Alegre na Formação do Mercado Nacional no Século XIX.* Campinas: Unicamp, 2003 (tese de doutorado).

NOGUERÓL, Luiz Paulo *et al.* "Elementos Comuns e Diferenças entre os Patrimônios Registrados na Pecuária Gaúcha e na Pernambucana no Início do Século XIX". *VIII Encontro de Economia da Região Sul - Anpec Sul*, 2005.

NEPP. Direitos Humanos, UFRJ Human Rights Center. *Leis Históricas do Brasil.* Disponível em: <http://www.nepp-dh.ufrj.br/estante.html#10>.

NUNN, Nathan. *The Long-Term Effects of Africa's Slave Trades.* Datado de outubro de 2006 e encontrado em <http://www.cbe.anu.edu.au/MSG/papers/nunn04.pdf>. Também em *Quarterly Journal of Economics,* 123, n. 1, fev. 2008, pp. 139-176.

OLIVEIRA, Maria Inês Côrtes de. *O Liberto: o Seu Mundo e os Outros, Salvador, 1790-1890.* São Paulo: Corrupio, 1988.

OLIVEIRA, Mônica Ribeiro de. "Cafeicultura Mineira: Formação e Consolidação 1809-1870". *IX Seminário sobre a Economia Mineira,* 2000.

OLIVEIRA, Myriam Andrade Robeiro de *et al. O Aleijadinho e Sua Oficina: Catálogo das Esculturas Devocionais.* São Paulo: Capivara, 2002.

OLIVEIRA, Patrícia Porto de. "Desfazendo a Maldição de Cam por meio dos Assentos de Batismo de Escravos Adultos da Matriz do Pilar de Ouro Preto (1712-1750)". *Anais do XI Seminário sobre a Economia Mineira,* 2004.

OLIVEIRA, Vinicius Pereira de. "Sobre o Convés: Marinheiros, Marítimos e Pescadores Negros no Mundo Atlântico do Porto de Rio Grande/RS (Século XIX)". *IX Encontro Estadual de História - ANPUH-RS,* Porto Alegre, 2008, pp. 3-5.

OTÁVIO, Rodrigo. *Os Selvagens Americanos perante o Direito.* São Paulo, 1946.

PAIVA, Clotilde Andrade. *População e Economia nas Minas Gerais do Século XIX,* São Paulo: FFLCH/USP, 1996 (tese de doutorado).

PAIVA, Clotilde Andrade & KLEIN, Herbert S.. "Slave and Free in Nineteenth-Century Minas Gerais: Campanha in 1831". *Slavery & Abolition,* 15, n.1, 1994.

PAIVA, Clotilde Andrade & LIBBY, Douglas. "Caminhos Alternativos: Escravidão e Reprodução em Minas Gerais". *Estudos Econômicos,* 25, n. 2, maio-ago. 1995, pp. 203-233.

PAIVA, Eduardo França. *Escravos e Libertos nas Minas Gerais do Século XVIII.* São Paulo: Annablume, 1995.

______. *Por Meu Trabalho, Serviço e Indústria: Histórias de Africanos, Crioulos e Mestiços na Colônia - Minas Gerais, 1716-1789.* São Paulo: FFLCH-USP, 1999 (tese de doutorado).

______. *Escravidão e Universo Cultural na Colônia, Minas Gerais, 1716-1789*. Belo Horizonte: UFMG, 2001.

PANTOJA, Selma & SARAOVA, José Flavio Sombra (orgs.). *Angola e Brasil nas Rotas do Atlântico Sul*. Rio de Janeiro: Bertrand Brasil, 1999.

PAPALI, Maria Aparecida C. R. *Escravos, Libertos e órfãos. A Construção da Liberdade em Taubaté (1871-1895)*. São Paulo: Annablume, 2003), pp. 21 segs.

PARÉS, Luis Nicolau. "O Processo de Crioulização no Recôncavo Baiano (1750-1800)". *Afro-Ásia*, 33, 2005, pp. 87-132.

PATTERSON, Orlando. *Slavery and Social Death: A Comparative Study*. Cambridge, MA: Harvard University Press, 1982.

PEABODY, Sue & GRINBERG, Keila. *Slavery, Freedom and the Law in the Atlantic World, a Brief History with Documents*. Boston: Beford/St.Martins Press, 2007.

PEDREIRA, Jorge M. "From Growth to Collapse: Portugal, Brazil, and the Breakdown of the Old Colonial System (1760–1830)". *Hispanic American Historical Review*, 80:4, 2000.

PERARO, Maria Adenir. "Mulheres de Jesus no Universo dos Ilegítimos". *Diálogos. Revista do Departamento de História da Uem, Maringá*, 4, n. 4, 2000, pp. 51-75.

______. "O Princípio da Fronteira e a Fronteira de Princípios: Filhos Ilegítimos em Cuiabá no Séc. XIX". *Revista Brasileira de História*, 19, n. 38, 1999, pp. 55-80.

PEREIRA, Júlio César Medeiros da S. *À Flor da Terra: o Cemitério dos Pretos Novos no Rio de Janeiro*. Rio de Janeiro: UFRJ, 2006 (dissertação de mestrado).

PEREIRA, Ana Luiza de Castro. "A Ilegitimidade Nomeada e Ocultada na Vila de Nossa Senhora da Conceição do Sabará". *Anais do XI Seminário sobre a Economia Mineira*, 2004.

______. "O Sangue, a Palavra e a Lei: Ilegitimidade e Transmissão da Herança no Mundo Atlântico Português no Século XVIII". Trabalho apresentado em *Familia y organización social en Europa y América siglos XV-XX*, Murcia-Albacete, 12-14 dez. 2007, publicado em *Nuevomundo*, 28 abr. 2008). Disponível em: <http://nuevomundo.revues.org/index30893.html>.

PETRONE, Maria Thereza Schorer. *A Lavoura Canavieira em São Paulo. Expansão e Declínio (1765-1851)*. São Paulo, Difusão Européia do Livro, 1968.

PETRONE, Pasquale. *Aldeamentos Paulistas*. São Paulo: Edusp, 1995.

PETRUCCELLI, José Luis. "Doutrinas Francesas e o Pensamento Racial Brasileiro, 1870-1930". *Estudos Sociedade e Agricultura*, n. 7, dez. 1996, pp. 134-149.

PETIZL, Silmei de Sant'Ana. "Considerações sobre a Família Escrava da Fronteira Oeste do Rio Grande de São Pedro (1750-1835)". *III Encontro "Escravidão e Liberdade no Brasil Meridional"*, 2007.

PHILLIPS, William D. *Slavery from Roman Times to the Early Transatlantic Trade.* Minneapolis: University of Minnesota Press, 1985.

PINHEIRO, Fábio W. A. *Tráfico Atlântico de Escravos na Formação dos Plantéis Mineiros, Zona da Mata, c. 1809- c. 1830.* Rio de Janeiro: UFRJ, 2007 (dissertação de mestrado).

PINHEIRO, Fernanda Aparecida Domingos. *Confrades do Rosário: Sociabilidade e Identidade Étnica em Mariana-Minas Gerais (1745-1820).* Niterói: UFF, 2006 (dissertação de mestrado).

PINHEIRO, Maria Cristina Luz. "O Trabalho de Crianças Escravas na Cidade de Salvador, 1850-1888". *Afro-Ásia*, 32, 2005, p. 162.

PINTO, Virgílio Noya. *O Ouro Brasileiro e o Comércio Anglo-português.* São Paulo: Companhia Editora Nacional, 1979.

PIRES, Maria de Fátima Novaes. *O Crime na Cor: Escravos e Forros no Alto Sertão da Bahia (1830-1888).* São Paulo: Annablume, 2003.

______. "Cartas de Alforria: 'Para Não Ter o Desgosto de Ficar em Cativeiro'". *Revista Brasileira de História*, 26, n. 52, 2006, pp. 141-174.

PIROLA, Ricardo Figueiredo. *A Conspiração Escrava de Campinas, 1832: Rebelião, Etnicidade e Família.* Campinas: Unicamp, 2005 (dissertação de mestrado).

PRADO JUNIOR, Caio. *Formação do Brasil Contemporâneo.* 3. ed. São Paulo: Brasiliense, 1948.

______. *Evolução Política do Brasil e Outros Estudos.* 8. ed. São Paulo: Brasiliense, 1972.

PRAXEDES, Vanda Lúcia. "A Teia e a Trama da 'Fragilidade Humana': Os Filhos Ilegítimos em Minas Gerais (1770-1840)". *XI Seminário sobre a Economia Mineira, 2004.*

PRITCHETT, Jonathan B. "Quantitative Estimates of the United States Interregional Slave Trade, 1820-1860". *The Journal of Economic History*, 61, n. 2, jun. 2001, pp. 467-475.

PRINCE, Howard M. *Slave Rebellions in Bahia, 1807- 1835.* Columbia: History Columbia University, 1972 (tese de PhD).

QUEIROZ, Suely Robles Reis de. "Algumas Notas sobre a Lavoura de Açúcar em São Paulo no Período Colonial. *Anais do Museu Paulista*, vol. 21, 1967, pp. 109-277.

______. *Escravidão Negra em São Paulo.* Rio de Janeiro: José Olympio, 1977.

QUINTÃO, Antonia Aparecida. *Irmandades Negras: Outro Espaço de Lua e Resistência, São Paulo: 1870-1890.* São Paulo: Annablume, 2002a.

______. *Lá Vem o Meu Parente, as Irmandades de Pretos e Pardos no Rio de Janeiro em Pernambuco (Século XVIII).* São Paulo: Annablume, 2002b.

RAMOS, Donald. "City and Country: The Family in Minas Gerais, 1804-1838". *Journal of Family History,* 3, n. 4, 1978.

______. "Single and Married Women in Vila Rica, Brazil, 1754-1838". *Journal of Family History,* 16, n.3, 1991.

RANGEL, Ana Paula dos Santos. "A Escolha do Cônjuge: o Casamento Escravo no Termo de Barbacena (1781-1821)". *Revista Eletrônica de História do Brasil,* 8:1-2, jan.-dez., 2006.

RANGEL, Armenio de Souza. "*Escravismo e Riqueza – Formação da Economia Cafeeira no Município de Taubaté –1765/1835.* São Paulo: FEA-USP, 1990 (tese de doutorado).

READ, Ian William Olivo. *Unequally bound: the conditions of slave life and treatment in Santos county, Brazil, 1822-188.* Stanford: Stanford University, 2006, tabela 8.5 (tese de PhD).

REBELO, Manuel dos Anjos da Silva. *Relações entre Angola e Brasil, 1808-1830.* Lisboa: Agência-geral do Ultramar, 1970.

REIS, Flávia Maria da Mata. "Entre Faisqueiras, Catas e Galerias: *Explorações do Ouro, Leis e Cotidiano das Minas do Século XVIII (1702-1762).* Belo Horizonte: FFCH-UFMG, 2007 (dissertação de mestrado).

REIS, Isabel Cristina Ferreira dos. *A Família Negra no Tempo da Escravidão: Bahia, 1850-1888.* Campinas: Unicamp, 2007 (tese de doutorado).

REIS, João José. *Rebelião Escrava no Brasil, a História do Levante dos Malês (1835).* São Paulo: Brasiliense, 1986.

______. "Identidade e Diversidade Étnicas nas Irmandades Negras no Tempo da Escravidão". *Tempo,* Rio de Janeiro, 2, n. 3, 1996, 7-33.

______. "The Revolution of the Ganhadores: Urban Labour, Ethnicity and the African Strike of 1857 in Bahia, Brazil". *Journal of Latin American Studies,* 29, n. 2, maio 1997, pp. 355-393.

______. *Death is a Festival: Funeral Rites and Rebellion in Nineteenth-Century Brazil.* Chaptel Hill: University of North Carolina Press, 2003.

REIS João José & SILVA, Eduardo. *Negociação e Conflito. A Resistência Negra no Brasil Escravista.* São Paulo: Cia. das Letras, 1989.

REIS, Arthur Cézar Ferreira. "A Província do Rio de Janeiro e o Município Neutro". In: HOLANDA, Sérgio Buarque de Holanda (org.). *História Geral da Civilização Brasileira*. 11 vols. São Paulo: Difusão Européia do Livro, 1960, tomo II, vol. 2.

RENAULT, François & DAGET, Serge. *Les traites négriéres en Afrique*. Paris: Karthala, 1985.

REGINALDO, Lucilene. *Os Rosários dos Angolas: Irmandades Negras, Experiências Escravas e Identidades Africanas na Bahia Setecentista*. Campinas: Unicamp, 2005 (tese de doutorado).

RESTITUTTI, Cristiano Corte. "A Circulação entre o Rio de Janeiro e o Sul de Minas Gerais, c. 1800-1830". *XVI Encontro Nacional de Estudos Populacionais, 2008.*

REZENDE, Rodrigo Castro *et al.* "Os Proprietários de Escravos nas Minas Gerais em 1718-1719: um Estudo Comparativo dos Distritos de Vila do Carmo e Vila Rica". *XIII Encontro da Associação Brasileira de Estudos Populacionais, Abep*, 2002.

RIBEIRO, Alexandre Vieira. "E Lá se Vão para as Minas: Perfil do Comércio de Escravos Despachados da Bahia para as Gerais na Segunda Metade do Século XVIII". *XII Seminário sobre a economia mineira*, Diamantina, 2006.

______."O Comércio de Escravos e a Elite Baiana no Período Colonial". In: FRAGOSO, João Luis Ribeiro; ALMEIDA, Carla Maria Carvalho de & SAMPAIO, Antonio Carlos Juca de Sampaio (orgs.). *Conquistadores e Negociantes. Histórias de Elites no Antigo Regime nos Trópicos, América Lusa, Séculos XVI a XVIII*. Rio de Janeiro: Civilização Brasileira, 2007, pp. 313-335.

RIBEIRO, Núbia Braga. *Cotidiano e Liberdade: um Estudo sobre os Alforriados em Minas no Século XVIII*. São Paulo: FFLCH-USP, 1996 (dissertação de mestrado).

RICARDO, Cassian. *Marcha para Oeste*. Rio de Janeiro: José Olympio, 1942.

RIOS, Ana Maria. "The Politics of Kinship: Compadrio among Slaves in Nineteenth-Century Brazil". *The History of the Family*, 5, n. 3, 2000, pp. 287-298.

RIOS, Ana Maria & MATTOS, Hebe Maria. "O Pós-abolição como Problema Histórico: Balanços e Perspectivas". *Topoi*, 5, n. 8, jan.-jun. 2004, pp. 170-198.

ROBERTSON, Claire C. & KLEIN, Martin A. (orgs.). *Women and Slavery in África*. Madison: University of Wisconsin Press, 1983.

ROCHA, Solange Pereira da. *Gente Negra na Paraíba Oitocentista: População, Família e Parentesco Espiritual*. Pernambuco: Universidade Federal de Pernambuco, 2007 (tese de doutorado).

RODNEY, Walter. *How Europe Undeveloped África*. Londres: Bogle-L'Ouverture Publications, 1972.

RODRIGUES, Jaime. "Cultura Marítima: Marinheiros e Escravos no Tráfico Negreiro para o Brasil (sécs. XVIII e XIX)". *Revista Brasileira de História*, 19, n. 38, 1999, pp. 15-53.

______. *De Costa a Costa, Escravos, Marinheiros e Intermediários do Tráfico Negreiro de Angola ao Rio de Janeiro (1780-1860)*. São Paulo: Cia. das Letras, 2005.

ROOS, Adriane Eunice de Paula. *A Escravidão Negra sob a Perspectiva do Direito no Brasil Imperial*. Porto Alegre: PUC-RS, 2007 (trabalho de conclusão do curso). Disponível em <http://www.pucrs.br/direito/graduacao/tc/tccII/2007_1.htm>.

RUSSELL-WOOD, A. J. R. "Black and Mulatto Brotherhoods in Colonial Brazil: A Study in Collective Behavior". *The Hispanic American Historical Review*, 54, n. 4, nov. 1974, pp. 567-602.

______. *The Black Man in Slavery and Freedom in Colonial Brazil*. Londres: Macmillan Press, 1982.

______. "Colonial Brazil: The Gold Cycle, c. 1690-1750". In: BETHEL, Leslie Bethel (org.). *The Cambridge History of Latin America*. 11 vols. Cambridge: Cambridge University Press, 1984.

SALLES, Gilka V. F. *Economia e Escravidão na Capitania de Goiás*. Goiânia: Cegraf/UFG, 1992.

SALLES, Ricardo. *E o Vale Era o Escravo: Vassouras, Século XIX, Senhores e Escravos no Coração do Império*. Rio de Janeiro: Civilização Brasileira, 2008.

SAINT-HILAIRE, Auguste de. *Viagem as nascentes do Rio S. Francisco e pela província de Goyaz*. São Paulo: Companhia Editora Nacional, 1937.

SAMARA, Eni de Mesquita. *Lavoura Canavieira, Trabalho Livre e Cotidiano, Itu 1780-1830*. São Paulo: Edusp, 2005.

______. "O Papel do Agregado na Região de Itu, 1780-1830". *Anais do Museu Paulista* (série histórica), vol. 6, 1977, pp. 43-44.

SÁNCHEZ-ALBORNOZ, Nicolás. "The Population of Colonial Spanish America". In: BETHEL, Leslie Bethel (org.). *The Cambridge History of Latin America*, vol. II. Cambridge: Cambridge University Press, 1984.

______. *La Población de América Latina, desde los Tiempos Precolombinos al Año 2025*. Madrid: Alianza Editorial, 1994.

SANTOS, Maria Januária Vilela. *A Balaiada e a Insurreição de Escravos no Maranhão*. São Paulo: Ática, 1983, p. 96.

SANTOS, Ynaê Lopes dos. *Além da Senzala: Arranjos Escravos de Moradia no Rio de Janeiro (1808-1850)*. São Paulo: USP, 2006 (dissertação de mestrado).

SARAIVA, Luiz Fernando. "Estrutura de Terras e Transição do Trabalho em um Grande Centro Cafeeiro, Juiz de Fora 1870-1900". *X Seminário sobre a Economia Mineira*, 2002.

SAUNDERS, A. C. de C. M. *A Social History of Black Slaves and Freedman in Portugal, 1441-1555*. Cambridge: Cambridge University Press, 1982.

SAUNDERS, William T. "The Population of the Central Mexican Symbiotic Region, the Basin of Mexico and the Teotihuacan Valley in the Sixteenth Century". In: DENEVAN, William M. (org.). *The Native Population of the Americas in 1492*. Madison: University of Wisconsin Press, 1976.

SCARANO, Julita. *Devoção e Escravidão – a Irmandade de Nossa Senhora do Rosário dos Pretos no Distrito Diamantino no Século XVIII*. São Paulo: Editora Nacional, 1976.

SCHEIDEL, Walter. "Quantifying the Sources of Slaves in the Early Roman Empire". *The Journal of Roman Studies*, vol. 87, 1997.

SCHLEUMER, Fabiana. *Além de Açoites e Correntes: Cativos e Libertos em Cotia Colonial (1790-1810)*. São Paulo: FFLCH-USP, 1999.

SCHMIDT-NOWARA, Christopher. *Empire and Antislavery: Spain, Cuba and Puerto Rico, 1833-1874*. Pittsburgh, Penn.: University of Pittsburgh Press, 1999.

SCHWARTZ, Lilia Moritz. *O Espetáculo das Raças, Cientistas, Instituções e Questão Racial no Brasil, 1870-1930*. São Paulo: Cia. das Letras, 1993.

SCHWARTZ, Stuart B. "The Manumission of Slaves in Colonial Brazil: Bahia, 1684-1745". *Hispanic American Historical Review*, 54:4, 1974.

______. "Resistance and Accommodation in Eighteenth-Century Brazil: The Slaves' View of Slavery". *Hispanic American Historical Review*, 57:1, fev. 1977, pp. 69-81.

______. "Indian Labor and New World Plantations: European Demands and Indian Responses in Northeastern Brazil". *American Historical Review*, 83:3, jun. 1978.

______. *Sugar Plantations in the Formation of a Brazilian Society (Bahia, 1550-1835)*. Cambridge: Cambridge University Press, 1985.

______. *Slaves, Peasants and Rebels: Reconsidering Brazilian Slavery*. Urbana: University of Illinois Press, 1992.

______. "Cantos e Quilombos numa Conspiração de Escravos Hausás". In: REIS, João José Reis & GOMES, Flávio dos Santos (orgs.). *Liberdade por um Fio*.

História dos Quilombos no Brasil. São Paulo: Cia. das Letras, 1996, pp. 373-406.

______. "A Commonwealth within Itself: The Early Brazilian Sugar Industry, 1550-1670". *Tropical Babylons: Sugar and the Making of the Atlantic World, 1450-1680.* Chapel Hill: University of North Carolina Press, 2004.

SCHWARTZ, Stuart B (org.). *Tropical Babylons: Sugar and the Making of the Atlantic World, 1450-1680.* Chapel Hill: University of North Carolina Press, 2004.

SHARP, William F. *Slavery in the Spanish Frontier: The Colombian Chocó, 1680-1810.* Norman: University of Oklahoma Press, 1976.

SILVA FILHO, Geraldo. *O Oficialato Mecânico em Vila Rica no Século Dezoito e a Participação do Escravo e do Negro.* São Paulo: FFLCH-USP, 1996 (dissertação de mestrado).

SILVA, Alberto da Costa e. *A Manilha e o Libambo: a África e a escravidão de 1500 e 1700.* Rio de Janeiro: Nova Fronteira, 2002.

SILVA, Alberto da Costa e. *A enxada e a lança. A África antes dos portugueses.* Rio de Janeiro/São Paulo: Nova Fronteira/Edusp, 1992.

SILVA, Cesar Mucio. *Processos-crime. Escravidão e Violência em Botucatu.* São Paulo: Alameda, 2004.

SILVA, Cristiano Lima da. "As Alforrias nos Registros de Batismos da Matriz de Nossa Senhora do Pilar de São João del-Rei: uma Análise Demográfica (1751-1850)". *Anais do 2º seminário regional do CEO -Centro de Estudos do oitocentos.* Juiz de Fora: Clio Edições Eletrônicas, 2005.

______. "Senhores e Pais: Reconhecimento de Paternidade dos Alforriados na Pia Batismal na Freguesia de Nossa Senhora do Pilar de São João del-Rei (1770-1850)". *Anais do I Colóquio dos LAHES (Laboratório de História Econômica e Social),* Juiz de Fora, 13 a 16 de junho de 2005.

SILVA, Cristiane dos Santos. "Irmãos de Fé, Irmãos no Poder: a Irmandade de Nossa Senhora do Rosário dos Pretos na Vila Real do Senhor Bom Jesus do Cuiabá (1751-1819). Cuiabá: Universidade Federal de Mato Grosso, 2001 (dissertação de mestrado).

SILVA, Daniel B. Domingues da. "The Atlantic Slave Trade to Maranhão, 1680-1846: Volume, Routes, and Organisation". *Slavery and Abolition,* 29, n. 4, dez. 2008, p. 489.

SILVA, Leonardo Dantas. *Holandeses em Pernambuco: 1630-1654*. Recife: Instituto Ricardo Brennand, 2005.

SILVA, Marilene Rosa Nogueira da. *Negro na Rua, a Nova Face da Escravidão.* São Paulo: Hucitec, 1988.

SIMONSEN, Roberto C. *História Econômica do Brasil.* São Paulo: Saraiva, 1977.

SKIDMORE, Thomas E. *Black into White; Race and Nationality in Brazilian Thought.* Nova York: Oxford University Press, 1974.

______. "Raízes de Gilberto Freyre". *Journal of Latin American Studies,* 34, n. 1, fev. 2002, pp. 1-20.

SLENES, Robert W. *The Demography and Economics of Brazilian Slavery 1850-1888.* Stanford: Stanford University, 1976 (tese de PhD).

______. *Na Senzala, uma Flor: Esperanças e Recordações na Formação da Família Escrava: Brasil Sudeste, Século XIX.* Rio de Janeiro: Nova Fronteira, 1999.

SOARES, Mariza. *Devotos da Cor: Identidade Étnica, Religiosidade e Escravidão no Rio de Janeiro, Século XVIII.* Rio de Janeiro: Civilização Brasileira, 2000.

SOARES, Carlos Eugênio Líbano e Flávio Gomes. "'Com o Pé sobre um Vulcão': Africanos Minas, Identidades e a Repressão Antiafricana no Rio de Janeiro (1830-1840)". *Revista Estudos Afro-Asiáticos,* 23, n. 2, 2001, pp. 1-44.

SOARES, Luiz Carlos. "A Manufatura na Sociedade Escravista: o Surto Manufatureiro no Rio de Janeiro e nas Suas Circunvizinhanças (1840-1870)". In: MAURO, F. (org.). *La préindustrialization du Brésil.* Paris: CNRS, 1984.

______. "Os Escravos de Ganho no Rio de Janeiro do Século XIX". *Revista Brasileira de História,* vol. 16, 1988, pp. 107-142.

______. *Rameiras, Ilhoas, Polacas...A Prostituição no Rio de Janeiro do Século XIX.* São Paulo: Ática, 1992.

______. "A Escravidão Industrial no Rio de Janeiro do Século XIX". *Anais do V Congresso Brasileiro de História Econômica ABPHE,* 2003.

______. *O "Povo de Cam" na Capital do Brasil: A Escravidão Urbana no Rio de Janeiro do Século XIX.* Rio de Janeiro: Faperj/Letras, 2007.

SOARES, Márcio de Sousa. "De Pai para Filho: Legitimação de Escravos, Herança e Ascensão Social de Forros nos Campos dos Goitacases, c. 1750 - c. 1830". *V Congresso Brasileiro de História Econômica, 2003,* pp. 10-15.

______. *A Remissão do Cativeiro. A Dávida da Alforria e o Governo dos Escravos nos Campos dos Goitacases, c 1750-c. 1830.* Rio de Janeiro: Apircuri, 2009.

SOARES, Sebastão Ferreira. *Notas Estatisticas sobre a Produção Agrícola e Carestia dos Gêneros Alimentícios no Império do Brazil.* Rio de Janeiro, 1860.

SOUMONNI, Elisée. "Some Reflections on the Brazilian Legacy in Dahomey". *Slavery & Abolition*, 22, n. 1, 2001, pp. 42-60.

SOUZA E SILVA, Joaquim Norberto de. *Investigações sobre os recenseamentos da população geral do Império e de cada província de per si tentados desde os tempos coloniais até hoje.* São Paulo: Instituto de Pesquisas Econômicas, 1986 [1870].

SOUZA, Alan Nardi de. *Crime e Castigo: a Criminalidade em Mariana na Primeira Metade do Século XIX.* Juiz de Fora: Universidade Federal de Juiz de Fora, 2007 (dissertação de mestrado).

SOUZA, Laura de Mello e. "Violência e Práticas Culturais no Cotidiano de uma Expedição contra Quilombolas, Minas Gerais, 1769". In: REIS, João José Reis & GOMES, Flávio dos Santos (orgs.). *Liberdade por um Fio. História dos Quilombos no Brasil.* São Paulo: Cia. das Letras, 1996, pp. 198-200.

______. *Desclassificados do Ouro, a Pobreza Mineira no Século XVIII.* Rio de Janeiro: Edições Graal, 2004.

STECKEL, Richard H. "Slave Height Profiles from Coastwise Manifests". *Explorations in Economic History,* 16, 1979, pp. 363-380.

STEIN, Stanley J. *Vassouras, A Brazilian Coffee County, 1850-1900.* Cambridge, Mass: Harvard University Press, 1957.

STELLA, Alessandro. *Historie d'esclaves dans la peninsula Ibérique*. Paris: École des Hautes Études en Sciences Sociales, 2000.

STUARD, Susan M. "Ancillar Evidence for the Decline of Medieval Slavery". *Past & Present,* nov. 1995.

SWEET, James H. "Manumission in Rio de Janeiro, 1749-54: An African Perspective". *Slavery & Abolition,* 24 n. 1, abr., 2003.

TAUNAY, Affonso de E. *História do Café no Brasil.* 20 vols. Rio de Janeiro: Departamento Nacional do Café, 1939.

TAUNAY, Carlos Augusto. *O Manual do Agricultor Brasileiro.* São Paulo: Cia. das Letras, 2001.

TEIXEIRA, Adriano Braga. *População, Sistema Econômico e Poder na Transição do Século XVIII para o XIX em Minas Colonial – Barbacena, 1791/1822.* Rio de Janeiro: UFRJ, 2007 (dissertação de mestrado).

TEIXEIRA, Heloisa Maria. *Reprodução e Famílias Escravas, em Mariana, 1850-1888.* São Paulo: USP-FFLCH, 2001 (dissertação de mestrado).

TEIXEIRA, Luana. "Trabalho Escravo na Produção Pecuária: São Francisco de Paula de Cima da Serra (Rio Grande de São Pedro, 1850-1871)". *III Encontro "Escravidão e liberdade no Brasil Meridional"*, 2007.

TEIXEIRA, Maria Lúcia Resende Chaves. "Lei, Matriz Doutrinária e Escravidão: Minas Gerais, Comarca do Rio das Mortes (1800-1831)". *Anais do XII Seminário sobre a Economia Mineira*, 2006.

TERRA, Paulo Cruz. "*Tudo que Transporta e Carrega é Negro? Carregadores, Cocheiros e Carroceiros no Rio de Janeiro (1824-1870)*. Niterói: UFF, 2007 (dissertação de mestrado).

THOMAS, Georg. *Política Indigenista dos Portugueses no Brasil, 1500-1640*. São Paulo: Loyola, 1982.

THORNTON, John. *Africa and Africans in the Making of the Atlantic World, 1400-1800*. 2.ed. Cambridge: Cambridge University Press, 1998.

TOPLIN, Robert B. *The Abolition of Slavery in Brazil*. Nova York: Atheneum, 1972.

TRINDADE, Alexandro Dantas. *André Rebouças: da Engenharia Civil a Engenharia Social*. Campinas: Unicamp, 2004 (tese de doutorado).

TROITIÑO, Sonia. "Números da Bastardia: os Ilegítimos nos Testamentos Paulistas Oitocentistas". *Anais do XII Encontro Nacional de Estudos Populacionais, Abep*, 2000.

TURNER, J. M. *Les Brésiliens: the Impact of Former Brazilian Slaves upon Dahomey*. Boston: Boston University, 1975 (tese de PhD).

VALENCIA VILLA, Carlos Eduardo. *Produzindo Alforrias no Rio de Janeiro no Século XIX*". Rio de Janeiro: UFRJ, 2008 (dissertação de mestrado).

VALENTIN, Agnaldo. *Arroz no Vale do Ribeira (1800-1888)*. São Paulo: FFLCH-USP, 2006 (tese de doutorado).

VASCONCELLOS, Marcia Cristina Roma de. *Famílias Escravas em Angra dos Reis, 1801-1888*. São Paulo: FFLCH-USP, 2006 (tese de doutorado).

VERGER, Pierre. *Flux et reflux de la traite des négres entre le golfe de Benin et Bahia de Todos os Santos, du dix-septième au dix-neuvieme siècle*. Paris: Mouton & Co./EPHE, 1968.

VERLINDEN, Charles. *L'esclavage dans l'Europe médiévale*. 2 vols. Brugge: De Tempel, 1955-1977.

VERSIANI, Flávio Rabelo. "Brazilian Slavery: toward an Economic Analysis". *Revista Brasileira de Economia*, 48, n. 4, dez. 1994, pp. 463-478.

______. "Escravidão 'suave' no Brasil: Gilberto Freyre Tinha Razão?" *Revista de Economia Política* , 27, n. 2, abr.-jun. 2007.

VERSIANI, Flávio Rabelo & VERGOLIN, José Raimundo Oliveira. "Slave Holdings in Nineteenth-century Brazilian Northeast: Sugar Estates and the Backlands". *XIII Congress of the International Economic History Association*, Buenos Aires, jul. 2002.

______. *Preços de Escravos em Pernambuco no Século XIX.* Brasília: Universidade de Brasília, Departamento de Economia, Texto para Discussão n. 252, out. 2002.

______. *Posse de Escravos e Estrutura da Riqueza no Agreste e Sertão de Pernambuco: 1777-1887.* Brasília: Universidade de Brasília, Departamento de Economia, Texto para discussão n. 231, 2002. Também publicado em *Estudos Econômicos,* 33:2,abr.-jun. 2003, pp. 353-393.

VIANA, Larissa. *O Idioma da Mestiçagem: as Irmandades de Pardos na América Portuguesa.* Campinas: Editora da Unicamp, 2007.

VIEIRA, Alberto. *Os Escravos no Arquipélago da Madeira: Séculos XV a XVII.* Funchal: Centro de Estudos de História do Atlántico, 1991.

______. "Sugar Islands: The Sugar Economy of Madeira and the Canaries, 1450-1650". In: SCHWARTZ, Stuart B. (org.). *Tropical Babylons: Sugar and the Making of the Atlantic World, 1450-1680.* Chapel Hill: University of North Carolina Press, 2004, pp. 42-84.

VIEIRA FILHO, Raphael Rodrigues. *Os negros em Jacobina (Bahia) no Século XIX.* São Paulo: PUC-SP, 2008 (tese de doutorado).

VITORINO, Artur José Renda. "Operários Livres e Cativos nas Manufaturas: Rio de Janeiro, Segunda Metade do Século XIX". *I Jornada Nacional de História do Trabalho,* 2002, Florianópolis, Laboratório de História Social do Trabalho e da Cultura.

______. "Política, Agricultura e a Reconversão do Capital do Tráfico Transatlântico de Escravos para as Finanças Brasileiras na Década de 1850". *Economia e Sociedade,* 17, Campinas, n. 3 (34), dez. 2008, pp. 463-491.

VOGT, John L. *Portuguese Rule on the Gold Coast, 1469-1682.* Athens, Ga.: University of Georgia Press, 1979.

VOLPATO, Luiza Rios Ricci. "Quilombos em Mato Grosso: Resistência Negra em Área de Fronteira. In: REIS, João José Reis & GOMES, Flávio dos Santos (orgs.). *Liberdade por um Fio. História dos Quilombos no Brasil.* São Paulo: Cia. das Letras, 1996, pp. 222-225.

WAKEFIELD, Edward Gibbon. "A Letter from Sydney". [1829.] In: PRITCHARD, Lloyd. (org.). *The Collected Works of Edward Gibbon Wakefield.* Glasgow: Colllins, 1968, pp. 112-113.

WATSON, James (org.). *Asian and African Systems of Slavery.* Berkeley: University of California Press, 1980.

WEINSTEIN, Barbara. "Slavery, Citizenship, and National Identity in Brazil and the United States South". In: DOYLE, Don & PAMPLONA Marco Antonio (orgs.). *Nationalism in the New World*. Athens: Univ. of Georgia Press, 2006, pp. 248-271.

WISSENBACH, Maria Cristina Cortez. *Sonhos africanos, Vivências Ladinas, Escravos e Forros em São Paulo - 1850-1880*. São Paulo: Hucitec, 1998.

WRIGHT, Gavin. *The Political Economy of the Cotton South*. Nova York: Norton, 1978.

YAI, Olabiyi Babalola. "The Identity, Contributions, and Ideology of the Aguda (Afro-Brazilians) of the Gulf of Benin: A Reinterpretation". *Slavery & Abolition*, 22, n. 1, 2001, pp. 61-71.

ZEMELLA, Mafalda P. *O Abastecimento da Capitania das Minas Gerais no Século XVIII*. São Paulo: Hucitec/Edusp, 1990.

ZUBARAN, Maria Angélica. "Os Escravos e a Lei de 7 de Novembro de 1831 no Rio Grande do Sul (1865-1888). *II Encontro "Escravidão e Liberdade no Brasil Meridional"*, 2005.

______. "Escravidão e Liberdade nas Fronteiras do Rio Grande do Sul (1860-1880): o Caso da Lei de 1831". *Estudos Ibero-Americanos*, PUC-RS, 32, n. 2, dez. 2006, pp. 119-132.

Dados Internacionais de Catalogação na Publicação
Biblioteca da Imprensa Oficial do Estado de São paulo

Luna, Francisco Vidal
Escravismo no Brasil / Francisco Vidal Luna, Herbert S. Klein - [São Paulo] : Edusp : Imprensa Oficial do Estado de São Paulo, [2010].
400p. : il.

Bibliografia.
Notas bibliográficas.
ISBN 978-85-314-1248-6 (Edusp).
ISBN 978-85-7060-853-6 (Imprensa Oficial).

1. Escravidão – Brasil - História 2. Escravidão – Aspectos econômicos – Brasil I. Klein, Herbert II. Título.

CDD 326. 098 16

Índice para catálogo sistemático:
1. Escravidão : Brasil : História 981

Foi feito o depósito legal na Biblioteca Nacional
(lei nº 10.994, de 14.12.2004)

Impresso no Brasil 2010

IMPRENSA OFICIAL DO ESTADO DE SÃO PAULO
Rua da Mooca, 1.921 Mooca
03103 902 São Paulo SP
sac 0800 01234 01
sac@imprensaoficial.com.br
livros@imprensaoficial.com.br
www.imprensaoficial.com.br

EDUSP — EDITORA DA UNIVERSIDADE DE SÃO PAULO
Rua da Reitoria, 374 4º andar
Ed. da Reitoria Cidade Universitária
05508-010 São Paulo SP Brasil
Divisão Comercial: Tel. 11 3091-4008 / 3091-4150
SAC 11 3091-2911 Fax 11 3091-4151
www.edusp.com.br — e-mail: edusp@usp.br

imprensaoficial

Diretor-presidente
Hubert Alquéres

Diretor Industrial
Teiji Tomioka

Diretor Financeiro
Flávio Capello

Diretora de Gestão de Negócios
Lucia Maria Dal Medico

Gerente de Produtos Editoriais e Institucionais
Vera Lúcia Wey

Coordenadora Editorial
Cecília Scharlach

Assistente Editorial
Francisco Alves da Silva

Projeto Gráfico e Capa
Guen Yokoyama

Editoração
Ricardo Ferreira

Tratamento de Imagens
Carlos Leandro A. Branco
Leonidio Gomes
Tiago Cheregati

USP

UNIVERSIDADE DE SÃO PAULO

Reitor
João Grandino Rodas

Vice-reitor
Hélio Nogueira da Cruz

edusp

EDITORA DA UNIVERSIDADE DE SÃO PAULO

Diretor-presidente
Plinio Martins Filho

COMISSÃO EDITORIAL

Presidente
Rubens Ricupero

Vice-presidente
Carlos Alberto Barbosa Dantas

Adolpho José Melfi
Chester Luiz Galvão Cesar
Ivan Gilberto Sandoval Falleiros
Mary Macedo de Camargo Neves Lafer

Diretora Editorial
Silvana Biral

Editora-assistente
Carla Fernanda Fontana

formato 15,5 x 23 cm tipologia MetaPlusBook, Univers Lt Std, Utopia papel miolo Chamois Fine Dunas 80g/m², capa Cartão Supremo Duo Design 300g/m² número de páginas 400

Editoração, CTP, Impressão e Acabamento: Imprensa Oficial do Estado de São Paulo

GOVERNO DO ESTADO
DE SÃO PAULO

Governador
Alberto Goldman